Collection *Sociétés*

Derniers ouvrages parus

Continuité et transformations de la nation, sous la direction de Patrick CHARLOT, Pierre GUÉNANCIA et Jean-Pierre SYLVESTRE

Un siècle de construction du vignoble bourguignon : les organisations vitivinicoles de 1884 aux AOC, de Olivier JACQUET

Une citoyenneté européenne dans tous ses « états », sous la direction de Philippe ICARD avec la participation de Juliette OLIVIER

La société russe à travers les faits de langues et les discours, sous la direction de Vladimir BELIAKOV

La Bourgogne au XIVe siècle : fiscalité, population, économie, de Jean RAUZIER

Les origines de la société féodale : l'exemple de l'Autunois (France, Bourgogne), de Olivier BRUAND

Gouvernance de l'eau : intercommunalités et recomposition des territoires, sous la direction de Marguerite BOUTELET, André LARCENEUX et A. BARCZAK

Le Moyen Âge vu d'ailleurs : voix croisées d'Amérique latine et d'Europe, sous la direction d'Eliana MAGNANI

Les établissements hospitaliers en France du Moyen Âge au XXe siècle, sous la direction de Sylvie LE CLECH

Une société agronomique au XVIIIe siècle : les Thésmophores de Blaison-en-Anjou, sous la direction d'Antoine FOLLAIN

Les savoirs communicants : entre histoire, usages et innovations, sous la direction de Rosette BONNET, Jacques BONNET et Daniel RAICHVARG

Visages de la manifestations en France et en Europe (XIXe-XXIe siècle), sous la direction de Maurice CARREZ et Vincent ROBERT

La littérature pour la jeunesse : médiologie des pratiques et des classements, Pierre BRUNO

Commerces et mobilités, sous la direction de Yves BOQUET et René-Paul DESSE

Le numérique éducatif (1977-2009) : 30 ans d'un imaginaire pédagogique officiel, Daniel MOATTI

La France et le Chancelier Brüning : imaginaire et politique, 1930-1932, Franziska BRÜNING

Editions Universitaires de Dijon
eud@u-bourgogne.fr
http://www.u-bourgogne.fr/EUD

ISBN 978-2-915611-69-4
ISSN 1628-5409

Un nombre considérable de personnes ont contribué à la publication de ce livre. J'évoquerai tout d'abord le personnel du Bundesarchiv à Berlin/Lichterfelde, en particulier Mme Sieglinde Hartmann pour son aide indispensable. Je remercie également le personnel des Éditions Universitaires de Dijon pour leur patience. Ma correctrice, Hélène Souviron qui a rendu possible la parution d'un texte trop long et souvent assez lourd. J'adresse toute ma gratitude à Jean-Paul Cahn qui m'a incité à travailler sur ce sujet et m'a « porté » jusqu'au bout.

Cet ouvrage est mon premier livre en français ; il est dédié aux femmes qui m'ont intégré dans la société française, surtout L.C. et D.P., mais beaucoup d'autres à Paris, Dijon et ailleurs. Je vous remercie de m'avoir accueilli.

Abréviations citées

AA	Auswärtiges Amt
ABF	Arbeiter- und Bauernfakultät
ALN	Armée de Libération Nationale
BGL	Betriebsgewerkschaftsleitung
BRD	Bundesrepublik Deutschland (= RFA)
CC	Comité Central
CED	Communauté européenne de Défense
CGT	Confédération Générale du Travail
CISL	Confédération Internationale des Syndicats Libres
CNA	Congrès National Algérien
CRA	Croissant-Rouge Algérien
CSR	République Tchécoslovaque (jusqu'en juillet 1960)
CSSR	République Socialiste Tchécoslovaque
DAG	Deutsch-arabische Gesellschaft
DDR	Deutsche Demokratische Republik (= RDA)
DRK	Deutsches Rotes Kreuz
EK	Elektrokombinat
FDGB	Freier Deutscher Gewerkschaftsbund
FDJ	Freie Deutsche Jugend
FLN	Front de Libération Nationale
FSM	Fédération Syndicale Mondiale
GPRA	Gouvernement Provisoire de la République Algérienne
IBFG	Internationaler Bund Freier Gewerkschaften (= CISL)
KPA	Kommunistische Partei Algeriens (= PCA)
KPF	Kommunistische Partei Frankreichs (= PCF)
MAE	Ministère des Affaires Etrangères
MdI	Ministerium des Innern
MfAA	Ministerium für Auswärtige Angelegenheiten
MfK	Ministerium für Kultur
MNA	Mouvement National Algérien
ND	Neues Deutschland
PCA	Parti Communiste Algérien
PCF	Parti Communiste Français
PRA	Provisorische Regierung Algeriens (= GPRA)
PRdRA	Provisorische Regierung der Republik Algerien (= GPRA)
RAU	République Arabe Unie
RDA	République Démocratique Allemande
RFA	République Fédérale d'Allemagne
RTA	Radio-Télévision algérienne
SDECE	Service de documentation, d'enquêtes et de contre-espionnage
SED	Sozialistische Einheitspartei Deutschlands
SPD	Sozialdemokratische Partei Deutschlands
UGEMA	Union Générale des Etudiants Musulmans Algériens
UGTA	Union Générale des Travailleurs Algériens
UNEA	Union Nationale des Etudiants Algériens
VDS	Verband Deutscher Studenten
VEB	Volkseigener Betrieb
WGB	Weltgewerkschaftsbund (= FSM)
ZK	Zentralkomitee (= CC)

INTRODUCTION

La guerre d'Algérie : cinquante ans après sa fin en 1962 elle fait certainement partie de l'histoire – et aussi de l'historiographie.

Les travaux de Benjamin Stora et d'autres ont traité des aspects de mémoire de cette guerre qui ne disait pas son nom. Ces travaux continuent avec des études plus spécifiques de politique de mémoire, entre autres le livre de Todd Shepard sur « l'invention de la décolonisation »[1].

Depuis que l'on a le droit de qualifier officiellement les « événements » de guerre coloniale, l'intérêt du public s'est dirigé, en ce qui concerne les faits proprement dits, vers les aspects du conflit armé : tortures, juridiction militaire, conflits de conscience des participants (surtout des soldats français), désertions, « porteurs de valises ». En 2004, à l'occasion du cinquantième anniversaire de la révolte du 1er novembre 1954, des avocats, des militaires, quelques hommes (très peu de femmes) politiques, surtout français, ont été interrogés. Ils ont évoqué les « événements » du côté français surtout, parfois du côté algérien.

Or, jusqu'aujourd'hui, l'aspect international de cette guerre n'a été traité que rarement. Ceci est étonnant, car très tôt cet aspect a été un élément essentiel de la politique du Front de Libération Nationale (FLN) puis du Gouvernement Provisoire de la République Algérienne (GPRA). On en veut pour preuve que la France menaçait les pays voulant reconnaître le GPRA de représailles diplomatiques. Pourtant, les ouvrages sur les relations internationales liées à cette guerre sont rares et ne trouvent pas assez d'écho, à mon avis, même parmi les historiens français[2]. Je prends pour

1. SHEPARD, Todd : *The Invention of Decolonization.* Cornell Ithaca 2006 ; en français : *1962. Comment l'indépendance algérienne a transformé la France.* Payot, Paris 2008.

2. Il ne s'agit pas ici d'énumérer tous les ouvrages où des éléments internationaux du conflit sont évoqués, comme dans l'ouvrage : MORRIS-JONES, W. H./FISCHER, Georges : *Decolonisation and after. The British and French Experience.* London, Frank Cass 1980, où dans sa contribution sur «The Maghreb Response to French Institutional "Transfers" : problems of analysis » Jean-Claude Vatin constate que

exemple le sort du livre de Hartmut Elsenhans, paru à Munich en 1974. Cet ouvrage, tentative remarquable de l'historien allemand de placer le conflit dans la perspective globale des années 1950 et 60, a été traduit en français plus de 25 ans après sa parution. L'aspect international de l'ouvrage a par ailleurs complètement disparu du titre français dont la traduction littérale serait « La guerre d'Algérie de la France. Tentative de décolonisation d'une métropole capitaliste. Exemple de l'écroulement d'un empire colonial »[1].

Dans une certaine mesure, l'attitude française envers ces questions a longtemps été conséquente, puisque l'affaire était considérée comme relevant de la politique intérieure. Aujourd'hui un débat sur la guerre d'Algérie dans son contexte international commence à s'instaurer. Dès 1995, Charles-Robert Ageron réunit dans un ouvrage collectif des contributions qui traitent de certains aspects internationaux du conflit en Afrique du Nord[2]. En 2002, Matthew Connelly appelle la politique du FLN et du GPRA une « révolution diplomatique »[3].

En France, d'autres études sur les aspects plus proprement internationaux du conflit existent. Dès ses premières publications, Mohammed Harbi, actif dans la politique étrangère du FLN entre 1958 et 1960, entre autres comme directeur du cabinet civil de Belkacem Krim, ministre des Affaires étrangères du GPRA à Tunis, se concentre sur l'activité du FLN au plan international – Harbi est par ailleurs l'un des principaux détenteurs de sources sur le FLN et le GPRA, comme le montrent ses *Archives de la révolution algérienne*[4]. Gilbert Meynier, parfois avec Harbi, a publié plusieurs ouvrages visant à intégrer la politique internationale dans l'histoire du conflit. Pourtant, les analyses de ces historiens visent plutôt la politique générale des Algériens en guerre, et surtout celle à l'intérieur des différents appareils concurrents du FLN et du GPRA.

Or si – selon Clausewitz[5] – la guerre est la continuation de la politique avec d'autres moyens, on ne saurait oublier que la politique est un élément même de la guerre, non seulement entre les belligérants (tractations d'armistices, négociations sur la fin de la

---

« the main task [des "nationalist counter-institutions"] had been the organisation of the military and diplomatic struggle rather than the rebuilding of society… » (p. 268).

1. ELSENHANS, Hartmut : *Frankreichs Algerienkrieg 1954-1962. Entkolonisierungsversuch einer kapitalistischen Metropole. Zum Zusammenbruch der Kolonialreiche.* München 1974 (en français : *La Guerre d'Algérie 1954-1962. La transition d'une France à l'autre. Le passage de la IVe à la Ve République.* Paris, Publisud, 1999).

2. AGERON, Charles-Robert/MICHEL, Marc : (éd.) : *L'ère des décolonisations*, Paris, Karthala, 1995 ; Guy Pervillé traite de la « Décolonisation "à l'algérienne" et "à la rhodésienne" en Afrique du Nord et en Afrique australe », Robert Holland de « Dirty wars : Algeria and Cyprus compared » et Ageron lui-même des « Guerres d'Indochine et d'Algérie au miroir de la "guerre révolutionnaire" ». Par rapport à la dernière thématique je me dois de rajouter que dans l'ouvrage initial pour mon Habilitation à diriger des recherches (HdR), un prologue traitait des parallèles entre le rapatriement d'Indochine et d'Algérie de membres d'origine allemande de la Légion étrangère. Ce prologue sera publié dans la revue *Guerres mondiales et conflits contemporains* en 2011.

3. CONNELLY, Matthew : *A Diplomatic Revolution : Algeria's fight for Independence and the Origins of the Post-Cold War Era.* Oxford University Press, Oxford, 2002.

4. HARBI, Mohammed : *Les Archives de la Révolution algérienne.* Paris, Éditions Jeune Afrique, 1981.

5. L'un des derniers ouvrages sur la théorie de Clausewitz est l'étude de HEUSER, Beatrice : *Reading Clausewitz*, London, Pimlico, 2002. Voir particulièrement le chapitre « Politics, the Trinity and Civil-Military Relations ».

guerre puis la paix), mais surtout des belligérants avec leurs alliés, les pays restés neutres, les fournisseurs de matières premières et d'autres matériaux nécessaires pour la guerre, qu'ils soient des États ou des structures non étatiques.

Il s'agit dans le cas de l'Algérie de 1954 à 1962, selon la classification de Dieter Langewiesche, d'une « guerre asymétrique »[1], l'Algérie n'ayant pas été reconnue comme un État ou une nation par l'autre belligérant, la République Française.

Or, si Elsenhans a tenté de situer cette guerre qui ne voulait pas dire son nom – pour le moins en France – au niveau mondial, très peu d'études traitent des relations de l'Algérie en lutte pour son indépendance avec des États particuliers. Pourtant, le futur État avait besoin d'aide, au niveau militaire, au niveau politique mais aussi au niveau diplomatique à partir de la création du GPRA en septembre 1958.

Quand on regarde ne serait-ce que les documents des militaires français en Afrique du Nord, l'existence sur place d'armes d'autres origines que celles – détournées – de l'armée française apparaît rapidement. Il s'avère que les armes venaient de tous les horizons – non seulement des pays soi-disant socialistes – et que l'acheminement se faisait souvent par des bateaux privés, entre autres ouest-allemands (voir à ce propos le livre de Jean-Paul Cahn et de Klaus Jürgen Müller)[2]. Mais ce qui était peut-être encore plus important, c'était les formateurs étrangers des « fédayins » algériens. Or, les formateurs que les militaires français purent identifier venaient très souvent de pays du bloc soviétique et de Chine. L'aide de ces pays aux combattants algériens était pour les militaires français tout à fait évidente. Pourtant on ne trouve dans la littérature sur la guerre d'Algérie pas d'étude sur les relations des organismes algériens de l'époque avec ces pays.

L'un des rares ouvrages sur l'Algérie en guerre et ses relations avec un État, en l'occurrence la RFA, est le livre de Jean-Paul Cahn et de Klaus Jürgen Müller. Les auteurs traitent de manière exhaustive les relations difficiles de la RFA avec la France en conflit avec ses départements nord-africains. Après les péripéties autour de la Communauté européenne de Défense (CED) et l'admission de la RFA au sein de l'OTAN, la France était en train de devenir son partenaire essentiel en Europe. La plupart des responsables politiques à Bonn étaient plutôt anticolonialistes et surtout très tôt convaincus que l'Algérie devait être un État indépendant. Les auteurs de l'ouvrage étudient donc aussi les relations entre le FLN, seul partenaire algérien crédible, et les institutions ouest-allemandes officielles ou officieuses (organismes politiques ou syndicaux, de droite comme de gauche), et les conséquences de la présence des Algériens résidant de façon plus ou moins légale en RFA. Mais ils démontrent surtout le poids du contexte international, qu'il s'agisse de la politique de l'Union Soviétique, des États-Unis, du Tiers Monde naissant avec le mouvement de Bandoeng – auquel le GPRA adhérait – et des politiques économiques des différentes puissances concernées.

---

1. La différence entre les guerres entre États, Nations et des « guerres asymétriques » (guerres civiles, attaques terroristes etc…) à été résumée récemment par Dieter LANGEWIESCHE sous le titre « Zum Wandel von Krieg und Kriegslegitimation in der Neuzeit » dans : *Modern European History/Revue d'histoire européenne contemporaine.* (C.H. Beck, München) Vol.2/2004/1, p. 5-27.

2. CAHN, Jean-Paul/MÜLLER, Klaus-Jürgen : *La République Fédérale d'Allemagne et la Guerre d'Algérie 1954-1962.* Paris, Le Félin, 2004.

C'est dans une perspective similaire que mon étude tente de poursuivre la recherche sur les relations de l'Algérie en guerre avec des pays qui pouvaient l'aider dans son combat. En effet, Cahn et Müller n'ont pris en compte qu'un côté du « rideau de fer » alors que l'Allemagne de l'Ouest et celle de l'Est se trouvèrent à partir de 1955, soit peu après la rébellion à Alger du 1er novembre 1954, définitivement ancrées dans les blocs opposés, l'OTAN et le pacte de Varsovie.

Il était tentant, d'après la lecture de l'étude de Cahn et Müller, de voir si l'autre Allemagne était elle aussi impliquée dans cette guerre. La rivalité entre les deux États allemands pouvait-elle se répercuter sur un terrain aussi lointain ? La RDA pouvait-elle renoncer à une surenchère après l'installation d'une mission « officieuse » du FLN à Bonn, représenté par la direction de la Fédération de France, à l'ambassade de Tunisie, dès avril 1958 ? Plus généralement, une « démocratie populaire » pouvait-elle rester neutre face à une guerre de libération coloniale dans le Tiers Monde ?

La présente étude essaie également de scruter le poids de l'idéologie dans la politique d'un État qui se réclamait du marxisme-léninisme. Elle tente de faire apparaître plus concrètement les frontières entre une politique proprement idéologique et une *Realpolitik* – si toutefois ces frontières existent ; elle s'efforce en outre de faire ressortir les différences des politiques des deux partenaires : un État récent et dépendant politiquement de l'URSS, et une structure non-étatique constituée sur une idéologie nationaliste contestée même par le parti le plus anticolonialiste de France, le PCF – au moins au début du conflit – et vaguement islamique, mais aucunement « socialiste » au sens soviétique du terme.

Dans l'étude d'un État qui fonctionne selon les principes du « centralisme démocratique », il convient aussi d'examiner la chaîne des décisions, autrement dit les compétences réelles des différentes institutions, et leur impact sur les relations des autorités de la RDA avec un organisme dont la structure restait opaque, un État encore virtuel et ses représentants. Les fonctionnaires est-allemands n'étaient pas forcément à l'aise avec une telle structure, qui, par exemple, ne disposait pas d'un service diplomatique proprement dit.

Quant à l'Algérie en guerre, elle avait à l'évidence besoin de toute l'aide et de tous les soutiens possibles, et devait donc nouer des contacts avec les États dits socialistes, se voulant anti-impérialistes, parmi eux la RDA. Celle-ci présentait deux avantages. D'abord elle était située en face de la RFA et pouvait donc éventuellement servir de refuge pour les Algériens qui ne pouvaient plus rentrer en France et n'étaient plus tolérés en Allemagne de l'Ouest. Ensuite la RDA n'avait pas de relations diplomatiques avec la France et n'était donc pas obligée de la ménager. Par contre, le FLN avec ses organisations telles que l'Union Générale des Travailleurs Algériens (UGTA) et l'Union Générale des Étudiants Musulmans Algériens (UGEMA), devait, dans ses contacts avec la RDA, tenir compte des contacts existants avec la RFA.

Contrairement à la conviction de certains anciens partisans de l'Algérie française, les dirigeants du FLN n'étaient pas des idéologues marxistes et encore moins des communistes. Or, en RDA, ils devaient justement « composer » avec ce type d'hommes politiques. Puisqu'un minimum de compréhension du comportement du partenaire est nécessaire pour travailler ensemble, l'une des questions qui se posent est donc celle de la communication entre les représentants du FLN et ceux de la RDA.

Pour compliquer une coopération entre les représentants du FLN et les autorités est-allemandes, il y eut sur place une autre organisation algérienne, bien plus proche de celles-ci, le Parti Communiste Algérien (PCA).

Puisque le PCA s'était aligné en 1956 sur le mouvement de libération nationale en Algérie représenté par le FLN tout en restant une organisation communiste autonome qui avait une section externe résidant à Prague, il est intéressant de voir comment la RDA gérait l'éventuelle concurrence entre le mouvement officiel de libération et le parti frère du Parti socialiste unifié d'Allemagne (*Sozialistische Einheitspartei Deutschlands/SED*).

Le FLN devait gérer, à son tour, les éventuelles immixtions du PCA, plus proche que le FLN de « l'État allemand des ouvriers et des paysans ».

S'ajoutera à ce complexe, la perception qu'avaient les militaires français des relations entre l'Algérie naissante et la *DDR*, comme on l'appelle parfois dans les rapports des services, notamment le Service de documentation, d'enquêtes et de contre-espionnage (SDECE). Par l'étude de ces documents et aussi des quelques dossiers au ministère des Affaires étrangères de Paris concernant les relations entre RDA et Algérie, la France trouve dans l'étude la place qui lui est due. Elle apparaît indirectement parce qu'elle n'avait pas de relations officielles avec la RDA[1].

Ne seront pas négligées les relations que les autorités et la population de la RDA avaient avec les ressortissants algériens sur son sol et qui arrivèrent souvent de RFA, où ils s'étaient réfugiés après avoir quitté la France. Étudiants en formation universitaire et ouvriers dans les entreprises posaient parfois de graves problèmes aux autorités est-allemandes. Ici, comme dans les contacts qu'avaient les responsables des organisations est-allemandes et algériennes, les difficultés venaient souvent d'un manque total de connaissances du partenaire.

En résumé, mon étude se propose de dessiner les relations complexes d'un État structuré et fortement idéologisé avec une structure proto-étatique qui ne relevait pas du même monde. Elle met en évidence des malentendus et des dysfonctionnements qui résultent pour la plupart d'une méconnaissance des modes de fonctionnement du partenaire, mais aussi parfois de la mauvaise volonté et des dissensions internes dans les deux camps.

La conception de cet essai s'est heurtée à un certain nombre de difficultés. L'organisation ne peut être purement chronologique, parce que certaines périodes s'avèrent plutôt creuses, tandis que pendant d'autres, beaucoup de phénomènes et d'événements interviennent simultanément.

Une organisation purement thématique ne s'impose pas davantage, car elle aurait eu pour conséquence de retracer plusieurs fois la même période dans son déroulement.

J'ai opté pour un compromis. Certes, l'ouvrage s'ouvre sur le début de la guerre et se termine en 1962, quand la RDA fait face à un véritable État, l'Algérie indépendante, qui avait le droit et, au moins théoriquement, toutes les possibilités d'agir librement au niveau international.

1. Des relations entre les partis communistes, le PCF et le SED, existaient pourtant (voir infra note 1 p. 13).

Mais entre ces deux chapitres sont traités non pas des événements particuliers, mais des thématiques cohérentes à travers un certain laps de temps. Ainsi le chapitre sur les étudiants algériens en RDA englobe-t-il toute la période de leur présence jusqu'au printemps 1962, avec les péripéties administratives et politiques les concernant, mais aussi avec les problèmes sociologiques et culturels, voire interculturels, qu'ils ont posés tout le long de leur séjour.

Logiquement les neuf chapitres qui constituent cette étude se distinguent non seulement par leur contenu, mais aussi par leur longueur.

Afin de comprendre l'étude, il n'est pas nécessaire d'avoir en tête tous les événements de l'époque, d'être au courant de la discussion autour de la CED, de connaître la naissance et la rivalité des deux États allemands, la position de la France dans le monde de l'après-guerre, la Quatrième et les débuts de la Cinquième République ainsi que les détails du conflit franco-algérien. Les événements qui ont un lien direct avec les relations entre l'Algérie et la RDA, tel l'avènement de de Gaulle, ainsi que les concepts politiques, telle la doctrine *Hallstein*, sont mentionnés dans le déroulement du récit.

Toutefois, je ne peux supposer que tous les lecteurs de cette étude lisent l'allemand, raison pour laquelle j'ai traduit en français les textes en allemand que j'ai utilisés[1].

La recherche documentaire pour une étude comme celle-ci est aléatoire. Les archives algériennes sur cette époque sont presque inexistantes[2]. L'un des participants à un colloque sur la mémoire de la guerre d'Algérie, Fouad Soufi, ancien directeur des archives d'Oran, m'a confirmé, en 2004, que peu de documents sur la période de la guerre sont restés en Algérie même[3]. Cette information est corroborée par les travaux de Gilbert Meynier qui n'utilise que les fonds que Mohammed Harbi a sauvés et publiés. Une enquête auprès des Archives nationales/Centre des Archives d'Outre-Mer à Aix-en-Provence conduit au même résultat : dans les fonds de ces Archives aucun document n'est trouvable sur le sujet que j'envisageais de traiter[4].

La RDA n'avait pas, dans les années 1950 et 60, de relations diplomatiques avec la France. Je ne pouvais donc pas espérer trouver dans des documents officiels français des

1. Le problème est qu'il s'agit pour la plupart d'une retraduction : beaucoup de documents d'origine algérienne que j'ai consultés aux Archives Fédérales d'Allemagne (*Bundesarchiv*) à Berlin ont été traduits en allemand pour les fonctionnaires concernés et les originaux ne se trouvent que très rarement dans les archives allemandes. Si un jour, les originaux apparaissaient, on remarquerait sûrement un certain nombre d'inexactitudes dues à cette double traduction. En plus, souvent ces documents ne sont pas seulement des textes administratifs et par là même déjà arides, mais ils ont un arrière-fond idéologique caché dans un jargon particulier, utilisé par les fonctionnaires entre eux.

2. Dans certains réunions « d'anciens », on entend parfois parler d'archives dans la possession de particuliers, surtout en Algérie. Non seulement ces documents et leurs détenteurs n'ont pas encore été publiés dans de travaux scientifiques, mais les collègues qui en parlent, deviennent extrêmement évasifs, quand on leur pose des questions concrètes.

3. Le colloque a eu lieu à Braunschweig/RFA, en février 2004. Les Actes ont été publiés par les soins de Christiane KOHSER-SPOHN et de Frank RENKEN sous le titre : *Trauma Algerienkrieg. Zur Geschichte und Aufarbeitung eines tabuisierten Konflikts*. Frankfurt a. M., Campus, 2006. Ma contribution à ce colloque s'intitule : « Ideologie oder Macchiavelismus ? Die Algerienpolitik der DDR », p. 245-261.

4. Selon la lettre de Mme Martine Cornède, datée du 21 octobre 2004, en ma possession.

informations sur des relations de la RDA avec le FLN voire le GPRA, c'est-à-dire des protestations, mises en garde, etc., comme Cahn et Müller en citent pour la RFA.

Si la France n'entretenait pas des relations diplomatiques avec la RDA[1], de telles relations existaient bien entre le SED et le PCF depuis la fin de la guerre ; un certain nombre de dossiers « SAPMO » au *Bundesarchiv* le prouvent[2]. Bien que l'accès aux archives du PCF ait été largement facilité depuis quelques années, on n'y trouve pas, semble-t-il, de documents sur les relations de ce parti avec le SED dans les années 1950 et le début des années 60[3].

En revanche, les archives de l'armée française s'avèrent fructueuses sur l'Afrique du Nord, et aussi sur les relations que le mouvement de libération pouvait avoir dans le monde. J'ai trouvé effectivement au Service Historique de la Défense/Département de l'Armée de Terre (SHD/DAT, anciennement SHAT) à Vincennes des renseignements précieux non seulement sur l'ALN, le FLN et le PCA, mais aussi sur certains liens entre le FLN et le PCA avec les pays dits « socialistes », dont la RDA.

Aux sources algériennes déjà évoquées et publiées par Mohammed Harbi, en partie en commun avec Gilbert Meynier[4] s'ajoutent sur la période ici traitée les numéros du périodique clandestin du FLN, *El Moudjahid*[5].

Les documents du côté allemand proviennent essentiellement du *Bundesarchiv* de Berlin, notamment aux archives du FDGB, de la Jeunesse allemande libre (*Freie Deutsche Jugend/FDJ*) et des départements qui s'occupaient de la politique internationale au SED. Ces fonds m'ont naturellement servi à travailler sur la partie est-allemande, l'action et les réactions des fonctionnaires de la RDA pour ce qui concernait l'Algérie.

S'y ajoutent les archives du *Ministerium für Auswärtige Angelegenheiten* (MfAA), le ministère des Affaires étrangères de la RDA, qui sont conservées aux Archives politiques du ministère des Affaires étrangères (*Politisches Archiv des Auswärtigen Amtes*) à Berlin. Un grand nombre d'informations utiles sur les négociations entre représentants du GPRA et du MfAA s'y trouvent.

Pour suivre la propagande de la RDA, j'ai dépouillé le quotidien *Neues Deutschland*, (*ND*), l'organe officiel du SED en RDA[6]. Cette source permet de confronter les informations que les autorités de la RDA voulaient rendre publiques, avec la politique réelle. Sur la question de savoir si la politique de la RDA envers le FLN était une politique idéologique ou une *Realpolitik* différente de l'idéologie officielle, on trouve des éléments de réponse dans ce quotidien.

---

1. Un certain nombre de dossiers dans les Archives du ministère des Affaires étrangères (MAE) à Paris se sont pourtant avérés utiles pour comparer ces informations avec celles des services militaires. Les informations des agents français présents auprès du gouvernement militaire à Berlin, qui s'y trouvent, sont parfois d'une certaine utilité.
2. Stiftung Archiv der Parteien und Massenorganisationen der DDR im Bundesarchiv, désormais SAPMO-BArch.
3. Selon une information du responsable de cette section des archives du PCF, M. Pascal Carreau (courriel du 30 novembre 2005).
4. HARBI : *Les archives de la révolution…* ; idem et MEYNIER, Gilbert : *Le FLN. Documents et Histoire 1954-1962*. Paris, Fayard, 2004.
5. On trouve plusieurs éditions à la Bibliothèque Nationale de France.
6. Quelques années du *ND* se trouvent à la BNF ; la BDIC en possède une collection quasi complète.

Le corpus documentaire sur lequel s'appuie mon étude est donc composé d'éléments de cinq archives : SAPMO au *Bundesarchiv*, Archives du MAE à Paris, Archives du MfAA de la RDA au *Politisches Archiv des Auswärtigen Amtes*, SHD/DAT et les documents publiés par Harbi et Meynier et d'éléments de la presse de l'époque.

Les archives du PCA posent question. La responsable du Centre des Archives d'Outre-Mer écrit dans la lettre qu'elle m'a adressée, qu'aux Archives nationales, ces archives ne sont pas connues[1]. Je ne suis pas optimiste quant aux chances de trouver trace de telles archives, car aucun des rares auteurs qui ont travaillé sur le PCA ne les mentionne, Henri Alleg et Sadek Hadjeres – anciens responsables du PCA – inclus.

Le lecteur comprend dès maintenant qu'il sera confronté à de nombreux personnages de différents niveaux sociaux et mentalités, qui ont différents intérêts et qui parlent différentes langues, qui dissimulent différentes arrière-pensées. Le docteur Michel Martini, médecin français au service du FLN en Tunisie pendant la guerre d'Algérie, raconte dans ses mémoires qu'il était parfois obligé d'accompagner des collègues des pays de l'Est venus à Tunis pour sonder les possibilités d'aide médicale aux Algériens. Il décrit le séjour de médecins yougoslaves qui ne parlaient ni français ni arabe. Comme Martini parlait italien et allemand, les médecins du pays « socialiste » communiquaient avec le médecin français, issu de la bourgeoisie parisienne, certes à cette époque communiste, mais déjà assez anarchisant, en allemand. Martini décrit cette expérience interculturelle ainsi :

> « J'ai un souvenir assez étonnant des trois jours [...] qu'ils passèrent là et surtout de cette impression étrange que tout ce qu'ils avaient pu découvrir des besoins algériens, ils l'avaient fait à travers une langue qui n'était ni la leur ni celle des Algériens, et grâce à un interprète dont l'algérianité n'était quand même pas très profonde. [...] Cela dura trois jours et je dois avouer que j'étais sur les genoux »[2].

En travaillant sur les fonctionnaires de toutes sortes de la RDA, sur les étudiants et les ouvriers algériens, sur les vrais et les faux émissaires du FLN, de l'ALN et du GPRA, sur les représentants du PCA, toutes ces personnes passant par Prague, Moscou, Varsovie, Cologne ou Berlin-Ouest pour aller à Berlin-Est, Dresde, Leipzig, Bernau ou Bischofswerda, l'auteur s'est parfois senti un peu comme le Dr. Martini avec ses collègues yougoslaves. Il espère ne laisser aucun lecteur dans cet état après le parcours qu'il lui propose.

---

1. Voir note 2 p. 9.
2. MARTINI, Michel : *Chroniques des années algériennes 1946-1962*. Saint Denis, Bouchène 2002, p. 247.

LES DÉBUTS DES RELATIONS ENTRE LA RDA ET L'ALGÉRIE : RAPATRIEMENT DE LÉGIONNAIRES ALLEMANDS ET UN ANCIEN « TROTSKISTE » ENTRE RFA ET RDA

Pour savoir si un État tel que la RDA se montre fidèle à son idéologie dans sa politique étrangère, il convient de regarder ce que les détenteurs du pouvoir ont posé comme base. Regardons donc ce que des idéologues du régime est-allemand fixent comme règles pour la politique étrangère d'un État socialiste. Peter Klein la définit, dans son histoire de la politique étrangère de la RDA datant de 1968 :

> L'engagement sans compromis de la RDA pour le maintien et la sécurité de la paix mondiale se montra [...] à l'exemple de ses [...] mesures sérieuses pour soutenir la lutte du peuple vietnamien contre la sale guerre au Vietnam, [...] dans son soutien de la juste revendication du peuple égyptien au cours de la nationalisation de la Société du canal de Suez, dans la lutte contre l'agression impérialiste au Liban en 1958, dans le secours pour la juste lutte de libération du peuple algérien [...].[1]

On voit que la politique étrangère de la RDA consista en grande partie en un soutien des peuples que l'on devait appeler plus tard le Tiers Monde. On voit également que le Proche Orient y joua un certain rôle, mais on s'aperçoit que la date donnée avant l'évocation de la « lutte de libération du peuple algérien » est 1958 – comme si cette lutte avait commencé là. Effectivement, la RDA s'engagea relativement tard dans le combat de cette « colonie » contre le « colonialisme impérialiste ».

Dans les « Dokumente zur Außenpolitik der Regierung der Deutschen Demokratischen Republik », l'édition officielle des textes concernant la politique étrangère de la RDA, on ne trouve jusqu'en 1955 aucune évocation directe du conflit. Même indirectement, le soutien des communistes au pouvoir dans la partie Est de l'Allemagne à la décolonisation de cette partie de l'Afrique du Nord n'était décryptable

---

1. KLEIN, Peter (Hg.) : *Geschichte der Außenpolitik der Deutschen Demokratischen Republik.* Berlin (Ost) 1968, p. 377-378.

que dans des déclarations d'ordre général. Dans l'introduction au tome III de l'édition, les éditeurs expriment la volonté du gouvernement « de soutenir la lutte des peuples coloniaux et semi-coloniaux pour leur liberté et leur souveraineté nationale ».[1]

Ce n'est qu'en décembre 1955 que l'on trouve, dans une déclaration commune du gouvernement de la RDA et du gouvernement de la République populaire de Chine, une délimitation plus concrète du territoire, où le soutien d'une lutte anti-colonialiste pouvait avoir un sens :

> Les deux parties saluent avec plaisir l'évolution rapide des forces nationales démocratiques dans les territoires asiatiques et africains, et les lourdes défaites qu'y subit le colonialisme. [...] Ils soutiennent [...] la lutte des peuples nord-africains pour leur autodétermination.[2]

Le terme même d'autodétermination – qui n'était guère d'actualité dans la vie politique française - n'est pas synonyme d'indépendance. Avec cette déclaration, la RDA se trouvait sur la ligne du PCF de la même époque qui, en mars 1956, ne s'était pas opposé au vote des pouvoirs spéciaux à Guy Mollet, et n'avait donc pas encore pris position pour l'indépendance de l'Algérie.[3] Le parti frère au pouvoir en RDA ne pouvait pas être plus royaliste que le roi, d'autant moins que la seule possibilité pour nouer des contacts avec la France – qui n'entretenait pas, à cette période, de relations diplomatiques avec la « deuxième » Allemagne – était de passer par le PCF. En effet, on pouvait compter, de ce côté de la frontière inter-allemande, avec les inquiétudes d'une partie de la gauche française - gaullistes de gauche inclus – concernant l'Allemagne fédérale et son intégration dans le système occidental, dont le leader était les États-Unis « impérialistes », un « impérialisme » qui devint évident entre autres lors de la guerre de Corée. Se mêlaient ainsi des craintes françaises devant le réarmement de l'Allemagne occidentale et un certain anti-américanisme, dont le PCF était à la fois porteur et symbole pour les communistes au pouvoir en RDA.[4]

Par ailleurs, l'Union Soviétique n'avait pas fixé les lignes d'une politique commune concernant les événements en Algérie, ce qui explique partiellement la prudence, aussi bien de la RDA que du PCF.

Un autre élément d'explication est la position de la France dans le calcul politique de la RDA.[5] Au moins avant 1958 et donc avant le retour du Général de Gaulle, la France était

---

1. Dokumente zur Außenpolitik der Regierung der Deutschen Demokratischen Republik Bd. III :Vom 22. Mai 1955 bis zum 30. Juni 1956, Berlin-Ost 1956, p. 13.
2. *Ibid.*, p. 422 : « Gemeinsame Erklärung der Regierung der Deutschen Demokratischen Republik und der Regierung der Volksrepublik China » du 25 décembre 1955.
3. L'une des premières prises de postions officielles d'un responsable du PCF concernant l'indépendance de l'Algérie est une conférence de presse de Jacques Duclos à Berlin Est, le 29 mai 1957 : « Nous communistes sommes partisans de la reconnaissance du droit du peuple algérien à son indépendance nationale. Nous reconnaissons ce droit d'autant plus volontiers que nous ne voulons pas que les cercles dirigeants français suppriment l'indépendance de notre patrie la France dans une petite Europe. » (SAPMO-BArch DY 30/ IV 2/20/ 234, feuille 57).
4. Cf. sur cette problématique PFEIL, Ulrich : Die « anderen » deutsch-französischen Beziehungen. Die DDR und Frankreich 1949-1990. Köln : Böhlau 2004, p. 236 *sq.* ; METZGER, Chantal : « La politique française de la République Démocratique Allemande 1949-1955 », *in* : ALLAIN, Jean-Claude (éd.) : *Des étoiles et des croix*. Paris 1995.
5. Cf. JARDIN, Pierre : « La place de la France dans la stratégie diplomatique de la RDA (1949-1961) », *in* : PFEIL, Ulrich : *La RDA et l'Occident (1949-1990)*, Publication de l'Institut d'Allemand d'Asnières, Asnières 2000.

considérée comme une puissance qui pouvait servir d'intermédiaire entre les deux blocs et devait donc être ménagée. Il est significatif, dans ce contexte, que la RDA conclut avec la France, au milieu de 1956, un accord commercial portant sur plus de 26 000 000 $.[1]

La première évocation de l'Algérie dans un document officiel de la RDA se situe dans un contexte qui, à première vue, n'avait aucun lien avec la guerre coloniale conduite par la France. Il s'agit d'une réaction du MfAA de la RDA au Traité de Rome, signé en mars 1957 et ratifié par le Bundestag et l'Assemblée Nationale française en juillet de la même année. La RDA y dénonce les « tentatives d'expansion du gouvernement de la République Fédérale d'Allemagne » et évoque en même temps la Légion étrangère :

> La plus grande partie des investissements prévus par tous les partenaires du Traité est destinée aux colonies françaises, dans lesquelles les partenaires du Traité sur le « marché commun » incluent également l'Algérie. [...] Avec le soutien du gouvernement ouest-allemand, des Allemands participent activement à la répression du mouvement de libération algérien, ceci en tant que membres de la Légion étrangère. Suivant le même objectif le ministre de la guerre de Bonn, Strauß, lors d'un récent « voyage d'information » en Algérie et dans le Sahara s'entretint avec le ministre de la guerre français sur un stationnement de soldats ouest-allemands de l'OTAN en Afrique du Nord. [...] Le gouvernement de la République Démocratique d'Allemagne condamne de la façon la plus ferme les tentatives d'expansion coloniale du Gouvernement de la République Fédérale d'Allemagne.[2]

Ce n'est qu'avec la crise de Suez que la RDA adhéra clairement à une politique de soutien aux États du Tiers Monde naissant en général, et à la libération des colonies françaises, en particulier. Parmi les raisons à ce changement d'attitude, il y a le fait qu'à l'occasion de l'affaire de Suez, l'URSS, leader des pays socialistes et donc aussi de la RDA, ne ménageait plus aucun des anciens alliés européens de la Seconde Guerre mondiale. La RDA, quant à elle, n'avait donc plus non plus d'intérêt, à ce moment, à ménager la France, puissance colonialiste,[3] d'autant moins que son ministre des affaires

1. Dokumente zur Außenpolitik der Regierung der Deutschen Demokratischen Republik, Band V :Vom 1. Juli 1956 bis zum 31. Dezember 1957 (Berlin-Ost 1958) : Le 12 juillet 1956 signature (paraphage déjà le 23 juin) d'un accord commercial avec la République Française pour la période du 1er juillet 1956 au 31 décembre 1957, p. 339.
2. Erklärung des Ministeriums für Auswärtige Angelegenheiten der Deutschen Demokratischen Republik vom 10. August 1957 zu den kolonialen Expansionsbestrebungen der Regierung der Deutschen Bundesrepublik (Dokumente zur Außenpolitik der Regierung der Deutschen Demokratischen Republik, Band IV, p. 107/08). Quant au voyage du ministre de la défense de la RFA, Franz Joseph Strauß, en Algérie, il s'agit effectivement d'une rencontre qu'il avait avec son collègue français Maurice Bourgès-Maunoury, le 17 janvier 1957, au fort Colomb-Béchar dans le Sahara. Dans la période du réchauffement entre la RFA et la France après la crise du Suez, on parlait d'une coopération plus étroite concernant la technique de l'armement. La suite logique de ces dénonciations de coopération impérialiste entre la RFA et la France se trouve dans un appel du FDGB (Freier Deutscher Gewerkschaftsbund, *i.e.* la Fédération des syndicats de la RDA) aux légionnaires allemands, qui exercent « un métier sale et honteux ». Dans cet appel, à la fin de 1960 (dans son rapport sur sa mission en Algérie du 10 au 20 janvier 1961, Jupp Battel du FDGB, évoque le succès que cet appel a eu chez les officiels de l'UGTA et de l'ALN ; SAPMO DY 34/ 3379), on évoque encore une fois le Sahara, terre stratégique pour l'impérialisme : « Par votre activité, légionnaires, le Sahara doit être maintenu comme terrain d'essai des monopoles d'armement ouest-allemands et français pour des essais d'armes nucléaires et de fusées. »
3. La France sous Guy Mollet et son ministre des Affaires Étrangères Pineau avait essayé avec un certain succès d'établir des relations priviligiées avec l'URSS de Khrouchtchev, au cours de l'année 1956, avant les crises en Hongrie et autour de Suez. Il n'était donc guère « convenable » pour la RDA d'attaquer trop virulamment la France colonialiste, à cette période – qui se termina avec l'ultimatum de l'URSS envers la Grande-Bretagne et la France lors de la crise de Suez. En revanche, elle pouvait

étrangères, Lothar Bolz, avait écrit, en juillet 1956, une lettre à son collègue Christian Pineau pour lui proposer de s'engager en faveur d'une solution de la question allemande – et que cette lettre était restée sans réponse.[1]

Une seconde raison se trouve dans le fait qu'avec la crise de Suez la RDA prenait conscience des possibilités de reconnaissance au niveau international. En effet, dans la mesure où la RFA se voyait dans l'obligation de soutenir les puissances anti-nassériennes, la Grande-Bretagne et la France, Bonn devait affronter l'attitude hostile des États arabes qui soutenaient l'Égypte. Or, l'Égypte et d'autres pays arabes ont apparemment menacé la RFA de rompre les relations diplomatiques avec elle et d'en établir avec la RDA.[2]

Pourtant ces États ne correspondaient, pour la plupart, que de très loin à l'idéal communiste. Ainsi l'attitude de la RDA envers l'Égypte nassérienne dans la crise de Suez fut-elle certes présentée officiellement comme un « soutien de la juste revendication du peuple égyptien au cours de la nationalisation de la Société du canal de Suez »,[3] mais la RDA ne se trompait point sur le caractère du régime de Nasser. Le ministre est-allemand du commerce extérieur, Heinrich Rau, avait été en mission en Égypte, en novembre 1955. Dans son rapport final, il caractérise ainsi la politique intérieure de ce pays :

> L'oppression du mouvement ouvrier mené par les communistes, la suppression radicale de tout syndicat révolutionnaire, et la répression de toutes les forces oppositionnelles bourgeoises ou petites-bourgeoises sont caractéristiques de la politique intérieure du gouvernement [nassérien, FT]. [...] Le système gouvernemental égyptien est une dictature militaire.[4]

Jan Lorenzen, qui cite ce rapport, en tire la conclusion que désormais l'idéologie ne jouait plus de rôle important dans la politique est-allemande au Moyen Orient :

> En ce qui concerne la future politique de la RDA au Proche Orient, ceci (*i.e.* le caractère dictatorial du régime nassérien, FT) ne joua plus aucun rôle, par rapport à la volonté de la RDA d'être reconnue, l'idéologie devait définitivement rentrer dans le rang.[5]

Une telle affirmation doit être nuancée.

J'en veux pour preuve quelques actions de la RDA qui ne sont explicables que par l'idéologie.

---

s'engager pour la lutte de libération du peuple algérien en tant que partie du monde arabe, après cet ultimatum. La réaction des USA semble être due entre autres à la crainte qu'aurait eue Eisenhower « que l'intervention ne poussât le monde arabe dans les bras de Moscou. » (Cf. sur la problématique SOUTOU, Georges-Henri : *La guerre de cinquante ans. Le conflit Est-Ouest 1943-1990.* Paris : Fayard 2001, p. 329 *sq.*, citation p. 340).

1. Cf. là-dessus PFEIL, *Die « anderen » deutsch-französischen Beziehungen...*, p. 85-86.
2. Cf. dans ce contexte CAHN, Jean-Paul/MÜLLER, Klaus-Jürgen : *La République fédérale d'Allemagne et la Guerre d'Algérie 1954-1962.* Paris, Le Félin 2003, p. 94 *sq.*
3. Voir note 1.
4. Cité *in* : LORENZEN, Jan : « Die Haltung der DDR zum Suez-Krieg. Das Jahr 1956 als Zäsur in der Nahost-Politik der DDR. » *in* : *Deutschland Archiv*, n° 28, 1995, p. 281.
5. *Ibid.*

Premières réactions à l'insurrection algérienne

Le début des « événements » d'Algérie a été salué par la propagande du SED sous forme d'une dépêche très brève dans le *ND*, dans laquelle les éléments essentiels de l'affaire étaient pourtant évoqués, une opération de troupes coloniales contre des résistants combattants d'un mouvement d'indépendance dans tout le Maghreb :

> Des troupes coloniales contre les combattants algériens de libération
> [...] Elles doivent être employées contre des combattants algériens résistants [...]. Le gouverneur général français annonça de sévères mesures oppressives contre le mouvement d'indépendance algérien qui [...] adopte, des formes toujours plus aiguës, exactement comme au Maroc et en Tunisie.[1]

La couverture du *ND*, avec sa terminologie typique sur le « déchaînement »[2] des « mercenaires coloniaux »[3] contre les « patriotes héroïques »[4] algériens et une déclaration du PCA dans l'édition du 7 novembre dura exactement deux semaines, jusqu'au 16 novembre. Puis la polémique contre l'intégration de la RFA dans l'OTAN reprit son importance primordiale dans les pages de politique internationale du *ND*, qui n'avait pas encore fait le lien entre le soutien de la RFA à la France et sa guerre coloniale.

Ce lien fut établi au début de l'année 1955, la « Bundeswehr » devant être admise au sein de l'OTAN. En vue de cette admission, les « impérialistes » de la RFA, qui, selon l'organe quotidien du SED voulaient leur part de l'armement nucléaire, projetaient de construire des usines nucléaires sur le sol de l'Algérie, dans le Sahara. «Les impérialistes allemands veulent s'emparer de la Ruhr "africaine" », titrait le *ND*.[5]

La RDA ne s'efforçait pourtant pas d'aller au-delà des déclarations implicites de solidarité avec les patriotes algériens ; on ne constate aucune action concrète de soutien aux combattants pendant les premières années de la guerre en Algérie.

Contacts entre la Croix-Rouge est-allemande et le Croissant-Rouge algérien

L'initiative des premiers contacts entre la RDA et l'Algérie en guerre vint de cette dernière. La présidence du Croissant-Rouge Algérien (CRA), fondé au Maroc en janvier 1957, avait envoyé à toutes les organisations de la Croix-Rouge internationale un appel à l'aide.[6] Le président du *Deutsches Rotes Kreuz* (*DRK*) est-allemand, Werner Ludwig,[7] réagit promptement, demandant au MfAA de l'autoriser à lancer des actions

1. *ND*, 3 novembre 1954, n° 258, p. 5.
2. *ND*, 9 novembre 1954, n° 264, p. 5.
3. *ND*, 13 novembre 1954, n° 267, p. 5.
4. *ND*, 6 novembre 1954, n° 261, p. 5.
5. *ND*, 2 février 1955, n° 27, p. 5.
6. La traduction allemande de cet appel, signé par le président du CRA, Omar Boukli Hacene, se trouve dans le « Politisches Archiv des Auswärtigen Amtes » à Berlin, documents du MfAA, A 13 579, feuilles 453 *sq*.
7. Dr. Werner Ludwig, 1914 à 2002, médecin, depuis sa création haut fonctionnaire de la Croix-Rouge Allemande (Est), à partir de 1957 jusqu'en 1981 son président (selon MÜLLER-ENBERGS, Helmut/WIELGOHS, Jan/HOFFMANN, Dieter (éds.) : *Wer war wer in der DDR ?* Bonn, Bundeszentrale für politische Bildung 2000).

de soutien. On trouve un résumé de ses propositions dans les archives de ce ministère, rédigé par un certain Zachmann, du département des organisations internationales.

Les propositions les plus importantes révèlent un certain sens économique ainsi qu'une volonté de propagande anti-occidentale prononcée :

> [...] 2. S'il existe de notre côté le souhait d'aider le CRA immédiatement, le DRK pense qu'il faut d'abord mettre à sa disposition une somme pas trop importante pour avoir plus tard une certaine marge d'augmentation. [...]
> 6. Le DRK pourrait éventuellement adresser une lettre à la Croix-Rouge française, dans laquelle on lui demanderait d'insister auprès de son gouvernement qu'il respecte la convention de Genève en Algérie.[1]

Après s'être renseigné sur la réalité de la création du CRA,[2] le MfAA fut apparemment d'accord pour une action de solidarité de moyenne envergure. Toutefois on prit des précautions en raison du ton anti-français virulent de l'appel du CRA. L'accord commercial avec la France de l'année 1956 joua peut-être un rôle dans cette prudence.[3] Le responsable du Département « pays non-européens », Wolfgang Kiesewetter,[4] écrivit à Zachmann, en réponse à la demande du 6 mars, à peine trois semaines plus tard :

> Nous sommes d'accord, mais nous vous demandons de ne pas faire publier le texte intégral de la lettre du CRA. [...]
> On devrait renoncer à la réalisation des points 6.) et 7.).[5]

Le DRK avait apparemment annoncé le premier envoi de solidarité qui n'était pas encore arrivé, lorsque le président du CRA remercia très cordialement son collègue est-allemand pour son soutien. Dans sa lettre, on trouve l'un des éléments expliquant la prudence du MfAA, le problème de la non-reconnaissance du CRA par le Comité international de la Croix-Rouge (CICR) eu égard au fait que l'Algérie ne formait pas encore un État. Omar Boukli Hacene écrivit à Werner Ludwig :

> [...] Je prends acte avec une joie particulière du fait que le soutien que vous allez nous offrir ne dépend d'aucune condition. Ceci n'a malheureusement pas été le cas pour certains comités de la Croix-Rouge en raison du fait que l'Algérie n'est pas encore indépendante.[6]

---

1. MfAA, A 13 579, feuilles 451/52, Abteilung Internationale Organisationen an HA II/3, 6 mars 1957, p. 1 à 2.
2. Ainsi l'un des reponsables du MfAA, Simons, adresse à son collègue Fritz Stude (qui sera chargé d'affaires de la RDA en Algérie à partir de novembre 1962) à l'ambassade au Caire une demande sur la réalité de cette création le 19 mars 1957 (MfAA, A 13 579, feuille 448).
3. L'argument des difficultés dans les relations avec la France, souvent précisément dans les relations commerciales, apparaît régulièrement dans les documents du MfAA de a RDA, surtout après la création du GPRA. Ainsi, Wolfgang Kiesewetter écrit à Sepp Schwab, le 20 septembre 1958, par rapport à une éventuelle reconnaissance du GPRA, qu'en ce cas les relations de la RDA avec la France deviendront certainement plus compliquées, mais à la longue ne seront pas atteintes (MfAA A 12 706, feuille 85). Heinrich Rau, Ministre du commerce international, s'énerve envers du même GPRA qui demande d'être reconnu : « En même temps le gouvernement algérien demande une reconnaissance par la RDA et – comme c'est certainement connu – le renoncement à ses relations commerciales avec la France. » (MfAA A 12 706, feuille 35, lettre non datée – mi-novembre – à Kiesewetter).
4. Wolfgang Kiesewetter, né en 1924, occupait dans la période ici traitée plusieurs fonctions à la direction du MfAA et devint en 1961 ambassadeur de la RDA auprès de la RAU au Caire.
5. MfAA, A 13 579, feuille 448 voir *infra*.
26. *Ibid.*, feuille 446.

Par la suite, le président du CRA cita à peu près tous les États socialistes. Or, malgré cette lettre de remerciement assez appuyée, le MfAA s'en tenant à sa ligne de prudence, voulait apparemment attendre que l'envoi arrivât réellement à bon port – Tanger, au Maroc. Les premiers envois de solidarité n'allaient donc pas en Tunisie, mais à l'Ouest. Par ailleurs, le responsable du MfAA, Simons, attira l'attention du DRK sur l'impossibilité de l'acheminement vers la Tunisie :

> Nous vous prions de ne pas effectuer d'autres envois de solidarité, avant que l'on ne puisse être certain que le premier envoi soit arrivé à Tanger.
> Actuellement, nous ne pouvons pas donner notre accord à un envoi de solidarité pour les réfugiés algériens à Tunis.[1]

Il convient de rappeler que le Maroc et la Tunisie avaient acquis l'indépendance seulement en 1956. La prudence du MfAA n'était donc certainement pas isolée en Europe. Il ne fallait pas trop s'engager en Afrique du Nord, dans une guerre dont l'issue était plus qu'incertaine, avec d'éventuels partenaires que l'on ne connaissait pas, et qui de surcroît étaient loin d'être reconnus au niveau international.

L'un des points les plus gênants évoqués dans l'appel du CRA était celui des membres de la Légion étrangère au service de la France en Algérie. Les points 4 et 7 des propositions du DRK résumés par Zachmann dans sa demande officielle à Kiesewetter les concernaient justement. Kiesewetter n'avait pas émis un veto contre le point 4, sur lequel une provocation du DRK ouest-allemand était envisagée :

> On devrait adresser une lettre au DRK ouest-allemand dans laquelle notre DRK pourrait lui proposer des actions communes contre le recrutement de légionnaires en Allemagne de l'Ouest et pour leur rapatriement.[2]

En revanche, une réalisation de ce rapatriement avec le CRA n'était pas opportune, selon le MfAA qui avait refusé « la réalisation » du point 7 :

> On devrait éventuellement organiser une rencontre au Caire entre les présidents du CRA et du DRK où l'on pourrait discuter des questions de l'aide, de la remise des envois de solidarité et du rapatriement éventuel de légionnaires.[3]

Non seulement un tel projet pouvait sembler précoce au MfAA, et certainement peu rentable, mais tout acte militaire contre la France devait encore être évité en 1957. Certes, on avait accepté que le DRK est-allemand écrive au DRK ouest-allemand au sujet d'une action concernant les légionnaires d'origine allemande, mais cette action relevait de la guerre de propagande entre les deux Allemagnes. La discussion d'une institution officielle, en l'occurrence le DRK, sur des soldats français en Afrique du Nord, avec le CRA ne semblait pas opportune. Concernant les contacts avec des représentants de l'Algérie en guerre, la prudence devait encore l'emporter en cet été 1957, malgré l'appel du 2 janvier aux légionnaires.[4]

En octobre de la même année le MfAA accepta enfin la demande du Dr. Ludwig d'accueillir en visite officielle un collègue du CRA, le Dr. Bensmaïne, secrétaire général

---

1. *Ibid.*
2. *Ibid.*, feuille 451.
3. *Ibid.*, feuille 452.
4. Voir *infra*.

adjoint du CRA. Dès lors les discussions sur les légionnaires furent le seul sujet politique concret dont parlèrent les deux médecins : les sujets qui touchaient à l'aspect militaire ne devaient plus être évités.[1]

À l'évidence, la Croix-Rouge est-allemande servait de terrain d'essai pour d'éventuels contacts entre la RDA et le FLN, même si l'initiative semble avoir été du côté du CRA. L'organisation s'occupait après les premiers contacts d'organiser l'accueil des blessés envoyés d'Afrique du Nord et, après leur guérison, de leur formation. Les services militaires français soupçonnaient l'organisation de fournir aussi le FLN en matériel semi-militaire, en postes émetteurs. Gilbert Meynier évoque la pratique qui consistait à détourner la mission humanitaire de la Croix-Rouge :

> Parmi les pays les pays qui aidèrent le Croissant-Rouge [...] la RDA, surtout, par laquelle passa une bonne partie du concours des pays socialistes européens. La RDA aida régulièrement le CRA en lui fournissant du matériel médical, des médicaments, des couvertures. Et le Croissant-Rouge servit plus d'une fois à réceptionner des dons au FLN, sous couvert humanitaire : ainsi, fin 1958, des postes émetteurs auraient été envoyés de RDA, sous forme de dons camouflés au CRA. (note 106 : D'après les services français, par une société de prête-nom de la RDA, la Deutsch-Arabische Gesellschaft).[2]

Plusieurs inexactitudes figurent dans cette information. Certes, les envois de solidarité du DRK est-allemand contenaient du matériel médical pour les victimes de la guerre en Algérie. Mais si les « services français » dénonçaient la clandestinité des dons au FLN, ils méconnaissaient qu'aussi bien en RDA que dans l'Algérie en guerre, la Croix-Rouge ou le Croissant-Rouge n'étaient point des organisations neutres. Que le Croissant-Rouge réceptionne des dons pour le FLN provenant de la RDA, en passant par son DRK, n'était absolument pas étonnant. Lesdits services firent en plus erreur quand ils prétendent que la Deutsch-Arabische Gesellschaft (DAG) était une société prête-nom. La DAG était une organisation politique est-allemande tout à fait officielle dont l'une des tâches était justement le rapatriement des légionnaires d'origine allemande.

Une aide militaire aux insurgés ?

D'emblée, l'on peut constater que la RDA était apparemment peu impliquée dans l'armement des insurgés algériens de l'ALN. En effet, s'il est compréhensible que dans

1. Seulement pendant le séjour de la deuxième délégation du CRA (13 à 21 novembre 1958), le DRK accepte d'accueillir des blessés de guerre algériens (10 immédiatement et éventuellement 10 autres plus tard). Ici la propagande anti-occidentale devient plus virulente ; on accuse le DRK de l'État ouest-allemand de ne pas répondre aux lettres du CRA et d'autres Etats de n'utiliser, pour les victimes de la guerre en Algérie, qu'un dixième de l'aide qu'ils prévoient pour les réfugiés hongrois. (MfAA A 12 708, feuilles 39 à 43 : « Bericht über den Besuch einer Delegation des Algerischen Roten Halbmondes beim Deutschen Roten Kreuz in der Deutschen Demokratischen Republik in der Zeit vom 13.-20.11.1958 », daté du 10 décembre 1958).
2. MEYNIER, Gilbert : *Histoire intérieure du FLN 1954-1962*. Paris, Fayard 2002, p. 496. Malheureusement l'auteur ne donne pas ici de référence. Les deux endroits où j'ai trouvé trace de postes émetteurs sont d'abord la demande de Mohammed Yala au MfAA de mettre à la disposition du FLN du matériel de ce genre, lors d'un entretien avec les représentants est-allemands Seigewasser, Haufe et Sadunischker, le 14 octobre 1959. Vu les problèmes que la RDA a eus avec ce personnage, il n'est pas sûr que son vœux ait été exaucé. Une année plus tard, B. de Chalvron à Berlin donne l'information au MAE (8 octobre 1960) : « D'après ces mêmes renseignements, les autorités de Pankow viennent d'engager, en qualité de speakers, 9 Algériens au poste émetteur 904 (Freiheitssender). Depuis le début de Septembre, les temps d'émissions en langue française ont pratiquement doublé [...]. » (MAE, Europe 1956 – 1960, RDA 30, feuille 99).

les archives de l'ancienne RDA, l'on ne trouve quasiment rien sur une éventuelle aide militaire aux Algériens, même dans les rapports des militaires français la RDA n'est que très sporadiquement mentionnée dans un contexte proprement militaire.[1]

En ce qui concerne l'armement de l'ALN, tout indique qu'il venait pour l'essentiel de la Tchécoslovaquie. C'est au moins ce qu'écrivit en 1959 l'auteur d'un rapport sur « L'évolution de l'attitude du communisme international à l'égard de la rébellion algérienne » :

> La Tchécoslovaquie joue en effet dans ce domaine un rôle privilégié et peut-être exclusif.[2]

Les diplomates de l'Auswärtiges Amt étaient du même avis. Dans un télégramme au MAE français, daté du 4 mars 1959, l'ambassadeur François Seydoux relate l'opinion de ses collègues allemands :

> L'Auswärtiges Amt estime que tout se passe comme si l'Union soviétique avait confié à certains de ses satellites le soin de soutenir le FLN, tout en restant elle-même assez réservée. Les intermédiaires désignés pour cette tâche seraient la République démocratique allemande et la Tchécoslovaquie, ce dernier pays se chargeant plus particulièrement d'approvisionner la rébellion en matériel de guerre.[3]

Le transport des armes se faisait pour la plupart par bateaux ouest-allemands et yougoslaves qui partaient des ports de ces deux pays, de sorte que la RDA n'était pas impliquée.

C'est par ailleurs dans le contexte des achats et des transports d'armes que l'on trouve les rares tentatives algériennes d'achat d'armes à la RDA. En juillet 1960, le responsable « algérien » du rapatriement d'anciens Allemands dans la Légion étrangère,[4] Si Mustapha, sonda, dans un entretien avec un ami, le journaliste Klaus Polkehn, la possibilité de tels achats en RDA, puisqu'il craignait que le bureau du GPRA à Bonn, où était gérée la logistique du commerce des armes, fût fermé par les autorités ouest-allemandes :

> Dans ce contexte, il dit qu'il est dommage que l'on doive payer les armes en Allemagne de l'Ouest (souvent production de la CSR [il s'agit de la Tchécoslovaquie, devenue CSSR seulement en 1968, FT]) en monnaie occidentale. Il fit entendre que l'on aimerait acheter des armes via la RDA. J'ai l'impression que M. devait sonder la situation chez nous dans ce sens.[5]

---

1. L'une des difficultés dans l'utilisation des ces archives est que certains auteurs ne distinguent pas entre la RFA et la RDA. Ceci est dû entre autre au fait que FLN et communisme sont souvent confondus, et que toute institution supportant le FLN, telle par exemple l'organisation syndicale de la RFA, était considérée comme communiste. Sous cet angle, la distinction entre une Allemagne non communiste et l'autre communiste, pouvait poser problème.
2. SHD/DAT 1H 1720 ; Premier Ministre/État-Major général de la Défense nationale/Division Renseignement 10 avril 1959 : L'évolution de l'attitude du communisme international à l'égard de la rébellion algérienne, p. 10.
3. MAE, Afrique-Levant, 39, Algérie 1953-1959. Relations avec l'Allemagne (R.F.A.), Seydoux au MAE, 4 mars 1959, p. 3.
4. Si Mustapha Quazzani était le nom que Winfried Müller, ancien citoyen de la RDA avait adopté quand il s'était mis à la disposition du FLN, voir p. 64 *sq*.
5. SAPMO-BArch DY 30/ IV 2/20/ 354, feuille 40. Klaus Polkehn, né en 1931, journaliste à la revue hebdomadaire « Wochenpost », spécialiste du Proche-Orient. Aujourd'hui éditeur du périodique pro-palestinien Palästina Nachrichten (cf. *infra*, note 59). L'auteur est légèrement en retard avec l'appellation « CSR », car la Tchécoslovaquie avait adopté une nouvelle constitution le 11 juillet 1960, et était devenue CSSR (remerciements à Antoine Marès, professeur à l'université de Paris 1 pour cette précision).

On trouve cependant de temps à autre, dans les rapports des militaires français, des « Allemands » évoqués comme instructeurs militaires en Afrique du Nord. Dans ces cas, on peut supposer que c'étaient des ressortissants de la RDA – surtout quand ces experts étaient vus en compagnie de Chinois et de Russes :

> [...] le 3 mars 1961 est arrivé au camp algérien de DAR KEBDANI un véhicule dans lequel voyageaient six techniciens [...] ; deux d'entre eux étaient indubitablement chinois, les deux autres paraissaient être allemands et les deux derniers, russes.[1]

Il est pratiquement impensable qu'il s'agisse d'Allemands de l'Ouest. Non seulement ceux-ci se seraient trouvés entourés d'instructeurs de deux pays communistes, ce qui était inconcevable pour des militaires de la « Bundeswehr », mais le fait que des officiers de l'armée ouest-allemande forment des rebelles algériens, révélé par les services français, aurait entrainé de sérieux problèmes diplomatiques.

Le fait qu'il ne pouvait s'agir, dans ces cas, que d'Allemands de l'Est est par ailleurs corroboré par une autre note du SDECE qui évoque comme instructeurs militaires des ressortissants de la RDA :

> Les armes modernes récemment arrivées de l'étranger sont surtout d'origine soviétique. [...] L'instruction est faite par des étrangers parlant français (Allemands de l'Est, Tchèques et Soviétiques).[2]

Si les armes n'étaient donc pas originaires de la RDA, en revanche, la RDA fournissait des instructeurs, sur place et sur son territoire.

En effet, les services de la Sûreté du Gouvernement Militaire en Allemagne firent part plusieurs fois au Ministre français délégué à Berlin que la RDA formait des ressortissants nord-africains sur son territoire. Ainsi, dès la fin 1956, B. de Chalvron, de Berlin, envoya un télégramme au MAE à Paris, où il exprima ses doutes sur une telle formation militaire :

> [...] il m'a été signalé récemment que quelques Algériens avaient reçu une formation militaire spéciale dans la région de Leipzig, mais je n'ai pu, jusqu'à présent, recouper ce renseignement.[3]

Le même de Chalvron relata, au milieu de 1959, une pratique, selon les services français régulière en RDA. Les Algériens réfugiés de France et de RFA, arrivés en RDA, auraient été choisis selon leur formation initiale pour être répartis sur différents postes de travail. Les meilleurs devaient suivre une formation militaire :

> Ceux qui possèdent un certain degré d'instruction ou qui ont obtenu un grade dans l'Armée française sont en général rapidement séparés de leurs camarades et sont soumis à un stage de quelques mois organisé soit pour le compte des Soviétiques soit pour les Services spéciaux de zone orientale. Après avoir reçu cette formation très particulière, ils seraient alors renvoyés en mission en France ou en Afrique du Nord. Le Gouvernement de Pankow semble vouloir réserver à ces soi-disant « réfugiés

1. SHD/DAT 1H 1775 ; Note de renseignements/Traduction de document reçu par le Haut État major Espagnol : Activités du FLN au MAROC. Ces « techniciens » apparaissent encore une fois dans les documents des services : É Le 3 mars, le camp de KEBDANI a reçu la visite de deux Russes, deux Allemands et un Asiatique. Ceux-ci ont pris des photos [...] Ils on également filmé les rebelles à l'instruction. Ils ont quitté le camp le jour même à l'exception de l'Asiatique qui y est resté. » (*ibid.*, Note du SDECE, intitulée « Activité de l'ALNA au Maroc » du 17 mars 1961).
2. *Ibid.*, Note du SDECE, intitulée « Activité de l'ALNA à la frontière Ouest » du 18 décembre 1960.
3. MAE, Europe 1956-1960, RDA 30, dossier 1956-1960, feuille 32/33, 9 novembre 1956.

> algériens » un traitement plein d'égard, espérant pouvoir par la suite [manque probablement le verbe : choisir] les meilleurs éléments pour les affecter aux formations para-militaires de zone orientale.[1]

En revanche, la seule allusion que l'on trouve, dans les archives accessibles de la RDA même, à une aide proprement militaire à l'ALN, concerne aussi une demande de formation.

En janvier 1962, peu avant la fin des hostilités en Algérie, une délégation de l'ALN, avec le chef de l'État Major du front occidental au Maroc (probablement la Wilaya 5), un officier qui se faisait appeler Bashir Bakhti, effectua une visite à Berlin-Est, « encadrée » par Si Mustapha Quazzani, alias Winfried Müller.[2]

Bakhti parlait en présence du secrétaire du « Solidaritätskomitee », Horst Brasch, de certaines armes que l'ALN avait obtenues et dont elle ne savait apparemment pas utiliser toutes les possibilités. L'un des responsables du Département des Relations internationales auprès du SED, Edmund Röhner, proposa alors à son collègue Erich Honecker, dans sa fonction de secrétaire du Conseil National de Défense, trois mesures, où se mêlent idéologie et pratique :

> Lors d'une conversation avec le camarade Eggebrecht, secrétaire du « Solidaritätskomitee », il [*i.e.* Bakhti, FT] a exprimé le souhait suivant: L'ALN a obtenu de l'artillerie de petit et moyen calibres. Ils voudraient en connaître de façon exhaustive les possibilités d'utilisation. Pourrait-il visiter un camp de formation de la NVA [= « Nationale Volksarmee », l'armée de la RDA, FT] où il pourrait se renseigner sur leur formation ? En même temps il voulait s'informer de la formation des hommes-grenouilles en RDA.
> Nous proposons : Rencontre avec des camarades officiers de la NVA. A cette occasion il serait important et utile d'expliquer quelques problèmes d'ordre politique et militaire [...] entre autres le rôle de notre rempart protecteur contre l'OTAN et l'OAS. [...] Si Mustapha ne participera pas aux entretiens avec la NVA.[3]

L'entretien avec des officiers de la NVA représentait le côté pragmatique de cette proposition, comme l'exclusion de l'organisateur de la rencontre, Si Mustapha, dont les autorités de la RDA commençaient à se méfier.

S'il n'est pas avéré que les armes dont parlait Bakhti étaient de fabrication est-allemande, il ne ressort pas moins de cette missive que la RDA a mis à la disposition de l'ALN de l'aide technique au niveau militaire.

Mais on peut tirer d'autres conclusions de ce texte. Si une coopération militaire de la NVA avec l'ALN n'était apparemment pas très importante, il est en tout cas exclu qu'au CC du SED on n'en fût pas informé.[4] Il n'est donc pas étonnant, dans cette situation, que le représentant du CC du SED ait profité de l'occasion pour une « information » idéologique approfondie envers les militaires algériens, censés être plus à gauche que le GPRA.

La deuxième conclusion à tirer de cette lettre est le fait que les militaires algériens, au début de l'année 1962, soit ne croyaient pas à une fin rapide de la guerre, soit voulaient faire

---

1. MAE, Europe 1956-1960, RDA 32, Relations France/RDA, feuille 48b, 22 juin 1959.
2. Voir *infra*, p. 68 *sq.* sur le personnage.
3. SAPMO-BArch DY 30/ IV 2/20/ 354, feuille 192 ; Rö[hner] à Honecker, le 27 janvier 1962.
4. Comme nous le verrons plus tard, le département de politique étrangère et des relations internationales du SED dont faisait partie Edmund Röhner, auteur de la lettre à Erich Honecker, dirigeait de facto toutes les affaires dans ce domaine et donnait les consignes à suivre scrupuleusement, sous peine de blâme sévère (voire *infra*, chapitre « Concessions de la RDA... »).

croire qu'ils n'y croyaient pas. L'intérêt pour des formations militaires que montrait Bakhti peut alors être interprété comme un manque de confiance en son propre gouvernement qui, à cet instant, négociait depuis plusieurs mois avec le gouvernement français.

Une telle interprétation pouvait être corroborée par Si Mustapha, qui présentait souvent l'attitude de l'ALN comme un virage à gauche – que le GPRA serait obligé à suivre.[1]

Cette même interprétation peut, au contraire, avoir un autre sens. La demande de Bakhti pouvait aussi être interprétée comme une indication : les négociations ne finiraient pas rapidement et l'on pourrait encore avoir besoin, longtemps, de la RDA. Ainsi celle-ci pouvait accorder de l'aide matérielle plus volontiers – surtout avec comme perspective un gouvernement algérien favorable aux États socialistes en général et à la RDA en particulier.

Toutefois, il est évident, à partir de la lettre de Röhner à Honecker, que la RDA utilisait tout prétexte pour « idéologiser » les contacts avec les partenaires algériens.

Organisation du rapatriement de légionnaires d'origine allemande

Un arrière-plan idéologique apparaît également dans l'une des rares actions de la RDA que l'on pourrait considérer comme touchant au domaine militaire. Il s'agissait d'une nouvelle campagne de rapatriement de légionnaires d'origine allemande, qui commença au début de l'année 1957. Déserteurs ou prisonniers de guerre de l'ALN en Afrique du Nord,[2] ces soldats pouvaient être accueillis dans l'État allemand des ouvriers et des paysans.

La « Présidence du Conseil national du Front national de l'Allemagne démocratique »[3] avait lancé l'appel du 2 janvier 1957 aux légionnaires allemands en Algérie dans ce sens, les invitant à ne plus mourir pour la France coloniale des grands capitalistes et à intégrer la RDA, pour y trouver du travail dans les secteurs de l'agriculture, de l'industrie et de l'art, entre autres.[4]

---

1. Voire chapitre prochain.
2. Les services militaires de la France évoquent plusieurs fois des déserteurs de la Légion étrangère, soit comme prisonniers, p. ex. dans une note du SDECE, intitulée Activité de l'ALN au Maroc du 26 octobre 1960, p. 2, évoque pour le 24 mai 1961, l'arrestation par la gendarmerie marocaine de quatre légionnaires allemands déserteurs, deux de l'Est de Kammerov-Deischtz (= certainement Kummerow, FT) et de Naudan [introuvable, suivent les noms], les deux autres étant de l'Ouest, de « Wilich »[= Willich] et Fulda. (1H 1775), soit comme combattants dans les rangs de l'ALN, p. ex. SHD/DAT 1H 1773, Activités du FLN au Maroc, Bulletin de Renseignements, Oran le 12 février 1958 :
   « Objet : Présence de déserteurs allemands de la Légion étrangère dans les rangs des rebelles.
   Un renseignement en provenance d'OUJDA fait état de spécialistes d'origine allemande (ex-légionnaires déserteurs) dans les rangs de la rébellion. Ceux-ci s'occuperaient particulièrement de la fabrication de bombes et de leur utilisation pour la destruction du réseau.
   Ce renseignement est à rapprocher de la constatation faite dans la semaine du 27 au 2 Février par des unités de la D.B.F.M. en embuscade de nuit, le long du réseau. Les rebelles détectés par des éléments amis se sont repliés en direction du MAROC. Le Chef de patrouille a très nettement entendu une voix qui hurlait : "Schnell … Schnell…" »
3. Präsidium des Nationalrats der Nationalen Front des demokratischen Deutschland ; cet instance est la direction du regroupement, dans un Front unique, de tous les partis de la RDA.
4. Curieusement le *ND* n'évoqua pas cet appel au moment où il était lancé, malgré plusieurs articles sur la grève générale en Algérie.

La raison de cette action ne peut guère être trouvée dans une quelconque rationalité telle un éventuel besoin de main d'œuvre en RDA ; elle se trouve, à mon avis, dans une attitude idéologique de la RDA qui relevait ici le défi de la concurrence avec l'autre État allemand, la RFA, où le rapatriement des anciens Légionnaires avait commencé plus tôt dans la même année.[1]

Le rôle des légionnaires en Algérie était pourtant évoqué dans le *ND* depuis mai 1955 :

> Des troupes coloniales se déchaînent en Algérie.
> Des légionnaires allemands comme chair à canons.
> Onze légionnaires allemands qui s'étaient enfuis le samedi dans le canal de Suez d'un bateau venant d'Indochine et qui transportait des troupes, firent part du fait qu'ils devaient être engagés contre le mouvement indépendantiste en Algérie.[2]

On remarquera que depuis le début du conflit, c'était la première fois que le *ND* utilisait le terme « mouvement d'indépendance ».[3]

Même avant l'appel du 2 janvier 1957, le rôle des Allemands dans la Légion avait été évoqué plusieurs fois dans le *ND*. Les 90 % d'Allemands dans la Légion que l'on évoqua en août 1956 servaient surtout à accuser le gouvernement Adenauer de favoriser non seulement le recrutement sur le sol de la RFA, mais aussi de vouloir participer à l'exploitation impérialiste de l'Afrique du Nord et de préparer, avec son armée membre de l'OTAN, une nouvelle guerre mondiale :

> 400 000 soldats français sont actuellement stationnés en Algérie. Ils doivent maintenir le pays en situation d'annexe agraire et de matières premières de la France [...]. Ils doivent assurer le maintien de l'Algérie comme base stratégique de l'OTAN pour la préparation d'une nouvelle guerre mondiale. [...] Le Sahara doit devenir le terrain de réserve des armées de l'OTAN et devenir la « Ruhr africaine » où l'on construira de gigantesques usines de guerre nucléaire. Les Traités de Paris menacent également les soldats ouest-allemands de l'OTAN d'une intervention en Algérie, 90 % des légionnaires ici formés sont déjà des Allemands abusés.[4]

L'appel aux légionnaires d'origine allemande à la désertion ne se fit pourtant qu'en janvier 1957. Puis suivirent les contacts entre le DRK et le CRA, où les légionnaires étaient évoqués comme problème et comme moyen de propagande.

Or, l'appel n'était pas resté isolé, du côté est-allemand, il avait déclenché également les actions d'aide matérielle pour l'Algérie en lutte. C'est avec fierté que l'historique était présenté dans le *ND*, un an après, par le Dr. Werner Ludwig, président de la Croix-Rouge, à l'occasion d'un envoi de médicaments, couvertures etc. en Algérie :

> Quand le président de l'association du Croissant-Rouge algérien, récemment créée, s'adressa au président de notre Croix-Rouge pour demander un soutien pour les soins aux victimes de la lutte de libération du peuple algérien, il regretta simultanément le fait que tant de fils du peuple allemand se soient engagés dans le corps mercenaire de la Légion étrangère. Il assura qu'après la capture de tels légionnaires allemands, l'ALN veillerait sur eux et les libérerait pour qu'ils rentrent dans leur patrie, si tant est qu'ils le souhaitaient.

---

1. Selon CAHN/MÜLLER, *La République féderale...*, p. 149 *sq.*
2. *ND*, 23 mai 1955, n° 119, p. 5.
3. Le 3 novembre 1954, le *ND* avait utilisé le terme « mouvement d'indépendance » et depuis jamais plus ; voir ci-dessus, note 1, p. 19.
4. *ND*, 21 août 1956, n° 199, p. 1.

Le rôle honteux que jouent de jeunes Allemands de notre patrie ouest-allemande, poussés par l'aventurisme et détournés par une propagande mensongère, dans la Légion étrangère [...], nous apparaissait comme une obligation supplémentaire de répondre à cet appel avec l'organisation immédiate d'une action d'aide.[1]

Une action « humanitaire » idéologique

La tonalité idéologique de la déclaration, à savoir que l'on voulait réparer les méfaits de l'autre partie de la patrie, était évidente. On peut donc caractériser la politique du rapatriement de déserteurs ou de PG d'origine allemande comme idéologique et coupée de la réalité.

D'abord, le nombre de personnes concernées et d'origine est-allemande était très faible. Eckart Michels écrit à ce sujet :

Le pourcentage de candidats de la RDA [à la Légion étrangère, FT] était plutôt peu élevé, du moins au milieu des années 50, avec seulement 4,5 %. [...] En plus, les quelques candidats à la Légion venus de la RDA furent souvent refusés par la Légion étrangère, car elle craignait que la RDA qui, au moins verbalement, s'était déclarée solidaire de la lutte de libération anti-coloniale et qui appelait les légionnaires allemands à déserter, pût essayer d'infiltrer dans ses rangs des agitateurs politiques, camouflés en réfugiés.[2]

Or, l'appel ne s'adressait évidemment pas qu'aux ressortissants est-allemands, mais à tous les Allemands dans la Légion étrangère.

Toutefois il apparaissait même dans les rapports des autorités de la RDA que le nombre de rapatriés en RDA était faible. Ainsi, le 28 novembre 1960, dans un mémorandum du 4ème Département des affaires extra-européennes au MfAA sur les problèmes actuels concernant les Algériens en RDA,[3] l'auteur écrivit à propos du rapatriement d'anciens légionnaires :

Si Mustapha a fait part ces derniers temps, à plusieurs reprises, du souhait de certains anciens légionnaires d'intégrer ou réintégrer la RDA. Une décision politique de principe est nécessaire.[4]

La dernière phrase est significative. En effet, si un État industrialisé et économiquement développé s'intéresse à un très petit nombre de personnes, c'est pour des raisons idéologiques.

Un des responsables de la direction des Relations internationales du SED, le « Hauptreferent »[5] Löbel, évoqua très ouvertement l'idéologie qui était à la base du rapatriement. Il s'agissait, à côté de l'anti-colonialisme, d'un élément de la politique

---

1. *ND*, 26 février 1958, n° 49, p.7.
2. MICHELS, Eckart : « Die Bundesrepublik und die französische Fremdenlegion 1949-1962. » p. 447-461, *in* : HANSEN, Ernst Willi/SCHREIBER, Gerhard/WEGNER, Bernd : *Politischer Wandel, organisierte Gewalt und nationale Sicherheit. Beiträge zur neueren Geschichte Deutschlands und Frankreichs (Festschrift für Klaus-Jürgen Müller)* München 1995, p. 460.
3. 4. AEA (= Außereuropäische Abteilung), Affaires africaines. Cf. RADDE, Jürgen : *Die außenpolitische Führungselite der DDR. Veränderungen der sozialen Struktur außenpolitischer Führungsgruppen.* Verlag Wissenschaft und Politik, Köln 1976 ; p. 172.
4. SAPMO-BArch DY 30 / IV 2/20/ 354, feuille 86 : 28.11.1960 (souligné par FT ; il ne peut donc pas s'agir d'un mouvement de masse).
5. Un titre de fonctionnaire correspondant à chef de bureau.

contre la RFA qui apparaissait dans un rapport sur la Légion étrangère et le rapatriement au printemps 1960.[1] Le rapatriement était, selon l'auteur, un moyen de propagande contre Konrad Adenauer et Franz Joseph Strauß ce dernier ayant, selon Löbel, tout intérêt à « vendre » des Allemands à la Légion, car ils lui serviraient ensuite comme cadres pour une armée d'agression impérialiste. Le fait qu'un grand nombre de légionnaires étaient d'origine allemande prouvait pour les idéologues du SED ces desseins néfastes.[2]

Quant aux chiffres donnés par la RDA concernant les Allemands dans la Légion étrangère, ils varient à tel point que leur crédibilité est en cause. Ils étaient probablement exagérés, bien que le plus grand corps de la Légion étrangère au niveau des origines nationales semble avoir été celui des Allemands.[3] La plupart des « estimations » est-allemandes, publiées dans le *ND*, mentionnait 25 000 ou 70 à 75 % de soldats d'origine ouest-allemande sur les 35 000 légionnaires actifs en Afrique du Nord, ainsi que les 90 % déjà cités.[4] Mais on trouve également « 35 000 mercenaires ouest-allemands en mission de combat contre le peuple algérien » ; dans ce contexte – pour la première fois, au 1er novembre 1960, le *ND* évoqua l'anniversaire du soulèvement de 1954 – on n'est pas étonné de lire que « déjà plus de 8 500 jeunes ouest-allemands ont payé de leur vie comme légionnaires la politique impérialiste » en 1960.[5] Après la guerre, dans une analyse du FDGB fin 1962, l'on ajouta aux « assassins expérimentés des SS » 40 000 légionnaires venus de la RFA.[6]

Le rapatriement de ces moutons égarés de l'Ouest étant « une œuvre humaniste »,[7] on décida de la concrétiser et par là de relancer, à partir de 1960, le mouvement que l'on avait espéré déclencher avec l'appel de février 1957.[8] Un haut responsable algérien,

---

1. SAPMO-BArch DY 30/ IV 2/20/ 354 (14/4/60), feuille 3 à 5.
2. Selon un appel du FDGB aux Allemands dans la Légion étrangère française, de la fin 1960 (non daté) ; SAPMO DY 34/ 3379. Ici on trouve aussi l'argument que le gouvernement Adenauer « promeut sournoisement le recrutement pour la Légion étrangère, brade des jeunes Allemands à la France, son partenaire dans l'OTAN. »
3. Voir MICHELS, « Die Bundesrepublik... », *in* : HANSEN/SCHREIBER/WEGNER, *Politischer Wandel...*, p. 450 *sq*. Apparemment, on n'exagérait les chiffres pas seulement en RDA, mais aussi en RFA. (*ibid.*).
4. Voir *supra*, *ND* du 28 août 1956, les autres chiffres : *ND*, 14 décembre 1960, n° 345, p. 1, 9 janvier 1961, n° 9, p. 1, 31 octobre 1961, n° 300, p. 5.
5. *ND*, 1er novembre 1960, n° 302, p. 5.
6. SAPMO DY 34/ 3379 « Der FDGB übt Solidarität mit dem algerischen Volk », p. 1.
7. SAPMO-BArch DY 30/ IV 2/20/ 354 (14/4/60), feuille 4. Il est compréhensible que les services de renseignements de l'Armée française n'étaient pas du même avis. Ils suivent avec parcimonie les activités de rapatriement, qu'il soit dirigé vers la RDA ou vers la RFA. Apparemment les tracts annoncés par les responsables de la RDA, sont effectivement arrivés sur le front algérien, car dans une note du SDECE ils se trouvent mentionnés ; la note est intitulée :
Algérie-Maroc. Propagande du service de rapatriement des déserteurs de la Légion étrangère (4 août 1961). Il s'agit de la traduction d'une information (bulletin n° 14 du 14 juillet 1961, diffusé sous forme de tract ronéotypé) aux légionnaires qui décrit l'implication de la Légion dans le putsch des généraux et informe les légionnaires des « hôtes du service de rapatriement pour les réfugiés de la légion » : Bernhard Plum (RFA) et Werner Haendler (RDA)(SHD/DAT 1H 1773).
8. Cinq mois après l'appel du 2 février, l'on avait déjà réitéré la tentative de faire déserter les légionnaires. Dans un article dans le ND du 30 juillet 1957, n° 177, p. 5, la RFA était sévèrement accusée de tolérer le recrutement de légionnaires sur son sol et de livrer d'anciens à la justice militaire française. Pour cela la RDA appela les légionnaires en Algérie à rentrer sur son sol : « Aucun Allemand doit désormais participer à l'oppression de la volonté du peuple algérien d'être libre. Le gouvernement de la République Démocratique Allemande s'adresse à tous les légionnaires avec l'appel instant à rentrer immédiatement dans la patrie. » (gras dans l'original).

Omar Oussedik, secrétaire d'État du GPRA, avait pourtant appelé les jeunes légionnaires allemands originaires de RFA à déserter et à rentrer dès avril 1959 – ce que le *ND* avait relayé dans son édition du 14 avril. Le problème était probablement que cet appel partait de Pékin, où Oussedik fut interviewé par le correspondant de l'agence de presse est-allemande, ADN, lors d'une visite :

> Le secrétaire d'État Omar Oussedik appela tous les jeunes Ouest-Allemands qui combattent encore dans la Légion étrangère à se placer aux côtés du peuple algérien ; de là ils pourraient rentrer au pays.[1]

Selon le rapport de Löbel en avril 1960, un an après l'appel d'Oussedik, la camarade Spielmann du Conseil National (*Nationalrat*), après avoir reçu du matériel concernant les déserteurs en Algérie de la part de Si Mustapha, aurait la tâche de rédiger un tract pour l'Allemagne de l'Ouest. Le vice-rédacteur en chef de la radio *Deutschlandsender*, Werner Händler,[2] proposa même d'établir un service de recherche de « displaced persons », dans ce contexte, selon le modèle de la Croix-Rouge après la Deuxième Guerre mondiale.[3] Ce service « casserait sacrément les pieds au gouvernement Adenauer ».[4] Là-dessus, les responsables du SED se faisaient des illusions ; de même quand ils croyaient Si Mustapha lorsqu'il déclarait être d'accord avec de telles mesures.[5] Un an plus tard, ils devaient se rendre compte qu'ils avaient été bernés.[6]

Or, la RDA avait toutes les raisons de ne pas s'embarrasser d'une action dont elle connaissait bien les pièges depuis les péripéties du rapatriement des anciens Légionnaires d'Indochine. Parmi elles, la personnalité de celui qui dirigeait le service du rapatriement de l'ALN, Si Mustapha Quazzani.

---

1. *ND*, 14 avril 1959, n° 102, p. 5.
2. Händler était même connu par les services français à cause de ses contacts avec Si Mustapha et pour ses activités concernant les légionnaires, sur lesquels il avait fait un film documentaire. Voici la « Fiche de Haendler » (*ibid.*) :
   Allemand
   Né le 29.10.1920 à Bismarckhütte [...]
   En 1938, aurait été envoyé au camp de Sachsenhausen, (raisons raciales)
   Emigré [...] revient en Allemagne en 1946 – Employé à la N.W.D.R. (Radio du N.O. de R.F.A.) [...] congédié le 31.3.1948 pour ses activités communistes
   En juin 1957, il est employé à la section « Affaires politiques étrangères » du *Deutschlandsender* (radio sous influence soviétique)
   Il serait membre du S.E.D.
   Sa femme, Hella Haendler, serait une communiste active et fanatique. [...] Elle serait membre de l'Amicale germano-soviétique. [...]
   En 1957-1958, est correspondant au CAIRE du poste de radiodiffusion « Deutschlandsender ».
   En février 1959, fait publier par le « Deutschlandsender » son rapport documentaire « Les Allemands à la Légion étrangère »
   Le 22 février, reçoit à BERLIN-Est, Winfried MULLER et DAKLAOUI. [...]
   En rapports suivis avec Winfried MULLER alias « MUSTAPHA ».
3. SAPMO-BArch DY 30/ IV 2/20/ 354 (14/4/60), feuille 4.
4. SAPMO-BArch DY 30 / IV 2/20/ 354, 1er juin 1961, feuille 151.
5. *Ibid.*
6. Voir *infra*.

Si Mustapha, personnage trouble

La vie de Si Mustapha[1] touchait directement à l'histoire de la RDA. Le jeune Müller, d'origine juive, avait été résistant au régime nazi et était devenu membre du parti communiste allemand après la guerre. Il avait même appartenu à l'avant-garde communiste dans le secteur soviétique de l'Allemagne occupée, où il avait suivi en 1949 une formation à l'école de la FDJ à Klein-Machnow, près de Berlin, avant d'être exclu du parti, probablement pour déviations trotskistes. Il avait réussi à gagner la partie occidentale de l'Allemagne et était devenu, après quelques péripéties non encore entièrement élucidées, émissaire officiel de l'ALN, pour organiser, en étroite coopération avec d'anciens « camarades », une action que la RDA aurait dû trouver inutile voire néfaste.[2]

L'une des raisons était qu'en 1960, Si Mustapha organisait le rapatriement des déserteurs et PG allemands issus de la Légion étrangère déjà depuis un certain temps avec la RFA. La RDA devait donc apparaître comme « terre d'accueil » à côté et en rivale de la RFA.

Cette rivalité apparaît pour la première fois en juin 1960, en parallèle aux négociations conduites par Mabrouk Belhocine[3] avec le MfAA et son vice-ministre Sepp Schwab, sur l'installation d'un représentant permanent du FLN à Berlin-Est.

Après son séjour en RDA, Mabrouk Belhocine demanda de l'aide à ses collègues du Croissant-Rouge d'Algérie. Les responsables de la Croix-Rouge lui avaient demandé d'envoyer un émissaire au Maroc pour organiser le rapatriement de déserteurs de la Légion qui étaient originaires de la RDA, pour éviter que ceux-ci fussent rapatriés en RFA :

> Le problème essentiel posé réside dans le désir de la Croix-Rouge allemande d'installer un représentant au Maroc, dans le but de s'occuper du rapatriement des déserteurs allemands originaires de la DDR. Nos interlocuteurs nous ont souligné le caractère politique que revêtait pour eux le fait que leurs propres ressortissants étaient rapatriés en Allemagne fédérale.[4]

On peut s'interroger sur le rôle de Si Mustapha dans ce projet, car il avait son bureau comme responsable de l'ALN pour le rapatriement à Tétouan, au Maroc. Il n'est

---

1. Sur Si Mustapha voir LEGGEWIE, Claus : *Kofferträger. Das Algerien-Projekt der Linken im Adenauer-Deutschland.* Berlin 1984, p. 88 *sq.* ; sur son activité en RFA, voir CAHN/MÜLLER, *La République fédérale…*, p. 149 *sq.* Cahn et Müller écrivent que « Bonn éprouva immédiatement une grande méfiance envers Si Mustapha », surtout à cause de ses contacts avec l'Est et de ses « convictions et activités communistes. […] Winfried Müller devint l'objet d'une surveillance étroite jusqu'à l'installation de son quartier général à Belgrade, en 1959. » (p. 151) Je n'ai trouvé aucun indice pour la réalité de cette affirmation. Les lettres de Si Mustapha partirent toujours de Tétouan au Maroc. Par ailleurs, si – tardivement – les autorités de la RDA se méfient de Si Mustapha comme celles de la RFA, cela ne prouve qu'une chose, c'est que l'ancien « trotskiste » était devenu un loyal camarade des responsables dans sa nouvelle patrie, l'Algérie en guerre.
2. La dernière tentative de cerner le personnage se trouve dans : Comparativ. Zeitschrift für Universalgeschichte und vergleichende Gesellschaftsforschung (Heft 2, hrsg. von Wolfgang D. Schwanitz, Leipzig 2006), où Klaus Polkehn traite de « Die Mission des Si Mustapha - ein Deutscher kämpft für Algerien » (p. 30-45, CV de Polkehn p. 170).
3. Mabrouk Belhocine, né en 1921, avacat, était diplomate pendant la guerre d'Algérie, secrétaire général adjoint du MAE, représentant de l'Algérie indépendante dans différents pays de l'Amérique latine et batonnier du barreau d'Alger.
4. HARBI, Mohammed : *Archives de la révolution algérienne.* Paris, Editions Jeune Afrique 1981, p. 501, Doc. 106.

pas improbable que l'ancien « trotskiste », pour des raisons diverses, éventuellement pour faire pression sur ses correspondants en RDA, ait autorisé des Allemands de l'Est à se faire rapatrier en RFA ou – pire – ait envoyé quelques Allemands de l'Est en RFA.[1] De toute façon, on ne peut imaginer un hasard, vu le nombre extrêmement peu élevé des soldats originaires de la RDA dans la Légion.[2] Une autre raison est pourtant possible. De 1957 jusqu'au début 1960, la RFA avait entretenu une dépendance consulaire à Casablanca pour faciliter le rapatriement des légionnaires déserteurs.[3] Il n'est pas improbable que la RDA ait voulu remplir le vide que sa rivale avait laissé.

Apparemment, à Tunis, les autorités du GPRA n'étaient pas toujours au courant de ce qui se passait sur le front occidental au sein de l'ALN, surtout quand il s'agissait d'activités qui n'avaient pas un lien direct avec les actions militaires.[4] Il est donc probable que les responsables de la Croix-Rouge est-allemande aient demandé à un responsable algérien, en l'occurrence Mabrouk Belhocine, d'intervenir dans des affaires concernant le fameux Si Mustapha – sans le nommer, éventuellement pour des raisons diplomatiques – et que les responsables algériens à Tunis n'aient pas compris de qui il s'agissait, car ils ne connaissaient pas le personnage.[5]

Quelques semaines après cette lettre de Belhocine, en juillet 1960, l'ancien « trotskiste » séjournait en RDA. Il négociait, justement avec la Croix-Rouge est-allemande, la même chose que celle-ci avait demandé à Belhocine, la création d'un poste de représentant permanent de la Croix-Rouge au Maroc, pour garantir une collaboration étroite avec le Croissant-Rouge. Si Mustapha promit de s'occuper de toutes les mesures nécessaires pour le rapatriement des anciens légionnaires. Il demanda cependant l'installation préalable d'un service officiel de recherches de personnes disparues et de rapatriement en RDA, le fameux « Suchdienst ». En fait, le représentant de l'ALN – plus habilement que Belhocine qui semblait jouer la montre – accepta en principe la demande de la Croix-Rouge ; cependant il la retourna d'une certaine manière vers l'expéditeur en mettant l'organisation est-allemande à l'épreuve. L'auteur du rapport non signé sur le séjour de Si Mustapha n'en est pas dupe :

---

1. Si Mustapha avait écrit, concernant le travailleur agricole Wozniak, à son correspondant le Dr. Brentjes qu'il « l'avait fait rentrer en RFA », malgré son souhait de venir en RDA (SAPMO-BArch DY 30/ IV 2/20/ 354, feuille 53/54, 21.1.1961 ; voir *infra*, note 75).
2. Voir *supra*.
3. Cf. MICHELS, Eckard : *Deutsche in der Fremdenlegion 1870-1965. Mythen und Realitäten*. Paderborn/München 1999, p. 280.
4. Selon Michel Martini (entretien avec l'auteur, 21 avril 2005) ; lui-même, étant actif à Tunis dans le traitement des blessés – et par ailleurs également un proche ami de Mabrouk Belhocine, avec qui il conversait entre autres sur ses séjours en RDA – n'a par exemple jamais entendu parler de Si Mustapha, ni pendant la guerre, ni après, quand il était chirurgien-chef de l'hôpital d'Alger.
5. Dans ce contexte, les commentaires sur la visite de Si Mustapha et d'une délégation de l'ALN au printemps 1962, sont intéressants, car les autorités de la RDA sont presque sûres que cette délégation n'est pas officiellement envoyée par le GPRA. Les protestations inverses de Bakhti de l'ALN sont si insistantes que des doutes s'installent. Ceci pourrait signifier qu'effectivement l'ALN, par moments, menait une politique parallèle non autorisée par le GPRA ; logiquement il faut supposer que le MAE du gouvernement ne connaissait pas ces activités. Dans ce contexte, il convient de souligner le fait que Mohammed Harbi n'évoque nulle part Si Mustapha – ce qui signifie qu'il n'était pas au courant de son rôle à l'intérieur de l'ALN. En outre, Mabrouk Belhocine affirme dans son entretien avec l'auteur (30 novembre 2006) qu'il ne connaissait pas Si Mustapha – or, Belhocine était secrétaire général au MAE du GPRA.

S.M. [*i.e.* Si Mustapha, FT] affirma qu'il portait un grand intérêt à cette dernière question [l'installation d'un représentant de la Croix-Rouge au Maroc, FT], mais il ne s'engagerait plus concrètement que quand il verrait dans la pratique l'effet positif de nos mesures immédiates pour le rapatriement des légionnaires. Autrement dit, il [...] veut voir d'abord, si la Croix-Rouge s'occupe sérieusement des questions de rapatriement, après seulement il sera prêt à soutenir nos efforts pour obtenir un représentant permanent au Maroc.[1]

Décidément, l'ancien « trotskiste » ne ménagea pas les responsables du rapatriement en RDA. Par la suite, il se plaignit souvent de ce que le rapatriement ne fonctionnait pas bien, durait trop longtemps, et que les papiers permettant aux anciens soldats l'entrée sur le sol de la RDA ne seraient pas complets etc.[2]

L'action de Belhocine du MAE du GPRA et de Si Mustapha de l'ALN était-elle coordonnée ? Si la chronologie le suggère, aucun ne mentionne l'autre ; en outre, Mabrouk Belhocine affirme ne pas avoir connu Si Mustapha.[3] Il est tout aussi possible que la Croix-Rouge ait fait la même tentative avec les deux représentants algériens l'un après l'autre. En tout cas, le projet d'un représentant permanent de la Croix-Rouge au Maroc ne s'est jamais réalisé.

Si Mustapha faisait par ailleurs très clairement comprendre à ses interlocuteurs est-allemands qu'ils n'étaient pas les seuls à s'occuper des légionnaires allemands et les confrontait à une réalité douloureuse, celle de l'alternative RFA. Il l'évoqua dès ses négociations de juillet 1960, et la RDA pouvait comprendre qu'elle était, aux yeux de Si Mustapha, une sorte de pis-aller par rapport à la RFA. Dans une note sur une conversation de l'émissaire de l'ALN avec les représentants du « Nationalrat », Heinz Eggebrecht,[4] et de la « Deutsch-Arabische Gesellschaft », Nölle et le Dr. Brentjes,[5] il se plaignait amèrement de la RFA. Cependant ses partenaires ne pouvaient ignorer que la RFA avait été son premier choix :

Il aurait eu un grand espoir, jusqu'il y a 15 jours, celui de pouvoir obtenir un soutien efficace de la part de l'Allemagne occidentale dans la question de la Légion étrangère. Ceci a échoué parce qu'il n'a pas réussi à gagner le soutien d'un des grands partis politiques pour ces questions. [Il doit organiser une conférence de presse sous la tutelle du SPD et condamner la politique militaire du gouvernement, FT] Entre temps le SPD déclara cependant qu'il soutiendrait le gouvernement dans toutes les questions de politique étrangère.[6] [...] Pour le SPD, l'intérêt d'une conférence de presse [...] n'existait plus.[7]

Si Mustapha évoqua en face de ses interlocuteurs un autre ancien camarade, qui, dans sa fonction de rédacteur du journal du Syndicat ouest-allemand des métallurgistes

1. SAPMO-BArch DY 30/ IV 2/20/ 354 (feuille 31/32, sans date : fin juillet 1960).
2. SAPMO-BArch DY 30/ IV 2/20/ 354 (feuille 53/54, 18. 1. 1961).
3. Entretien avec l'auteur (30 novembre 2006).
4. Heinz Eggebrecht, né en 1916, était à cette époque directeur du district Magdeburg du Ministère pour la Sécurité de l'État (Ministerium für Staatssicherheit). Parallèlement il faisait des études de Droit et Administration à Potsdam (selon Müller-Enbergs/Wielgohs/Hoffmann, *Wer war wer...*).
5. Burchard Brentjes, né en 1929, avait fait des études d'archéologie à l'université de Halle/Saale. En 1958, il était provisoirement (« vorübergehend ») secrétaire de la « Deutsch-Arabische Gesellschaft der DDR ». Plus tard il devint professeur au département « Orient und Archäologie » de l'université de Halle (selon BUCH, Günther : *Namen und Daten wichtiger Personen der DDR*. Bonn, Dietz 1978).
6. Il s'agit du discours du dirigeant socia-démocrate Herbert Wehner, le 30 juin 1960, au Bundestag, où celui-ci a en effet déclaré que le SPD, dans des questions internationales ne s'opposera plus systématiquement au gouvernement de Konrad Adenauer.
7. SAPMO-BArch DY 30/ IV 2/20/ 354 (feuille 34/35, 27. 7. 1960).

IG-Metall, avait été menacé de licenciement immédiat s'il continuait de mentionner le problème de la Légion étrangère dans les publications syndicales, puisque « cela mettrait en danger l'OTAN ». Il s'agissait du réfugié est-allemand Heinz Brandt, comme le remarqua amèrement Heinz Eggebrecht.[1]

Dans le même contexte de rivalité entre RFA et RDA, Si Mustapha écrivit en janvier 1961 au secrétaire de la Deutsch-Arabische Gesellschaft, le Dr. Brentjes, la lettre suivante :

> Concernant le rapatriement direct en RDA : un autre point sur lequel je voudrais une clarification très rapide : préférez-vous un choix, c'est-à-dire moins, mais une meilleure qualité, ou voulez-vous le maximum possible de rapatriés ? [...] Nous souhaitons recevoir un nombre aussi important que possible de légionnaires, et naturellement tous les légionnaires ne veulent pas aller en RDA. On devrait donc supprimer [sur les tracts avec l'appel de la RDA, FT] le retour explicite en RDA ou bien on devrait expliciter très clairement que nous laissons aux légionnaires le choix entre les deux États allemands.[2]

Or, Si Mustapha ne se gêna pas, quelques jours après sa missive concernant le choix entre les deux Allemagnes, pour réitérer en essayant de « vendre » au Dr. Brentjes un légionnaire, Johann Wozniak, qui avait déjà fait un aller-retour entre RDA et RFA. Il le fit qui plus est sur un ton très moqueur :

> Je ne sais pas si je vous ai déjà expliqué cette histoire. L'individu voulait certes, à partir d'ici [Tétouan au Maroc, quartier général de Si Mustapha, FT], rentrer en RDA. Je l'ai fait pourtant rentrer en Allemagne de l'Ouest. Les deux raisons de mon action répréhensible : [...] 2) l'individu s'était déjà sauvé deux fois de chez vous et je supposai qu'il ne serait plus très intéressant pour la RDA. Maintenant il nous a écrit et demandé notre aide pour déménager à nouveau en RDA. Il est OS en agriculture et pour un ouvrier agricole il n'est pas trop bête.[3]

Tout est dans le ton, car en allemand les expressions qu'utilisa Si Mustapha sont d'une ironie condescendante et ne devaient certainement pas plaire au secrétaire de la DAG.[4]

L'exemple de l'ancien légionnaire Wozniak montre que Si Mustapha jouait sur les deux États allemands. On peut se demander s'il les jouait l'un contre l'autre. Or, malgré le manque de preuves directes, il est fort probable que Si Mustapha jouait de toute façon un double jeu, cela depuis la fin des années 50. Les preuves existent en tout cas pour une période ultérieure, quand les autorités de la RDA se rendirent compte de ce double jeu, peu avant la fin de la guerre d'Algérie.[5]

On ne peut pas exclure non plus que Winfried Müller, alias Si Mustapha Quazzani, ait utilisé ce jeu à des fins personnelles, par ambition, c'est-à-dire pour montrer aux

---

1. *Ibid.* feuille 35 ; Si Mustapha va plus loin encore dans une conversation avec le rédacteur en chef adjoint du Deutschlandsender (radio de la RDA), Hans Otten, où il loua ouvertement « Brand [*sic*], l'ancien secrétaire pour agitation de la direction de l'arrondissement, qui, en Allemagne de l'Ouest essaie de tenir une position prolétarienne ».
2. SAPMO-BArch DY 30/ IV 2/20/ 354, feuille 53/54, 18. 1. 1961.
3. SAPMO-BArch DY 30/ IV 2/20/ 354, feuille 53/54, 21.1.1961.
4. Le même ton condescendant se trouve dans une lettre à Brentjes du 7 décembre 1961 SAPMO-BArch DY 30/ IV 2/20/ 354, feuille 180, où Si Mustapha rappelle que les blessés de guerre qui arriveront en RDA auraient pu être envoyés ailleurs : « Je voudrais que l'on sache chez vous que nous aurions pu envoyer ces gens ailleurs, il y avait même une invitation aux USA. »
5. Voir fin du chapitre « Un bureau du FLN à Berlin ?... », p. 144 *sq*.

Algériens qu'il était capable d'organiser davantage que le simple rapatriement de soldats encombrants.

En tout cas, ce fut bien l'ex-trotskiste qui amena en RDA, en janvier 1962, une délégation de l'ALN avec le chef de l'État Major du front marocain, Bashir Bakhti.[1] On peut donc supposer que Si Mustapha était monté en grade au sein de l'ALN. Le fait que le personnage ne fût pas dépourvu d'ambition est corroboré par un rapport des services de l'Armée française. Selon ces services, habituellement bien informés, il n'était pas insensible aux honneurs à l'intérieur de la hiérarchie de l'armée algérienne :

> SI MUSTAPHA prétend que le poste de chef de la division des liaisons avec l'étranger auprès du commandement en chef de l'ALNA lui a été offert. Il ajoute qu'il acceptera vraisemblablement cette nouvelle tâche si sa santé le lui permet.[2]

Une telle promotion aurait mis les autorités est-allemandes dans l'embarras, car elles avaient prévu de court-circuiter désormais leur ancien compatriote fugitif. Cela ressort clairement de la lettre concernant la demande de son collègue Bakhti à propos de l'instruction sur les armes livrées à l'ALN.[3] Mais la guerre prit fin avant une telle épreuve pour la RDA.

Par ailleurs, Si Mustapha ne semble pas avoir réussi à obtenir un poste prestigieux dans l'Algérie indépendante, bien qu'il eût « ses entrées à la préfecture » d'Oran, selon Houari Mouffok.[4]

Si l'on prend en considération les difficultés que les autorités de la RDA s'étaient créées avec le rapatriement de légionnaires d'origine allemande, on doit se poser la question de sa « rentabilité ». Au niveau économique, le retour d'Algérie n'apporta certainement pas grand' chose. Au plan politique, la rentabilité de cette action devait être fortement mise en question. D'abord, le nombre des rapatriés fut partagé entre les deux Allemagnes, la RDA n'ayant pas le monopole des légionnaires rentrés d'Afrique du Nord. Dans ce contexte, sa propagande s'était piégée elle-même en ce sens qu'elle avait toujours stigmatisé sa rivale occidentale pour avoir fourni la plupart des légionnaires. Or, ceux-ci rentraient dans leur patrie. Que le sulfureux Si Mustapha-Müller eût imposé le choix entre les deux Allemagnes pour les candidats au rapatriement devait logiquement défavoriser la RDA qui n'avait pas autorisé un recrutement sur son territoire.

Le fait que le responsable « algérien » du rapatriement était un ancien adepte de la même idéologie que ses partenaires en RDA, s'ajoutait au bilan négatif de l'action, surtout parce que Si Mustapha ne ménageait aucunement ces « camarades ».

---

1. Voir *ibid.* et chapitre « Un bureau du FLN à Berlin ?... », p. 138 *sq.*
2. SHD/DAT 1H 1775, note du SDECE, intitulée « Au sujet de Si Mustapha » du 3 novembre 1961. Les militaires français étaient par ailleurs au courant de l'origine est-allemande de Si Mustapha : « NOTA : SI MUSTAPHA est l'alias de Winfried MULLER, chef du service de rapatriement de la Légion auprès de l'ALNA à TETOUAN. » (*ibid.*)
3. Voir *supra*, note 2 p. 25.
4. MOUFFOK, Houari : *Parcours d'un étudiant algérien de l'UGEMA à l'UGEA*. Saint Denis, Éditions Bouchène 1999, p. 75 : Si Mustapha introduit Mouffok auprès de Ben Bella, mais celui-ci ne connaissait pas sa fonction pendant la guerre, car il le présente comme « un légionnaire allemand qui s'était engagé dans la lutte armée aux côtés des Algériens ».

Le seul côté positif fut collatéral. Par ce rapatriement, la RDA put contacter des personnalités importantes – ou feignant de l'être – dans l'appareil du futur État algérien. Ces contacts pouvaient permettre l'élaboration de projets politiques au niveau international ; en effet, le peuple algérien en lutte pour son indépendance pouvait servir d'intermédiaire entre la RDA et d'autres nouveaux États du tiers-monde. Par toutes sortes d'aides – et le rapatriement des légionnaires pouvait être considéré comme tel – la RDA put renforcer sa position internationale par rapport à l'Allemagne « impérialiste » qui soutenait le colonialisme français.

UN BUREAU DU FLN À BERLIN ? OU COMMENT ÉVITER UNE RECONNAISSANCE RÉCIPROQUE TOUT EN ÉTANT PRÉSENT : YALA, BELHOCINE ET SI MUSTAPHA

Manfred Kittel, dans sa contribution à un colloque sur l'Allemagne et la guerre d'Algérie, mentionne à juste titre le dilemme entre idéologie et « realpolitik » rencontré par les autorités de la RDA.[1] Au plus tard vers 1958[2], la RDA avait mis fin à sa propagande en faveur d'une unification allemande et adopté une politique cherchant la reconnaissance de l'« autre Allemagne » en tant qu'État autonome.[3] Les États occidentaux étant « jugulés » par la doctrine *Hallstein*[4] et les États dits socialistes l'ayant reconnue depuis longtemps, les dirigeants de Berlin-Est n'avaient guère d'autre choix

---

1. Kittel, MANFRED : « Wider ‚die Kolonialmacht der französischen Großkapitalisten und die Rüstungsmillionäre des Nordatlantikpakts'. SED und Algerienkrieg 1954-1962. » *In* : *Revue d'Allemagne,* tome 31, juillet-décembre 1999 : *L'Allemagne et la décolonisation française* (éds. Jean-Paul Cahn et Klaus-Jürgen Müller), p. 405 à 421.
2. On peut suivre ce retournement en lisant les rapports et le communiqués du PCF et du SED. Dans une note non datée qui sert de préparation à une rencontre des deux partis (probablement entre le 23 et le 27 mai 1957) Jacques Duclos écrit : « Les deux partis sont opposés à une politique qui, sous prétexte d'unir l'Europe, en exclut une partie de l'Allemagne et les pays de l'Europe orientale, aggrave la division de l'Allemagne et rend impossible son unification pacifique. » (SAPMO-BArch, DY 30/ 3629, feuille 44). Cependant les délégués de la RDA auprès du XVe Congrès du PCF (24 à 28 juin 1959) se plaignent du manque d'information des camarades français : « L'attention du spectateur [d'une exposition sur les pays frères, FT] n'était pas sollicitée concernant l'existence de deux Etats allemands, leur développement social profondément distinct. » (*ibid.*, feuille 67/68). Le retournement dans la propagande avait donc eu lieu en 1958. (cf. PFEIL, Ulrich : *Die « anderen » deutsch-französischen Beziehungen. Die DDR und Frankreich 1949-1990.* Köln 2004, chapitres 2.1.3 et 3.1.1).
3. Il ne s'agit évidemment pas ici d'un virage abrupt. Ulrich Pfeil situe le tournant entre le milieu de l'année 1956 (lettre De Lothar Bolz à Christian Pineau) et 1958 (chapitre « Die DDR-Anerkennungspolitik in Frankreich [1958-1971]) », (PFEIL, *Die « anderen » deutsch-französischen Beziehungen...*, p. 86 et 88 *sq.*). L'« autorisation » d'une telle politique était venue de Khrouchtchev en juillet 1955, quand il lança la « théorie de deux États » en ce qui concerne l'Allemagne.
4. Par cette doctrine la RFA considérait une reconnaissance de la RDA par un État comme un « acte inamical » qui pouvait provoquer la rupture des relations diplomatiques.

que de solliciter la reconnaissance de nouveaux États issus de la décolonisation. Et il y avait là un vivier important, car rien que du côté français, entre 1949 et 1960, c'est-à-dire avant l'indépendance de l'Algérie, pas moins d'une vingtaine d'anciennes colonies acquirent leur indépendance.

Il fallait donc dès le début miser sur des mouvements de libération en espérant que ceux-ci deviendraient des États après une libération dite nationale. Or, la RDA se trouvait devant l'alternative suivante : soit elle pouvait ne soutenir, dans le tiers-monde, que des mouvements de libération qui étaient sur la même ligne idéologique qu'elle, soit elle cherchait à se faire reconnaître de régimes qui ne correspondaient pas ou peu à l'idéal communiste qu'elle défendait.

La décision fut prise en parallèle avec la politique de l'URSS de reconnaître des régimes qui ne ressemblaient guère aux « démocraties populaires » du bloc soviétique.[1] Manfred Kittel qualifie cette politique de machiavélique.[2] Autrement dit, Kittel est du même avis que Jan Lorenzen, pour qui « par rapport à la volonté de la RDA d'être reconnue, l'idéologie devait définitivement rentrer dans le rang. »[3]

Positionnement international de la RDA. Idéologie contre « realpolitik » ?

Il semble pourtant que l'idéologie dans la politique étrangère de la RDA ait bien existé aussi dans sa volonté de se faire reconnaître par un maximum d'États. On trouve évidemment des éléments idéologiques dans les rapports que la RDA entretenait avec l'élite de la future république indépendante d'Algérie, les représentants du FLN et de ses organisations (UGTA, UGEMA, Croissant Rouge, etc.), ainsi que de l'ALN, et évidemment du Gouvernement Provisoire de la République Algérienne (GPRA), après sa création en septembre 1958. Personne – ni en RDA ni ailleurs – ne doutait de l'existence d'une telle république dans un avenir assez proche.[4]

La « feuille de route » de la RDA concernant sa politique « anti-impérialiste » se trouve dans le résumé de sa politique étrangère sous la plume de Peter Klein, qui évoque en 1968 l'aide de la RDA à la juste lutte de libération du peuple algérien.[5]

On doit ajouter à cette revendication l'élément majeur que la rivale RFA était du mauvais côté, celui des colonialistes français et britanniques lors de la crise de Suez. Non seulement, elle avait toléré, voire favorisé l'enrôlement de jeunes Allemands dans

1. Cf. chapitre précedent la caractérisation du régime nasserien en Egypte par le ministre Rau. Voir aussi ELSENHANS, Hartmut : *Frankreichs Algerienkrieg. Entkolonisierungsversuch einer kapitalistischen Metropole. Zum Zusammenbruch der Kolonialreiche.* München 1974 (en français : *La Guerre d'Algérie 1954-1962. La transition d'une France à l'autre. Le passage de la IVᵉ à la Vᵉ République.* Paris, Publisud 2000).
2. KITTEL, « Wider... », p. 417.
3. LORENZEN, Jan : « Die Haltung der DDR zum Suez-Krieg. Das Jahr 1956 als Zäsur in der Nahost-Politik der DDR. » in : *Deutschland Archiv*, n° 28, 1995, p. 281.
4. Cf. dans ce contexte Jean-Paul CAHN/Klaus-Jürgen MÜLLER : *La République fédérale d'Allemagne et la Guerre d'Algérie (1954-1962).* Paris 2003 : chapitre VI, où les auteurs montrent qu'à partir de 1958, au plus tard, le gouvernement de la RFA mise sur une Algérie indépendante.
5. KLEIN, Peter (Hg.) : *Geschichte der Außenpolitik der Deutschen Demokratischen Republik.* Berlin (Ost) 1968, p. 377/78 (cf. note 1 p. 15).

la Légion étrangère, mais au plus tard depuis le milieu de 1957, on accusait systématiquement le gouvernement de la RFA de « tendances coloniales expansionnistes ».[1]

On voit ici qu'une idéologie anti-impérialiste et léniniste exigeait de soutenir la libération des peuples, puisqu'ils se trouvaient du côté des victimes. Sans entrer dans une discussion sur la doctrine léniniste de la liberté nationale comme étape obligatoire vers la révolution mondiale, il convient d'insister sur le fait que la RDA ne pouvait pas défendre une « théorie de deux États », donc la création définitive d'un État socialiste sur le sol allemand, sans accorder aux peuples colonisés le droit à l'indépendance nationale. Le système politique issu d'une libération était donc secondaire, même s'il fallait prendre en considération l'éventuelle existence d'un parti communiste frère.

Dans ce contexte, l'obtention d'une reconnaissance diplomatique de la RDA pouvait être considérée comme une victoire sur la RFA, et par là comme une victoire du camp anti-impérialiste. Pour atteindre ce but, il fallait donc soutenir le mouvement de libération nationale le plus prometteur en Algérie. Bientôt, au plus tard après la mise à l'écart du MNA en 1957,[2] le FLN avec son bras armé, l'ALN, s'avéra le seul groupe indépendantiste capable de remporter la victoire. S'ajoutait le fait que le GPRA issu du FLN avait le même but que la RDA, une reconnaissance diplomatique pour renforcer sa position internationale et, à partir d'un certain moment, dans ses négociations avec la France de de Gaulle.[3]

En revanche, la RDA ne pouvait pas abandonner à son sort le Parti Communiste Algérien (PCA), qui était tout de même le parti frère, et avec qui l'on avait des contacts réguliers depuis 1954. Ce parti devait être de surcroît considéré comme un élément de la lutte du peuple algérien pour sa libération.

Or, le choix devant lequel se trouvaient les dirigeants de la RDA n'était pas l'alternative entre une politique idéologique ou une « realpolitik machiavélique ». Chacune des politiques envisagées était fortement teintée d'idéologie. La RDA n'avait pas les moyens de mener une politique « impérialiste », au niveau économique par exemple, comme les pays auxquels elle reprochait cette attitude ; elle ne pouvait pas espérer exploiter les gisements de pétrole ou de gaz du Sahara – comme le voulaient les dirigeants « impérialistes » des États-Unis et de la RFA.

Pour préciser les possibilités de la RDA au niveau économique mondial, il convient ici d'anticiper : dans les années 1970, période bien plus faste pour la partie « socialiste »

1. L'une des premières déclarations dans ce sens est celle du MfAA du 10 août 1957 (Dokumente zur Außenpolitik der Regierung der Deutschen Demokratischen Republik. Bd. V : Vom 1. Juli 1956 bis zum 31. Dezember 1957. Berlin-Ost 1958, p. 107/08).

2. Cf. là-dessus MEYNIER, Gilbert : *Histoire intérieure du FLN 1954-1962*. Paris, Fayard 2002, p. 445 *sq*.

3. Un exemple pour l'intérêt du GPRA à se faire reconnaître « massivement », dans la vision de la RDA, est la note que l'on trouve dans les archives de l'ancienne RDA, datée du 6 avril 1961 : « Secret. Concernent les négociations du GPRA avec la France : 28/3 information de Kusnezow à Moscou aux ministres des affaires etrangères des pays socialistes sur l'Algérie. [...] Le GPRA serait en ce moment particulièrement intéressé que d'autres gouvernements reconnaissent le GPRA. » (SAPMO-BArch DY 30/ IV 2/20/ 354, feuille 35/36). Ce qui est intéressant n'est pas l'information en tant que telle, mais que les dernières lignes ont été soulignées en rouge et affublées de plusieurs points d'exclamation en marge.

de l'Allemagne, l'Algérie occupait la huitième place des partenaires commerciaux de la RDA avec le tiers-monde. Mais le commerce avec les 10 partenaires du tiers-monde les plus importants était largement inférieur à celui de la RDA par exemple avec la Hongrie.[1] La RDA n'était pas en mesure de concourir avec « l'impérialisme occidental ».

Ainsi toute politique de la RDA était-elle d'une façon quasi automatique une politique idéologique ; c'est au niveau de l'idéologie qu'elle pouvait et devait faire ses choix. Une victoire diplomatique pour le « camp de la paix » était-elle plus « rentable » qu'un soutien idéologique actif du parti frère en Algérie ? Sous quelle forme pouvait-on soutenir ce frère sans perdre toute crédibilité au niveau international comme à l'intérieur du pays, voire du parti SED ?

La position internationale de la RDA était assez particulière : elle était le seul pays du Pacte de Varsovie à ne pas entretenir de relations diplomatiques avec la France, directement impliquée dans le conflit. La raison de cet état de fait n'était pas à chercher chez les autorités de la RDA, mais dans la doctrine *Hallstein* de la RFA.

En effet, Konrad Adenauer avait dû instaurer des relations diplomatiques avec l'URSS en septembre 1955 pour que celle-ci libère les prisonniers de guerre allemands qui y étaient toujours détenus. Il y avait désormais deux ambassades allemandes à Moscou, celle de la RDA, reconnue par l'URSS dès 1949, et celle de la RFA. Puis, la RFA avait décidé de rompre les relations diplomatiques avec tous les États qui reconnaissaient la RDA et établissaient des relations diplomatiques avec elle. La même année, Khrouchtchev avait renoncé à toute réunification des deux Allemagnes. Il avait par là donné le feu vert à un État RDA, au niveau international. Certes, la thématique de la réunification survivait encore dans les deux États allemands, mais on pouvait désormais jouer sur les deux tableaux.

Paradoxalement, le jeu des exclusivités n'avait pas que des désavantages pour la RDA en ce qui concernait l'Algérie en guerre. Car la France de de Gaulle avait instauré un système similaire qui menaçait de rupture des relations diplomatiques tout État non-arabe qui aurait reconnu le GPRA, créé en 1958 et qui résida d'abord au Caire puis à Tunis, comme gouvernement légitime d'une future république algérienne. Ainsi l'ambassadeur français à Belgrade Broustra fit-il part à son ministère, dans un télégramme du 24 mars 1959, des entretiens qu'il avait eus au sujet d'une éventuelle rupture des relations diplomatiques :

> La conversation [avec un sous-secrétaire du MAE yougoslave, ...] a porté sur la décision prise par le gouvernement français de rompre les relations diplomatiques avec la Yougoslavie si cette dernière reconnaissait le pseudo-gouvernement du FLN [...][2]

Or, puisque la RDA n'avait pas de telles relations avec la France, elle ne risquait pas la rupture en nouant des relations plus ou moins officielles avec le GPRA. Au contraire, elle pouvait faire valoir sa « liberté » auprès des autorités algériennes pour essayer de les inciter à une reconnaissance réciproque.[3]

---

1. VON LÖWIS OF MENAR, Henning : *DDR und Dritte Welt. in : Die innere und äußere Lage der DDR*. Berlin 1982 (p. 123-140, ici p. 135).
2. MAE, Afrique-Levant 1944-1959, Algérie, 29.
3. Les arguments dans les documents du MfAA qui font valoir que les relations de la RDA avec la France souffriraient, aussi au niveau commercial, d'une reconnaissance du GPRA, sont souvent des prétextes qui servent à montrer aux Algériens que la RDA ferait des sacrifices, elle aussi, si elle reconnaissait le GPRA (cf. chapitre « Les débuts des relations ... », note 2 p. 20).

Cette liberté était fortement contestée par les autorités de la RFA. Celles–ci affirmaient que la RDA n'était qu'un pion dans une politique relativement prudente de l'URSS.[1]

L'analyse algérienne était à peu près la même. Michel Martini, médecin français qui s'était mis au service du FLN dès 1956 et qui s'occupait tant bien que mal, à Tunis, des victimes algériennes blessées lors des combats, résume bien, dans ses mémoires, la situation :

> Or, de Gaulle avait averti qu'il romprait les relations diplomatiques avec tous les pays, autres que les pays arabes, qui reconnaîtraient le GPRA. [...] C'est pourquoi les pays socialistes s'étaient entendus pour charger la DDR [*sic*], qui n'avait pas été reconnue par la France et n'avait donc pas de relations diplomatiques avec elle, d'être le pays de liaison politiquement actif avec le GPRA. D'où l'importance des liens entre la DDR et toutes les organisations nationales algériennes.[2]

Plus officiellement, Mohammed Harbi, qui était à partir de 1959 l'équivalent d'un sous-secrétaire d'État au MAE du GPRA, responsable des pays dits socialistes,[3] analysait la situation de façon similaire, en mettant l'accent sur le GPRA qui, après sa création en 1958, représentait un élément nouveau de la politique internationale :

> Dès 1955 ces pays [scil. socialistes] soutiennent la cause algérienne à l'ONU et fournissent à partir de 1956 une aide matérielle aux réfugiés, aux syndicats et aux étudiants. Mais leur attitude politique, la Yougoslavie exceptée, reste marquée par le souci de ménager la France. Le FLN favorise leur expectative en gardant ses distances à leur égard pour ne pas incommoder les pays occidentaux [...]. La formation du GPRA apporte de notables changements à ce tableau. Le gouvernement algérien renonce à l'espoir de voir les Occidentaux intervenir pour mettre fin au conflit franco-algérien. Il affirme davantage son indépendance et sollicite la reconnaissance des pays de l'Est, dont il attend, entre autres choses, un soutien capable de l'aider à surmonter l'impasse militaire.[4]

Quand Harbi évoqua la « reconnaissance », il ne pensait certainement pas à une reconnaissance diplomatique réciproque, car le GPRA n'était reconnu que par peu d'États et il ne reconnaissait pas d'autres États du fait de son statut provisoire. Il devait user par ailleurs de ce fait comme argument envers la RDA.

La reconnaissance diplomatique était de surcroît, dans ces années, un jeu compliqué, où la revendication d'exclusivité, telle la doctrine *Hallstein*, n'avaient pas que des avantages pour les pays qui la revendiquaient.

Lors de la crise de Suez, la RFA se trouva dans une situation délicate, car elle ne devait pas trop s'éloigner de ses partenaires européens de l'OTAN, la France et la

---

1. Voir dans ce contexte le rapport de l'Ambassadeur Seydoux à Bonn au MAE, le 4 mars 1959, note 35 du chapitre « Les débuts des relations ... ».
2. MARTINI, Michel : *Chronique des années algériennes 1946-1962*. Saint Denis, Éditions Bouchène, 2002, p. 238. Le docteur Martini envoyait des blessés pour traitement médical dans des pays amis en Europe ; après la création du GPRA c'étaient souvent des pays dits socialistes.
3. HARBI/MEYNIER : *Le FLN*..., p. 806 : « Haut fonctionnaire au cabinet de Belkacem Krim, ministre des Affaires extérieures, responsable du département "pays de l'Est" ».
4. HARBI, Mohammed : *Archives de la révolution algérienne*. Paris, Éditions Jeune Afrique 1981 ; Introduction aux documents 101 à 115, p. 487. Au même endroit se trouve l'analyse du Dr. Debaghine qui insiste, le 14 novembre 1959, sur le besoin de paix et de stabilité mondiales de la part de l'URSS. Ainsi, celle-ci hésiterait à intervenir directement dans le conflit en Algérie : « C'est en raison même de ce que nous venons d'indiquer que l'URSS quoique toujours disposée à nous fournir toute l'aide que nous pourrions lui demander, ne le fera que par intermédiaire afin de ne pas paraître dans la position de celui qui agit contre la paix alors qu'il la réclame par tous les moyens. » (*ibid.*, doc. 101, p. 488) La RDA était un intermédiaire possible et pratique.

Grande-Bretagne. Or, les États arabes menaçaient de rompre leurs relations diplomatiques avec elle et d'en nouer avec sa rivale, la RDA. Le *ND* s'en réjouissait, naturellement, en citant une voix « neutre », le journal suisse *Die Tat* :

> « Monsieur von Brentano [ministre des Affaires étrangères de RFA, FT] doit se décider maintenant sur ce qui sera le plus coûteux pour son pays : un léger courroux anglais ou une réaction pulsionnelle arabe. » Bonn ne devrait pas oublier que pour Nasser et aussi pour d'autres hommes politiques du monde asiatique et africain, il y a à côté de Bonn également la RDA.[1]

Dès 1956, la RDA se positionnait donc en candidate à une éventuelle reconnaissance de la part d'États, surtout issus d'anciennes colonies européennes, même si la Réunification était toujours le but officiel de sa politique étrangère.

Dans ce contexte de quête de reconnaissance de part et d'autre, il est utile de rappeler que le FLN avait réussi à installer en RFA, depuis le printemps 1958, c'est-à-dire avant la création du GPRA, au sein de l'ambassade de Tunisie à Bonn, un bureau officieux, toléré par les autorités ouest-allemandes.

Certes, ce n'était pas une représentation officielle du GPRA, mais la RDA pouvait légitimement se sentir en concurrence avec sa rivale occidentale. Que le GPRA ne ressemblât en rien à un régime de « démocratie populaire », mais plutôt à un conglomérat de « représentants de la moyenne et petite bourgeoisie » passa au second plan dans l'esprit de certains hommes politiques de RDA.[2] Pour les idéologues de RDA c'était cette mentalité qui freinait la clairvoyance des membres du GPRA, puisque ceux-ci commençaient seulement en 1960 à s'apercevoir de la situation dans laquelle se trouvait le bureau du FLN en RFA :

> En raison de la mentalité petite-bourgeoise et nationale-capitaliste des membres du GPRA, celui-ci commence seulement tardivement à reconnaître le vrai visage et les intentions du gouvernement Adenauer.[3]

Toutefois, au GRPA, la « realpolitik » avait aussi ses partisans, malgré l'idéologie « petite-bourgeoise » des dirigeants. Ainsi, l'on peut lire dans une note interne sur la future politique étrangère de l'Algérie en guerre les postulats suivants :

> Sur le plan des objectifs à atteindre, nous devons accorder la priorité absolue à la recherche d'appuis matériels là où ils se trouvent, que ce soit à l'Est ou à l'Ouest.
> [...] étendre l'éventail des reconnaissances du GPRA.[4]

Il y avait alors effectivement une concordance d'intérêts entre le GPRA et la RDA, qui tous deux cherchaient une reconnaissance internationale.[5]

---

1. *ND*, 23 août 1956, n° 201, p. 2. Sur la menace des États arabes à rompre les relations diplomatiques avec la RFA, la RFA elle-même et la crise de Suez dans le contexte avec l'Algérie cf. Cahn/Müller, *La République fédérale d'Allemagne*..., p. 83 *sq*.
2. SAPMO-BArch DY 30/ IV 2//20/ 354, feuille 64, septembre 1960 comme l'un des multiples exemples.
3. SAPMO-BArch DY 30/ IV 2//20/ 354, feuille 78, novembre 1960.
4. Harbi, *Archives*..., Doc. 77, p. 382 (18 janvier 1959).
5. Les militaires français analysaient ce parallèle très justement, dès 1959 : « La reconnaissance du GPRA a jusqu'ici été éludée par l'URSS et ses satellites ; cependant le FLN a dernièrement entrepris des démarches dans ce sens à Moscou, où l'on assiste actuellement au développement d'une campagne d'opinion assez favorable ; la question a également été débattue avec la DDR. » (SHD/DAT 1H 1721, 10 avril 1959 : L'évolution de l'attitude du communisme international à l'égard de la rébellion algérienne, p. 7).

Faut-il rappeler un parallèle entre les quatre structures étatiques impliquées dans le jeu, à savoir une sorte de revendication d'exclusivité ? En effet, si la RFA revendiquait, par la doctrine *Hallstein*, une représentation exclusive du peuple allemand au niveau international, la France menaçait tout État qui reconnaissait le GPRA de sanctions diplomatiques. Les dirigeants est-allemands revendiquaient à leur tour une exclusivité idéologique, le soutien non intéressé au peuple algérien dans sa lutte contre le colonialisme et l'impérialisme. Enfin, le FLN, dont était issu le GPRA, avait écarté toute structure rivale dans la lutte pour la libération (du PCA au MNA) et se revendiquait seul représentant du peuple algérien, non comme la RFA, au niveau international, mais comme structure politique, futur parti unique.[1]

Cependant, si la RDA devait soutenir « sans compromis [...] la juste lutte de libération du peuple algérien », ceci pouvait se faire avec d'autant mieux que l'idéologie du partenaire pouvait être considérée comme proche. Autrement dit, plus le GPRA était « socialisant », plus une reconnaissance semblait possible. Au bout d'un certain temps, des représentants algériens tentèrent de jouer là-dessus, mais le GPRA lui-même essaya dès sa création de se faire reconnaître par la RDA, sans réciprocité.

1958/59 : Premières tentatives du GPRA d'installer une représentation en RDA

Immédiatement après sa création, le GPRA envoyait à un certain nombre d'États une demande de reconnaissance pour renforcer sa position au niveau international. Une telle lettre, datée du 19 septembre 1958 et signée par Ferhat Abbas, était arrivée en RDA[2] ; elle déclencha une activité fébrile à Berlin-Est, mais aussi au Caire où siégeaient Richard Gyptner, le plénipotentiaire de la RDA auprès de la RAU – avec titre d'ambassadeur – et le nouveau gouvernement algérien. C'est par ailleurs au Caire où le ministre des Affaires culturelles du tout nouveau GPRA, Ahmed Tewfik El Madani, exprima la certitude, auprès du Premier Secrétaire de l'ambassade est-allemande, Erich Simons, que le pays de celui-ci reconnaîtrait bientôt ce gouvernement :

> Le Gouvernement Provisoire veut envoyer une délégation politique dans un certain nombre de pays. Il [El Madani] me fit part de son opinion que le gouvernement de la RDA reconnaîtrait certainement demain [...] ou les jours prochains officiellement le Gouvernement Provisoire de l'Algérie.[3]

La reconnaissance devait attendre encore presque quatre ans. Mais Wolfgang Kiesewetter du MfAA donna dès ce moment une feuille de route à l'ambassadeur Gyptner pour négocier avec le nouveau gouvernement. Ces négociations devaient concerner la reconnaissance réciproque des deux gouvernements, démarche dont le pour et le contre avait été discuté au ministère. On avait décidé que des négociations

1. Ceci s'avérera *in concreto*, lors de notre enquête, dans les affaires Kroun et Zoubir, dans des rapports comme celui d'Aït Chaalal, mais aussi dans la menace de Bashir Bakhti, au début de 1962, de partir tout de suite, si on le confrontait avec un représentant du PCA.
2. Une traduction de cette lettre se trouve en MfAA A 11 235, feuille 138 *sq*.
3. MfAA A 11 235, feuille 79 : « Vermerk » du 24 septembre 1958 sur un entretien avec Tewfik El Madani.

sur une reconnaissance réciproque pouvaient être envisagées, car l'idée que la RFA se trouverait dans une situation très difficile après une éventuelle reconnaissance du GPRA par la RDA l'avait emporté sur d'éventuelles complications dans les relations avec la France :

> D'un autre côté, nous mettrions l'Allemagne de l'Ouest dans une situation très difficile. Nous ne pensons pas que l'Allemagne de l'Ouest mettrait en danger [...] ses relations avec la France, et en plus avec l'OTAN, par une reconnaissance du gouvernement algérien.[1]

Toutefois la reconnaissance de la « Freie Algerische Regierung » (F.A.R.) comme on appelait encore le GPRA, ne devait pas être déclarée sans un certain nombre de conditions et de précautions. Un rapport du MfAA du 29 septembre établit, dans ses conclusions, les précautions à prendre :

> 1. La reconnaissance du « Gouvernement Libre de l'Algérie » correspond aux principes de notre politique [...]
> 2. On doit prendre en considération le poids de la question algérienne pour les relations de tout le camp socialiste envers la France, des nôtres et celles de Bonn, avant la reconnaissance.
> 3. Par conséquent, nous ne devrions pas rendre officielle la reconnaissance avant l'URSS et la majorité des autres États socialistes.
> On doit vérifier si une demande officielle de la F.A.R. existe.[2]

La demande officielle existait, mais la reconnaissance instantanée dont rêvait le ministre algérien semblait être plus comliquée.

Ainsi des conditions étaient prévues par le MfAA. Le responsable du département juridique du ministère, un certain Stempel, relata dans un rapport interne la position du vice-ministre Sepp Schwab[3] :

> Le camarade Schwab pense que la reconnaissance de l'Algérie par la République Démocratique Allemande doit être associée aux conditions suivantes :
> 1. Une prise de position claire du gouvernement provisoire algérien concernant la question allemande.
> 2. Échange de plénipotentiaires.[4]

Ce mot de « plénipotentiaire » posa par ailleurs problème au lecteur de la lettre que le même Schwab envoya à Gyptner, le 22 septembre. Il l'invita à rendre une visite au Premier Ministre Ferhat Abbas et à lui transmettre les félicitations de la RDA concernant la création du gouvernement algérien, et à l'assurer qu'elle travaillait déjà à un document sur la reconnaissance :

> Lors de cette visite, vous exprimerez vos félicitations pour la création du nouveau gouvernement et lui ferez savoir que notre gouvernement se charge déjà d'établir un document sur la reconnaissance du gouvernement algérien. Vous vous présenterez de la part de notre gouvernement comme plénipotentiaire officiel du gouvernement de la République Démocratique Allemande pour les États arabes qui vous a autorisé à entamer des pourparlers et à conclure des accords avec les autorités

---

1. MfAA A 12 706, feuille 85, Kiesewetter à Schwab, le 20 septembre 1958.
2. MfAA 12 706, feuille 67.
3. Sepp Schwab était ministre délégué (stellvertretender Minister) ; son supérieur direct était Otto Winzer (1. stellvertretender Minister) qui avait été – avec Sepp Schwab – ministre délégué (stellvertretender Minister) jusqu'en 1959 et qui deviendra ministre en 1965. Le Ministre des Affaires étrangères était jusque-là Lothar Bolz.
4. MfAA A 12 706, feuille 68, 27 septembre 1958.

> compétentes du gouvernement algérien sur la reconnaissance réciproque et l'établissement de relations ainsi que sur la nomination respective et l'échange de plénipotentiaires.[1]

Le lecteur, en toute vraisemblance Gyptner lui-même, avait souligné le terme « plénipotentiaire » et mis un point d'interrogation en marge. Quel statut devaient avoir ces plénipotentiaires ? Lui-même avait un statut hybride : il avait certes le titre d'ambassadeur, mais auprès d'une entité peu structurée, la RAU. Puisque le GPRA était provisoire, devait-il insister sur le statut d'ambassadeur pour les plénipotentiaires, ou pouvait-il se limiter, lors de la négociation, à un statut parallèle au sien ? La question a longtemps été posée, ouvertement ou implicitement, par les négociateurs est-allemands à leur ministère.

Or, si le vice-ministre des Affaires étrangères était favorable à une reconnaissance du GPRA, sous condition que celle-ci fût réciproque, ce terme était si important que, pour le cas où Gyptner ne l'aurait pas compris, dans la feuille de route du MfAA que lui envoya Wolfgang Kiesewetter, le mot était même souligné :

> Vous devez expliquer au Premier Ministre algérien que vous êtes autorisé à négocier l'établissement de relations normales <u>réciproques</u> et que le gouvernement de la RDA souhaite apprendre la position du gouvernement algérien concernant cette question.[2]

Gyptner se rendit au siège du président du GPRA, Ferhat Abbas, le 4 octobre 1958. Ce qu'il y vit ne ressemblait en rien, selon lui, au siège d'un gouvernement digne de ce nom. L'accueil à l'ancien siège du FLN n'était pas protocolaire du tout. Gyptner ne parlant pas très bien français, dut quasiment chercher lui-même une personne parlant anglais et pouvant servir d'interprète ; en plus les locaux étaient mal rangés. Bref l'accueil n'était pas digne d'un ambassadeur.[3]

L'entretien avec le président ne fut pas non plus prometteur. En effet, Gyptner se présenta comme autorisé à entamer des négociations sur une reconnaissance réciproque, et Ferhat Abbas lui expliqua en quoi une reconnaissance de la part de la RDA était utile et nécessaire pour son gouvernement. Il fit à cette fin une comparaison censée séduire son interlocuteur en tant qu'Allemand, ignorant que la RDA n'avait pas milité pour un rattachement de la Sarre à la RFA :

> Le Premier Ministre fit une comparaison avec la situation en Sarre. Il dit que la France avait jadis voulu s'approprier la Sarre, bien que la Sarre soit une partie de l'Allemagne. L'opinion internationale avait insisté sur un référendum en Sarre et le référendum avait montré que la Sarre était allemande et appartenait à l'Allemagne. L'impérialisme français veut affirmer que l'Algérie est une partie de la

---

1. MfAA A 12 706, feuille 84. L'évocation de la part de Schwab d'un document sur lequel on travaillait au MfAA, n'était pas un leurre. On trouve, dans le même dossier, une ébauche de lettre, exprimant la reconnaissance, que le Premier Ministre est-allemand, Otto Grotewohl, devait signer après un accord entre les deux gouvernements (MfAA A 12 706, feuille 83, non daté).
2. MfAA A 11 235, feuille 138, 30 septembre 1958 (souligné dans l'original).
3. MfAA A 11 235, feuille 133 : « Aktenvermerk über meinen Besuch beim Ministerpräsidenten der provisorischen Republik Algerien, Ferhat Abbas, am 4. Oktober 1958 » (double de l'entretien en MfAA A 13 775, feuilles 211 à 215). Un an et demi plus tard, le même Gyptner insiste sur le fait que le siège du Premier Ministre algérien est maintenant nettement plus présentable : « L'accueil [par Krim Belkacem et Mohammed Harbi, au MAE, FT] était très amical et le protocole était correctement appliqué. La maison du Ministre des Affaires étrangères, où siégeait jadis le FLN et puis tout le Gouvernement Provisoire se présente désormais comme relativement bien rangé. » (MfAA A 13 776, feuille 32).

> France. Or, l'Algérie est une partie de l'Afrique et le peuple arabe veut être maître dans sa maison. [...] le monde doit donc montrer à de Gaulle et à la France que l'Algérie n'est pas une partie de la France. [...] Pour cette raison, le gouvernement nouvellement formé attend cette reconnaissance.[1]

Gyptner essaya, de son côté, de ramener le Président du GPRA dans le vif du sujet, à savoir la reconnaissance réciproque :

> Puisqu'il était évident, à partir de la réponse du premier Ministre, qu'il voulait éviter la question des relations diplomatiques, je remis ce sujet directement en avant [...]. Alors le Premier Ministre fit valoir qu'ils étaient un pays pauvre, que tout leur argent allait aux soldats et qu'ils n'étaient pas en mesure d'envoyer des ambassadeurs dans tous les États qui les auraient reconnus.[2]

Ils se séparèrent et Ferhat Abbas proposa à Gyptner de se revoir quelques semaines plus tard, le 13 novembre, pour reparler du problème.

La première mission Mohammed Yala

Entre temps, les Algériens avaient envoyé un émissaire en RDA, Mohammed Hadj Yala El Charbi, qui y séjourna du 24 au 31 octobre 1958. Il rencontra plusieurs représentants est-allemands, entre autres le Dr. Ludwig du DRK à Dresde, le 27 octobre. En dehors de problèmes techniques sur la destination des envois de solidarité – fallait-il les dépêcher au Maroc, en Tunisie ou au Caire ? –, l'Algérien et l'Allemand de l'Est s'entretinrent des légionnaires d'origine allemande et du problème des deux Allemagnes. Ludwig rapporta à Berlin, le jour même, que son interlocuteur s'était présenté en fervent ami de la RDA :

> Au cours de la discussion nous débattîmes également du problème de la Légion étrangère. Lors de cette discussion nous expliquâmes nos démarches auprès de la Croix-Rouge ouest-allemande contre le recrutement de légionnaires et condamnâmes par principe cette forme de recrutement d'Allemands avides d'aventure.
> Dans ce contexte, la discussion passa logiquement aux différents stades de prise de conscience du peuple allemand dans les deux parties de l'Allemagne et à l'attitude regrettable du gouvernement ouest-allemand en ce qui concerne les questions de la lutte de libération d'autres peuples. Il ressortit de la discussion que M. Yala connaissait très bien ces faits ; il souligna l'attitude du peuple et du gouvernement de la RDA comme unanime et positive.[3]

Les interlocuteurs de l'émissaire algérien, Seigewasser et Haufe du *Nationalrat*[4], Meyer et Mühlmann du Ministère du Commerce extérieur et interallemand (Ministerium für Außenhandel und Innerdeutschen Handel/MAI), et Schedlich du MfAA pouvaient avoir la même impression, le 25 octobre. Yala avait demandé l'échange de matériel de propagande, il avait posé la question de l'accueil d'étudiants algériens, surtout dans les matières techniques. On était convenu de confier à l'ambassadeur au Caire, Richard Gyptner, la poursuite des contacts[5]. Mohammed Yala était resté évasif sur

1. *Ibid.*, feuille 135.
2. *Ibid.*
3. MfAA A 12 725, feuille 18, « Bericht über den Besuch eines Vertreters der algerischen Regierung » (le 27 octobre à Dresde, Dr. Ludwig, le 27 octobre 1958).
4. Hans Seigewasser (1905 à 1979) était à cette époque le Président du Bureau du « Nationalrat der Nationalen Front », Yala parle donc avec des personnes d'un certain rang, ce qui montre l'importance que l'on donne à cette visite, en RDA.
5. MfAA A 12 725, feuilles 21/22.

un seul point, l'ouverture immédiate de discussions commerciales. Cette question lui avait été posée par l'un des représentants du Ministère du Commerce extérieur et Yala avait répondu qu'il n'était pas un expert en économie et qu'il fallait discuter de ces questions au Caire.[1]

Or, malgré les efforts de Yala au MfAA, l'on était assez circonspect concernant son rôle. La lettre de Kiesewetter à Gyptner au Caire en témoigne :

> [...] Comme vous le verrez dans la [...] note [il s'agit du « Vermerk » sur la visite de Yala, FT] sur la discussion au *Nationalrat*, le rôle de M. Yala était de sonder notre attitude envers le gouvernement algérien.[2]

Malheureusement, cette lettre ne fut envoyée que le 10 novembre et arriva chez l'ambassadeur longtemps après sa deuxième visite chez Ferhat Abbas et leur entretien du 13 novembre sur la reconnaissance réciproque des deux gouvernements.

Lors de cette rencontre, Gyptner devait s'enquérir des vraies raisons pour lesquelles le GPRA ne voulait pas procéder à une reconnaissance réciproque avec la RDA. En effet, Ferhat Abbas, après avoir tergiversé sur une reconnaissance de toute l'Allemagne après sa réunification et après la guerre en Algérie[3], lui fit comprendre très clairement que l'Allemagne de l'Ouest était importante pour les Algériens de France comme territoire refuge, et qu'en cas de reconnaissance de la RDA par l'Algérie, on craignait des représailles contre les Algériens sur place.[4]

Lors de l'entretien, Gyptner dut affronter, outre le président du GPRA, un personnage inattendu, Mohammed Yala :

> L'incident suivant m'a semblé désagréable dans cette affaire: pendant l'entretien chez le Premier Ministre [...] entra sans aucunement se gêner l'écrivain algérien Yala [...] et il participa à la discussion. [...] Yala dit que tous [les représentants de la RDA lors de sa visite à Berlin, FT] lui auraient assuré que l'établissement des relations diplomatiques ne serait pas si important et que tous auraient recommandé l'échange de missions économiques.[5]

L'ambassadeur auprès de la RAU, qui avait utilisé le mot « désagréable », ne croyait pas si bien dire. En effet, l'affaire eut des conséquences désagréables non seulement pour

1. *Ibid.*, feuille 23.
2. MfAA A 12 725, feuille 7.
3. Cet argument de la reconnaissance d'une Allemagne réunifiée devait poursuivre les négociateurs est-allemands pendant quasiment toute la guerre. Il est connu aussi par les autorités de la RFA, si l'on croit Sabah Bouhsini. Elle cite un entretien du Dr. Heinz Kloss du Auswärtiges Amt à Bonn avec un officier FLN haut placé, le 19 mars 1959 : « Le ministre de la RDA Rau aurait proposé au Ministre des Affaires étrangères en exil, au Caire, la reconnaissance de la RDA. Celui-ci l'aurait refusée, car, des relations politiques ne seraient possibles que quand il y aura une politique étrangère uniforme des deux parties de l'Allemagne » (BOUHSINI, Sabah : *Die Rolle Nordafrikas (Marokko, Algerien, Tunesien) in den deutsch-französischen Beziehungen von 1950 bis 1962.* Aachen 2000 ; p. 203, note 661).
4. MfAA A 11 235, feuilles 123 à 27, rapport de Gyptner (14 novembre 1958) sur son entretien avec Ferhat Abbas, le 13 novembre (double en A 13 775, feuilles 211 à 15). Les arguments d'Abbas apparaissent de façon concise dans une « Information über den Stand der Beziehungen der DDR zur Republik Algerien » du 2 janvier 1959 : « Selon leur opinion, on ne peut actuellement pas établir des relations diplomatiques puisqu'on craint des représailles du côté du gouvernement ouest-allemand contre les Algériens résidant en Allemagne de l'Ouest qui opèrent, à partir de là pour le FLN en France. En plus on a intérêt de se faire reconnaître un jour aussi par l'Allemagne de l'Ouest et veut tout éviter qui pourrait empêcher l'établissement de relations avec l'Allemagne de l'Ouest. »
5. *Ibid.*, feuille 127.

la RDA qui ne voulait pas de missions économiques comme *ersatz* de reconnaissance réciproque, mais pour Gyptner lui-même.

Immédiatement après l'entretien avec le plénipotentiaire est-allemand, le 13 novembre, Ferhat Abbas avait écrit une lettre à Lothar Bolz, Ministre des Affaires étrangères de la RDA, où il avait demandé l'installation de missions économiques – en se référant aux entretiens de Yala avec les représentants est-allemands :

> [...] M. Mohammed Yala, qui a effectué récemment un voyage à Berlin a eu l'occasion de rencontrer des membres du Présidium du Front National ainsi que des représentants des différents Ministères de votre Gouvernement.
> Il semble résulter de ces entretiens qu'il serait souhaitable que nos deux Gouvernements procèdent à un échange de Missions Economiques, missions dont le statut serait identique à celui des autres missions déjà accréditées auprès de votre Gouvernement.[1]

Ce refus implicite, mais clair, d'établir des relations diplomatiques normales avec la RDA suscita des réactions diverses au MfAA. Surtout le vice-ministre Sepp Schwab comprit le rôle de Yala, qui n'avait pas été seulement de sonder le terrain en RDA, mais de forcer la main aux Allemands de l'Est en vue d'une officialisation des relations entre les deux gouvernements. Le niveau relativement inférieur desdites missions économiques permettait aux Algériens d'éviter des problèmes avec la RFA, c'est-à-dire de contourner la doctrine *Hallstein*. En plus, le côté algérien essayait apparemment de faire croire que la RDA était à l'initiative de l'établissement de telles missions. Schwab fit part de son soupçon à Heinrich Rau, Ministre du Commerce extérieur et Vice Premier Ministre, dès le 21 novembre :

> Après vérification des entretiens que M. Yala a eus à la présidence du *Nationalrat* je constate que ceux-ci ne permettent pas les conclusions qui apparaissent du côté algérien dans cette lettre. En outre, au MfAA, personne n'a eu des entretiens particuliers avec M. Yala. Ainsi j'ai l'opinion que le gouvernement algérien essaye de nous attribuer à tort l'initiative de la proposition concernant l'échange de missions économiques.[2]

La réaction du Vice Premier Ministre Rau fut virulente. D'abord il attaqua le représentant de la RDA au Caire et l'accusa presque d'incompétence :

> Je ne comprends pas pourquoi le camarade Gyptner a sollicité cet entretien [le deuxième avec Ferhat Abbas, FT]. Puisque le gouvernement algérien a refusé la reconnaissance diplomatique de la RDA et puisque, de façon analogue, nous ne procéderons pas non plus à la reconnaissance diplomatique de ce gouvernement, il n'y avait plus de matière pour une négociation. Le camarade Gyptner n'avait d'autre possibilité que de se mettre sur le dos de nouvelles revendications du gouvernement algérien et par là de nous obliger à refuser encore une fois. Ceci est une mauvaise diplomatie.[3]

Cette attaque était injuste dans la mesure où 1° Gyptner n'avait pas sollicité l'entretien avec Ferhat Abbas ; 2° il pouvait s'attendre à une discussion ouverte, car le refus de la reconnaissance n'avait pas été si net qu'au deuxième entretien ; 3° il n'avait pas été au courant de la simagrée des Algériens et de leur délégué Mohammed Yala.[4]

---

1. *Ibid.*, feuille 128.
2. MfAA A 12 706, feuille 42. Par ailleurs, Schwab adressa la même lettre à Walter Ulbricht et à Peter Florin du CC du SED ce qui montre que l'affaire lui semblait très importante.
3. *Ibid.*, feuille 34, non datée.
4. C'est ce dernier argument qu'utilise Gyptner pour se défendre contre un blâme de la part de Kiesewetter qui lui avait reproché de ne pas avoir attendu des directives du MfAA, après le premier entretien avec Abbas et qui lui avait joint une partie des paroles de Rau. (MfAA A 11 235, feuille 122/23 et 120/21).

Après son attaque contre l'ambassadeur, Rau argumenta contre les missions économiques – en partie avec des arguments économiques :

> Je suis pour un refus des missions économiques proposées. Le gouvernement algérien refuse la reconnaissance de la RDA avec l'argument qu'il ne doit pas irriter l'Allemagne de l'Ouest, pour que les étudiants algériens puissent continuer à y faire des études. Ceci est proprement grotesque. Les combattants anti-impérialistes doivent être formés absolument dans l'Allemagne de l'Ouest impérialiste et par là on justifie le refus de la reconnaissance de l'État allemand anti-impérialiste, la RDA. En même temps le gouvernement algérien demande une reconnaissance par la RDA et – comme c'est certainement connu – le renoncement à ses relations commerciales avec la France. De surcroît, le gouvernement algérien demande une aide économique unilatérale de la RDA. C'est là le sens de l'échange de missions économiques, car ce gouvernement algérien n'a rien à proposer au niveau économique.[1]

Pour ne pas fermer définitivement les portes, Rau proposa toutefois de continuer les envois de solidarité, mais de les « limiter aux relations du FDGB envers les organes syndicaux de la population algérienne ».[2]

C'est ce qui arriva. En janvier 1959 la RDA prit la décision de ne pas reconnaître le GPRA « pour l'instant » :

> Après examen de la situation, la décision a été prise de ne pas procéder pour l'instant à la reconnaissance du GPRA par le gouvernement de la RDA. Les mesures d'aide pour le peuple algérien et sa lutte de libération seront poursuivies par le FDGB et par la Croix-Rouge.[3]

Dans ces circonstances, le MfAA avait même refusé, en décembre 1958, de donner son accord à une visite du Ministre algérien de la Culture, Ahmed Tewfik El Madani. Schwab donna à son collègue Alexander Abusch, Ministre de la Culture, comme explication *expressis verbis* le refus du GPRA d'accepter une reconnaissance réciproque des deux gouvernements.[4]

Après plusieurs interventions du côté algérien au Caire et des lettres de Gyptner avertissant son ministère que ses interlocuteurs (entre autres Lakhdari[5], secrétaire général adjoint du MAE algérien) attendaient toujours une réponse à la lettre de Ferhat Abbas, datée du 13 novembre 1958, et que le mutisme du MfAA ne correspondait pas « aux formes de la diplomatie »[6], Sepp Schwab adressa enfin, le 31 mars 1959, une lettre au Ministre algérien des Affaires étrangères, Mohammed Lamine Debaghine, en réponse à la lettre de Ferhat Abbas du 13 novembre 1958 :

> [...] Le Gouvernement de la République Démocratique Allemande est d'avis que les intérêts du peuple allemand et du peuple algérien seraient le mieux servis si l'on établissait des relations diplomatiques entre la République Démocratique Allemande et la République algérienne. [...] Le statut de missions commerciales aux droits consulaires ne suffirait pas pour élargir les relations entre nos deux États.[7]

---

1. *Ibid.*, feuille 35 (cf. note 3, p. 20).
2. *Ibid.*
3. MfAA A 11 235, feuille 26 d'une « Information über den Stand der Beziehungen der DDR zur Republik Algerien » (2 janvier 1959).
4. MfAA B 3010, feuilles 243 et 244, autour du 10 décembre 1958.
5. Il s'agit probablement d'Ali Lakhdari, dont parle Mohammed Harbi dans ses souvenirs comme « futur ambassadeur » (HARBI, Mohammed : *Une vie debout. Mémoires politiques. Tome 1 : 1945-1962*. Paris : La Découverte 2001, p. 244).
6. *Ibid.*, feuilles 117 à 119, rapports et lettres datés des 31 janvier et 4 fevrier 1959.
7. *Ibid.*, feuille 112/13.

Les autorités de la RDA devaient se sentir dupées par la lettre de Ferhat Abbas et le comportement du GPRA qui voulait leur arracher une reconnaissance au rabais. On n'y avait tout simplement pas répondu. Visiblement la lettre de Schwab gêna à son tour le GPRA et son MAE. On n'y répondit pas pendant une année.

Un bureau permanent à Berlin-Est ? Yala de nouveau dans la capitale est-allemande

Mohammed Harbi, dès son entrée au MAE, rappela à son ministre Belkacem Krim[1] que l'on n'avait pas encore répondu à la lettre du vice-ministre des Affaires étrangères de la RDA, Sepp Schwab, depuis le 31 mars 1959. Harbi appuya sa demande en mentionnant un rapport d'étudiants algériens en RDA, boursiers de l'État est-allemand, où ceux-ci avaient évoqué des tensions entre les autorités est-allemandes et les étudiants qui se réclamaient du FLN. Le lien entre les étudiants algériens et la lettre était, selon Harbi, que l'on avait bien accepté des bourses pour les premiers sans pour autant daigner donner une réponse à la demande de Schwab d'établir des relations diplomatiques :

> Dans sa réponse en date du 31 mars 1959, le vice-ministre des Affaires extérieures Monsieur Schwab insistait par contre sur l'opportunité de l'échange de relations diplomatiques. Notre gouvernement ne donna aucune suite à cette proposition et laissa la lettre sans réponse.
> Une démarche du chef de mission allemand [il s'agit de la RDA, FT] au Caire, Monsieur Gyptner, auprès du président Abbas n'eut guère de succès. Le président Abbas argua de nos intérêts consulaires en Allemagne fédérale pour rejeter les propositions de la RDA.
> L'attitude de notre gouvernement ne semblait pas tenir compte de l'aide de la RDA à la révolution (critère fondamental pour le choix des alliances) et de l'existence d'une forte colonie algérienne, essentiellement estudiantine, en République démocratique allemande. [...] Ce manque de courtoisie est d'autant plus grave qu'au moment même où nous ne prenions pas la peine de répondre à Monsieur Schwab, nous acceptions les 25 bourses accordées à nos étudiants par le gouvernement de la RDA.[2]

Krim réagit rapidement à la suggestion de son sous-secrétaire. Dès le mois d'avril 1960, Sepp Schwab fut averti dans une note « confidentielle » que le consul général de la RDA au Caire, dans un télégramme, allait annoncer l'arrivée dans un futur proche d'une lettre du Ministre des Affaires Etrangères d'Algérie au MfAA, avec proposition de négociations, au mois de mai, sur une « représentation algérienne à Berlin concernant des affaires économiques, culturelles et sociales ».[3] Quelques jours plus tard, « ministre König envoya télégramme à ambassadeur Dölling » au Caire (« strictement confidentiel »), lui demandant « consultation avec les amis » algériens. On y récapitula ce qui s'était déroulé jusqu'alors :

> Nous avons proposé à l'Algérie relations diplomatiques. Gouvernement d'Algérie a répondu qu'entre une Algérie libérée et une Allemagne réunifiée existeraient les meilleures relations et proposé d'établir à Berlin une représentation économique. Nous avons répondu à l'époque que nous étions favorables à des relations diplomatiques. Le côté algérien n'y a pas répondu. La proposition ci-dessus est la première mesure du gouvernement algérien depuis.[4]

1. Krim était depuis janvier 1960 Ministre des Affaires Étrangères du 2e GPRA ; dans le 1er GPRA de septembre 1958, il avait été Ministre des Forces Armées.
2. Harbi, *Archives...*, Doc. 103, p. 495/96 (26 mars 1960).
3. SAPMO DY 30/ IV 2/20/ 354, feuille 6.
4. *Ibid.*, feuille 7, 29 avril 1960) ; feuille 8 une lettre de Belkacem, dans laquelle il remercie la RDA pour son aide. Elle ne correspond pas à la proposition de lettre de Mohammed Harbi (Harbi, *Archives...*, doc. 104, p. 496/97, 26 mars 1960). Belkacem Krim ne prend pas à sa charge, dans cette lettre, la proposition de

Ce qui n'était pas évoqué dans cette récapitulation, c'était que sur fond de doctrine *Hallstein*, le tout nouveau gouvernement algérien courait le risque d'être obligé de fermer sa représentation officieuse au sein de l'ambassade tunisienne à Bonn, au cas où elle aurait établi des relations diplomatiques avec la RDA. Ceci eût été d'autant plus regrettable que cette représentation se trouvait sur le sol de l'une des plus fidèles alliées de la France, la RFA adenauerienne, membre de l'OTAN depuis 1955.[1]

Dans sa lettre du 21 avril 1960, Belkacem Krim fit référence à la proposition de Ferhat Abbas d'échanger des missions économiques et contourna le problème d'une reconnaissance réciproque par l'argument que de toute façon, le GPRA n'avait reconnu aucun des États qui l'avaient reconnu à leur tour et reprit la proposition d'ouvrir une représentation à Berlin-Est :

> [...] Pour des raisons qu'il ne nous appartient pas d'apprécier, le Gouvernement de la République Démocratique Allemande n'a pas jugé nécessaire jusqu'à présent de procéder à cette reconnaissance.
> C'est à la lumière de ces faits que nous avons estimé nécessaire, par notre lettre en date du 13 novembre 1958, une proposition concernant l'échange de Missions Économiques.
> Quant aux relations diplomatiques que votre note en date du 31 mars 1959 nous proposait d'établir, une réponse positive n'a pas pu vous être donnée, car dans les circonstances présentes le Gouvernement Provisoire de la République Algérienne n'entretient de relations diplomatiques avec aucun des pays l'ayant reconnu. [...]
> Il me semblerait souhaitable que vous nous permettiez l'installation à Berlin d'une représentation algérienne qui pourrait être chargée utilement de nos intérêts croissants d'ordre économique, social et culturel en République Démocratique Allemande.[2]

À la fin de cette lettre, Belkacem Krim demanda aux autorités est-allemandes d'accueillir une délégation algérienne qui pourrait négocier l'ouverture d'une telle représentation.

La lettre de Krim n'était que l'officialisation d'une tentative lancée à l'automne 1959, quand le MAE algérien avait envoyé à nouveau Mohammed Yala comme émissaire à Berlin-Est pour qu'il obtienne des autorités l'ouverture d'un bureau permanent du GPRA.

En effet, Yala lui-même avait annoncé, dès le 24 juin 1959, à l'un des secrétaires de l'ambassade de la RDA au Caire, Greiser, que le GPRA l'enverrait prochainement à Berlin-Est pour y ouvrir un bureau d'information :

> Ce bureau se servirait pour son travail entre autres également des étudiants qui se trouvent actuellement chez nous. [...] Le bureau à Berlin serait considéré comme une sorte de bureau de diffusion pour les informations destinées à Varsovie, Moscou et Prague.[3]

Or, dès ce moment, on décida au MfAA de ne pas donner suite à une telle demande. Dans une note manuscrite en marge de cette lettre, l'un des secrétaires du MfAA recommanda à son supérieur Wolfgang Kiesewetter :

Harbi qui insiste sur une reconnaissance du GPRA, de la part de la RDA, et qui repropose seulement par défaut l'échange de représentations économiques.

1. Concernant le rôle de la RFA pendant la guerre d'Algérie, voir : CAHN/MÜLLER, *La République fédérale d'Allemagne...*
2. MfAA A 12 711, feuilles 105 à 107, traduction allemande en MfAA A 12 706, feuilles 20/21.
3. MfAA A 13 775, feuille 204.

> Accueillir Yala et lui faire part du fait que l'on n'a pas encore répondu à la proposition de la RDA en vue d'établissement de relations diplomatiques. Donc on ne peut pas non plus prendre une décision concernant un bureau d'information.[1]

Évidemment Yala ne pouvait savoir que son voyage était inutile, mais encore une fois, le MfAA n'informa pas Richard Gyptner au Caire, à qui Yala avait demandé un visa d'entrée en RDA en octobre 1959 ; l'ambassadeur s'étonna auprès de son ministère que son interlocuteur veuille apparemment discuter à Berlin de l'ouverture d'un bureau.[2]

Vers le 12 octobre 1959, Yala arriva à Berlin, passa à Leipzig le 13 et le 14 pour discuter avec des étudiants et des blessés algériens, et puis, ce même 14 octobre, s'entretint avec des représentants du *Nationalrat*, entre autres Seigewasser : l'on convint de relancer une action envers les légionnaires d'origine allemande.[3]

Concernant le bureau d'information que Yala voulait ouvrir à Berlin-Est, l'affaire aurait été vite réglée, vu que dès le début il était clair pour les autorités est-allemandes qu'un tel bureau ne devait pas exister. Or, l'émissaire du GPRA posait problème en tant que personne, car il liait ce bureau à un séjour prolongé – il voulait rester en RDA pour apprendre l'allemand à l'université Humboldt. Une « Information » non signée du 14 janvier 1960 résume les étranges désirs de l'Algérien :

> Yala voulait installer à Berlin un bureau FLN. On a poliment refusé ce projet. [...] Yala parle bien l'allemand pour un Arabe ; ces études n'étaient qu'un prétexte pour s'établir pour toujours en RDA. [...] Dans un entretien au Nationalrat, Yala déclara qu'il voulait rester pour toujours à Berlin et installer un bureau du FLN. Ce bureau devait aussi avoir la possibilité d'attribuer des passeports aux Algériens résidant en RDA.[4]

Yala voulait en plus mener des négociations sur la formation et sur un éventuel rapatriement d'étudiants algériens, mais, selon le rapporteur, il n'avait pas de mandat officiel de son gouvernement et l'on devait donc refuser des négociations sur ces sujets.[5]

Le fait le plus gênant pour les interlocuteurs est-allemands fut certainement que Yala chanta, lors de ses entretiens à Leipzig au DRK, les louanges du général Rommel en Algérie.[6]

Mais les vrais soucis des autorités concernant Yala n'étaient pas le manque de mandats écrits pour des règlements de problèmes estudiantins. Yala se comportait en fait de façon très désinvolte : il demanda des billets d'avion pour aller à Prague, qu'il ne remboursa pas, il voyageait sans visa et il essaya même de s'inscrire dans un

1. *Ibid.*
2. MfAA A 12 725, feuille 33 (3 octobre 1959). Il est par ailleurs possible que c'était le même personnage qui avait demandé à Prague l'ouverture d'un bureau de la sorte (MfAA A 11 367, feuille 1). En effet, au mois d'août, l'un des secrétaires de l'ambassade de la RDA à Prague demande à son ministère, de la part de son collègue Cerny du MAE tchécoslovaque, de donner son avis sur la demande « d'un représentant du mouvement algérien de libération » « d'autoriser l'ouverture d'un centre d'information et de propagande » : « Le camarade Docteur Cerny demanda à notre MfAA de donner son opinion, comment la RDA se comporterait, si l'on adressait une telle demande d'ouverture d'un centre d'information et de propagande à Berlin. »
3. MfAA A 12 725, feuilles 4/5 et 29/30.
4. MfAA A 12 725, feuille 68.
5. *Ibid.*
6. MfAA A 12 725, feuille 5, Otto Dankert sur l'encadrement de Yala (19 novembre 1959).

« sanatorium » de la RDA. Bref, les autorités est-allemandes durent être soulagées quand elles réussirent à le faire partir en janvier 1960.[1]

La RDA protesta par ailleurs officiellement, auprès du MAE algérien, contre le comportement de Yala. Deux hauts fonctionnaires, Boukadoum et Lakhdari vinrent s'excuser auprès de Richard Gyptner au Caire qui les avait convoqués, le 14 janvier 1960.[2]

Avec un personnage comme Mohammed Yala, l'installation d'un bureau du FLN à Berlin-Est comme ersatz d'une ambassade ne pouvait aboutir. Le GPRA n'abandonna pourtant pas ses efforts en ce sens. En 1960, une délégation officielle, avec comme responsable un haut fonctionnaire du MAE algérien, devait faire une nouvelle tentative en vue d'arracher aux autorités est-allemandes l'établissement d'une représentation permanente.

La délégation Belhocine-Aït Chaalal : bureau permanent ou délégué permanent à défaut ?

Belkacem Krim avait demandé à son collègue est-allemand, dans sa lettre du 21 mars 1960, d'autoriser le GPRA à ouvrir « une représentation algérienne à Berlin dont la tâche pourrait être utilement de promouvoir nos intérêts économiques, sociaux et culturels », donc en gros ce que l'on avait refusé à Mohammed Yala. Il avait demandé également que l'on accueille une délégation, cette fois-ci officielle, pour discuter entre autres d'un éventuel bureau – qui devait ressembler à celui que le FLN entretenait à Bonn.

Ce qui pouvait pourtant intéresser les responsables du MfAA, c'était l'information que le secrétaire politique du MAE algérien, Hadi Gani, avait donnée à un membre de l'ambassade est-allemande auprès de la RAU au Caire. En effet, en RFA, le bureau du FLN n'étant plus très bien vu, on essayait de le fermer[3] :

> Il confirma que la fermeture du bureau algérien de l'ambassade tunisienne en Allemagne de l'Ouest n'avait pu être évitée que par une protestation commune de tous les pays arabes. [...]
> L'Allemagne de l'Ouest ne peut pourtant pas encore se permettre de traiter les Algériens comme le fait la France. Il y a actuellement en Allemagne de l'Ouest plusieurs milliers de réfugiés algériens qui y sont venus de France à cause des persécutions du gouvernement français. C'est aussi pour cette raison qu'il importe pour le gouvernement algérien d'avoir une représentation à Berlin.[4]

---

1. Sur ces tribulations de Yala, cf. le rapport de Hermann Sadunischker, son accompagnateur (« Betreuer »), en MfAA A 12 725, feuilles 2/3 : « Bericht über die Betreuung des algerischen Freundes Mohammed Yala in der Zeit vom 11.11.-25.11.1959 » (5 décembre 1959).
2. *Ibid.*, feuilles 63 à 66 (double en MfAA A 13 775, p. 186 *sq.*)
3. La fermeture du bureau se réalise en juin 1960. En RDA, on n'était pas vraiment au courant du détail des péripéties à Bonn, selon une note au MfAA (MfAA A 12 724, feuille 77) : « Les anciens collaborateurs du FLN travailleraient maintenant illégalement avec le soutien de l'ambassade marocaine. On aurait installé à Cologne un bureau sous la direction du député SPD Wischnewski aux frais du DGB. »
4. MfAA 12 711, feuilles 102/03 (Aktenvermerk über den Besuch des Politischen Sekretärs des Außenministeriums der algerischen Regierung, Herrn Hal L. Gany, am 25. April 1960, s.d., non signé).

Hali Gani suggéra donc qu'il pouvait être nécessaire pour le FLN de remplacer son bureau à Bonn par une représentation algérienne à Berlin-Est. Une telle information pouvait toujours influencer les discussions internes lors de la préparation de la rencontre en RDA.

Préparatifs au MfAA pour les négociations avec la délégation algérienne

D'autres informations précieuses venaient de Moscou. En effet, Mabrouk Belhocine, du MAE algérien, avait demandé à l'ambassade de la RDA en URSS, où il fit une visite officielle, en mai 1960, si sa délégation – lui-même et un collaborateur – ne pouvait pas passer directement par Berlin-Est, avant de rentrer en Algérie. La réponse du MfAA fut négative ; toutefois on invita la délégation pour le mois de juin suivant. Belhocine s'était déjà entretenu avec le conseiller d'ambassade Thun, et lui avait expliqué la position algérienne quant à la reconnaissance réciproque. Thun avait naturellement fait un rapport pour son ministère.

Belhocine avait décrit l'importance de la RFA pour les membres du FLN en France et par là pour le GPRA :

> L'endroit le plus avantageux pour les Algériens qui doivent provisoirement disparaître de France est l'Allemagne de l'Ouest. Même si l'organisation terroriste « La Main Rouge » n'y est pas poursuivie avec un zèle particulier, on peut tout de même dire que les autorités ouest-allemandes souvent ferment les yeux quand il s'agit d'Algériens. Si l'on faisait maintenant des déclarations clairement dirigées contre l'Allemagne de l'Ouest, cela signifierait une détérioration de la situation des Algériens en Allemagne de l'Ouest. [...] Ainsi l'on doit comprendre que le gouvernement algérien ne s'exprime pas sur la question allemande.[1]

Belhocine avait d'ailleurs fait preuve envers son interlocuteur d'un réalisme presque machiavélique :

> L'Algérie aura certainement besoin de beaucoup d'aide pendant sa reconstruction [...] et elle prendra cette aide là où elle peut la trouver. Donc également en Allemagne de l'Ouest.[2]

Le Secrétaire général du MAE algérien avait même expliqué au représentant est-allemand à Moscou qu'en RFA, beaucoup de personnes soutenaient son pays et que les Arabes ne faisaient pas tous la différence entre RFA et RDA :

> Certes, on comprend bien, dit M. Belhussein [= Belhocine, FT], les différences entre la politique du gouvernement de la RDA et celle de Bonn. Mais pour les sympathies en général dont jouissent les Allemands chez les Arabes, le fait que les Allemands ne se sont jamais présentés comme des colonialistes, joue un très grand rôle. Même aujourd'hui, on trouve dans des cercles assez larges de l'Allemagne de l'Ouest une honnête sympathie pour la lutte des Algériens.[3]

Le MfAA à Berlin-Est était donc prévenu. Krim avait clairement dit ce que la délégation devait négocier, à savoir un bureau algérien, et Belhocine avait expliqué pourquoi le GPRA ne reconnaîtrait pas la RDA.

Par conséquent la rencontre devait être soigneusement préparée de la part de la RDA, ce qui fut fait au MfAA et au CC du SED.

---

1. MfAA A 658, feuille 5.
2. *Ibid.*
3. *Ibid.*, feuille 4.

Dès le mois d'avril, c'est-à-dire après la demande de Belkacem Krim d'accueillir une délégation officielle, on établit au MfAA un mémorandum concernant les « problèmes que posaient les négociations avec la délégation du GPRA ».[1] Le document part de l'alternative entre l'accord des Algériens pour l'établissement de relations diplomatiques et leur refus. En effet, dès le début, les auteurs avancèrent qu'au cas où un accord serait possible, la reconnaissance de *jure* devrait être immédiatement prononcée par la RDA. De façon réaliste, ils prévinrent les responsables que les Algériens « avaient jusqu'ici évité une décision claire concernant notre revendication d'établissement de relations diplomatiques réciproques »[2] et que Ferhat Abbas lui-même avait déclaré qu'un tel acte n'était pas possible :

> On doit supposer [...] que le côté algérien – en s'appuyant sur la position des autres États arabes – n'est pas enclin à échanger des représentations avec la RDA sur la base de compétences diplomatiques intégrales.[3]

Face à cette situation, les auteurs optèrent pour une solution de fortune tout en refusant implicitement une représentation telle que Krim l'avait demandée ; on l'évoqua, mais écarta d'emblée une telle possibilité. En revanche, un accord culturel avec le GPRA devait être conclu, et remplacer partiellement un bureau du FLN. Parmi les cinq points évoqués comme essentiels, deux concernent la formation d'étudiants et d'ouvriers, deux autres une coopération notamment au niveau de la radio et de la presse, et le dernier point concerne directement l'*ersatz* de bureau :

> Mise à disposition du soutien pour l'étude de certains problèmes par des délégations algériennes en RDA, qui ont un intérêt pour le travail de reconstruction politique, économique et culturelle en Algérie.[4]

Les auteurs du mémorandum avaient repris littéralement les missions prévues pour une représentation algérienne à Berlin-Est telles que Belkacem Krim les avait évoquées dans sa lettre. Ils les avaient pourtant attribuées à savoir des délégations ponctuelles, dont les tâches semblent être vagues, sans préciser si une délégation devait remplir ces missions intégralement ou si ces missions devaient être attribuées à différentes délégations. On n'avait pas non plus fixé combien de temps ces délégations avaient à leur disposition pour travailler. On peut supposer que les auteurs du mémorandum avaient prévu là une marge de manœuvre pour les négociations.

En tout cas, ils n'avaient pas oublié le côté propagandiste de l'affaire :

> On recommande de préparer et d'approuver une déclaration commune dans laquelle sera condamné le soutien actif du gouvernement d'Adenauer à la Légion étrangère et à la sale guerre coloniale française contre le peuple algérien.[5]

Dans sa proposition de feuille de route au Bureau politique du CC du SED concernant les futures négociations avec la délégation algérienne, Sepp Schwab rappela les objectifs de celle-ci, l'installation d'une représentation algérienne avec les tâches que Krim avait fixées

---

1. MfAA A 12 711, feuilles 113 à 115 : « Probleme für die Verhandlungen mit der Delegation der Provisorischen Regierung der Algerischen Republik » (*s.d.*, non signé, fin avril 1960).
2. *Ibid.*, feuille 115.
3. *Ibid.*, feuille 114.
4. *Ibid.*
5. *Ibid.*, feuille 115.

et des négociations sur « d'autres questions importantes qui n'ont pas été précisées ».[1] Il ajouta une formule qui signifie que les négiciateurs ne pouvaient pas pas prendre des décisions et précisa, comme premier objectif est-allemand, la déclaration commune :

> La ligne pour notre négociation est d'enregistrer les souhaits du côté algérien pour ensuite les présenter aux autorités compétentes de la RDA.
> Il faut tenter pendant les négociations d'obtenir de la part de la délégation du gouvernement algérien une déclaration concernant le néocolonialisme ouest-allemand à l'égard du peuple algérien en lutte pour son indépendance.[2]

À force de répétition, on peut avoir l'impression que le côté propagandiste de la première délégation gouvernementale en RDA était aussi important pour les politiques que la reconnaissance réciproque – qui, par ailleurs, avait évidemment un côté tout aussi propagandiste.

Le 17 juin 1960, le MAE algérien annonça la composition de la délégation dont le chef était comme prévu Mabrouk Belhocine.[3] La délégation devait séjourner en RDA du 21 au 29 juin 1960.

Les négociations dans la vision algérienne

Outre Belhocine, la délégation était constituée de Nofa Rebbani[4], secrétaire politique du MAE et surtout de Messaoud Aït Chaalal, dirigeant de l'UGEMA, l'organisation estudiantine du FLN[5]. Si Belhocine était juriste et diplomate, Aït Chaalal de l'UGEMA n'était pas l'interlocuteur le plus adapté pour mener des négociations avec des fonctionnaires de la RDA communiste. Michel Martini, qui estimait beaucoup le Docteur Chaalal (médecin comme lui), le décrit ainsi :

> Aït Chaalal était le prototype de l'étudiant réactionnaire. Issu d'une grande famille, bon médecin, qui avait étudié la cardiologie à Paris avant la guerre. C'était un gars qui était réactionnaire sur le plan social, pour qui il n'y avait qu'une seule vision du monde, le libéralisme intégral. Il avait une vision du socialisme qui était aussi empreinte de son idéologie de départ, c'est-à-dire il y avait les bons et les méchants.
> Il avait bien été obligé d'accepter que les étudiants aillent dans les pays socialistes, parce qu'il y avait un certain nombre de bourses – en Suisse il y avait quelques bourses, mais il y avait extrêmement peu [...]
> Mais Aït Chaalal n'avait jamais aimé cela, car il avait peur de la contamination des étudiants par le communisme.
> Il représentait d'une façon aiguë ce que pensaient les autres membres de la direction de l'UGEMA.[6]

---

1. MfAA A 12 711, feuille 89 (« Vorlage für das Politbüro des ZK der SED. Betr. :Verhandlungen mit der Delegation der Provisorischen Regierung der Republik Algerien », signé Schwab, 10 juin 1960).
2. *Ibid.*, feuille 90.
3. MfAA A 12 711, feuille 84.
4. Selon Mabrouk Belhocine, Rebbani avait demandé de faire partie de la délégation. Il rajoute : « Puisqu'il n'était pas sorti depuis longtemps, on a demandé à Belkacem Krim s'il pouvait venir, ce qui a été accordé » (entretien avec l'auteur, le 30 novembre 2006). Cette information apparemment anodine, montre que dans un ministère en pleine guerre, les relations humaines l'emportent de temps à autre sur les strictes nécessités, et ceci pour la raison que la situation des personnes en guerre est tellement difficile sur le terrain que ce genre de « sorties » sert aussi à leur « remonter le moral ».
5. Belhocine, pourtant le chef de la délégation, et Rebbani apparaissent relativement en retrait ; en revanche, c'est Aït Chaalal qui signe le rapport pour le MAE à Tunis (HARBI, *Archives...*, document 105, p. 497 à 500).
6. Interview de Michel Martini par l'auteur, le 21 avril 2005. Dans une note concernant le rapport d'Aït Chaalal sur sa visite, HARBI, Mohammed/MEYNIER, Gilbert : *Le FLN. Documents et Histoire 1954-1962.* Paris, Fayard 2004, caractérisent le médecin de la même façon ; ils parlent de l'« anticommunisme du FLN, et notamment d'Aït Chaalal » (p. 807, note 14).

On comprend que les malentendus – volontaires ou involontaires – entre les interlocuteurs est-allemands et la délégation algérienne étaient nombreux. Le rapport d'Aït Chaalal sur ses négociations en RDA reflète ses appréciations fondées sur un certain nombre d'*a priori*. Après lecture de ce rapport, il n'est pas étonnant que le médecin ait évoqué face à son collègue Martini une éventuelle rupture définitive des relations avec la RDA :

> Il m'a parlé du lourd contentieux avec la DDR qu'il accuse de vouloir saper l'autorité de l'UGEMA chez eux. Ils espèrent bien ne pas avoir à rompre les relations avec la DDR, mais en cas d'échec ils seraient prêts à le faire.[1]

Une première étape vers une rupture se dessine par ailleurs dans deux des recommandations générales à la fin du rapport d'Aït Chaalal :

> Surseoir à tout envoi d'Algérien en DDR non seulement en ce qui concerne les étudiants mais aussi les ouvriers et les malades. [...] En cas d'échec de toutes ces tentatives, envisager le retrait pur et simple de tous ressortissants.[2]

Pour expliquer la colère du dirigeant de l'UGEMA envers la RDA – il parle systématiquement d'« Allemands » dans l'acception générale du terme ! – son anticommunisme ne suffit pas. En fait, il était conscient du fait que l'aide de la RDA était utile à son pays, même s'il trouvait que ses interlocuteurs se trompaient quand ils pensaient « que leur aide nous est devenue indispensable et qu'il ne nous est plus possible de nous dégager de leur emprise ».[3] Toutefois Aït Chaalal avoue un sentiment d'échec de la mission au début du document : elle n'avait pas réussi à faire ouvrir un bureau du FLN à Berlin-Est.[4] Cette aigreur ne peut être comprise que par la crainte du FLN que son bureau à Bonn subisse des mesures de rétorsion après un retournement politique en RFA.[5] Ainsi, la fureur de l'émissaire algérien vise l'attitude de « chantage » [*sic*] des interlocuteurs est-allemands :

> Au cours des entretiens, l'attitude allemande a été caractérisée par la rigidité et l'intransigeance. Les autorités de la DDR posent le problème de la reconnaissance comme préalable absolu à toutes les relations intergouvernementales. Elles ont rejeté sans discussion toute formule intermédiaire (comme l'installation du bureau FLN) [...] Les Allemands estiment que depuis des années ils ont fait des concessions unilatérales et qu'aujourd'hui le moment est venu de faire pour la réciprocité et d'exiger des compensations. Cette exigence a été exprimée avec force, sous forme d'un vrai diktat, dans une forme discourtoise. Seuls le sang froid et la modération de notre délégation ont évité une rupture dès le début des entretiens. [...] Le refus de permettre l'installation d'un bureau FLN s'intègre dans ce [...] processus de pression et de chantage que la DDR exerce sur nous. Les Allemands semblent considérer que tout compromis ne ferait reculer l'heure de la reconnaissance qui est leur objectif fondamental.[6]

Il faut souligner que le rapport d'Aït Chaalal reflète exactement l'impression qu'avait le dirigeant de la délégation. Mabrouk Belhocine le confirme 50 ans plus tard,

---

1. MARTINI, *Chroniques...*, p. 282.
2. HARBI, *Archives...*, doc. 105, p. 499/500.
3. *Ibid.*, p. 498.
4. *Ibid.* : « Echec : Opposition catégorique des autorités de la DDR à l'ouverture d'un bureau FLN. »
5. Cf. concernant cette problématique CAHN/MÜLLER, *La République Fédérale...*, p. 290 *sq.* et ci-dessus, début du chapitre.
6. *Ibid.* L'une des raisons pour laquelle le dirigeant de la délégation évoque l'attitude des dirigeants de la RDA est la puissance du PCA. Je traiterai de ce problème dans le prochain chapitre.

de façon moins virulente que son adjoint de l'UGEMA[1]. Toutefois il souligne également l'attitude particulièrement rigide des négociateurs est-allemands – attitude apparemment redoutée de beaucoup d'interlocuteurs étrangers[2].

La délégation n'avait pas non plus, selon Belhocine, de vraie marge de manœuvre. Avant de s'envoler pour Berlin, afin d'y régler des problèmes avec les étudiants (Aït Chaalal l'accompagnait pour cette raison) et pour négocier avec Sepp Schwab, Belhocine prit des consignes auprès du chef du GPRA, Ferhat Abbas. Celui-ci lui dit qu'il ne fallait surtout pas s'engager dans la situation actuelle pour une reconnaissance de la RDA de la part du GPRA, car celui-ci avait besoin de la RFA.

Dans ce contexte, Belhocine ne pouvait que déplorer l'obstination avec laquelle Schwab insistait sur la réciprocité des propositions : échange d'ambassadeurs, mais en aucun cas installation d'un bureau officiel voire officieux du FLN à Berlin-Est[3]. Il évoque également la difficulté d'arracher au vice-ministre[4] Schwab l'autorisation d'envoyer un délégué permanent de l'UGTA. Du côté algérien, un tel délégué devait naturellement être considéré dès le début comme le représentant officiel de l'Algérie en guerre.

Même pour le communiqué commun final, la délégation algérienne se débattit avec les autorités de la RDA qui demandèrent qu'on y fît figurer « la lutte contre le colonialisme et l'impérialisme américain », ce que Belhocine trouva exagéré, en pensant à la nécessité de recourir à l'aide du plus grand nombre d'États occidentaux possible. Selon lui, « impérialisme » tout court eût été parfaitement suffisant[5].

Les négociations dans la vision du MfAA

Évidemment l'argumentation de la RDA se présente différemment[6]. Plusieurs documents traitent de cette première visite officielle d'une délégation algérienne, aussi

1. Dans un entretien avec l'auteur, le 30 novembre 2006. Mabrouk Belhocine, a « réajusté » l'impression que c'est Aït Chaalal qui menait les négociations. Selon lui, Chaalal était un pur produit de l'UGEMA, dirigée à partir de Lausanne en Suisse par des étudiants passablement privilégiés. Ces dirigeants menaient, selon Belhocine, une politique parallèle à celle du FLN ; ils deviennent d'ailleurs tous ambassadeurs après l'indépendance. Ainsi, l'UGEMA a apparemment posé un réel problème aux dirigeants du MAE, dont elle dépend pourtant pour ses relations à l'étranger.
2. Cf. là-dessus MUTH, Ingrid : *Die DDR-Außenpolitik 1949-1972. Inhalte, Strukturen, Mechanismen*. Berlin : Christoph Links Verlag 2000, p. 69, où l'auteur décrit la perception de diplomates étrangers concernant la façon de négocier de leurs interlocuteurs est-allemands : elle aurait été perçue comme « inflexible » et « peu professionnelle ».
3. Il convient de rappeler que la RDA ne s'était pas privée de protester formellement, à travers le *ND*, contre les menaces de fermeture du bureau du FLN installé en RFA : « À l'occasion de la demande répétée du Ministère de l'Extérieur de Bonn de fermer le bureau du FLN au sein de l'ambassade tunisienne à Bonn, un porte-parole du MfAA de la RDA a déclaré : [...] La RDA apportera de toutes ses forces [...], comme lors des années passées, le soutien au peuple algérien dans le cadre des possibilités dont elle dispose. » (*ND*, 20 mars 1960, n° 80, p. 5).
4. Belhocine fut légèrement choqué qu'en tant que « simple » secrétaire général du MAE, il n'a jamais été présenté au premier vice-ministre du MfAA, Otto Winzer, et encore moins au ministre d'État des Affaires Étrangères, Lothar Bolz. Cette déception est compréhensible. En effet, à Tunis, n'importe quelle délégation de la RDA était systématiquement accueillie par un haut responsable du GPRA, en général un ministre.
5. Ce communiqué final ne figure ni dans les documents du SAPMO ni dans ceux du MfAA.
6. Presqu'une année après la rencontre, la situation d'antan se présente sous un angle quasiment idyllique pour un analyste des relations algéro-est-allemandes : « La visite d'une première délégation officielle du GPRA

bien dans les archives du MfAA, dans lesquelles les quatre entretiens entre la délégation et l'équipe autour de Schwab sont décrits *in extenso*, que dans celles du SED, où l'on trouve des résumés assez précis[1].

Pendant le premier entretien, Schwab essaya de déblayer les terrains périphériques en arguant que les problèmes estudiantins pouvaient être rapidement résolus par le représentant de l'UGEMA et le sous-secrétaire aux affaires universitaires[2].

Ce qui était essentiel selon Schwab, c'étaient les relations officielles entre l'Algérie et les deux Allemagnes. Devaient être débattues les questions suivantes :

> Est posée la question des relations de l'Algérie avec les deux États allemands, c'est-à-dire non seulement les relations avec la RDA, mais aussi les relations avec l'Allemagne de l'Ouest [...] et particulièrement la position algérienne envers le néocolonialisme ouest-allemand. Le ministre Schwab pria qu'on lui donne des réponses concrètes.
> Est posée également la question de l'établissement de relations interétatiques entre la RDA et l'Algérie et leurs deux gouvernements. Le ministre Schwab déclara que de cette question dépendrait dans une large mesure la solution de toutes les autres.[3]

Pour rassurer ses interlocuteurs, Schwab avait réaffirmé le soutien concret de la RDA à l'Algérie en lutte :

> Le ministre insista sur le fait que la question de la solidarité naturelle avec le peuple algérien en lutte était indépendante, exceptée de ces questions.[4]

Le problème étant ainsi posé, Belhocine relata, au début de la deuxième discussion qui eut lieu le même jour, le contenu des négociations entre son gouvernement et la France de de Gaulle qui devaient avoir lieu à Melun. Il expliqua ensuite l'intérêt qu'avait le GPRA de ne pas indisposer la RFA :

> L'Allemagne occidentale représenterait un certain glacis dans la mesure où il y existe des possibilités de passage et d'exfiltration des ouvriers algériens vivant en France. La situation contraignerait le gouvernement algérien à une attitude d'attente par rapport à l'établissement de relations diplomatiques, ce qui ne toucherait en aucune façon la sympathie pour la RDA.[5]

Belhocine rajouta comme arguments supplémentaires qu'un petit pays comme l'Algérie ne pouvait pas prendre position entre les deux blocs, que le danger d'un partage de l'Algérie en deux pays existait et que l'Algérie pourrait reconnaître la nation allemande réunifiée sans problème.[6] Selon lui, la RFA avait d'autres rôles importants dans cette

---

en RDA, en juin 1960, a raffermi les liens amicaux entre les deux pays [...]. Cependant le GPRA n'a pas encore à cet instant accepté la proposition de la RDA concernant la normalisation des relations. » (SAPMO-BArch DY 30/ IV 2/20/ 356, feuille 22, p. 7 d'une analyse non signée [« Analyse über den Befreiungskampf des algerischen Volkes »]).

1. Lors du premier entretien sont présents aussi le directeur du département Afrique, Büttner, ainsi que l'interprète Jahsnowski, lors du deuxième (également le 21 juin) Wolfgang Kiesewetter du MfAA et le Hauptreferent Löbel du département des relations internationales auprès du CC du SED. Kiesewetter ne participe pas aux deux dernières négociations (27 juin). Dans les rapports du MfAA seuls les deux négociateurs officiels, Schwab et Belhocine, prennent la parole.
2. MfAA A 12 711, feuille 69. Il s'agit ici de la première affaire de rapatriement de certains étudiants, prétendument pour cause de mauvais résultats et de moralité douteuse.
3. *Ibid.*, feuille 70.
4. *Ibid.*
5. SAPMO-BArch DY 30/ IV 2/20/ 354, (feuille 13).
6. MfAA A 12 711, feuille 58/59.

situation : freiner la France dans sa guerre en étant économiquement présente en Algérie et la neutraliser dans sa propagande mensongère – l'argument devant plaire moyennement aux interlocuteurs communistes allemands :

> La France essaye de présenter l'Algérie comme un pays de conjurés communistes. Elle essaye de mobiliser tout l'occident pour reprendre le contrôle de l'Algérie. Le soutien de la France par le camp occidental doit être neutralisé par la politique du gouvernement algérien. Le secrétaire général exprima l'opinion que cette mission avait été remplie par ses représentants en Allemagne de l'Ouest.[1]

Est-il étonnant que Schwab ait caractérisé cette argumentation de naïve ? Il rétorqua que le GPRA devait prendre en considération « qu'une Algérie indépendante qui n'est plus membre de la CEE sera automatiquement une ennemie absolue du gouvernement ouest-allemand ».[2]

D'une façon presque paternaliste, Schwab envoya ensuite Belhocine et ses collègues visiter la RDA pour s'apercevoir des progrès du socialisme. A leur retour, de nouvelles discussions devaient se dérouler.

En introduisant la troisième négociation, le 27 juin, Belhocine analysa le discours de Michel Debré annonçant la rupture des pourparlers entre la France et le GPRA à Melun en affirmant que, comme il l'avait dit lors de la première rencontre, la France voulait la partition : une Algérie riche pour les « Européens » et une Algérie pauvre pour les autres.[3] Puis il expliqua une nouvelle fois que l'Algérie ne pouvait actuellement procéder à l'établissement de relations diplomatiques avec la RDA, mais demandait l'autorisation d'ouvrir une représentation du FLN à Berlin-Est. Belhocine tenta de faire accepter par ses hôtes ce bureau du FLN comme une représentation du peuple algérien et un premier pas vers une future ambassade :

> Le secrétaire général déclare que cette représentation du FLN sera installée par le gouvernement, le Ministère des Affaires étrangères [...]. Le GPRA est l'organe exécutif du FLN. Le FLN n'est pas un parti [...]. Ainsi chaque délégué du FLN représente dans tous les pays à la fois le FLN et son organe exécutif, le GPRA. Le gouvernement, le FLN et le peuple algérien forment une unité intégrale [...].[4]

Une telle représentation était nécessaire, selon le secrétaire général, pour régler immédiatement les problèmes que posait la présence de plus de 100 étudiants algériens en RDA surtout « au regard des difficultés concernant la moralité ».[5] Apparemment Aït Chaalal n'avait pas pu résoudre ces difficultés avec le secrétaire d'État.

Schwab n'était pas dupe – 100 étudiants ne pouvaient guère justifier un *ersatz* d'ambassade – et il remit la discussion au niveau des vraies difficultés entre les deux pays :

---

1. *Ibid.*, feuille 60.
2. *Ibid.*, feuille 61.
3. MfAA A 12 711, feuille 35 à 37.
4. *Ibid.*, feuille 39. Un an plus tard, lors d'un entretien avec des responsables de la FDJ, Bou Abdallah (MfAA B 3010, feuilles 318 à 320, p. 3), répète cet argument, dans le contexte d'une diatribe contre le PCA : « C'est l'affaire de la RDA de supposer que le SED n'abandonnera jamais le contact avec le PCA. Mais pour nous, la question la plus importante est celle de la représentation des intérêts de la population algérienne dans son intégralité, et puisque dans notre pays, il y a un lien étroit entre toutes les forces, nous avons l'opinion que l'UGEMA doit être prise en considération non seulement pour la discussion des problèmes estudiantins, mais qu'elle représent aussi les intérêts algériens dans son intégralité. » Ce même entretien se trouve en SAPMO-BArch DY 30/ IV 2/20/ 354, feuilles 160 à 164.
5. *Ibid.*

> Après les premiers arguments du secrétaire général, le ministre Schwab se voit contraint de supposer que le côté algérien entend installer une mission dirigée par le Gouvernement provisoire qui devrait travailler à la fois en direction de l'Europe de l'Ouest et des pays de l'Europe de l'Est. Ceci [...] relève des responsabilités d'une représentation politique à part entière, d'une ambassade [...]. Le ministre Schwab fait remarquer que [...] le côté algérien propose à la RDA d'autoriser une mission politique sur le sol de la RDA [...], sans que l'on convienne de relations officielles entre les deux pays. Il y aurait ici une certaine contradiction. [...]
> Le ministre Schwab déclare qu'il n'a pas qualité à conclure un tel accord, si l'on n'arrive pas à régler d'une façon ou d'une autre la question d'une reconnaissance d'une représentation diplomatique.[1]

Il évoqua les conséquences négatives politiques et économiques que la RDA pouvait subir de la part de la France au cas où elle accepterait une telle représentation, sans qu'elle pût tirer aucun avantage de cet acte.

Belhocine répondit que l'établissement de relations diplomatiques n'était pas sans intérêt en tant que tel, mais qu'il était actuellement prématuré. Un bureau représentait à son avis un progrès considérable :

> La représentation du FLN serait une avancée importante, surtout pour établir des relations diplomatiques dans l'avenir. [...] Malheureusement il n'est pas possible pour eux, dans la situation actuelle d'accueillir chez eux une représentation de la RDA.[2]

En un mot, on tourna en rond.

Une sorte de dénouement partiel apparut pourtant lors de la quatrième et dernière négociation, l'après-midi du 27 juin. Habilement Belhocine joua d'abord la corde sentimentale. Il raconta la nostalgie du pays de ses compatriotes (« Heimweh »), disséminés un peu partout en RDA et demanda qu'on les informe régulièrement des événements en Algérie. Il enchaîna sur la proposition suivante :

> Le secrétaire général demande d'examiner la possibilité qu'un fonctionnaire syndical du syndicat algérien serve d'intermédiaire entre les ouvriers algériens pour régler toutes les petites affaires matérielles et les questions de la vie quotidienne en commun avec le FDGB.[3]

Notons que Belhocine restait vague, dans la mesure où il ne demanda aucunement l'installation permanente d'un fonctionnaire syndical. Sa proposition pouvait être comprise comme la réalisation de la possibilité de soutenir « des délégations algériennes en RDA » prévue dans le mémorandum établi en vue des négociations au mois d'avril.[4]

Schwab accepta cette proposition au nom de son ministère, et s'engagea même à solliciter le soutien actif du FDGB :

> Au regard des questions posées concernant les informations [...] et la possibilité de s'occuper des questions sociales des ouvriers algériens par l'intermédiaire d'un représentant du syndicat algérien en relation avec le FDGB, en principe il [i.e. Schwab, FT] ne voit pas de difficultés. [...] Le ministre Schwab donnera l'accord du Ministère des Affaires étrangères et il est convaincu que le FDGB acceptera cette demande les nécessités matérielles incluses.[5]

Les concessions du MfAA allaient encore plus loin. Quand Belhocine rappela le rapatriement de certains étudiants, Schwab assura que les directives du GPRA

---

1. *Ibid.*, feuilles 40 et 42.
2. *Ibid.*, feuille 43.
3. MfAA A 12 711, feuille 28.
4. Voir ci-dessus, note 4, p. 55.
5. MfAA A 12 711, feuille 30. Ce paragraphe est entouré à la main dans le document.

engageraient automatiquement la RDA.[1] Mais Belhocine exigea encore davantage de possibilités de contrôle tout en en expliquant les raisons :

> Le secrétaire général exprime ses remerciements pour ces paroles et fait remarquer qu'ils veulent exclure des éléments contre-révolutionnaires (MNA). […]
> Il exprime ses vifs remerciements pour la déclaration sur la reconnaissance de l'autorité du gouvernement algérien dans les questions qui concernent les citoyens algériens et il demande de n'accueillir en RDA que des citoyens qui seront proposés par le gouvernement algérien ou leurs organisations sociales telles l'UGEMA, l'UGTA ou le FLN.[2]

Schwab n'accepta non seulement cette nouvelle surenchère du côté du FLN, mais il donna lui-même la justification de cette demande de contrôle, dont l'arrière-fond était l'« espionnite » dans le Berlin de la guerre froide :

> Le ministre Schwab informera les autorités de sécurité compétentes et le secrétariat d'État et ajoutera que nous, du côté du MfAA, approuvons ce règlement. […] On trouve des douzaines de gens à la frontière vers Berlin-Ouest qui affirment d'être citoyens algériens et combattants de la liberté. Berlin est une frontière ouverte où il n'est pas toujours possible d'éviter que des espions et des saboteurs arrivent dans le secteur démocratique. Il est convaincu que nos autorités de sécurité seront d'accord que dans l'avenir, on n'accueille que des citoyens de l'Algérie qui pourront présenter un laisser-passer […] desdites organisations algériennes.[3]

C'était la fin des négociations et le soulagement du rapporteur du MfAA que ce marathon n'avait pas débouché sur un échec total est presque tangible. Mabrouk Belhocine avait profité de la situation pour proposer un déblocage en faveur de son gouvernement. En fait, il avait réussi à faire accepter un contrôle quasi intégral du GPRA et du FLN sur les ressortissants algériens en RDA. Ce résultat avait été atteint entre autres grâce à l'argument de la délégation algérienne que la RFA était actuellement indispensable pour les militants du FLN, et que par là aucune possibilité d'une reconnaissance diplomatique n'était envisageable dans un proche avenir. Il avait donc instrumentalisé l'Ouest pour obtenir des avantages politiques en RDA – exactement le contraire de ce que Mohammed Harbi et Saad Dahlab avaient recommandé, au mois de mars 1960, dans une synthèse interne sur la politique extérieure du GPRA à Tunis :

> Notre révolution trouverait auprès de ce bloc [le « bloc de l'Est », FT] une aide sérieuse. Encore faudrait-il lever l'exclusive politique jetée contre lui, le considérer comme un partenaire au même titre que les autres et mettre un terme au chantage verbal qui consiste à menacer l'ouest d'une alliance avec l'Est.[4]

En revanche, les concessions du côté du MfAA allaient assez loin pour faire des vagues au sein des autorités est-allemandes. Que le GPRA ait réussi à placer un délégué permanent en RDA, n'était pas accepté par toute la hiérarchie est-allemande.[5]

---

1. *Ibid.*, feuille 32.
2. *Ibid.*, feuille 33.
3. *Ibid.*
4. HARBI, Archives…, Doc. 83, p. 390 (mars 1960).
5. Voir prochain chapitre.

Le rôle de Si Mustapha : reconnaissance par l'aile gauche du GPRA ?

Dans un contexte où la visite de la délégation Belhocine pouvait être considérée, des deux côtés, comme un demi-échec, la visite de Si Mustapha, le responsable pour le rapatriement des légionnaires d'origine allemande, un mois après celle de Belhocine, pouvait paraître presque trop bienvenue.

En effet, l'activité de l'ancien Winfried Müller ne se limitait pas au rapatriement des légionnaires d'origine allemande en RDA ou en RFA. Il jouait un rôle important d'« informateur » et de « pré-negociateur » entre des autorités algériennes, surtout de l'ALN, et la RDA. Il accompagnait des délégations de l'ALN et se chargeait de « sonder » les capacités et la volonté de l'« autre Allemagne » d'augmenter son soutien matériel à l'Algérie en lutte.

Dans ce cadre, l'ancien communiste se servait naturellement d'arguments idéologiques censés plaire à l'Allemagne « socialiste ». Il devait bien se rendre compte que les autorités est-allemandes ne considéraient pas le GPRA comme un gouvernement socialiste, ne serait-ce que parce que le PCA, avec qui le SED n'avait jamais rompu les relations, le rappelait à tout moment. Rappelons que le délégué officiel du GPRA Belhocine avait déclaré lui-même que l'opinion de l'occident sur le GPRA, à savoir qu'il était un nid de dangereux communistes, était fausse.

On peut suivre l'activité proto-diplomatique de Si Mustapha à partir de l'année 1960. Il déclara à plusieurs reprises qu'en Algérie un virage à gauche était imminent, surtout au niveau de l'ALN, que celle-ci pouvait même écarter la direction « bourgeoise » du GPRA et se décider à reconnaître la RDA.

En effet, pendant un séjour en RDA du 20 au 28 juillet 1960, un mois après la délégation Belhocine, le « trotskiste » devenu Algérien rendit visite à ses anciens camarades et cette fois-ci, il ne s'agissait pas uniquement du rapatriement de légionnaires. Il leur fit part des possibilités d'une nouvelle politique, puisque selon lui, l'accord de surface à l'intérieur du GPRA n'existait plus. Le Dr. Brentjes de la *DAG* informa ses collègues de ces évolutions :

> Le gouvernement a subi une scission, le cabinet de guerre (Belkacem, Toubal [= Ben Tobbal, FT] et autres) se dresse contre le Premier Ministre. [...] Il a chargé Mustapha de sonder si celui-ci peut « compter avec les sympathies et le soutien concret de la RDA en cas de
> a) une rupture avec Abbas et
> b) une rupture avec l'Allemagne de l'Ouest. »[1]

Ainsi l'aile gauche du GPRA était-elle susceptible de se renforcer, selon Si Mustapha, et il avait même parlé d'un « virage à gauche au sein de l'ALN qui s'exprime par l'intention de reconnaître la RDA ».[2]

Ces intentions de l'armée algérienne, exprimées par l'ancien camarade auprès de ses interlocuteurs de la RDA, se précisèrent dans un entretien avec le journaliste Klaus

1. SAPMO-BArch DY 30/ IV 2/20/ 354, feuille 29, 2 août 1960.
2. *Ibid.*, feuille 38, entretien entre Si Mustapha et Hans Otten, rédacteur en chef adjoint du *Deutschlandsender* (radio de la RDA), dernière semaine de juillet 1960.

Polkehn.[1] Ici Mustapha évoqua l'intérêt économico-militaire des relations étroites avec la RDA :

> Une partie du gouvernement (particulièrement le cabinet de guerre sous Belkacem) serait disposée à nouer des relations plus étroites avec la RDA, éventuellement même à installer une représentation permanente à Berlin. Cette tendance est renforcée par l'attitude de Bonn envers la représentation algérienne. La raison principale pour la représentation de rester à Bonn est qu'actuellement le commerce d'armes est organisé à travers l'Allemagne de l'Ouest. On doit toutefois compter avec le fait que d'ici 6 mois, l'achat d'armes à travers l'Allemagne de l'Ouest soit rendu impossible. Dans ce cas, des liens renforcés avec la RDA seraient parfaitement possibles. [...] Il ne comprend pas que la RDA n'avance pas d'elle même vers une reconnaissance de *jure* du GPRA.[2]

La scission de la direction algérienne et le virage à gauche d'une partie de cette direction pouvait représenter un espoir pour les autorités est-allemandes, surtout après une autre visite algérienne.

Si Mustapha et le permanent virage à gauche de l'ALN

Avec Si Mustapha, une reconnaissance diplomatique réciproque paraissait bien plus envisageable, même si des difficultés devaient être prises en compte - comme le manque d'informations fiables sur une éventuelle scission du GPRA. L'un des problèmes était que le seul informateur direct sur les événements était justement Si Mustapha, l'ancien « trotskiste ». Mais celui-ci devint – dans son rôle d'informateur – plus crédible du fait que ses informations étaient corroborées par le représentant du Vietnam au Caire.[3] On lit sur le rôle de Si Mustapha dans une note (appelée « Information ») du 25 août 1960 :

> Si Mustapha est un Allemand. Son passé n'est pas encore très clair. Toutefois, actuellement il joue un rôle important, au moins dans le haut commandement au Maroc. Des informations fiables là-dessus existent en raison de visites au Maroc du camarade Otten, rédacteur en chef du « Wochenpost » [...] La raison officielle de sa visite de la RDA était le traitement des questions du service de rapatriement. Mais dans toutes les conversations, il a plus ou moins clairement
> 1. expliqué la situation à l'intérieur du FLN (frictions entre les groupes Abbas – Belkacem)
> 2. visiblement sondé la situation, dans quelle mesure le groupe Belkacem peut compter avec un soutien de la part de la RDA au cas d'une éventuelle rupture avec Abbas et d'une éventuelle coupure des liaisons à travers l'Allemagne occidentale (entre autres livraisons d'armes)
> Le groupe Belkacem s'engage pour une continuation déterminée du combat, pour des relations officielles avec la RDA et compte avec le fait que les liaisons à travers l'Allemagne occidentale seront coupées dans la demie année à venir. Concernant les conflits à l'intérieur du FLN existent également des informations de la part d'un représentant vietnamien au Caire.[4]

---

1. Concernant Klaus Polkehn, cf. note 5, p. 23.
2. SAPMO-BArch DY 30/ IV 2/20/ 354, feuille 40.
3. En effet, on trouve une fiche d'information sur la situation en Algérie, datée du 29 juillet 1960, qui relate une conversation du consul général de la RDA au Caire, Behrendt, avec le chef de la représentation commerciale vietnamienne, Hoang Thanh Trai, le 18 juillet : SAPMO-BArch DY 30/ IV 2/20/ 354, feuille 23. Ce document mentionne les négociations de Melun entre les Algériens et la France qui auraient « réduit l'esprit de combat des troupes algériennes », la scission du gouvernement (souligné dans l'original) et les intentions de Krim : « Le vice-premier ministre Bel Kassem serait pour une reprise renforcée du combat. Mais il commet l'erreur de refuser toute coopération avec le Parti Communiste Algérien » (souligné dans l'original).
4. SAPMO-BArch DY 30/ IV 2/20/ 354, feuille 43.

L'émissaire de l'ALN avait parlé d'une réorganisation de l'armée algérienne : il faisait probablement allusion à la crise de la réunion des dix colonels dans la deuxième moitié de l'année 1959.[1]

Il est possible que le GPRA et/ou l'ALN aient réellement voulu se détourner de la RFA en ce moment, car ils ne pouvaient plus compter sur le soutien du principal parti d'opposition, le SPD, qui s'était officiellement aligné sur les positions du gouvernement sous Konrad Adenauer en matière de politique étrangère, fin juin 1960.[2] Il est pourtant étonnant que l'ALN ait réagi si vite et envoyé, à peine deux semaines plus tard, Si Mustapha en RDA pour sonder le terrain en vue d'un bouleversement politique envers de supposés alliés en Allemagne de l'Est.

Il est tout aussi surprenant qu'un désaveu du comportement de l'émissaire du GPRA, Belhocine, pût parvenir de l'ALN, quelques semaines seulement après le demi-échec de cette mission. Est-il réellement imaginable que deux composantes de la direction algérienne aient suivi des politiques diamétralement opposées ? Est-il pensable que l'ALN ne fût pas au courant de la visite du secrétaire général du MAE, accompagné du chef de l'UGEMA ? Est-il imaginable que le MAE avec Mohammed Harbi, responsable pour les pays de l'Est, ne fût pas au courant d'une visite de Si Mustapha en RDA, où celui-ci évoqua quasi officiellement la reconnaissance possible de la RDA par le GPRA ?[3]

Logiquement, la méfiance des autorités de la RDA persistait. Après son retour au Maroc, Si Mustapha leur avait annoncé la visite imminente « d'un certain Taleb » qui était selon lui « un collaborateur important du cabinet de guerre et aurait certaines commandes de celui-ci chez nous en RDA. »[4] Or, dans la directive concernant le déroulement des pourparlers, probablement issue du département « Politique étrangère et Relations internationales » du SED, on fixa très clairement aux négociateurs la ligne de conduite :

> La conception suivante est à respecter pendant les négociations :
> a) Les demandes et les propositions du représentant algérien sont à enregistrer sans faire des promesses décisives.
> b) A travers des questions adaptées on doit obtenir une information approfondie sur la situation en Algérie, à l'intérieur du FLN et sur l'interprétation des perspectives concernant l'évolution par rapport à l'Allemagne occidentale. [...]
> En ce qui concerne les différents groupes dans le mouvement de libération algérienne et en ce qui concerne notre position par rapport à ceux-ci, aucune prise de position doit être exprimée.[5]

---

1. Voir là-dessus : MEYNIER, Gilbert : *Histoire intérieure du FLN*. Paris, Fayard 2002, p. 359 *sq.* ; HARBI/MEYNIER : *Le FLN...*, p. 364 *sq.*
2. Cf. note 6, p. 33
3. Peut-être l'ALN tentait-elle de temps à autre, pendant cette période, de dépasser les autorités politiques (voir ci-dessous, les informations de Si Mustapha sur la tentative de prises de contact de l'ALN avec plusieurs États socialistes). Mais ici encore, la seule source pour ces tentatives est Si Mustapha dans une lettre au Dr. Brentjes, c.-à-d. à un personnage appartenant à l'appareil politique de la RDA.
4. SAPMO-BArch DY 30/ IV 2/20/ 354, feuille 43, 25 août 1960.
5. SAPMO-BArch DY 30/ IV 2/20/ 354, feuille 51, non datée, non signée.

Apparemment des doutes persistaient quant aux informations de Si Mustapha, sur la situation interne et le virage à gauche du FLN ; par conséquent, le SED ne voulait pas trop tôt arrêter une position. Mais apparemment, on s'attendait aussi à d'éventuelles revendications des partenaires algériens ; en aucun cas celles-ci ne devaient être exaucées comme l'avait fait Schwab, quelques semaines auparavant sans l'accord du SED.

Or, Si Mustapha réitérait ses initiatives politiques envers la RDA, toujours sous couvert du service de rapatriement des légionnaires d'origine allemande. Au début de l'année 1961, il suggéra même à son correspondant, le Dr. Brentjes, une action purement diplomatique, à savoir l'installation d'une représentation commerciale de la RDA au Maroc :

> Il est indispensable que votre gouvernement demande sous forme officielle sans tarder l'installation d'une mission commerciale auprès du Ministère des Affaires Etrangères marocain. (Le prince héritier qui évidemment est très important en ce qui concerne ces questions s'est exprimé immédiatement d'une façon positive.) Il est souhaitable que nous soyons informés quand votre demande sera envoyée ou transmise, pour que nous puissions lancer les mesures parallèles nécessaires.[1]

L'ex-Winfried Müller prétendait de plus en plus détenir les fonctions d'un Ministre délégué pour la RDA au sein de la direction de l'ALN. Ainsi il n'est pas étonnant que même les militaires français l'aient remarqué et décrit pour le moins comme ambitieux.[2]

Toutefois, l'ancien trotskiste essuya quelques échecs. Dans une lettre du 7 décembre 1961 au Dr. Brentjes, il relate que le commandement de l'ALN au Maroc avait pris, sans en informer le GPRA, des initiatives envers « plusieurs États socialistes européens ». Malheureusement, ces initiatives auraient avorté – à cause d'une maladresse de Heinz Eggebrecht du Comité de Solidarité en RDA :

> La mission militaire prévue est tombée à l'eau ou, pour employer une formulation plus diplomatique, a été repoussée. La raison est un paragraphe d'une lettre signée par Eggebrecht du comité de solidarité. Je cite : « […] Vous écriviez dans une lettre à notre ami W.H. [*i.e.* Willi Haendler, FT], que l'on avait pratiquement décidé d'envoyer une délégation en RDA. Nous nous permettons d'insister sur le fait suivant : Il serait souhaitable, dans l'intérêt de nos bonnes relations avec le GPRA, d'organiser ce voyage de votre délégation en RDA en accord avec votre gouvernement. Nous faisons cette recommandation dans l'intérêt de l'unité et pour éviter d'éventuels malentendus. »[3]

Les malentendus évoqués par Si Mustapha n'avaient certes pas leur cause dans la lettre d'Eggebrecht. Mais elle les avait renforcés, à l'intérieur de l'ALN, dans la mesure où deux officiers, candidats à la délégation, s'étaient désistés après débat interne, puisque la délégation devait se rendre à Berlin sans l'aval du GPRA :

> Le fait est que l'envoi de la mission militaire avait été décidé par notre Haut Commandement sur sa propre initiative. Il était prévu de soumettre les résultats de cette mission au GPRA, qui de toute façon aurait dit oui. […] Puis, le Haut Commandement voulut me charger seul de la mission. J'ai pour ma part refusé ne me considérant franchement pas assez représentatif, à moi tout seul. […] Inutile d'insister sur le fait que des questions internes sont en jeu, auxquelles le paragraphe cité de la lettre eggebrechtienne correspondait de façon peu favorable.[4]

---

1. SAPMO-BArch DY 30/ IV 2/20/ 354, feuille 57, 27 janvier 1961 (souligné dans l'original).
2. Note du SDECE, intitulée « Au sujet de Si Mustapha » du 3 novembre 1961, SHA/DAT 1H 1775, voire note 2, p. 35.
3. SAPMO-BArch DY 30/ IV 2/20/ 354, feuille 180.
4. *Ibid.*, feuille 181.

Il est possible que Si Mustapha ait été honnête dans ce cas. Mais il est significatif qu'il jouait du côté de l'ALN au Maroc un jeu contre les autorités politiques algériennes à Tunis – ou pour le moins qu'il essayait de mener une politique parallèle à celle du GPRA.

En revanche, il semble probable que Si Mustapha jouait double jeu avec la RDA, pour le moins dès la fin des années 50, même si les preuves directes manquent. Cependant, des preuves existent pour une période ultérieure, quand les autorités de la RDA s'en rendirent compte, peu avant la fin de la guerre.

Du 21 au 29 janvier 1962, Si Mustapha se rendit en RDA avec une délégation officielle de l'ALN. La visite ne se déroula pas comme les autorités de la RDA ont pu le souhaiter.

En premier lieu, la délégation de l'ALN arriva à Berlin sans avoir été annoncée. De plus, pendant sa préparation, l'actuel ambassadeur au Caire, Wolfgang Kiesewetter, qui avait remplacé Richard Gyptner, avait demandé au MAE du GPRA non seulement de donner un caractère officiel à cette mission, mais d'envoyer, avec les militaires de l'ALN, au moins un représentant du GPRA. Le GPRA n'avait pas donné suite à cette demande.[1] Le caractère « non officiel » de la mission fut évoqué plusieurs fois pendant les rencontres avec les délégués algériens par les partenaires est-allemands.[2]

Cette visite a été à l'origine de plusieurs rapports officiels et secrets, et surtout d'une couverture inhabituelle par la presse, avant tout dans l'organe officiel du parti, le *ND*. Elle était probablement considérée par les autorités de la RDA comme une occasion d'établir des relations diplomatiques avec le GPRA avant un accord franco-algérien.[3] On essayait visiblement de parvenir à cette fin en nouant des contacts directs avec l'ALN que l'on espérait capable d'écarter les membres trop conservateurs du GPRA. En effet, les membres de la délégation, tous membres de l'ALN, sont présentés par le *ND* de la façon suivante :

> Le Chef de l'État Major du Haut commandement de l'ALN en Algérie occidentale, Bashir Bakhti ; le représentant du bureau politique du Haut Commandement Réuni de l'ALN, Mustapha Quazzani ; et le chef des services médicaux de l'ALN, le Docteur Belaouane.[4]

Selon les rapports, Bashir Bakhti était probablement un pseudonyme (Bakhti lui-même se présenta comme « colonel » et « chef d'état-major », alors qu'il n'était que capitaine),

---

1. SAPMO-BArch DY 30/ IV 2/20/ 354, feuille 241, analyse (« Einschätzung ») de la visite, datée du 2 mars 1962 et signé « Rö » (= Edmund Röhner).
2. Ainsi particulièrement par Sepp Schwab, vice-ministre des Affaires Étrangères, pendant un entretien avec les délégués algériens, le 29 janvier (rapport par l'interprète Simons, SAPMO-BArch DY 30/ IV 2/20/ 354, feuille 224) : « Après avoir évoqué le caractère inofficiel de la visite, qui aurait pourtant permis de montrer l'attitude solidaire de notre gouvernement, le ministre Schwab exprima les vœux les plus cordiaux en vue de la victoire du peuple algérien [...]. »
3. Sepp Schwab évoque deux fois, dans son entretien avec la délégation le futur traité de paix (« Friedensvertrag ») (SAPMO-BArch DY 30/ IV 2/20/ 354, feuille 223 et 224, p. 2 et 3). La deuxième mention concerne effectivement le règlement futur des relations entre la France et l'Algérie. Par la première, p. 2, Schwab essaie d'exercer une pression sur la délégation en suggérant que la RDA pourrait faire encore davantage d'efforts en cas d'un soutien de la part de l'Algérie concernant un « traité de paix », sous-entendu entre les anciens alliés et les deux États allemands, c'est-à-dire en vue d'une reconnaissance internationale de l'existence de la RDA.
4. *ND*, n° 24, 24 janvier 1962, p. 1.

commandant du front de l'ALN au Maroc.[1] Le Docteur Belaouane était déjà arrivé en décembre 1961 comme accompagnateur de soldats algériens blessés, envoyés en RDA.[2]

C'étaient par ailleurs ces blessés qui « introduisirent » la couverture par la presse des relations entre la RDA et l'Algérie en 1962. En effet, c'était la première fois que des Algériens furent mis en exergue dans la presse « nationale » est-allemande, en l'occurrence sur la page 2 du *ND*, le 1er de l'an. C'est également la première fois que l'on voyait une photo d'Algériens en RDA, autre que celle de Larbi Bouhali du PCA. D'après le texte qui se trouve sous cette photo, ce fut le président de la *Deutsch-Arabische Gesellschaft*, le ministre de la construction Ernst Scholz, qui leur présenta ses vœux – certainement en français, car c'était un ancien de la résistance communiste en France.[3]

L'espoir de la RDA en un changement de la politique algérienne la concernant se manifestait par la couverture de la visite des trois représentants de l'ALN. Ainsi, le *ND* publia pour la première fois depuis le début du conflit en Afrique du Nord, plusieurs articles sur la visite de délégués algériens. Ni la délégation Belhocine-Aït Chaalal en juin 1960, ni les différentes visites d'Embarak Djilani de l'UGTA, ni même la présence d'Ahmed Kroun, le délégué officiel de l'UGTA, n'avaient été évoquées par le quotidien du parti.

Dans les quatre articles que le quotidien consacra au séjour des représentants de l'ALN en RDA, les 24, 25, 26 et 30 janvier, on relatait leurs différentes visites à l'hôpital où se trouvaient les blessés algériens, à une usine de sidérurgie à Eisenhüttenstadt et les réceptions organisées en leur honneur. L'article du 24 janvier sur la conférence de presse des visiteurs après la projection d'un film de fiction sur la guerre d'Algérie, « Souffrances d'une colonie » (« Leiden einer Kolonie »), en leur présence, est le plus important, car le colonel Bakhti y prononce un certain nombre de prises de position politiques. Outre les remerciements pour l'aide de la RDA, il exprime sa certitude « que le peuple algérien est sûr d'emporter la victoire et prêt à tous les sacrifices, parce qu'il peut compter sur la solidarité du camp socialiste ».[4] Bakhti caressait les autorités de la RDA dans le sens du poil quand il évoquait la « révolution algérienne », le rôle des pays socialistes et celui de l'OTAN :

> Il est fier du fait que la RDA et les autres pays socialistes ont compris immédiatement le sens de la lutte algérienne pour la libération. Il s'agit dans cette lutte [...] de la poursuite de la révolution algérienne. [...] Pourtant on doit se rendre compte que le peuple algérien lutte non seulement contre la France impérialiste, mais contre l'OTAN tout entière. Sans le soutien de celle-ci (le film présente en particulier

---

1. SAPMO-BArch DY 30/ IV 2/20/ 354, feuille 210 (rapport final du Dr. Brentjes de la *Deutsch-Arabische Gesellschaft*, qui était le responsable des rencontres entre les représentants de la RDA et la délégation). Il s'agit très probablement du capitaine Djelloul Nemiche, évoqué par Meynier, *Histoire intérieure du FLN...*, p. 644.
2. Le Docteur Belaouane se présente par ailleurs comme l'un des fondateurs de l'UGEMA. SAPMO-BArch DY 30/ IV 2/20/ 354, feuille 233 (p. 2 du rapport sur l'entretien entre Horst Brasch, Heinrich Eggebrecht et le Dr. Belaouane, le 12 février 1962) : « Le Dr. B. commença [...] en constatant qu'il est le fondateur de l'UGEMA et qu'il a envoyé la première douzaine d'étudiants en RDA sans aucune appréhension. » Il s'agit très probablement de Mouloud Belaouane, évoqué comme président de l'UGEMA, successeur d'Ahmed Taleb (en 1956), par HARBI, *Une vie debout...*, p. 173.
3. *ND*, n° 1, 1er janvier 1962, p. 2. Le Dr. Scholz sera le premier ambassadeur de la RDA en France, en 1973.
4. *ND*, n° 24, 24 janvier 1962, p. 1.

> sous un jour sanguinaire la culpabilité des militaristes ouest-allemands), le peuple algérien aurait certainement déjà remporté la victoire. La puissance écrasante de l'ennemi rend la guerre tellement sanglante qu'aucun film ne peut rendre compte de son étendue et de sa dureté.[1]

Si Bakhti fit tout pour plaire à ses hôtes, mais n'alla pas pour autant jusqu'à l'évocation de la RFA « impérialiste »[2] ; le rédacteur du *ND* était donc contraint d'ajouter une parenthèse sur sa « culpabilité ».

Mais pendant les rencontres des délégués algériens avec les responsables de la RDA, d'autres problèmes surgirent : l'aide médicale et militaire de la RDA, les relations du FLN avec le PCA et les relations des autorités de la RDA avec le GPRA et/ou l'ALN. Ces deux derniers éléments sont par ailleurs connectés dans une mise en garde de Si Mustapha envers ses hôtes est-allemands – accompagnée d'un nouveau mirage de « bonnes relations » qui pouvaient être comprises par ses interlocuteurs comme une future reconnaissance :

> La RDA devrait se retenir davantage par rapport au PCA et recommander aux étudiants communistes de participer au combat en Algérie. La prise de contact par l'armée sera la dernière possibilité d'établir de bonnes relations entre la RDA et l'Algérie.[3]

Or, dans l'état actuel, même les relations les plus concrètes entre les deux pays souffraient de malentendus. Si l'aide médicale de la RDA au mouvement de libération algérien était accueillie en principe de manière positive, le Dr. Belaouane, délégué responsable pour les questions médicales, critiqua ouvertement la composition de ces envois de produits médicaux et paramédicaux. En effet, il avait l'impression qu'un des envois, celui de janvier 1962, était mal organisé et que son contenu n'avait pas été composé par un personnel qualifié, sous contrôle d'un médecin. Ainsi manquait, selon lui, du matériel disponible tandis que, dans la livraison qui devait suivre, on trouvait du matériel inutile. Le soupçon du Dr. Belaouane alla, selon le rapport du Dr. Brentjes du « Comité de solidarité », encore plus loin :

> Il a la conviction que soit les collaborateurs du Comité sont incapables de comprendre ses demandes, soit ils travaillent avec des membres d'organismes commerciaux pour écouler de vieux stocks invendables par la voie de la « solidarité ». [...] Il a l'impression que le Comité le traite comme une personne privée qui mendie l'aumône, et non pas comme un émissaire du commandement de l'ALN [...].
> Selon lui, il est incompréhensible que le Comité n'ait pas associé à la composition de l'envoi un médecin allemand, car tout médecin se serait aperçu de l'inutilité de certaines parties des livraisons et aurait ainsi empêché le gaspillage de sommes d'argent considérables.[4]

1. *Ibid.* La légère critique qui apparaît dans les dernières paroles de Bakhti, devient nettement plus forte dans l'entretien qu'il avait avec le Dr. Brentjes (SAPMO DY 30/ IV 2/20/ 354, feuille 212, p. 7 du rapport du Dr. Brentjes sur la visite de la délégation algérienne). En effet, il trouve le film trop sentimental et donc inadapté au sujet ; ainsi il critique par exemple les « chansons d'amour poétiques incongrues » et selon lui le film « donne une image fausse, puisque unilatérale ».
2. Selon le Dr. Brentjes, la version du discours de Bakhti devant la presse est-allemande a été rédigé par Si Mustapha, une première version du Dr. Belaouane ayant été écartée en raison de ses « formulations très fortes (entre autres "seuls les pays socialistes aident l'Algérie, ils sont exemplaires pour l'Algérie") qui allaient trop loin, même pour Bakhti. » (SAPMO DY 30/ IV 2/20/ 354, feuille 211, p. 6 du rapport du Dr. Brentjes sur la visite de la délégation algérienne).
3. SAPMO DY 30/ IV 2/20/ 354, feuille 215, p. 10.
4. *Ibid.*, feuille 216/217, p. 11/12.

Brentjes ajouta que les erreurs étaient certainement le fait du Comité et proposa d'associer un médecin à la composition des livraisons. Par là, il confirma indirectement le soupçon du médecin algérien dont les colères avaient par ailleurs impressionné ses partenaires est-allemands[1] :

Je ne suis pas capable de juger du bien fondé de la plainte de Belaouane, mais j'ai l'impression que sa colère n'est pas feinte et repose sur des erreurs du Comité. [...] On devrait également éviter d'ajouter des « rossignols » aux envois de solidarité. Il paraît qu'un envoi précédent [...] contenait de multiples chaussettes et serviettes produites en 1946/47 (avec les numéros de fabrication et de contrôle, dates incluses).[2]

Par la suite, l'affaire des « rossignols » devait polluer encore davantage les pourparlers avec les autorités de la RDA : ainsi Horst Brasch assura, dans une conversation avec le Dr. Belaouane, le 12 février 1962, que désormais la composition d'un envoi de matériel médical serait surveillée par un médecin, et que les « pannes » (sous-entendu l'envoi de « rossignols ») avaient eu leur origine dans le manque de connaissances médicales du personnel.[3]

Virage à gauche ? En tout cas sans le PCA

D'autres problèmes surgirent. Malgré le prétendu virage à gauche de l'ALN, malgré le fait que celle-ci était considérée comme l'aile gauche du FLN, enclin à une économie socialiste etc... – tout cela répété à maintes reprises par Si Mustapha – le colonel Bakhti refusa dès le début de la visite de rencontrer qui que ce soit affilié au PCA :

Bakhti insista plusieurs fois sur le fait qu'il ne voulait pas rencontrer des membres du PCA et qu'il rentrerait immédiatement, si la RDA, d'une façon ou de l'autre, lui « servait » le PCA.[4]

Il reprocha même à ses interlocuteurs d'inciter les étudiants et ouvriers en RDA à passer dans le camp du PCA, ou pour le moins de favoriser les membres de celui-ci, alors que même en URSS et en Chine, on n'allait pas si loin :

C'est seulement ici que des étudiants sont passés au PCA avec un soutien officiel d'autorités de l'État [...]. Du côté du syndicat, on a également essayé de faire entrer le PCA dans le jeu. Du côté soviétique, ceci n'a jamais été le cas.[5]

---

1. Brentjes évoque, dans le même rapport, une autre colère du Dr Belaouane, à l'occasion, cette fois, d'une interview qu'avait donnée le colonel Bakhti, après la projection du film sur la lutte pour la libération du peuple algérien (*ibid.*, feuille 210, p. 5). L'interview se trouve dans le *ND* du 24 janvier 1962, n° 24, p. 1 : « *Pressekonferenz zum Dokumentarfilm* "Allons enfants ... pour l'Algérie" ».
2. *Ibid.*, feuille 217/218, p. 12/13. La question des « rossignols » dans les envois de solidarité en Algérie avait été déjà posée en janvier 1961 par Abdelhamid Mehri, ministre ds Affaires sociales et culturelles lors du passage d'une délégation sous la direction de Jupp Battel à Tunis. Battel écrit que « gouvernement et syndicats souhaitaient [...] composer les envois de solidarités davantage après consultations réciproques, pour que dans les envois soient davantage pris en compte leurs besoins et leurs problèmes primordiaux. »
3. SAPMO DY 30/ IV 2/20/ 354, feuille 232, p. 1 de « Bericht über das Abschlussgespräch des Genossen Brasch mit dem algerischen Arzt, Dr. Belaouane am Montag, dem 12. Februar 1962 ».
4. SAPMO DY 30/ IV 2/20/ 354, feuille 210, p. 5.
5. *Ibid.*, feuille 211, p. 6. Ceci corroborerait indirectement l'affirmation de Mabrouk Belhocine (dans un entretien avec l'auteur, le 30 novembre 2006), que les étudiants membres du PCA touchaient des bourses plus conséquentes que les autres étudiants algériens.

Et quand le Dr. Brentjes émit des doutes, Bakhti n'hésita pas à donner une preuve :

> En réponse aux doutes que j'exprimai il ajouta que l'on sait que l'essentiel du matériel qui arrive à l'étranger en provenance du PCA, arrive avec des timbres de la RDA.[1]

Il est donc clair que le prétendu virage à gauche de l'ALN n'allait pas jusqu'aux positions du PCA. Ceci devait être d'autant plus étonnant pour les interlocuteurs de Bakhti que celui-ci avait laissé entendre à plusieurs reprises, comme Si Mustapha, que l'ALN, et surtout le commandement occidental au Maroc, étaient contraints par leurs propres soldats d'envisager un régime socialiste :

> Nous apprîmes, par des allusions répétées, que les officiers sont sous la pression des soldats de l'ALN et sont en train d'élaborer un programme révolutionnaire et démocratique. Par là, elle se trouve en contradiction avec le GPRA qui refuse toute planification au-delà du but de l'indépendance. Mais l'armée a besoin du GPRA, car elle ne dispose pas d'un appareil de politique étrangère, elle doit éviter tout ce qui pourrait mener à la rupture. [...] Selon ses informations, l'Union Soviétique s'est rangée fortement, au cours des 12 à 18 derniers mois, du côté de l'armée algérienne occidentale.[2]

Bakhti évoqua également les livraisons d'armement à l'ALN venant essentiellement de l'Union Soviétique et de la Chine, l'armement chinois étant utilisé surtout par l'armée orientale.[3] Bref, tout l'argument de l'officier algérien invite la RDA à suivre l'exemple des deux autres États socialistes – qui d'ailleurs ne soutenaient pas le PCA, et ne posaient pas de conditions, selon l'émissaire algérien.

Si Mustapha à son tour, lors de l'entretien qu'eut la délégation algérienne avec plusieurs représentants de la RDA chez Horst Brasch dans sa fonction de président du « Komitee der DDR für Solidarität mit den Völkern Afrikas », attaqua la RDA sur de telles conditions. Brasch avait annoncé d'autres mesures de soutien à l'Algérie « qui selon notre opinion dépassent largement le cadre du comité de solidarité et devraient donc être résolues au niveau des États ».[4] Si Mustapha compara cette proposition de Brasch à un ultimatum :

> M. Q. est de l'opinion que la suggestion de H. Brasch selon laquelle des accords entre États seraient nécessaires [...] équivaut *de facto* à un ultimatum : d'abord négociations entre les gouvernements et puis mesures de solidarité. Nos conditions ne seraient pas comprises par les Algériens [...].[5]

Ici l'argumentation du délégué algérien ressemble fort à celle d'un des plus farouches anti-communistes qui avaient eu à faire avec la RDA, Aït Chaalal, en 1961. Or, pour les Allemands de l'Est, une telle argumentation était incompréhensible de la part d'un présumé représentant de l'aile gauche de la révolution algérienne. C'est pour cela que Bakhti, politique apparemment plus averti que Si Mustapha, l'interrompit plusieurs fois dans sa diatribe – pour sauver les apparences, déjà passablement ternies par son refus de rencontrer un quelconque représentant du PCA.

Pourtant Bakhti lui-même ne se priva pas, dans une phase ultérieure de la rencontre, de remettre sur le tapis la question des « conditions » politiques quand il fit

1. *Ibid.*
2. *Ibid.*, feuille 213/14, p. 9/10.
3. *Ibid.*, feuille 214, p. 10.
4. SAPMO-BArch DY 30/ IV 2/20/ 354, feuille 219, p. 1 de « Abschlussbesprechung beim Gen. Brasch mit der algerischen Delegation » le 10 février 1962.
5. *Ibid.*, feuille 219/220, p. 1/2.

valoir, vis-à-vis de Horst Brasch, que des pays socialistes autres que la RDA avaient contribué bien plus concrètement à aider la révolution algérienne. Il évoqua l'Union Soviétique et la Hongrie, mais surtout la Chine populaire – ce à quoi Brasch rétorqua qu'en Chine, la délégation algérienne n'avait pas négocié avec un « Solidaritätskomitee » mais avec le gouvernement :

> Ensuite le camarade Brasch expliqua encore une fois les particularités de notre situation, spécialement la la rudesse de notre combat pour une solution de la question nationale en Allemagne, ce à quoi M. Q. déclara que cette question était la clef de tous nos malentendus. Il essaya d'expliquer son propos par les relations entre RDA et GPRA comme suit :
> Phase 1 : la reconnaissance réciproque a été refusée.
> Phase 2 : la RDA est prête à reconnaître le GPRA sans la condition d'une prise de position anti-ouest-allemande de la part du GPRA
> Phase 3 : Demande de la RDA d'une date de reconnaissance, une exigence qui fit naître le soupçon qu'elle veut imposer l'objectif de la première phase par la petite porte.
> Le Dr. B. rajouta que nous nous trouvons dans un véritable cercle vicieux, où l'aide doit être soumise à un accord entre les deux gouvernements.[1]

Horst Brasch répondit à cette attaque par une formule assez alambiquée en disant qu'il comprenait la position de ses hôtes, mais qu'il ne la partageait pas. Il leur demanda une fois de plus de comprendre la situation de son État pour que l'Algérie et la RDA puissent continuer leur combat politique commun, ce à quoi Bakhti répondit qu'il essaierait d'expliquer à son gouvernement la position de ses hôtes. Dans son discours de remerciement, il reprit pratiquement les paroles de Brasch :

> À la fin M. B. exprima au nom de la délégation sa reconnaissance pour l'accueil reçu [...] et assura que leur séjour en RDA était très utile pour leur lutte et la nôtre pour le bien de nos peuples.[2]

Le prétendu virage à gauche selon l'historien algérien Mohammed Harbi

Naturellement, les autorités de la RDA ne pouvaient savoir, quel était l'arrière-fonds de l'apparent virage à gauche de l'ALN[3], exprimé entre autres par des paroles allant dans le sens de l'État des ouvriers et des paysans sur le sol allemand. Mohammed Harbi, dans son autobiographie *Une vie debout*, décrit les enjeux de la prétendue rébellion des officiers de l'ALN. Face à l'implosion du FLN, une lutte d'influence aurait eu lieu. Etaient impliqués les militaires en général, et en particulier l'État Major Général (EMG) face au GPRA[4]. L'un des stratagèmes du côté des officiers de l'ALN aurait été justement le fameux virage à gauche :

1. *Ibid.*, feuille 220/21, p. 2/3.
2. *Ibid.*, feuille 221, p. 3.
3. En fait, il n'y a pas une ALN, mais les directions des six wilayas, sans grand contact entre elles, auxquelles s'ajoute l'Etat Major Général (EMG) sous la direction de Boumedienne.
4. Harbi écrit même que les membres de l'EMG se sont réfugiés pendant environ un mois en Allemagne (Harbi, *Une vie debout...*, p. 361). Dans un entretien avec l'auteur, le 29 novembre 2006, Harbi précise qu'ils s'étaient réfugiés à Cologne et avaient été pris en charge par la délégation algérienne du bureau du FLN qui se trouvait désormais dans l'ambassade du Maroc. Il ne serait pas étonnant que Si Mustapha et ses camarades aient été au courant de cette affaire dont ils ne firent évidemment pas part à leurs partenaires est-allemands, car un tel séjour de militaires de haut rang, prétenduement « socialisants », ne pouvait que contredire le soi-disant virage à gauche de l'ALN.

> Sur toutes les questions – négociations, alliances etc. – l'EMG cherchait, sans risque, à contourner le gouvernement sur sa gauche.[1]

En fait, le but n'était pas un régime socialiste ou socialisant, mais une sorte d'« africanisation » de la future Algérie, comme le prouve le mémorandum de Boumedienne du mois de juillet 1961, où celui-ci décrit le rôle de la « révolution » algérienne :

> Notre révolution [...] tend surtout à un bouleversement social qui détruira les structures perpétuées par le colonialisme, lesquelles devront laisser place à la société africaine telle que nous pensons l'établir nous mêmes, chez nous.[2]

Contrairement donc à ce que la délégation de l'ALN prétendait en RDA, le mémorandum de l'EMG ne reprochait pas au GPRA de ne pas être assez socialiste, mais de ne pas être assez africain :

> En effet, lors des consultations ayant précédé la négociation avec la France, le GPRA a consulté les pays du Maghreb, le monde arabe, certains pays de l'Est, mais il a totalement ignoré les pays africains.[3]

Vue sous cet angle, l'affirmation de Si Mustapha, formulée en commun avec le Dr. Belaouane et le colonel Bakhti, que la délégation de l'ALN était en mission avec l'accord officiel du GPRA, est non seulement en contradiction avec l'impression que l'on avait en RDA, à savoir que la délégation n'était pas officielle – ce qui se manifesta dans plusieurs déclarations de ses autorités, malgré la couverture de la visite par le *ND*, où les officiers apparaissaient évidemment comme émissaires officiels du FLN –, mais elle semble avoir été en contradiction avec la situation sur le terrain.[4]

Soupçons de la RDA. Doit-on écarter Si Mustapha ?

Aux difficultés avec la délégation algérienne et ses revendications s'ajoutait un problème linguistique. En effet, le colonel Bakhti parlait en arabe avec les étudiants algériens, et la RDA n'avait pas prévu d'interprète. En plus, Si Mustapha, « le chef politique de la délégation », avait corrigé, de temps à autre, « des expressions progressistes du colonel Bakhti qui allaient trop loin ».[5] Au vu de ces péripéties – dont les partenaires est-allemands ne comprenaient pas réellement le sens – la visite de la délégation accompagnant Si Mustapha donna lieu à un commentaire acerbe de la part de l'auteur du rapport final : désormais des visites de ce genre devaient être préparées plus sérieusement.[6]

---

1. *Ibid.*, p. 362.
2. Mémoire de l'État Major Général de l'ALN à Monsieur le Président du Gouvernement Provisoire de la République Algérienne (HARBI, *Archives...*, Document 59, p. 325).
3. *Ibid.*
4. SAPMO-BArch DY 30/ IV 2/20/ 354, feuille 219, ils avaient déclaré, le 29 janvier 1962, à Horst Brasch : « Nous sommes une délégation officielle du Haut Commendement et cette délégation a l'accord du GPRA. » En revanche, la RDA insista plusieurs fois sur le fait que cette délégation n'était pas habilitée par le GPRA, et n'était donc pas officielle (voir note 2, p. 67).
5. *Ibid.*, feuille 246.
6. SAPMO-BArch DY 30/ IV 2/20/ 354, feuille 249 : « Einschätzung des Besuches der ALN-Delegation in der DDR vom 21. bis 29. Januar 1962 » (établi par Löbel, MAA 3. AEA, daté du 2 mars 1962).

Mais ce qui est particulièrement intéressant dans ce texte, c'est que l'auteur se rendit compte du jeu de Si Mustapha, dont le passé a été éclairé depuis les informations de l'été 1960, où le personnage était encore apparu comme obscur :

> [Il s'agit] d'un ancien citoyen de la RDA, réfugié, du nom de Winfried Müller. En tant que responsable du service de rapatriement et délégué du bureau politique du Haut Commandement Uni de l'ALN il jouit d'après nos expériences d'une grande confiance. Il a des rapports avec des cercles du SPD et du DGB (Syndicat unitaire de la RFA, FT] en Allemagne de l'Ouest. Ses intentions et son attitude sont ambiguës et opaques. En général, son comportement politique en public était correct. [...] Depuis l'existence des relations entre des citoyens et des institutions de la RDA et Q. [i.e. Si Mustapha Quazzani, FT], (depuis l'année 1959), il a œuvré, à plusieurs reprises, à établir de contacts envers des autorités et personnalités algériennes. On doit supposer que Q. veut, en évoquant des aides renforcées de la RDA, solliciter des autorités ouest-allemandes.[1]

L'auteur soupçonna donc Si Mustapha d'instrumentaliser la rivalité entre les deux Allemagnes pour que sa nouvelle patrie, l'Algérie, obtienne encore davantage d'aide.[2]

La conclusion était logique : les négociateurs de la RDA devaient désormais éviter de dépendre de Si Mustapha et essayer de prendre contact directement avec l'ALN, c'est-à-dire l'aile progressiste du FLN, proche d'une idéologie de « gauche » :

> [Propositions :] on recommande l'envoi d'un émissaire du comité de solidarité pour visiter l'ALN au Maroc. Lors de cette visite, on doit essayer de remplacer l'actuelle dépendance de Mustapha Quazzani par des contacts directs avec des représentants du Haut Commandement de l'ALN et du Ministère de l'Intérieur.[3]

Le problème était que, au début de l'année 1962, il était trop tard pour relancer toutes les affaires jusque-là réglées avec le soutien de l'ancien trotskiste, car les négociations entre le futur État algérien et la France pour mettre un terme au conflit étaient sur le point d'aboutir.

Par conséquent, les autorités de la RDA devaient constater, tardivement, que leur politique de reconnaissance était vouée à l'échec quand elle s'appuyait sur un personnage comme Si Mustapha.

Rétrospectivement il s'avère que les autorités est-allemandes avaient une vision très réductrice de leurs difficultés avec les Algériens, quand ils en firent porter la responsabilité à une seule personne. Les autorités algériennes ne voulaient en aucun cas établir des relations diplomatiques en bonne et due forme avec la RDA. Les manœuvres pour échapper à de telles relations – et garder l'option RFA – étaient menées de toute part, qu'il s'agisse des missions de Mohammed Yala, en 1958 et 1959, de la délégation Belhocine en 1960 ou de celle de Si Mustapha, Bakhti et du Dr. Belaouane en janvier 1962, où les accompagnateurs de Si Mustapha faisaient une tentative pour obtenir davantage d'aide de la part de la RDA. Malgré le refus des Algériens de la reconnaître, celle-ci essayait de réagir positivement, pour des raisons idéologiques. Les délégués de l'ALN lui faisaient miroiter un changement de politique en Algérie : quand l'armée et

1. *Ibid.*, feuilles 246 et 248.
2. Les autorités est-allemandes soupçonnent justement pour cette raison Si Mustapha de corriger plusieurs fois des propos trop progressistes du colonel Bakhti.
3. SAPMO-BArch DY 30/ IV 2/20/ 354, feuille 249.

surtout sa fraction « révolutionnaire » auraient plus d'influence, cette nouvelle politique pourrait l'amener vers une reconnaissance.

D'ailleurs, après les accords d'Évian, la RDA misait encore sur l'ALN comme moteur d'une révolution en Algérie, propice à une politique plus favorable envers les pays « socialistes ». La preuve en est l'article de Ralf Bergemann, « premier journaliste étranger dans les territoires libérés » algériens dans le *ND* du 24 mai 1962. Il décrit d'abord la situation désolante dans ces territoires (à l'Est de l'Algérie) pour continuer avec optimisme :

> Mais dans ce territoire de l'Algérie, déjà libéré, l'avenir a déjà commencé. Sa force motrice est l'ALN [...], qui exerce non seulement des fonctions administratives, mais forme, avec le peuple, une unité si forte que l'on n'en trouve guère à l'extérieur du camp socialiste. Dans tous les abris des officiers et des soldats la devise principale est : « L'indépendance n'est qu'une étape, notre but est la révolution ». [...] « En sept ans de combat nous avons appris à faire la distinction entre amis et ennemis. » On entend souvent cette remarque, et elle se confond avec les remerciements à destination de la RDA et de tous les pays socialistes pour leur soutien matériel et moral de la lutte de libération algérienne.[1]

La question que l'on peut se poser est de savoir si cet espoir de la RDA en l'ALN comme déclencheur révolutionnaire d'une politique favorable relevait d'une pure autosuggestion, ou si les Algériens essayaient de berner l'État est-allemand.

En gardant deux fers au feu – d'un côté la RFA et de l'autre la RDA –, les délégations algériennes jouaient sans aucun doute un double jeu. Elles ne pouvaient pas savoir à quel point la RDA était prisonnière de son idéologie, entre autres parce qu'elle ne pouvait laisser tomber le PCA.

En outre, il faut rappeler que, du côté algérien, il s'agissait surtout de gagner – ou du moins de ne pas perdre – la guerre. Il fallait donc « accorder la priorité absolue à la recherche d'appuis matériels là où ils se trouvent, que ce soit à l'Est ou à l'Ouest », comme le revendiquait en janvier 1959 un rapport du GPRA sur les activités internationales.[2] Pour atteindre ce but, la délégation Belhocine n'avait pas hésité à rappeler aux autorités de l'Allemagne de l'Est que la RFA était plus importante que sa rivale orientale – ce qui ressort aussi bien du rapport d'Aït Chaalal et des procès-verbaux du MfAA. La délégation algérienne envisageait, toujours selon le rapport, de rompre les relations entre les gouvernements est-allemand et algérien, dont le dernier n'était actuellement que provisoire – comme l'avait rappelé Sepp Schwab, vice-ministre des Affaires Étrangères.

En revanche, certains groupes de l'ALN, représentée quasi exclusivement par le sulfureux Si Mustapha, semblent avoir instrumentalisé l'idéologie socialiste en utilisant une phraséologie « révolutionnaire » et en faisant miroiter aux autorités est-allemandes un virage à gauche de la direction algérienne. Ce jeu avait commencé presque immédiatement après le demi-échec de la mission de Belhocine et d'Aït Chaalal et donc après la tentative d'une politique de fermeté envers la RDA.

Les différents acteurs de la politique extérieure algérienne n'avaient pas encore intériorisé l'avertissement de Mohammed Harbi, à savoir que l'aide, celle des pays dits

---

1. *ND* du 24 mai 1962, n° 142, p. 7.
2. Harbi, *Archives...*, doc. 77, p. 382 (18 janvier 1959).

socialistes également, devait être sollicitée avec honnêteté, que l'on devait les considérer « comme un partenaire au même titre que les autres » et qu'il fallait surtout cesser de les instrumentaliser par rapport au « chantage verbal qui consiste à menacer l'ouest d'une alliance avec l'est ».[1] La diplomatie de la future Algérie n'avait pas encore atteint, au début des années 60, le degré de qualité qu'exigeait le sous-secrétaire du MAE.

1. *Ibid.*, cf. note 4, p. 62.

SED, PCF ET PCA, L'INFLUENCE RÉELLE ET IMAGINAIRE DU PCA EN RDA

Avant de poursuivre l'analyse de la reconnaissance de la RDA au niveau diplomatique par le GPRA, il convient de présenter l'un des protagonistes dans les péripéties politiques entre la RDA et le FLN, le Parti Communiste Algérien, et son influence sur les idéologues est-allemands.

L'influence primordiale de ce parti dans les relations de la RDA avec l'Algérie en guerre ressort d'un document non daté (probablement printemps 1961) et non signé. Son titre est « Relations RDA-Algérie », il énumère toutes les organisations qui avaient des contacts avec leurs correspondants algériens et il commence ainsi :

> Entre la RDA et le mouvement algérien de libération existent les liens suivants :
> Parti Communiste Algérien et SED (par le CC et la section extérieur [du PCA])
> Gouvernement de la RDA et Gouvernement Provisoire de l'Algérie […][1]

Le PCA occupait donc la première place dans les relations de la RDA avec l'Algérie en guerre.

Ce n'est pas le lieu de présenter ici l'histoire du PCA *in extenso*. Je me concentrerai sur la période où ce parti était un acteur dans les relations de l'Allemagne de l'Est avec le Maghreb.[2]

Il n'existe aujourd'hui que très peu d'études sur le PCA[3], sans doute en raison du manque de documents. Je n'ai pu utiliser que les renseignements trouvés dans les

---

1. SAPMO-BArch DY 30/ IV 2/20/ 354, feuille 1.
2. Je suis ici partiellement le récit de Mabrouk Belhocine, à l'époque secrétaire général au Ministère des Affaires Étrangères du GPRA à Tunis (entretien avec l'auteur, le 30 novembre 2006).
3. Signalons SIVAN, Emmanuel : *Communisme et nationalisme en Algérie 1920-1962*. Paris, Presse Sciences politiques 1976, Danièle JOLY : *The French Communist Party and the Algerian War*. Macmillan Londres 1991, ainsi que deux ouvrages que je n'ai pu consulter, la thèse d'État de DJEBBAR, Abdelhamid : *Le Parti Communiste Algérien et la question nationale. Grenoble 1975* ; et un article de PLANCHE, Jean-Louis : « Le Parti communiste Algérien entre deux nationalismes (1920-1965) », *in* : Cahiers du GREMAMO, n° 7, 1990.

archives SAPMO aux Archives nationales allemandes à Berlin et dans les Archives militaires françaises à Vincennes (SHD/DAT). Or, une étude approfondie sur le PCA serait d'autant plus importante qu'il s'agit d'un organisme particulièrement intéressant pour les différentes facettes politiques de l'époque. Existant depuis 1924, l'ancienne annexe du PCF était « autonome » depuis le Congrès de Villeurbanne en 1935. Depuis ses débuts jusqu'à l'éclatement de la guerre d'Algérie, le parti était fortement « européanisé »; son destin pendant et après la guerre est l'exemple type d'un parti communiste anciennement « colonial » et qui tente s'émanciper de la tutelle du parti frère du pays colonial et de subsister à côté d'un mouvement national de libération certes anti-colonial, mais en même temps non – voire anti-communiste.

Seront donc traitées ici les informations que donnent les autorités de la RDA sur le PCA, à travers les documents des archives, ainsi que les informations que l'on donne à la population est-allemande à travers la presse officielle, en l'occurrence l'organe officiel du SED, le quotidien *Neues Deutschland* (*ND*). Je confronterai ces informations aux analyses des militaires français sur place en Afrique du Nord, pendant le conflit.

Avant l'année 1957, le conflit en Afrique du Nord n'était pas une des priorités de la politique de la RDA, et même quand la presse l'évoquait, c'était souvent de façon superficielle. Certes, pendant l'année 1956, le lecteur attentif du *ND* pouvait trouver régulièrement des petits articles sur les horreurs de la « soldatesque coloniale », des « SS en uniforme de la Légion étrangère » ou encore des « bandits SS »[1] et l'héroïque résistance des combattants pour la liberté, mais des informations proprement politiques – même orientées – n'étaient pratiquement jamais fournies.

Or le PCA, en tant que parti frère fut mentionné quasiment dès le début des « événements ». En effet, dès le 7 novembre 1954 – le *ND* avait évoqué l'éclatement de la crise le 3, le 5 et le 6 novembre dans de courtes dépêches – l'organe du SED reprend de *L'Humanité* une déclaration du PCA et la publie:

> Le bureau politique du CC du PC d'Algérie a publié, dans l'« Humanité », une déclaration dans laquelle les événements [...] sont expliqués comme une conséquence de la politique d'oppression des cercles dominants de la France, à savoir une politique de misère, de chômage et d'exploitation des travailleurs algériens. Le Parti Communiste Algérien appelle tous les patriotes à unir leurs efforts lors du combat pour une cessation immédiate des représailles, pour la libération des prisonniers et l'exécution d'une nouvelle politique correspondant aux revendications justes du peuple algérien.[2]

Dans l'autocritique du PCA que Larbi Bouhali présente aux représentants du SED, en automne 1957, le secrétaire de la délégation extérieure devait mettre en cause cette prise de position de son parti parce qu'elle ne correspondait pas à la volonté du peuple algérien. En réalité, la déclaration du PCA avait suivi la position du PCF de l'époque, qui avait pratiquement condamné le soulèvement militaire des rebelles.

PCF et PCA sur la voie de la revendication de l'indépendance

Jusqu'au début de l'année 1956, la création d'un État indépendant n'avait pas encore été avalisée par le PCF – et le SED s'était trouvé sur sa ligne. Pierre Durand, le

1. Les deux dans *ND*, 27 août 1955, n° 200, p. 5; puis 3 septembre 1955, n° 206, p. 5.
2. *ND*, 7 novembre 1954, n° 262, p. 7.

« correspondant » du *ND* à Paris – en fait il était journaliste à *L'Humanité* –, présente dans un article paru dans le numéro du 29 février 1956, la vision qu'avait le PCF du futur statut de l'Algérie. Selon Durand, il serait le même que celui des pays voisins, le Maroc et la Tunisie:

> C'est seulement par des négociations semblables à celles menées actuellement avec les représentants du Maroc et de la Tunisie que la question algérienne peut être résolue favorablement. [...] On doit accorder aussi au peuple algérien le droit à l'autodétermination. Or, ce droit au divorce n'inclut pas l'obligation à la séparation, comme l'avait dit Lénine. La France et l'Algérie ont beaucoup de choses en commun, même si elles se sont développées pendant l'époque du régime colonial. L'égalité des droits et une coopération amicale peuvent parfaitement résoudre ces questions. C'est à cette fin que la classe ouvrière française sous la direction de son Parti Communiste coopère avec le peuple algérien, dans l'esprit de l'internationalisme prolétarien.[1]

L'indépendance juridique proprement dite n'était alors pas encore dans l'esprit de l'internationalisme prolétarien du PCF, et le SED le suivait naturellement sur ce point.

Il n'est donc pas étonnant que la justification du soutien du PCF au gouvernement Mollet, le fameux vote des pouvoirs spéciaux, ait été adoptée également sans aucune protestation par les frères communistes en RDA.

Pierre Durand expliqua encore une fois que la première nécessité était de conserver l'unité de la gauche, même si le PCF n'était pas d'accord avec toute l'action du gouvernement. Durand cite Maurice Thorez :

> « Les députés communistes ont eu raison de ne pas mettre en cause cette perspective générale et de ne pas se laisser tenter par une rupture à cause d'un point particulier sur lequel ils ne sont pas d'accord avec le gouvernement. »[2]

Le « point particulier » qui faisait qu'on ne mettait tout de même pas en cause la totalité de l'action gouvernementale, ne fut certainement pas considéré comme tel par les Algériens, qu'ils fussent communistes ou « patriotes nationalistes ».

Dans ce contexte, n'oublions pas qu'un mois plus tard, Guy Mollet devait se rendre en URSS, où il était accueilli avec tous les honneurs par ses hôtes soviétiques.[3]

Puisque la RDA suivait naturellement la ligne du PCF, le *ND* n'informa ses lecteurs de la nouvelle ligne qu'en août 1956 (le PCA avait pris le virage vers la lutte armée

---

1. *ND*, 29 février 1956, n° 51, p. 7.
2. *ND*, 12 avril 1956, n° 89, p. 5. Il s'agit en fait d'une paraphrase de l'article de Maurice Thorez dans *L'Humanité* du 27 mars 1956, où celui-ci utilise les mêmes termes pour expliquer la position du PCF (cité *in* : SIVAN, *Communisme et nationalisme...*, p. 243).
3. Pendant la période de cette visite de la délégation du gouvernement français en URSS, la couverture du conflit en Algérie par le *ND* continuait de la façon suivante :
   16 mai 1956, n° 117, p. 5
   Grand Titre :
   UdSSR grüßt die französischen Gäste (L'URSS accueille ses hôtes français)
   Petite dépêche :
   Franzosen fordern ihre Demobilisierung (Des Français demandent leur démobilisation)
   18 mai 1956, n° 119, p. 5
   Grand titre :
   Woroschilow empfing Mollet (Mollet reçu par Vorochilov)
   Petite dépêche :
   Kühner Angriff algerischer Patrioten (Attaque téméraire des patriotes algériens)

pour l'indépendance de l'Algérie dès juin 1955). En évoquant la vraie France, celle des travailleurs et du PCF à leur tête, qui était entre temps devenue « l'allié d'une Algérie indépendante », l'auteur d'une longue analyse de la guerre d'Algérie, parue le 21 août 1956, cite encore une fois Thorez :

> Maurice Thorez a démasqué depuis un certain temps le mensonge utile d'une Algérie « partie intégrante de la France » et attiré l'attention sur le fait que l'Algérie est « une nation propre, en train de se former » qui lutte pour la liberté et l'indépendance.[1]

Certes, le PCA n'est pas oublié dans l'article - il avait demandé l'ouverture de négociations pour mettre fin aux souffrances des Algériens :

> Le Parti Communiste Algérien – et il parle ici au nom de tous les Algériens et tous les Français honnêtes – dit là-dessus: « Le peuple algérien n'a pas pris les armes d'un cœur léger. Il y a été obligé, car il ne lui restait aucun autre moyen pour faire valoir son droit à une vie nationale libre. Aussitôt qu'une perspective de solution négociée se présentera, notre peuple sera le premier à souhaiter la fin de cette guerre cruelle dont le prix sont tant de sacrifices et de souffrances. »[2]

Pourtant, le paragraphe suivant qui explique en quoi les négociations devaient consister, ne correspondait certainement pas à la position du PCA, qui, ur la politique envers la France, s'était aligné sur les positions du FLN:

> Le but de telles négociations doit être, du point de vue algérien, la création d'une République Démocratique d'Algérie, qui, sur la base du volontariat et dans le respect des intérêts réciproques, devrait être étroitement liée à la France.[3]

Le FLN, et après lui le PCA, avaient déjà dépassé cette vision du PCF de l'été 1956.

En fait, la revendication de Maurice Thorez concernant la « nation en formation » date de l'année 1939 et Thorez avait inclus, à l'époque, les colons français dans cette future nation algérienne. Dans la citation de Thorez, telle qu'elle apparaît ci-dessus, le problème des colons avait été omis.

Or, avec l'éclatement de la guerre en novembre 1954, la vision de la future nation avait changé chez les insurgés. Le concept d'une grande partie du FLN, radicalement anti-colonialiste, n'incluait pas les colons non plus ; dans sa « révolution », un rapprochement entre colons et Arabes n'était pas possible, du moins pendant la période coloniale. Ainsi, la « révolution » dont l'issue devait être l'indépendance, devait exclure les colons français. Avec la décision de prendre les armes, en juin 1955, le PCA avait rejoint, pour le moins partiellement, la doctrine du FLN.

En septembre de la même année, le PCA fut dissout par le gouvernement français. Cette interdiction était logique pour au moins deux raisons. En juin 1955, le CC du PCA avait effectivement décidé de participer désormais à la lutte armée contre « la répression colonialiste » – aux côtés du FLN, mais avec une organisation militaire propre, créée en mars 1956, les « Combattants pour la Libération ».[4] À partir de la

---

1. *ND*, 21 août 1956, n° 199, p. 1.
2. *Ibid.*
3. *Ibid.*
4. Alleg, Henri (éd.) : *La Guerre d'Algérie*. tome 2 ; Paris, Temps actuels 1981, p. 111 *sq.* et Harbi, Mohammed : *Le FLN, mirage et réalité des origines à la prise du pouvoir (1945-1962)*. Paris, Éditions j.a. 1980, p. 138.

deuxième moitié de 1955, le parti développa une certaine activité (manifestations, vol d'armes etc...) tout en préparant la clandestinité:

> Le P.C.A. est donc pleinement engagé dans la lutte lorsque le gouvernement français prononce sa dissolution, le 12 septembre 1955.[1]

Dans la même logique, le gouvernement français ne pouvait dissoudre qu'un parti dont l'existence était légale.[2] Le FLN, créé en octobre 1954 et porteur principal de la lutte pour l'indépendance de l'Algérie, ne pouvait pas être frappé d'une interdiction, puisqu'il n'avait pas été reconnu comme mouvement légal par les autorités françaises.

L'interdiction du PCA s'était imposée pour une autre raison encore : ses activités de propagande. En effet, dès l'année 1955 le PCA avait essayé de plus en plus de toucher les jeunes militaires français envoyés en Algérie :

> En 1955 [...] le Parti communiste algérien a la préoccupation d'entrer en contact avec les jeunes militaires qui, toujours plus nombreux, arrivent de France. [...] Lorsque la dissolution du P.C.A. est décrétée par le gouvernement [...] le réseau est déjà mis en place et fonctionne [...]. En septembre sort le premier numéro de *La Voix du soldat*. Il s'adressait aux soldats, sous-officiers et officiers de l'armée française et « les appelait à prolonger sur le sol algérien la lutte de la classe ouvrière et du peuple français pour la paix et l'indépendance, pour l'amitié entre le peuple algérien et le peuple français. »[3]

L'interdiction du PCA était couverte par le *ND*, mais pour l'expliquer, le SED eut encore besoin du PCF, c'est-à-dire d'un article de Pierre Durand. L'explication que Durand donna différait légèrement des raisons pratiques qu'avait eues le gouvernement français. Elle comporta surtout une démonstration du raisonnement du PCF de l'époque concernant l'avenir de l'Algérie. Sous le titre « Pourquoi Faure a-t-il interdit le PCA ? », Durand essaye d'abord de démontrer que ce parti était la « force dominante dans la lutte pour l'indépendance » :

> Les colonialistes détestent particulièrement le Parti Communiste Algérien parce qu'il a réussi à unir de grandes parties du peuple algérien dans un front national démocratique contre le régime colonial et pour la lutte pour le pain. [...] Depuis sa création, il mène la politique de l'union avec la classe ouvrière française et de l'amitié avec le peuple français. Il revendique une République Démocratique Algérienne qui serait unie à la France sur la base du volontariat et dans le respect des intérêts réciproques. Il n'est donc pas seulement le parti de la défense conséquente du droit à l'autodétermination du peuple algérien, mais également le parti de l'amitié avec la France. L'interdire signifie porter un coup contre ces deux principes.[4]

Affirmer que le PCA avait réussi à unir le peuple algérien en un front national était une simple contrevérité, et que le *ND* n'évoque même pas le Front de Libération Nationale réellement existant était révélateur de la position du PCF et donc du SED.

---

1. ALLEG, *La Guerre d'Algérie...*, p. 114.
2. Ageron affirme que le gouverneur général Soustelle a demandé à son gouvernement l'interdiction du PCA, parce qu'il était convaincu que c'étaient « les communistes de Philippeville qui avaient préparé, sinon organisé l'affreuse boucherie d'El-Halia », une mine de pyrite où, le 20 août 1955, des dizaines d'Européens avaient été tués par des insurgés algériens (AGERON, Charles-Robert : « L'insurrection du 20 août 1955 dans le Nord-Constantinois. De la résistance armée à la guerre du peuple. » *In* : idem (sous la direction de) : *La guerre d'Algérie et les Algériens 1954-1962*. Paris, Armand Colin 1997, p. 47.
3. *Ibid.*, p. 488.
4. *ND*, 16 septembre 1955, n° 217, p. 5.

En effet, le PCF ne s'aligna sur la revendication de l'indépendance qu'en 1956 ; au début du conflit, il était resté sur la constatation de son leader Thorez, évoquant « une nation en formation ».

Danielle Joly présente cette controverse idéologique de façon concise :

> *Two main features counterposed this analysis to the Party definition :*
> *The Algerian nation had become a « constitute nation » at the latest by the end of the Second World War (and not in 1957 as the PCF claimed).*
> *The Algerian nation was Arab in character and did not include the settlers: moreover, any* rapprochement *between settlers and Arab-Berbers was deemed impossible under the conditions of colonialism.*
> *Both the FLN and the PCA confirmed these views and joined their voice to the concert of criticism against Maurice Thorez's concept of the Algerian nation in formation including the settlers.*
> *[...] The uncompleted state of the Algerian « nation in formation » could have been taken to imply that Algeria was not ready for independence and therefore could be used as an ideological weapon against the Algerian national liberation struggle.*[1]

La RDA pour sa part suivait toujours la ligne du PCF[2] et continuait à ne pas se mêler concrètement du conflit en Algérie. Cependant le *ND* condamnait systématiquement les atrocités des troupes coloniales, soutenues et indirectement financées par la RFA.

Même pendant le conflit autour du canal de Suez, à la fin de l'année 1956, les choses ne changèrent pas profondément, la RDA observait et commentait, à travers le *ND*. On liait par ailleurs le soulèvement en Hongrie et sa répression à la défaite de la France et de la Grande-Bretagne en Egypte en appelant par exemple à une manifestation « Pour la liberté de la Hongrie et de l'Egypte », (6 novembre), pour se réjouir un jour plus tard : « La Hongrie est libre – l'Egypte reste libre ! »[3]

Après la fin « heureuse » des deux crises, au début de l'année 1957, le *ND* fit le bilan – et n'hésita pas à mettre au même niveau Hitler et Mollet, la Hongrie et l'Algérie et à fustiger le manque d'équité de l'occident qui s'occupait trop de la Hongrie et pas assez de l'Algérie :

> Mollet sur les traces d'Hitler
> Quand la classe ouvrière, le pouvoir populaire en Hongrie, se dressa contre la contre-révolution organisée et menée par les impérialistes et rétablit l'ordre, alors chaque ongle cassé compta – et compte toujours -, alors les traîtres du peuple devinrent « héros de liberté » et des criminels devinrent héros. Mais en Algérie, où tout un peuple défend avec des sacrifices immenses son droit inaliénable, à savoir

---

1. Danièle Joly : *The French Communist Party and the Algerian War.* Macmillan Londres 1991, p. 97.
2. *Ibid.*, p. 94, Joly fait contraster le décalage de l'idéologique et du temps entre les deux partis communistes, PCF et PCA : « *The pressure of events egineered by the 1954 insurrection led the PCA to radicalise its position. A first decision to participate in the liberation struggle with the FLN (taken in June 1956) culminated in a PCA-FLN agreement in the middle of 1956. Members of the PCA even took part in activities which were condemned as « terrorist » by the PCF. In the meantime the PCF was voting for the Special Powers, which eventually led to the escalation of the war. The PCA had embraced the demand for Algerian independance since March 1956 whilst the PCF delayed it until the beginning of 1957.* » L'accord célébré par Joly comme « culmination » de la coopération FLN-PCA n'était pas très équilibré, mais plutôt une défaite pour le PCA.
3. *ND*, 6 novembre 1956, n° 265, p. 1 :
   « Für Ungarns und Ägyptens Freiheit ! »
   7 novembre 1956, n° 266, p. 1
   « Ungarn ist frei – Ägypten bleibt frei ! »

le droit à une vie propre, là il s'agit d'une « affaire intérieure » – non point de l'Algérie, mais de la France ![1]

Or, c'est à ce moment-là, après la crise de Suez qui avait montré que l'URSS ne ménageait plus la France de Guy Mollet, que la RDA commença très prudemment à envisager une sorte de politique « algérienne ».[2]

À l'occasion du mémorandum que le FLN adressa à l'ONU pour proposer des négociations sur l'issue du conflit en Algérie, le *ND* mentionna pour la première fois la « algerische "Nationale Befreiungsfront" (FLN) »[3], et à ce moment-là, pour la première fois, un protagoniste de la lutte pour la libération apparut officiellement en RDA. Est-il étonnant qu'il se soit agi d'un représentant communiste, en l'occurrence du secrétaire de la délégation extérieure du PCA, Larbi Bouhali ?[4]

Bouhali séjourna à Berlin-Est entre le 15 et le 25 janvier environ, mais son séjour fut annoncé indirectement par une interview qu'il avait donnée au journal albanais *Zeri i Popullit* et que le *ND* publia le 10 janvier 1957.

Bouhali – dont le nom était écrit à cette époque encore « Buhali » par le *ND* – se montre désormais intransigeant par rapport à la France :

> Buhali souligna que le temps des réformes en Algérie est désormais révolu pour toujours; le régime colonial ne peut être conservé par quelques petites concessions faites à des esclaves. [...] Le Parti Communiste Algérien participe de toutes ses forces à la lutte de libération du peuple algérien, aussi bien aux actions militaires qu'aux décisions politiques.[5]

La participation aux mesures politiques devait se révéler comme une proposition, comme le dit Bouhali dans son interview avec le *ND* du 24 janvier.

Quelques jours auparavant, le 17 janvier, le *ND* avait titré que « Les Berlinois entendent parler de l'Algérie », car Bouhali avait parlé devant les ouvriers d'une usine de signalétique. Il les avait informés du soutien « du camp socialiste, des États de Bandoung et avant tout de la Tunisie et du Maroc » et avait exprimé « la reconnaissance de son peuple pour la solidarité des travailleurs de la RDA ».[6]

Dans l'interview que le secrétaire de la délégation extérieure donna au journal, il devint plus concret.[7]

---

1. *ND*, 30 janvier 1957, n° 26, p. 2.
2. Au même moment, le PCF se ralliait à l'indépendance de l'Algérie, et il révise la théorie de la nation inaccomplie : « *The PCF denied any connection between its support for Algerian independence and its recognition of a "constituted Algerian nation", but it is a strange coincidence that the Party declared the formation process of the Algerian nation completed precisely at the same time as it raised the slogan of Algerian independence – at the beginning of 1957.* » (Joly, *The French Communist Party...*, p. 98).
3. 5 janvier 1957, n° 5, p. 5.
4. Je n'ai pas trouvé trace d'une rencontre de Bouhali avec des représentants du SED ou autres autorités est-allemandes à cet instant; je me limiterai donc à la source principale, le ND et sa couverture de la visite du secrétaire de la délégation extérieure du PCA.
5. *ND*, 10 janvier 1957, n° 9, p. 5.
6. *ND*, 17 janvier 1957, n° 15, p. 6. Le mouvement des États non-alignés à Bandoung avait été salué par la RDA lors de sa création, mais l'évolution des États qui y participaient n'était évoquée que lors d'événements particuliers, tels la visite d'un chef d'État appartenant à ce mouvement en URSS.
7. *ND*, 24 janvier 1957, n° 21, p. 1/5, avec une photo de Bouhali sur la première page.

Après avoir décrit les atrocités commises par l'armée française en Algérie qu'il poussa à l'extrême dans une comparaison avec Oradour-sur-Glane – « Aujourd'hui on ne compte plus les Oradour-sur-Glane en Algérie et ils se produisent sous la direction des dirigeants socialistes français au service de la bourgeoisie »[1] – Bouhali en vint à l'explication de l'acharnement de la France contre l'Algérie :

> Depuis longtemps, les cercles coloniaux français considèrent l'Algérie comme le « bijou de l'empire » et en tirent les plus grands bénéfices. Il est un fait que la majeure partie des richesses de l'Algérie – plus qu'en Tunisie et au Maroc – se trouve entre leurs mains. [...] On a empêché toute industrialisation pour assurer un marché pour les produits finis français. [...] Guy Mollet [...] adresse aussi un appel aux autres monopoles de l'Europe occidentale et surtout aux monopoles ouest-allemands pour qu'ils participent à cette oppression et exploitation coloniales.[2]

Puis Bouhali s'engage pour les Européens en Algérie qui n'auraient aucunement à craindre une expulsion, car « notre pays les a toujours considérés comme une partie intégrante du peuple algérien ».[3]

Si cette affirmation pouvait paraître en contradiction avec la nouvelle doctrine qui excluait en fait les colons européens de la révolution nationale, la description que fit Bouhali du mouvement de libération ne correspondait pas non plus entièrement à la réalité qu'un dirigeant du FLN aurait présentée :

> Le Parti Communiste Algérien participe pleinement à la lutte de libération de notre peuple, et ses membres tâchent de toutes leurs forces d'être parmi les meilleurs combattants. Mais le Parti Communiste Algérien n'adhère pas au Front de Libération Nationale (FLN) qui n'est pas une coalition de partis mais une union de membres d'anciennes organisations nationalistes. [...] Le Parti Communiste a contribué à l'unification de toutes les forces armées de la résistance en concluant un accord avec le FLN par lequel les forces armées du parti ont été intégrées dans l'armée de libération.[4]

Bouhali suggère par la distinction assez artificielle entre organisations nationalistes et partis au sens propre que le seul parti réel qui subsistait en Algérie était le PCA, il omet de dire que le FLN n'avait voulu intégrer les membres du PCA qu'en tant qu'individus et non pas en tant qu'adhérents du PCA, que l'accord était donc une concession imposée par le FLN.[5] Pourtant le PCA affirmait qu'il soutenait le FLN dans

---

1. *Ibid.*, p. 5 (en gras). Si cette comparaison peut sembler passablement déplacée, elle risquait en plus de ne pas être comprise par la plupart des citoyens allemands à cette époque.
2. *Ibid.*
3. *Ibid.* Il se peut que ce soit cette affirmation qui ait alerté le MAE français. En effet, dès le 24 janvier, jour de la parution de l'interview de Bouhali, Jean Béliard du MAE envoye un télégramme à Berlin pour demander l'intégralité de l'entretien : « Veuillez me faire parvenir d'extrême urgence [...] l'interview donnée par le Secrétaire Général du Parti Communiste algérien à l'Agence de Presse de l'Allemagne de l'Est [...] » (MAE, Afrique-Levant, 39, Algérie 1953-1959).
4. *ND*, 24 janvier 1957, n° 21, p. 1/5.
5. Courrière soutient que cet accord a été négocié quasi honnêtement entre Sadek Hadjeres du PCA et Benyoussef Ben Khedda pour le FLN et reproduit un tract des Combattants de la Libération du PCA (1er juillet 1956) les appelant de rallier l'ALN (COURRIÈRE, Yves : *La Guerre d'Algérie. Tome 2 Le temps des léopards.* Paris SGED 2000, p. 650 à 656). Par contre, Harbi interprète la récupération des Combattants de la Libération comme une tragédie pour les partisans du PCA : « Pour le P.C.A., c'est l'échec sans rémission. [...] Une grande illusion finit en drame. Drame pour les ouvriers européens qui ont servi d'alibi à la politique du P.C.A. Drame pour les communistes qui ont à faire face aux préjugés et à la méfiance de leurs compagnons de lutte nationalistes. » (HARBI, *Le FLN, mirage et réalité*..., p. 139).

sa lutte pour l'indépendance, pour la création d'une république « démocratique et sociale » et pour une réforme agraire.

L'unité comme seule ambition actuelle se montrait également, selon Bouhali, dans les efforts que faisait le PCA pour unir les différentes organisations syndicales algériennes. Et c'est pour ces raisons que le parti revendiquait une participation aux décisions politiques – dans son interview avec le journal albanais, le secrétaire général avait souligné qu'elles étaient déjà prises en commun –, autrement dit une participation à la direction du mouvement de libération. Cependant Bouhali donne en même temps la raison pour laquelle le FLN ne voulait ni ne pouvait accepter une telle participation :

> En outre [le parti] propose que la base du FLN soit élargie par la participation du PC algérien à la direction politique du front de libération ; toutefois l'indépendance politique et organisatrice du parti doit être conservée. Si les dirigeants français affirment que le mouvement de résistance algérienne est devenu communiste, l'on peut facilement deviner quels projets ils visent par là. Ils ont recours à l'arme de l'anticommunisme, parce qu'ils espèrent ainsi diviser le front de résistance algérienne, monter les nationalistes contre les communistes, contenir des éléments prêts à négocier en France et en Algérie et finalement aussi parce qu'ils espèrent pouvoir acheter les faveurs des impérialistes américains à l'occasion du débat imminent sur l'Algérie à l'ONU.[1]

Si le FLN voulait réellement négocier avec la France sur une fin du conflit, et si la France ne voulait pas négocier avec des communistes – même si ce n'était qu'un prétexte –, il était alors logique que le FLN ne puisse associer le PCA à la direction du mouvement de libération. En fait, comme nous le verrons, le Front ne voulait pas associer le PCA à quelque action politique que ce soit.

L'interview finit avec un hommage courtois du secrétaire général à ses hôtes, qu'il remercie pour leur soutien moral. Les vœux qu'il exprime à la fin montrent qu'à cette époque, la doctrine de la RDA concernant les deux Allemagnes était encore la réunification, au moins vue de l'extérieur, par un parti frère, en l'occurrence le PCA :

> Les quelques jours que j'ai passés en RDA m'ont en plus donné l'occasion d'apprécier les sentiments de solidarité des travailleurs et de tout le peuple allemand pour notre peuple, et je voudrais leur exprimer mes profonds remerciements au nom de notre peuple. Je vous souhaite bonne chance pour le développement d'une patrie socialiste ainsi que pour sa rapide réunification. La cause du peuple algérien et du peuple allemand est juste, et donc rien ne pourra empêcher sa victoire.[2]

Malgré ces paroles de politesse du communiste algérien, il ne semble pas que le conflit en Afrique du Nord ait été une priorité politique pour la RDA jusque dans la deuxième moitié de l'année 1957. J'en veux pour preuve deux non-événements.

D'abord, le délégué du FDGB, Herbert Warnke, lors du congrès annuel de la Fédération Syndicale Mondiale (FSM), à Leipzig, en automne 1957, n'évoqua pas une seule fois la lutte de l'Algérie pour son indépendance.[3] Et pourtant le *ND* cite le secrétaire général de la CGT, Louis Saillant qui fit dans son discours final lors du même congrès un appel au soutien des peuples en lutte :

1. *ND*, 24 janvier 1957, n° 21, p. 1/5.
2. *Ibid.*
3. *ND*, 5 octobre 1957, n° 235, p. 1 et 2 ; on trouve par contre en p. 5 une note sur une rencontre de Mohamed Yazid (représentant du FLN à l'ONU) avec ses collègues tunisien et marocain : « Yazid insista sur le fait que la lutte pour la liberation ne cessera que quand la France aura reconnu l'indépendance de l'Algérie. »

> Tout moyen doit être utilisé pour aider ces peuples [qui luttent pour leur liberté, FT] – comme par exemple le peuple algérien.[1]

L'Algérie ne fut donc pas mentionnée par un représentant de la RDA, lors d'une réunion publique où d'autres l'évoquèrent, et un fait similaire se produisit sur un autre niveau lors du troisième anniversaire du soulèvement armé en Algérie. En effet, le 1er novembre 1957, le *ND* n'évoqua pas cet anniversaire. C'est seulement le 2 novembre, où l'on copiait a posteriori une information de la United Press américaine sur les troubles en Algérie peu avant l'anniversaire :

> À la veille du troisième anniversaire du début soulèvement armé du peuple algérien [...] des unités de l'Armée de libération algérienne passaient [...] à de nouvelles attaques. [...] Pleines d'angoisse, les autorités coloniales françaises s'attendent à de nouvelles attaques [...] lors du jour anniversaire du soulèvement algérien contre le régime colonial.[2]

Le fait que l'article était une simple copie d'un article étranger avec un décalage dans le temps – le n° 260 du *ND* parut après l'anniversaire et les autorités françaises « craignent » encore des troubles lors de cet anniversaire à venir ! – confirme l'impression que la RDA ne voulait pas encore donner trop d'importance au conflit en Algérie. Ceci malgré le fait que la crise de Suez s'était terminée par une victoire pour l'Egypte, alliée au mouvement algérien de libération depuis près d'un an, que l'on avait fait un accueil très honorable au secrétaire général de la délégation extérieure du PCA en janvier 1957, et que l'on avait lancé un appel aux légionnaires d'origine allemande, peu de temps après cette visite.[3] En outre, la couverture du conflit avait continué pendant toute l'année et le *ND* avait fait part également à ses lecteurs du fait que le parti frère français s'était décidé à reconnaître au peuple algérien le droit à l'indépendance sans aucune condition.[4]

La visite de Larbi Bouhali au SED : la RDA commence une nouvelle politique

Le changement de la vision politique des autorités est-allemandes concernant les événements en Afrique du Nord se produisit seulement à la fin de l'année 1957. Les visites d'un représentant du CRA au président du DRK et d'une délégation du PCA dirigée par Larbi Bouhali à des représentants du SED en octobre mettent en évidence le début d'une politique plus active de la RDA envers le mouvement de libération en Algérie.

Selon les militaires français, la rencontre entre représentants des deux partis communistes n'était pas isolée ; elle faisait partie d'une tournée du PCA dans les pays « socialistes » pour les inciter à un soutien plus énergique à la fraction communiste dans la lutte pour la libération nationale algérienne.[5] Ainsi les services français de renseignement prévoyaient dès avril 1957 une action du PCA auprès des « satellites » de l'URSS :

1. *ND*, 13 octobre 1957, n° 243, p. 5.
2. *ND*, 2 novembre 1957, n° 260, p. 5.
3. Cet appel avait été réitéré, selon le *ND* du 30 juillet 1957, n° 177, p. 5.
4. *ND*, 6 mars 1957, n° 56, p. 5.
5. Selon Mabrouk Belhocine (voir note 2), cette tournée dans les pays socialistes devait surtout servir à leur expliquer le fonctionnement et la composition du FLN. Par là, selon Belhocine, le PCA nuisit au mouvement national et révolutionnaire algérien, car le FLN se voulait un mouvement composé de toutes

En conclusion, les responsables algérois [du PCA, FT] demandent qu'une action diplomatique soit entreprise auprès de l'U.R.S.S. et des pays d'obédience communiste pour qu'ils valorisent aux yeux du Caire et de Tunis la valeur de l'action communiste pour l'indépendance de l'Algérie et en particulier qu'ils reconnaissent l'efficacité des militants qui apportent dans la lutte leur contribution directe et totale.[1]

En RDA, cette visite ne marqua pourtant pas une revalorisation de l'action communiste, mais le début de relations plus étroites aussi avec des représentants non-communistes de l'Algérie luttant pour son indépendance.

L'un des premiers documents internes concernant cette indépendance est un rapport non signé, daté du 31 octobre 1957, sur une rencontre entre communistes. Il s'agissait du premier secrétaire de la délégation extérieure du PCA, Larbi Bouhali[2] et de Rachid Dali-Bey, membre de son bureau politique, du côté algérien. Du côté de la RDA participèrent à l'entretien Heinrich Rau, membre du Bureau politique du SED, Erich Honecker, candidat au Bureau Politique, Peter Florin, candidat au Comité Central et Grete Keilson, vice-directrice d'un département du CC.

---

les fractions indépendantistes. Ainsi Abdelmalek Ramdane aurait dit, en 1955 : « Je ne fais pas de différence entre patriotes de quelque parti qu'ils se réclament, même des communistes. » Belhocine cite comme contre-exemple Ali Yata, le chef du parti communiste marocain (Parti du Progrès et du Socialisme/PPS), qui accepta le FLN tel qu'il se présentait.

1. Bulletin de renseignements, 9 avril 1957; X° Région militaire/État major 2ème Bureau, SHD/DAT 1H 1721, dossier 2.
2. Larbi Bouhali n'était pas non plus inconnu des militaires français; dans la brochure de l'« Inspection des Forces terrestres, maritimes et aériennes. Inspection des Affaires militaires musulmanes » intitulée « Le communisme et l'Islam » datant d'avril 1957 (SHD/DAT 1H 1103/3), l'auteur présente le personnage de la façon suivante : « Bouhali Larbi, Secrétaire Général condamné pour son activité en 1952 et 1953. A fait un stage de 9 mois, vers 1934, à l'école Léniniste de Moscou où les cours comprenaient un enseignement des techniques révolutionnaires. » (p. 49). Ces cours à l'École des peuples d'Orient à Moscou ont eu lieu de 1934 à 1936, selon Jean-Louis Planche, dans une brève biographie de L. Bouhali (in : Parcours. L'Algérie, les hommes & l'histoire. Recherches pour un dictionnaire biographique. n° 11, décembre 1989, p. 14 à 16). On trouve chez les militaires français une indication du lieu, où Bouhali avait son quartier général, pendant ces années : « Larbi Bouhali semble avoir son principal établissement à Tirana depuis le milieu de l'année 1958 » (SHD/DAT 1H 1721, 10 avril 1959 : « L'évolution de l'attitude du communisme international à l'égard de la rébellion algérienne »), l'Albanie étant « plus spécialement chargée des relations avec le PCA » (*ibid.*, non daté, probablement 1958; Premier Ministre/État-Major général de la Défense nationale/Division Renseignement, Étude sur l'évolution des relations du communisme international et de la rébellion algérienne, p. 14). Houari Mouffok situe la résidence de Larbi Bouhali à Moscou : « Régulièrement Larbi B. venait de Moscou où il dirigeait la délégation extérieure du PCA […] » (MOUFFOK, Houari : *Parcours d'un étudiant algérien de l'UGEMA à l'UNEA.* Saint Denis, Bouchène 1999, p. 66). Mohammed Harbi, dans ses mémoires (*Une vie debout. Mémoires politiques. Tome 1 1945-1962.* Paris, La Découverte 2001, p. 307) le situe directement en RDA : « […] la RDA abritait le PCA, lequel cherchait à recruter des militants ». La plupart des lettres de Bouhali au SED viennent de Prague, à partir de 1958, (p.ex. SAPMO-BArch DY 30/ IV 2/20/ 353, feuilles 147 et 154); dans une lettre datée du 20 janvier 1958 au CC du SED, Bouhali avait d'ailleurs demandé qu'on lui écrive désormais à une adresse à Prague (*ibid.*, feuille 236). Mabrouk Belhocine confirme cette localisation. Selon lui, Bouhali s'est exilé en 1956 à Prague (entretien avec l'auteur, 30 novembre 2006). Jean-Louis Planche, dans sa biographie de L. Bouhali, confirme également la localisation de celui-ci à Prague. Bouhali lui-même décrit la situation de sa délégation dans une mise au point à « Paris-Presse L'Intransigeant » (traduction en allemand pour le CC du SED, SAPMO-BArch DY 30/ IV 2/20/ 353, feuille 93) : « […] la direction du PCA – entre autres avec les camarades Bachir Hadj Ali et Sadek Hadjeres […] – n'a jamais quitté l'Algérie […]. Par ailleurs je vous signale que la PCA n'a aucune organisation en "Allemagne de l'Est". Si l'on comprend par là la délégation Étrangère du PCA – une délégation qui par ailleurs se déplace de façon permanente - dont la direction m'a été confiée par le Comité Central, alors je dois vous dire qu'elle ne peut aucunement […] remplacer la direction du parti. » Ceci est confirmé par ALLEG, *La Guerre d'Algérie…*, p. 482.

Le *ND* prit acte de la visite des communistes algériens dès le 5 novembre, dans un long article en première page, sous le titre « Entretiens entre le SED et le Parti Communiste Algérien ».

L'auteur de l'article passe en revue une grande partie des thèmes de la politique internationale de la RDA. D'abord, il présente le conflit comme partie intégrante de l'histoire des luttes communistes contre l'impérialisme depuis la révolution russe, dont on était en train de fêter les 40 ans, non sans dénoncer en même temps les « impérialistes » de la RFA :

> Ce combat est un combat juste [...]. Mais aujourd'hui, 40 ans après la Grande Révolution Socialiste d'octobre 1917 [...], le système colonial impérialiste est inexorablement condamné à disparaître [...]. Ceci signifie que non seulement le régime colonial français tombera, mais que les projets des impérialistes américains et allemands de recueillir l'héritage des seigneurs coloniaux français resteront également sans succès.[1]

L'impérialisme ouest-allemand se concrétisait pour le *ND*, une fois de plus, dans le rôle que jouait la Légion étrangère en Afrique du Nord, composée dans sa majorité d'Allemands, sous-entendu de l'Ouest :

> La population de la République Démocratique Allemande condamne la participation d'Allemands sous l'uniforme de la Légion étrangère à cette guerre coloniale contre le peuple algérien. Tous ces Allemands sont invités à prendre conscience de ce crime contre un peuple opprimé dans l'intérêt des impérialistes et à quitter la Légion étrangère.[2]

On reconnaît ici un dérivé de l'appel de la RDA du 2 janvier 1957 aux légionnaires allemands, dans lequel on les avait invités à rentrer dans la partie sûre de l'Allemagne, où la justice militaire française ne pouvait les rattraper et où un avenir radieux les attendait – appel réitéré au mois de juillet.

Naturellement le *ND* présentait la solidarité de la RDA avec la lutte pour l'indépendance de l'Algérie comme partie de l'« internationalisme prolétarien ».[3] Or, la présentation du PCA et de son action sous forme de paraphrase de ce qu'avait dit Larbi Bouhali dans son interview en janvier, pouvait attirer l'attention d'un lecteur avisé :

> Le Parti Communiste Algérien, dont les membres et les sympathisants participent activement à la lutte pour la liberté de leur peuple, soutient tous les efforts pour renforcer le front anti-impérialiste sur une base des plus larges.[4]

Deux questions s'imposent : pourquoi souligner encore une fois cette action du PCA qui devait aller de soi ? Et pourquoi n'évoqua-t-on pas nommément le Front qui existait, sur « une base des plus larges », le Front de Libération Nationale, qui avait pourtant été mentionné par Bouhali dans son interview de janvier ?

La réponse se trouve partiellement dans le contenu de l'exposé qu'avait tenu Bouhali devant ses interlocuteurs du SED.

---

1. *ND*, 5 novembre 1957, n° 262, p. 1.
2. *Ibid.*
3. *ND*, 5 novembre 1957, n° 262, p. 1.
4. *Ibid.*

Que s'était-il donc réellement dit lors de cette visite de Larbi Bouhali à Berlin-Est ?

Le récit de la rencontre entre le SED et le PCA – dont le SDECE était par ailleurs parfaitement informé –[1] est un document de 11 pages qui représente la base des relations entre les deux partis ; le tour d'horizon concernant la guerre d'Algérie a de toute apparence fortement imprégné la vision des idéologues de la RDA.

Le document est étonnant pour plusieurs raisons. Il contient une autocritique du PCA et de surcroît, une mise au point sur ses relations avec le PCF – face à des membres d'un parti qui n'étaient pas habitués à des critiques de partis frères, voire à l'autocritique.[2] Pour le SED, le PCF était – et devait rester – une, voire la référence en matière de relations franco-algériennes, comme en témoignent les multiples articles que le *ND* reprenait simplement de *L'Humanité*.[3]

L'état des lieux de Bouhali met en exergue, dès le début, les difficultés du PCA à se faire reconnaître comme parti autonome par les partis communistes frères, PCUS inclus, pour la simple raison que le PCA était considéré comme une annexe du PCF. Ce qui pouvait signifier dans une certaine logique que les partis communistes « établis » avaient une vision colonialiste, sans le vouloir. Certes, Bouhali ne le dit pas ouvertement, mais à deux reprises son exposé trahit sa pensée :

> Ainsi on s'est contenté, dans des déclarations avec les partis roumain et bulgare, de la phrase lapidaire : Nous sommes d'accord avec la politique du PCF concernant l'Algérie. [...]
> En ce qui concerne les partis frères, nous pensons que chez eux règne une certaine influence du PCF, dont l'autorité et le prestige a comme conséquence que les camarades des autres partis adoptent sans les critiquer ses mots d'ordre par rapport à l'Algérie. Les mots d'ordre du PCF ont quelques insuffisances politiques à l'égard du parti algérien [...]. Il est un fait que, dans la pratique, nous étions traités, de la part du parti communiste de France comme un département du PCF. Cette insuffisance a été reconnue par le PCF. Mais je voudrais insister sur le fait qu'on a suivi, dans les partis frères, cette ancienne orientation du PCF.[4]

Les interlocuteurs de la RDA pouvaient entendre ces griefs exprimés par Bouhali comme une critique implicite également du SED, puisque l'organe du SED, le *ND*, avait toujours suivi la politique du PCF, à un moment où la discussion interne aussi bien au FLN qu'au PCA avait déjà dépassé les positions de celui-ci.

---

1. *Ibid.* SDECE Notice d'information du 3 janvier 1958 : « Les représentants du P.C., Larbi BOUALI et Rachid DALIBEY se trouvaient en effet à BERLIN le 31 Octobre. Ils se sont ensuite rendus en URSS, et ont quitté MOSCOU le 20 Novembre pour BUDAPEST. »
2. L'autocritique comme critique camouflée du PCF est décrite par JOLY, *The French Communist Party*..., p. 95 : « The PCA did not directly attack the PCF theories [surtout celle de Thorez, 1939 : Algérie = "une nation en formation"]; instead it made a self-criticism. [dans son "Essai sur la nation algérienne", in : *Cahiers du Communisme*, septembre 1958, p. 13 *sq.*] "The nation is formed with autochthonous Algerians. It does not comprise Europeans from Algeria". This was a definite refutation of the PCF theory of the "Algerian nation in formation" including the settlers. »
3. Ainsi *ND* n°s 232 et 233, du 2 et 3 octobre sur la chute du cabinet Bourgès-Maunoury; n° 271 du 15 novembre avec un article d'André Wormser sur l'Algérie; n° 274 du 19 novembre sur Djamila Bouhared, jeune Algérienne condamnée à mort (suivi à partir du mois de mars 1958 d'une véritable campagne pour la sauver) et ainsi de suite.
5. SAPMO-BArch DY 30/ IV 2/20/ 353, feuille 25 et 27 (p. 3 et 5). Visiblement le texte est une traduction hâtive – il montre d'importantes faiblesses dans la formulation allemande – d'un mémorandum en français, probablement mis à la disposition des partenaires allemands par Bouhali; l'original français n'étant pas disponible, la retraduction en français peut parfois paraître aussi mal formulée que la version allemande.

Sa critique des partis frères et du PCF n'empêcha pas le secrétaire général de procéder à une sévère autocritique. En effet, selon Bouhali, le PCA avait été trop éloigné des masses arabes, autrement dit il avait été trop européanisé[1] ; il avait été, entre autres pour cette raison, surpris par la révolte du 1er novembre 1954, ce qui avait eu comme résultat une mauvaise interprétation des événements et une propagande erronée :

> [Le parti] a mal interprété et pratiquement condamné l'appel au soulèvement[2]. Nous avons fait comprendre dans notre presse et à travers des documents que ce mouvement devait de fait mener à une aventure. Cette prise de position du parti a duré huit mois, jusqu'en juin 1955. La réunion de notre Comité Central en juin 1955 a constaté, contrairement à celle de mai 1955 (où il avait constaté que le danger principal serait l'idée nationaliste), que le danger principal est la répression colonialiste [...]. Le mot d'ordre de la réunion du CC de juin 1955 était : le soulèvement armé est la tâche principale. [...] Ce revirement était très difficile [...]. À partir du moment où le parti prit cette orientation, il devint illégal.[3]

En effet, le gouvernement Edgar Faure avait interdit le PCA par décret le 12 septembre 1955.

Larbi Bouhali, dans son récit devant les représentants du SED, n'entra pas dans les détails de l'interdiction du PCA ni des tergiversations idéologiques du PCF. Pour ses interlocuteurs, sa présentation générale des principaux acteurs algériens et leurs rapports avec le PCA était plus intéressante, car elle pouvait leur permettre d'interpréter le conflit en Algérie sur la base d'informations sûres venant du parti frère directement impliqué.

Après avoir brièvement caractérisé les différents partis nationalistes avant le 1er novembre 1954, Bouhali traita de façon plus approfondie les rapports entre le FLN, qui avait absorbé tous les groupes nationalistes sauf le Mouvement National Algérien de Messali Hadj, et le PCA. Selon le secrétaire général, les dirigeants du FLN avaient demandé aux représentants du PCA en 1956 de dissoudre leur parti et de rejoindre le

1. Dans une brochure de l'« Inspection des Forces terrestres, maritimes et aériennes. Inspection des Affaires militaires musulmanes » intitulée « Le communisme et l'Islam » datant d'avril 1957 (SHD/DAT 1H 1103/3), l'auteur militaire confirme cette présentation du secrétaire général : « [Le parti] est numériquement assez faible puisqu'il groupe à peine 15.000 adhérents environ pour une population globale de 9.000.000 habitants. Il est en outre à la tête, à prédominance européenne [*sic*], bien que la population autochtone y constitue numériquement une très forte majorité. Il tend d'ailleurs à rajeunir et à renouveler ses cadres et s'efforce d'appeler des musulmans aux postes de responsabilité. » (p. 47) Que la majorité des membres soit désormais « arabe » est une évolution qui a été mentionnée par Bouhali lui-même dans son mémorandum.

2. Les militaires français abondent dans le même sens dans une brochure éditée par le Cabinet du Premier Ministre en août 1959, intitulée « Communisme et Rébellion algérienne » (75 pages, SHD/DAT 1H 1721) : « [...] il est établi que le PCA n'eut pas l'initiative dans le déclenchement de l'insurrection » (p. 4). Mohammed Harbi analyse par ailleurs *a posteriori* cette attitude du PCA au début du conflit comme celui-ci : « Pris au dépourvu par les événements, le P.C.A. s'est évertué dans un communiqué du 2 novembre 1954 à rappeler ses positions de principe sur la question algérienne. On y note une absence totale de toute référence à la revendication d'indépendance. [...] On y note aussi le refus de la violence et l'appel à une solution démocratique dans le cadre de la coexistence entre les communautés. Cette coexistence est-elle possible dans le cadre colonial ? » (HARBI, *Le FLN, mirage et réalité...*, p. 137) Sur les dernières phrases voir ci-dessus, les citations de Danièle Joly.

3. SAPMO-BArch DY 30/ IV 2/20/ 353, feuille 29 (p. 7).

Front – ce que le PCA aurait refusé.[1] La direction du parti avait seulement accepté de dissoudre les groupes armés du parti et de les intégrer au sein de l'ALN[2] – ce qui leur assurait, selon Bouhali, une influence sur l'orientation de la lutte :

> Nos camarades ont, là où ils sont, des fonctions de responsabilité et cela correspond à l'influence du parti. Les dirigeants du mouvement de libération redoutent notre parti.[3] Plus nous aurons de l'influence et plus nous ressentirons leur anticommunisme.[4]

Si l'on peut être sceptique quant à l'influence de son parti sur les décisions de l'ALN[5], Bouhali vit juste en ce qui concerne l'anticommunisme du FLN.[6] Le rapport

---

1. Ceci devint une réalité trois ans plus tard, selon les militaires français. En effet, en juillet 1959, l'« entrisme » dans l'ALN aurait été suivi par un « entrisme » dans le FLN proprement dit : « […] la réaction des forces de l'ordre entraîne le PCA à changer de tactique et à décider, en juillet 1956, l'entrée individuelle de ses membres dans le FLN. […] Dans ces conditions, si le FLN continue à montrer des réticences vis-à-vis du PCA il n'en accepte pas moins son concours direct. » (« Communisme et Rébellion algérienne », Août 1959 p. 5. SHD/DAT 1H 1721). D'un autre côté, certains membres du PCA adhéraient au FLN dès l'automne 1955, après l'interdiction du parti (voir ALLEG, *La Guerre d'Algérie…*, p. 478/79, entretien avec Raymond Hannon).
2. Ici le secrétaire général embellit légèrement la réalité. Selon toutes les sources, le FLN a imposé au PCA que ses membres ne puissent adhérer à l'ALN qu'à titre individuel et non en tant que membres du parti communiste. Les militaires français de l'époque notent également ce fait. Ainsi dans un document aux SHD/DAT de Vincennes (1H 1721), l'auteur évoque le vrai-faux enrôlement des membres du PCA dans l'ALN : « De son côté, le FLN se méfie des communistes : il refuse de reconnaître le PCA comme organisation autonome et n'accepte la participation de ses membres au combat qu'à titre individuel. » (Brochure intitulée « Premier Ministre Cabinet Août 1959, Communisme et Rébellion algérienne », p. 4 et 5). Voir au sujet de ces négociations entre PCA et FLN également HARBI, *Archives…* les documents 19, 20, 21 (p. 111 à 115).
3. Henri Alleg, historien communiste de la guerre d'Algérie, est encore de cette opionon en 1981 : « […] le Front [craignait] le "noyautage communiste" » (ALLEG, *La Guerre d'Algérie…*, p. 191). MEYNIER, Gilbert : *Histoire intérieure du FLN 1954-1962.* Paris, Fayard 2002, commente cette affirmation : « Il n'avait pas tort quand on connaît […] l'appétit des communistes à plumer leurs partenaires. Mais il avait tort en ce que la dynamique politique conjoncturelle et le rapport des forces ne permettaient guère au P.C.A. d'avoir de trop grosses exigeances. » (p. 181).
4. SAPMO-BArch DY 30/ IV 2/20/ 353, feuille 30 (p. 8). L'anticommunisme du FLN n'était pas un phantasme du PCA. Nous l'avons déjà vu à propos du colonel Bakhti, l'un des membres de la mission autour de Si Mustapha en juillet 1960. Or, cet anticommunisme a été constaté très tôt dans les rapports militaires français. Qu'il ait réellement existé et n'a pas inventé par les « services » est évident, car il n'arrangeait aucunement la propagande militaire française qui, par des gymnastiques parfois hilarantes, a essayé de démontrer un complot communiste derrière le soulèvement algérien. En revanche, cette propagande interne admet parfois la réalité : « Le rapport récemment transmis d'Alger, fait ressortir les difficultés rencontrées par le parti, sur le plan du recrutement et à la suite des "mesures policières" le manque de moyens de propagande. Il signale en outre le peu de considération que les dirigeants nationalistes accordent à l'action du P.C.A. et le discrédit qu'ils répandent sur le parti en milieu musulman. La mauvaise foi évidente dont fait preuve le F.L.N. en refusant de reconnaître l'importance et l'efficacité de l'aide communiste est nettement précisée. » (SHD/DAT 1 H 2464 : Bulletin de renseignements X° Région militaire/État major 2ème Bureau, 9 avril 1957).
5. L'information du Colonel Ruyssen, auteur d'une brochure intitulée « Intervention du Communisme dans la Rébellion en Algérie » et qui relate que Larbi Bouhali serait prévu pour une poste au « Comité Directeur du Front », devrait être considérée comme pure propagande, tellement elle exagère l'influence du communisme dans la lutte nationale de libération en Algérie (SHD/DAT 1H 1721, dossier 3, p. 8 : Colonel Ruyssen, Bureau d'Études, 16 septembre 1958, « Intervention du Communisme dans la Rébellion en Algérie »). Le colonel Ruyssen envoya par ailleurs, tout au long de l'année 1959, des télégrammes au MAE à Paris pour l'informer des saisies, en Afrique du Nord, de matériel de guerre dans des bateaux ouest-allemands (MAE, Afrique-Levant, 39, Algérie 1953-1959).
6. Dans les rapports des militaires français, l'importance et l'influence du PCA est systématiquement mise en exergue, d'une façon souvent exagérée. Ceci est dû au fait que le conflit était présenté, de la part de l'armée de la République Française, – en pleine guerre froide – comme un conflit du monde occidental contre le communisme international. Le nombre de documents qui insistent sur ce fait est

d'Aït Chaalal sur la mission en RDA de la délégation du MAE, dirigée par Mabrouk Belhocine, à la fin du mois de juin 1960, en est une illustration sans équivoque.[1] Mais même longtemps avant ces péripéties en RDA, l'organe clandestin du FLN, El Moudjahid, dans son numéro 4 à l'occasion du congrès du mouvement en août 1956, ne ménageait pas le PCA qu'il décrit comme un groupuscule qui ne représentait rien et était une création artificielle de la presse colonialiste[2] :

> Le PCA malgré son passage dans la clandestinité et la publicité tapageuse dont la presse colonialiste l'a gratifié pour justifier la collusion imaginaire avec la Résistance algérienne, n'a pas réussi à jouer un rôle qui mériterait d'être signalé.
> La direction fortement bureaucratique, sans aucun contact avec le peuple, n'a pas été capable d'analyser correctement la situation révolutionnaire. [...]
> Le PCA a disparu en tant qu'organisation sérieuse à cause surtout de la prépondérance en son sein d'éléments européens dont l'ébranlement des convictions nationales algériennes artificielles a fait éclater les contradictions face à la résistance armée.[3]

Certes, les cadres du SED ne pouvaient connaître cette diatribe de l'année 1956 contre le parti frère ; les relations entre PCA et FLN étaient donc présentées comme très solidaires aux lecteurs de la presse est-allemande, notamment par le *ND*. En fait, le citoyen est-allemand fut informé de l'existence des deux structures algériennes bien après les entretiens de Larbi Bouhali avec les représentants du SED.

Celui-ci, dont une interview parut le 7 février 1958 dans le *ND*, insista sur le rôle quasi déterminant de son parti, bien qu'il ne cachât pas les dissensions entre les deux organisations. Il répondit à la question sur leurs relations :

> Si certains représentants du FLN ne tolèrent pas qu'on les appelle communistes, ils ne font que prononcer une vérité fondamentale que seuls les impérialistes français et autres essayent de déformer. Le Parti Communiste Algérien vit et lutte en tant que tel, il est le seul parti qui ne s'est pas disloqué malgré la nouvelle situation. Comme parti organisé il contribue par là à la lutte pour la libération de notre peuple.[4]

Si le PCA n'a pas intégré le FLN, ce n'était pas sa faute à lui, selon Bouhali, mais le FLN n'avait pas voulu élargir sa base, malgré les concessions faites par les communistes :

> Or, notre parti n'a pas cessé, depuis l'existence du FLN, de soutenir son action anticolonialiste. En juillet 1956 le PCA a dissout ses groupes armés et les a intégrés dans l'ALN. Mais il est également notoire que

considérable (je ne citerai que deux brochures : « Premier Ministre Cabinet Août 1959. Communisme et Rébellion algérienne » (SHD/DAT 1H 1721) et « Inspection des Forces terrestres, maritimes et aériennes. Inspection des Affaires militaires musulmanes : Le communisme et l'Islam. Avril 1957 (SHD/DAT 1H 1103/3). En revanche, les militaires, souvent très bien informés de ce qui se passait dans le camp adverse, voyaient bien aussi, que le PCA n'avait, en réalité, que très peu d'influence au sein de l'ALN et encore moins au sein du GPRA. Ceci donne lieu à des explications assez contradictoires.

1. Cf. chapitre prochain.
2. Miquel, Pierre : *La guerre d'Algérie*. Paris, Fayard 1993, p. 219, interprète ces litiges entre FLN et PCA comme la tentative – réussie – de la part du premier à liquider définitivement le dernier; il parle de la « destruction du PCA ». Cette interprétation n'est pas concluante, car elle ne prend pas en considération tous les efforts des représentants du FLN pour contrer l'influence – réelle ou imaginée – du parti communiste pendant les périodes suivantes (voir entre autres la diatribe d'Aït Chaalal), tentatives qui ne se dirigent pas seulement contre les communistes de la RDA, mais souvent directement contre le PCA – qui continuait donc à exister.
3. *El Moudjahid*, n° 4, août 1956, p. 64.
4. *ND*, 7 février 1958, n° 33, p. 1 (photo de Larbi Bouhali) et p. 7.

> le souhait de notre parti d'élargir le FLN vers les communistes, donc de respecter l'indépendance politique et organisationnelle de notre parti, n'a pas été exaucé. Ceci n'a pas empêché le parti de continuer à soutenir le FLN. [...] Le PCA soutient de façon déterminée l'action générale anti-impérialiste du FLN qui mène la lutte du peuple algérien pour son existence comme nation.[1]

Les concessions du PCA, selon cette interview, allaient encore plus loin quand il s'agissait du travail syndical. Dans le syndicat UGTA, organisme du FLN, le PCA s'effaçait complètement, bien que ce terrain fût de tout temps convoité par les organisations communistes. Selon le langage alambiqué du secrétaire du PCA, langage auquel le lecteur du *ND* était toutefois habitué, les communistes algériens avaient réalisé contre toute apparence l'unité syndicale :

> Le PCA et les fonctionnaires communistes de l'Union Générale des Travailleurs Algériens ont sans cesse travaillé pour une centrale syndicale unifiée qui doit être formée par les ouvriers algériens sans différence d'origine ni de tendance politique. Or, puisque l'aggravation de l'état de guerre ne permet pas de réaliser cette unification dans des circonstances normales et démocratiques, le PCA, puisqu'il est profondément convaincu que l'unité de la classe ouvrière est un facteur essentiel pour la victoire du peuple algérien, recommande à ses membres et à ses sympathisants de réaliser cette unité dans [...] l'UGTA.[2]

Rappelons que les communistes n'avaient pas le droit d'adhérer en tant que tels au FLN, donc leur existence de communistes n'était forcément pas non plus souhaitée au sein de l'UGTA.

Si tout n'était pas réellement idéal entre le FLN et le PCA, comme l'avoua Larbi Bouhali, à l'entendre, on pouvait tout de même supposer que les relations entre ces deux organisations étaient amicales, voire pour le moins correctes, puisque « leurs buts immédiats sont les mêmes. »[3]

Quand on regarde du côté du FLN, on en est moins convaincu. En effet, celui-ci niait toujours avoir quoi que ce soit en commun et un contact quelconque avec le PCA.[4] Il passa même sous silence l'« accord » entre le FLN et le PCA, qui prévoyait effectivement la participation de volontaires communistes aux combats sous la seule condition, acceptée par le Parti communiste, que les combattants n'agissent qu'à titre individuel.[5]

---

1. *Ibid.*
2. *Ibid.*
3. *Ibid.*
4. Ainsi le FLN affirme, déjà en novembre 1956, dans un tract diffusé à Alger, que les attentats du Milk-Bar et de la Cafeteria d'Alger n'ont pas été commis par les communistes, mais par le FLN. Il ajoute : « Nous n'avons rien de commun avec le P.C.A. qui ne nous aide ni de près ni de loin. Et cela, nous le précisons non pour faire plaisir aux anti-communistes, mais pour rétablir la vérité. » (d'après la brochure Rébellion et communisme (s.d.n.l., après 1957) émise par le « Ministère de l'Algérie » (SHD/DAT 1H 2464). En France, une grande partie des partisans de l'Algérie française voyaient naturellement la chose différemment. Ainsi, dans un article de *Paris-Presse* du 11 octobre 1956, la partie de l'accord qui stipule que les combattants ne participent pas en tant que communistes, est laissée de côté : « Les communistes ont mis dix ans pour s'imposer aux nationalistes algériens. Maintenant le noyautage du F.L.N. par le P.C. est commencé. [...] Le P.C.A. a-t-il réussi dans son entreprise ? Peut-être, puisque les "Combattants de la libération nationale" sont maintenant intégrés dans l'armée de libération nationale. "Après des pourparlers fraternels entre les représentants des deux organisations qui consacrent l'unification de la résistance armée", précise le journal clandestin "Liberté", numéro de septembre 1956. » (SHD/DAT 1H 2464, Dossier « Action du parti communiste contre la guerre d'Algérie [1956-1958] »).
5. Cf. sur l'histoire des relations entre PCA et FLN le bref résumé dans MEYNIER, *Historie intérieure...*, p. 180 *sq*.

La vision des militaires français

La concession douloureuse de l'entrée individuelle des anciens Combattants pour la Libération dans l'ALN est plusieurs fois évoquée par le PCA lui-même, dans son organe clandestin « Liberté », cité régulièrement par les services militaires :

> Poursuivant résolument son soutien à la lutte anti-impérialiste dirigée par le FLN, notre parti a également accepté, dans un but unitaire, que les communistes intégrés dans l'ALN en tant que membres des combattants de la libération ou qui s'engageraient à titre individuel, n'aient plus aucun lien organique ou politique avec lui jusqu'à la fin de la lutte.[1]

Mais depuis cet « accord », selon plusieurs sources militaires, le PCA n'était pas pour autant resté inactif devant l'attitude hostile du FLN. Il essayait désormais de solliciter de l'aide de la part de partis frères, sous-entendu un soutien qui devait passer par l'idéologie pour obtenir une aide concrete – contre le FLN. C'est dans ce contexte que les militaires français voyaient les voyages de Bouhali en RDA et dans d'autres pays socialistes. En mai 1957, l'auteur d'une « fiche » au Commandement Supérieur Interarmées, relate à ses supérieurs :

> Devant l'attitude hostile du FLN, le PCA aurait récemment demandé l'aide accrue du PCF et une action diplomatique auprès de l'URSS et des pays satellites pour que soit reconnue l'efficacité de l'action communiste dans la lutte pour l'indépendance algérienne.[2]

La première étape du PCA, lors de son voyage en terre soviétique[3], fut alors Berlin-Est.

Si vraiment le PCA a espéré obtenir un soutien concret dans sa rivalité avec le FLN de la part du bloc soviétique, et si la rencontre à Berlin-Est a fait partie de cette stratégie, il est vrai que certains militaires français analysaient dès 1957 de façon clairvoyante cette situation. Rivalité entre FLN et PCA, contradictions à l'intérieur du FLN, entre idéologie, dans ce cas l'islam, et réalisme, c'est-à-dire l'acceptation du secours des combattants communistes, avec comme conséquence des intrigues, entre autres en RDA – tout cela était décrit dans l'une des brochures éditées par les autorités militaires à Paris :

> L'U.R.S.S., elle, met tout en œuvre : la pénétration sournoise, l'assistance technique officielle, l'effectif pléthorique de ses représentations diplomatiques, l'incitation au désordre, l'aide directe à la révolte. Prompte à saisir les occasions, poussant à fond ses avantages, elle pratique une « grande politique musulmane », ce qui est loin d'être synonyme de « politique pro-musulmane ».
> L'Islam s'y trompe-t-il ? Il est probable que chacun des deux compères joue sans illusion son jeu de marchandage et de séduction et espère en fin de compte « rouler » l'autre.
> À ce jeu l'Islam risque gros et avec lui l'Occident tout entier.[4]

À part la curieuse intégration de l'Islam dans l'occident, le PCA apparaît ici en creux, sans être directement nommé, comme un instrument de la politique de l'Union

1. Liberté N° 28 (numéro spécial) Août 1959, p.4 (SHD/DAT 1H 1720, Dossier 2).
2. SHD/DAT 1H 1721 fiche : « Influence du P.C.F. sur le P.C.A. Alger », le 13 mai 1957.
3. L'« Inspection des Forces terrestres, maritimes et aériennes. Inspections des Affaires militaires Musulmanes » est de cet avis : « Il est évident que la RDA compte parmi [*sic*] l'URSS au sens large […] » (SHD/DAT 1H 1303/3 : « Le communisme et l'Islam », Avril 1957, p. 27).
4. *Ibid.*, p. 58.

soviétique – comme par ailleurs le FLN, qui faisait partie des principaux adversaires de la République française. Du côté de l'Islam se trouvait le FLN avec son bras armé, l'ALN, en guerre avec la France, et du côté de l'ennemi du monde libre en général, le communisme, se trouvait logiquement le PCA.

Ainsi, ce petit parti jouait un rôle essentiel, celui d'un pion, dans le « grand jeu » du communisme international, qui manipulait le mouvement de libération d'Algérie pour affaiblir l'Occident libre :

> En premier lieu, il existe une collusion indiscutable entre le communisme international et la rébellion algérienne, collusion qui constitue une menace très grave, non seulement pour la République Française et la Communauté, mais encore pour l'ensemble du Monde libre, et notamment de l'Afrique.[1]
> [...] la réaction des forces de l'ordre entraîne le PCA à changer de tactique et à décider, en juillet 1959 [faute de frappe, il s'agit de l'année 1956, FT], l'entrée individuelle de ses membres dans le FLN. Dans ces conditions, si le FLN continue à montrer des réticences vis-à-vis du PCA il n'en accepte pas moins son concours direct. [...]
> Le rôle assigné au PCA dans le plan général de l'Internationale communiste apparaît donc clair. Il est avant tout de faire, par tous les moyens, acte de présence, même au prix de subordination au FLN [...].[2]

Un an plus tôt, un certain colonel Ruyssen avait encore écrit que Larbi Bouhali était prévu pour un poste au « Comité directeur du Front », bien que « l'infiltration de communistes dans la hiérarchie du FLN, [ne soit] pas encore ouvertement avouée » ; il regrettait « que les preuves ne soient pas plus nombreuses d'une intervention communiste qui apparaît évidente ».[3]

Mais le PCA n'était pas seulement, aux yeux des militaires français, un instrument du monde communiste, il pouvait être utilisé par le GPRA comme « interface » avec celui-ci, non sans danger pour le FLN :

> Le P.C. Algérien officiel reste pour le GPRA un intermédiaire possible avec l'URSS cependant que son appareil clandestin est mis en mesure de s'accroître grâce aux cours de cadres de DDR et de Tchécoslovaquie et de tenter la pénétration progressive du FLN, voire de l'ALN.[4]

Dans ce contexte, deux phénomènes doivent être évoqués, après consultation des analyses des militaires français concernant le PCA et son rival, le FLN.

De prime abord, on peut constater que les agissements des protagonistes algériens, même sur le territoire de la RDA, étaient souvent très bien connus des militaires français, bien que l'on trouve parfois de petites inexactitudes.

---

1. Cette analyse est fréquente; je ne citerai qu'un autre exemple, pour la comparaison entre Algérie et Indochine, l'exposé du Colonel LEVAIN, chef du 2ème Bureau de l'État-Major de l'Armée à la réunion des Généraux Commandants de Régions du 29/12/1958 sur Les Aides extérieures de la Rébellion algérienne (p.12) : « La guerre d'ALGÉRIE, comme celle d'INDOCHINE, est une guerre révolutionnaire. Elle est entrée dans le cadre de la subversion mondiale, car subversions locales et subversion mondiale sont aujourd'hui solidaires. [...] La guerre contre-révolutionnaire que nous menons en ALGERIE, n'est donc qu'une partie de la lutte serrée que nous devons conduire à une échelle plus vaste. » (SHD/DAT 1H 1721).
2. *Ibid.*, Premier Ministre Cabinet, août 1959 : Communisme et Rébellion algérienne, p. 1 et 5.
3. *Ibid.* : Colonel Ruyssen, Bureau d'Études, 16 septembre 1958 : « Intervention du Communisme dans la Rébellion en Algérie », p. 8.
4. SHD/DAT 1H 1721, non daté, probablement 1958 : Premier Ministre/État-Major général de la Défense nationale/Division Renseignement, Étude sur l'évolution des relations du communisme international et de la rébellion algérienne, p. 14.

Ensuite, on peut être étonné de l'importance que les militaires français accordaient au PCA comme partie du communisme mondial – et ceci malgré le fait qu'ils étaient parfaitement au courant de sa faiblesse quantitative. Cette faiblesse était souvent évoquée, parfois presque avec un léger regret. Cependant on insistait systématiquement sur son influence sur le FLN qui n'était par ailleurs que rarement décrit comme un mouvement proprement communiste ou même cryptocommuniste.

L'un des « succès » dans le prétendu noyautage du FLN par le PCA était le fait que les combattants communistes aient été admis dans l'ALN. Les militaires ne voyaient pas que le PCA avait fait là une concession douloureuse en acceptant la renonciation de ses membres à leur adhésion au parti en cas d'intégration dans l'ALN. Toute présence du PCA, sous quelque forme que ce fût, dans les rangs du mouvement de libération d'Algérie, était considérée comme une victoire du communisme mondial, et servait de justification pour combattre ce mouvement national.

Les militaires français construisaient ainsi une identité d'objectifs entre le FLN et le PCA, et ils inversaient d'une certaine manière le processus réel. En effet, ils suggéraient que les buts du PCA étaient devenus ceux du FLN. Or, comme on l'a vu, le PCA avait réalisé tardivement que la rébellion du mouvement de libération n'était pas un acte rétrograde nationaliste, et devait être soutenue comme étape sur le chemin vers un État socialiste. Par cette inversion du processus de prise de conscience, les militaires français donnaient davantage d'importance au parti représentant le communisme international qui devint, dans leur analyse, le meneur du combat en Algérie – tout comme l'espéraient les autorités de la RDA :

> La participation des communistes à l'action armée et au terrorisme est la conséquence logique de l'identité des objectifs des nationalistes et du P.C.A.
> Cette identité d'objectifs, l'interview de Larbi Bouali, secrétaire du P.C.A., parue dans le « Rude Pravo », organe central du Parti communiste de Tchécoslovaquie, le 2 décembre 1957, l'exprime sans détours :
> Le soutien apporté par le P.C.A. au F.L.N. s'explique par le fait que les objectifs du F.L.N. répondent à ceux du Parti communiste algérien :
> - Fin des hostilités sur la base de la reconnaissance de l'indépendance de la nation algérienne, création d'une république démocratique et sociale ; adoption des principes de Bandoeng ; etc...[1]

C'est seulement avec des constructions artificielles de cette sorte que les militaires pouvaient arriver à des conclusions assez éloignées de la réalité – qu'ils connaissaient peut être mieux que d'autres – comme celle-ci :

> Certes, le FLN n'est pas encore entièrement acquis au communisme et manifeste même à son égard des réticences, voire des inquiétudes. Mais l'Histoire enseigne que la collaboration avec le communisme ne finit que d'une seule façon. Or, le communisme international a déjà acquis trop d'avantages pour ne pas manquer de les exploiter à fond dans le futur. Il n'est même pas impossible de penser que – quels que soient les désirs secrets des dirigeants du FLN – le mouvement qui entraîne la rébellion algérienne vers le communisme, soit, d'ores et déjà, irréversible.[2]

L'influence du communisme représenté par le PCA fut ici très exagérée ; et l'on put dire plus tard beaucoup de choses sur le gouvernement de l'Algérie indépendante, mais

1. SHD/DAT 1H 2464 : « Rébellion et communisme » (s.d.n.l., après 1957), p. 109.
2. SHD/DAT 1 H 1721 : Premier Ministre Cabinet, Août 1959. Communisme et Rébellion algérienne, p. 72.

certainement pas qu'il était communiste ; en revanche, sa nature n'était pas facile à définir, comme par ailleurs celle de beaucoup de régimes post-coloniaux.

Exagération de l'importance du PCA en RDA et chez les militaires français

La question qui se pose est donc la suivante : pourquoi les militaires français exagéraient-ils aussi grossièrement l'influence du PCA – en toute connaissance de sa faiblesse.

En posant cette question, on peut créer un lien entre les militaires français et la RDA, car la question est tout aussi valable pour la RDA. En effet, la RDA aurait dû miser exclusivement, dans l'intérêt d'une reconnaissance diplomatique par le GPRA, sur le GPRA, le FLN et ses organes.

Or, comme nous le verrons, le PCA « menait » pour le moins partiellement la politique de la RDA envers le GPRA dans plusieurs affaires algériennes. Et de toute manière, le parti de Larbi Bouhali restait la seule référence proprement politique dans la propagande interne de la RDA – et ceci jusqu'après son interdiction en novembre 1962, quand le gouvernement algérien interdit toute activité politique au PCA.[1]

Ainsi, dans le *ND*, nous trouvons plusieurs fois des interviews avec le secrétaire du PCA, jusqu'à la fin de l'année 1962, et deux interviews avec Henri Alleg, lui aussi membre du PCA. En ce qui concerne les affaires algériennes, on ne trouve aucun des visiteurs de la RDA du côté FLN, que ce soit Mabrouk Belhocine du MAE, Embarak Djilani de l'UGTA, Ahmed Kroun, délégué permanent de l'UGTA, ou autres Mohamed Refes de l'UGEMA. Certes, on relatait des entretiens d'émissaires est-allemands en Afrique du Nord, tel celui du correspondant Lothar Killmer avec le directeur de la représentation algérienne au Caire, Tewfik El Madani, sur le pétrole du Sahara (*ND*, 31 janvier 1958, n° 27, p. 1), de l'ambassadeur auprès de la RAU, Wolfgang Kiesewetter, avec Mohamed Harbi (*ND*, 9 novembre 1961, n° 309, p. 7), ou les déclarations d'un membre d'une délégation de l'ALN, Bashir Bakhti à l'occasion d'une conférence de presse (*ND*, 24 janvier 1962, n° 24, p. 1). Mais les déclarations de ces protagonistes qui ne faisaient pas partie des dirigeants du GPRA et du FLN, se limitaient à des généralités, comme les remerciements pour des aides matérielles de la RDA. Seuls les représentants du PCA – ou plutôt seul son secrétaire général, Larbi Bouhali – étaient considérés comme aptes à expliquer aux citoyens de la RDA la politique de l'Algérie en guerre.

Ainsi, après les premiers contacts officiels entre Algériens et Français, à Melun, et leur échec en juin 1960, c'était bien Larbi Bouhali qui expliquait au public est-allemand que les négociations avaient échoué, parce que le gouvernement français avait

---

1. La RDA ne réagit pas officiellement à cette interdiction, bien qu'elle « ait suscité de l'étonnement, dans de larges couches de la population de RDA ». Après des explications plus ou moins crédibles (le PCA a fait de l'ombre au gouvernement algérien, inactif, les « impérialistes » demandaient l'interdiction avant d'accorder des aides financières etc...) la RDA tient à affirmer que les contradictions entre gouvernement et masses populaires s'aggraveront : « Sans aucun doute, l'influence du parti communiste continuera de croître » (SAPMO-BArch DY 30/ IV 2/20/ 356, 18 décembre 1962, p. 3, feuille 41).

voulu imposer ses conditions au GPRA. Il souligne surtout l'attitude du PCA dans cette situation :

> Le Parti Communiste Algérien soutient totalement cette ferme attitude du gouvernement algérien et approuve en même temps sa volonté inébranlable d'utiliser toute possibilité qui permettrait de parvenir à un règlement juste et pacifique du conflit. [...] C'est pourquoi notre parti appelle le peuple algérien, dans cette étape cruciale, à renforcer son unité et à suivre plus que jamais sa glorieuse Armée Nationale de Libération de son gouvernement provisoire.[1]

Évidemment Bouhali remercie les masses travailleuses de la RDA pour leur solidarité active et les appelle à ne pas faiblir, car il s'agissait ni plus ni moins que de l'avenir du monde entier :

> Nous sommes convaincus que les forces dans le monde qui aiment la liberté et la paix [...] continueront à renforcer leur solidarité avec la cause de l'Algérie qui en même temps est la cause de la paix et du progrès de toute l'humanité.[2]

On sent presque surgir la révolution mondiale derrière la guerre d'Algérie, et c'est certainement ce que les idéologues du SED aimaient entendre.

En mars 1962, c'est également le secrétaire général du PCA qui commente les accords d'Évian. Après avoir publié plusieurs articles sur les négociations, du point de vue du PCF[3], des félicitations de la part des dirigeants de la RDA[4], les déclarations de gratitude de Ben Khedda « à nos frères arabes, aux pays socialistes et aux démocrates en France et en Europe », transformées par un « porte parole du Ministère de l'extérieur algérien » en remerciements envers la RDA[5], et une déclaration générale du PCA[6], le *ND* donna encore une fois la parole à Larbi Bouhali, le 30 mars :

> Le cessez-le-feu ne signifie pas encore l'indépendance nationale. [...] Nous l'appelons [le peuple algérien, FT] à se rassembler encore davantage autour de son gouvernement. [...] Nous sommes convaincus que les amis des peuples français et algérien – en font partie également les travailleurs de la République Démocratique d'Allemagne, qui ont lutté pour la paix en Algérie – continueront à nous soutenir dans cette étape décisive de notre combat. [...] Notre peuple commencera, après avoir obtenu l'indépendance nationale, à la veille de l'autodétermination, uni dans la lutte politique, la deuxième étape, pour réaliser pleinement son projet national et social.[7]

Dans son entretien avec le directeur du journal, Hermann Axen, Larbi Bouhali avait lui-même implicitement insisté sur l'importance de son parti. En effet, il n'avait pas hésité à donner des conseils à la RDA pour sa future démarche, entre autres concernant une reconnaissance du gouvernement algérien que le gouvernement est-allemand devait reconnaître « tel qu'il est actuellement » :

---

1. *ND*, 14 juillet 1960, n° 192, p. 5.
2. *Ibid.*
3. Entre autres *ND*, 8 mars 1962, n° 67, p. 5 et 20 mars, n° 79, p. 5.
4. *ND*, 20 mars, n° 79, p. 1 « Otto Grotewohl félicite Premier Ministre Ben Khedda/RDA solidaire avec lutte pour complète indépendance de la République algérienne »; sur la première page on voit également les photos des protagonistes de ce succès : Ben Khedda, Ben Bella et... Larbi Bouhali, « Secrétaire général du Parti Communiste Algérien, dont les membres ont été en première ligne dans la lutte pour l'indépendance ».
5. *Ibid.*
6. *ND*, 21 mars 1962, n° 80, p. 5 : « PCA : Lutte unitaire assure complète indépendance/Parti soutiendra FLN dans son programme pour la libération ».
7. *ND*, 30 mars 1962, n° 89, p. 5.

> [...] Bouhali dit que le bureau politique [du PCA, FT] considère la reconnaissance diplomatique du gouvernement algérien, tel qu'il est actuellement, comme une contribution décisive des États socialistes pour la continuation de la lutte de libération du peuple algérien. Il recommanda [...] d'aborder cette question du côté des principes et non pas du côté tactique. Probablement l'actuel gouvernement provisoire ne considérera-t-il pas comme primordial l'établissement de relations diplomatiques avec la RDA, en raison de sa composition politique ainsi qu'à cause des tâches gigantesques en Algérie. Mais cela ne devrait pas nous dissuader de prendre cette mesure nécessaire.[1]

Comme nous le verrons, cette remarque de Bouhali était en contradiction avec les pressions que la RDA essayait d'exercer sur le GPRA pour arriver à une reconnaissance réciproque et non unilatérale du côté est-allemand.

Si dans la suite, le *ND* reprenait de Pierre Durand à Paris l'affirmation que des sept partis autorisés à faire campagne avant le référendum sur l'autodétermination « le Parti Communiste Algérien et le Front de Libération Nationale sont les plus importants »[2], il n'est pas étonnant que le premier ait occupé toutes les analyses et reportages sur l'Algérie après le référendum. Déjà était-il, selon le quotidien officiel du SED, la « seule force au pays à avoir un programme concret pour le chemin vers l'avenir », qui consistait en des revendications très concrètes, tels « unité du peuple – indépendance totale – sol et pain – travail et formation – paix et démocratie, pour ouvrir ainsi le chemin vers le socialisme »[3]. Le programme se concrétisait encore davantage par les propositions d'une politique étrangère :

> Notre pays doit mener une politique active de paix. Celle-ci doit s'appuyer sur des principes de Bandoong, la non-appartenance à tout bloc militaire impérialiste, la non-utilisation du Sahara algérien comme champ d'essai pour des armes nucléaires, la lutte contre les restes de l'occupation étrangère, [...] des relations de coopération et d'amitié avec tous les pays sans exception et surtout avec les pays du camp socialiste.[4]

Ce programme précis devait naturellement séduire le FLN et il avait aidé à surmonter la crise interne du mouvement à la fin du mois de juillet – toujours selon le PCA.[5] Ainsi, le citoyen de la RDA pouvait apprendre avec soulagement que le bureau politique du PCA trouvait que le programme du FLN « contient de nombreux aspects communs avec le programme du PCA pour l'étape actuelle de la révolution »[6], et les idéologues du SED voyaient que l'Algérie se dirigeait vers un système qui devait ressembler à celui d'une « république populaire » :

> Le bureau politique du Parti Communiste Algérien promet sa coopération pour imposer le programme du FLN pour que le chemin vers un ordre socialiste de la société puisse être tracé chemin, que le PCA a prévu dans son propre programme. Lors d'une telle coopération, les conditions politiques et sociales pour un parti unique sur la base de l'idéologie de la classe ouvrière pourraient mûrir, déclare le PCA.[7]

---

1. SAPMO-BArch DY 30/ IV 2/20/ 353, feuilles 155 à 157, compte rendu de Hermann Axen au CC sur un entretien avec Bouhali, le 26 mars 1962.
2. *ND*, 1er juillet 1962, n° 178, p. 7.
3. *ND*, 3 juillet 1962, n° 180, p. 1.
4. *ND*, 3 juillet 1962, n° 180, p. 5.
5. Ainsi Ralf Bergemann, correspondant du *ND* en Algérie, écrit dans le n° 213 du 5 août, p. 7 sous le titre « Le PCA contribua activement à la maîtrise de la discorde » : « Dans la déclaration du PCA, dans laquelle il salue que la discorde a été surmontée, on lit : "[...] Quand les sectarisme et l'anti-communisme auront disparu des rang du mouvement national, notre peuple aura toute les chances de faire de l'Algérie l'État le plus progressiste et moderne de l'Afrique." »
6. *ND*, 1er août 1962, n° 209, p. 7.
7. *ND*, 1er août 1962, n° 210, p. 5.

Évidemment le PCA représentait pour la RDA l'espoir de l'évolution d'un mouvement de libération nationale dans le tiers-monde vers un socialisme de type soviétique, malgré le fait que les buts de l'organisme officiel de ce mouvement ne correspondaient a priori pas réellement – voire pas du tout – à l'idéologie communiste.

Cet espoir se manifestait non seulement dans la propagande en direction de la population, par le *ND*, mais on trouve, en 1962, même dans des documents internes de l'appareil du SED, des prévisions très optimistes pour l'évolution de l'Algérie. Le PCA devait prendre de plus en plus d'importance – malgré les réticences du FLN petit-bourgeois à le reconnaître comme allié :

> Le Parti Communiste Algérien a un rôle décisif dans la mobilisation des masses populaires algériennes [...] et contribue de façon essentielle à l'action unitaire de toutes les forces patriotiques algériennes. [...] L'existence du PCA, la classe ouvrière relativement forte et sa contribution essentielle à la lutte libératrice, son union étroite avec la paysannerie pauvre et la petite bourgeoisie révolutionnaire joueront un rôle décisif pour continuer la révolution nationale et pour construire un État d'une démocratie nationale dans l'évolution future.[1]

Il est donc compréhensible que les autorités de la RDA aient suivi – pour le moins partiellement – les recommandations du parti frère si prometteur pour l'avenir révolutionnaire de l'Algérie[2], sans se soucier des conséquences négatives au niveau des rapports avec le mouvement national – qui seul aurait pu « revaloriser » la RDA, entre autres par une reconnaissance diplomatique. On préférait une politique fortement idéologisée – dont l'un des exemples était le cas d'Ahmed Kroun, le délégué permanent de l'UGTA, qui sera traité au chapitre suivant – à une « realpolitik » d'influence telle que l'un des émissaires de la RDA en Algérie, Heinz Meinicke-Kleint, la proposait à l'automne 1962.

Parallèlement, la vision des militaires français n'était pas moins teintée d'idéologie. Ici ce n'était évidemment pas l'espoir mais la crainte d'une évolution vers le communisme.

On peut toutefois douter du caractère fondé de cette crainte ; elle relève, pour le moins partiellement, d'une propagande peu crédible, compte tenu des informations très précises dont les autorités militaires disposaient.

Du côté de l'armée française, il était essentiel de justifier la guerre que l'on menait en Afrique du Nord. On ne doit pas oublier que, dans cette guerre, d'anciens camarades luttaient les uns contre les autres, car les soldats de l'ALN les plus performants, puisque les mieux formés, étaient naturellement les soldats algériens de l'armée française qui l'avaient désertée pour se joindre aux forces du mouvement national.[3] Du côté « français », on devait donc aussi justifier une guerre contre d'anciens camarades – ce qui posait apparemment problème de temps à autre, même dans la pratique.[4]

---

1. SAPMO-BArch DY 30/ IV 2/20/ 354, 8 février 1962 : Perspectives pour les relations entre la RDA et la République d'Algérie en 1962 (p. 2, 3, 4, feuilles 194/95/96).
2. Mouffok, Houari : *Parcours d'un étudiant algérien de l'UGEMA à l'UGEA*. Saint Denis, Éditions Bouchène 1999, relate un exemple où le SED aurait « consulté » directement le PCA, dans des questions concernant des étudiants algériens ; le PCA serait intervenu également dans la formation « idéologique » des étudiants algériens, envoyés en RDA pour apprendre l'allemand (p. 66-68).
3. Miquel, *La guerre d'Algérie*..., p. 217, cite le général Calliès qui « estime à 28 % le handicap que subit l'armée du fait de ces défections. »
4. L'un des exemples concrets est le récit de Bashir Bakhti dans ses entretiens avec des représentants de la RDA, en janvier 1962 (SAPMO-BArch DY 30/ IV 2/20/ 354, feuille 211, rapport de Brentjes, p. 5) :

Ainsi les services français suggéraient que le FLN était noyauté par le « communisme mondial », représenté par le PCA auquel on « octroyait » un rôle dans la « communisation » du futur État algérien, malgré sa faiblesse numérique. Michel Martini, à qui j'ai posé la question de savoir si les militaires français croyaient réellement au danger communiste au sein du FLN, est formel : les dirigeants de l'armée eux-mêmes n'y croyaient pas, et pas davantage les troupes d'élite comme les parachutistes. Une telle argumentation était utile, voire nécessaire, pour justifier la lutte contre un mouvement bourgeois de libération nationale, de surcroît contre d'anciens camarades dans les troupes algériennes. Ainsi la mise en parallèle de la guerre d'Algérie avec la guerre d'Indochine s'imposait, car le Vietminh, mouvement de libération combattu avant celui d'Algérie, était effectivement un mouvement communiste.[1]

Les militaires français se servaient donc du représentant du « communisme mondial » pour dresser un épouvantail devant l'opinion publique telle qu'ils la concevaient[2] – et peut-être aussi devant eux-mêmes. Tout contact du PCA avec le FLN et du FLN avec la RDA ne pouvait que renforcer cette argumentation, malgré le fait que les relations entre FLN et PCA devaient être considérées, somme toute, comme exécrables, et que celles des autorités est-allemandes avec FLN étaient souvent conflictuelles – ce que les services français savaient parfaitement.

Or, le PCA, qui servait en RDA de garant virtuel pour une évolution positive du mouvement algérien pour la libération, et son influence étaient largement surestimés des deux côtés.

En revanche, le secrétaire général de la Délégation extérieure du PCA, Larbi Bouhali s'était plaint au début de sa rencontre avec les représentants du SED que « où qu'il arrive, il n'a pas l'impression que l'on le considère comme un membre de la direction d'un parti frère »[3], que le rôle de son parti était sous-estimé.

L'affaire Kroun montrera qu'en RDA ceci n'était pas le cas, et que la force politique du PCA était son idéologie communiste, en tout cas chez l'un des satellites de l'URSS. Les tentatives du GPRA de l'écarter de la politique germano-algérienne et la volonté ardente de la RDA d'établir des relations diplomatiques avec le GPRA n'y changeaient rien.

« [...] il raconta entre autres, que le hasard l'avait amené pendant un certain temps comme chef de l'ALN dans un territoire en Algérie du Nord, dont le chef militaire français était un de ses camarade d'études, membre d'un groupe estudiantin de gauche. Aussi longtemps qu'ils occupaient cette fonction ils s'en étaient tenus à un accord oral qui prévoyait que les deux armées s'évitaient. »

1. Entretien avec l'auteur, 21 avril 2005.
2. Cette conception correspondait par ailleurs à la réalité, pour le moins partiellement. Voir sur la présentation du FLN comme proto-communiste dans la presse française MIQUEL, *La guerre d'Algérie...*, p. 260.
3. SAPMO-BArch DY 30/ IV 2/20/ 354, 8 février 1962, feuille 25, p. 3.

CONCESSIONS DE LA RDA EN VUE D'UNE RECONNAISSANCE PAR LE FLN : L'AFFAIRE KROUN ET LE TROUBLE FÊTE PCA

Comme nous l'avons vu, en avril 1960 le GPRA avait proposé officiellement à la RDA d'ouvrir une représentation de l'Algérie à Berlin-Est[1], dans les domaines « économiques, culturels et sociaux ». La RDA avait refusé et proposé des relations diplomatiques. À la fin juin de la même année, une délégation officielle du GPRA sous la direction de Mabrouk Belhocine, secrétaire général adjoint du MAE à Tunis, accompagné par Aït Chaalal[2], président de l'UGEMA, rencontrait, à Berlin-Est, l'un des vice-ministres des Affaires Étrangères, Sepp Schwab, avec ses adjoints Kiesewetter et Büttner[3]. À cette occasion, la RDA refusa encore une fois la proposition du GPRA. Le MfAA avait en outre essayé d'exercer une légère pression sur les Algériens de la délégation en faisant valoir que les tâches d'une telle représentation nécessiteraient, à long terme, l'établissement de relations diplomatiques entre les deux pays[4].

Après le refus de la RDA d'installer un bureau comme celui que le FLN entretenait dans l'ambassade de Tunisie en RFA, la délégation algérienne avait demandé d'accréditer un représentant permanent de l'UGTA, qui « ferait passer des informations du FLN, du syndicat et du gouvernement auprès les groupes de travailleurs et de malades algériens » et « règlerait, en collaboration avec le FDGB, les petites questions matérielles du séjour et de la formation. »[5]

---

1. Voir chapitre « Un bureau du FLN… »
2. Voir chapitre « Un bureau du FLN… »
3. Secrétaire général du Ministère des Affaires Étrangères respectivement responsable du Département Afrique du Ministère.
4. SAPMO-BArch DY 30/ IV 2/20/ 354, feuille 14, p. 5 de « Zusammenfassung der Besprechungsergebnisse mit der Delegation des Ministeriums für Auswärtige Angelegenheiten der Provisorischen Regierung der Republik Algerien vom 21-29 Juni 1960 ».
5. *Ibid.*, feuille 15, p. 6.

On peut se demander pourquoi l'Algérie envoyait massivement ses représentants de l'UGTA (Rahmoun Dekkar et Omar Belouchrane, fin mai 1960), du GPRA (Mabrouk Belhocine et Messaoud Aït Chaalal, fin juin), de l'ALN (Si Mustapha, fin juillet) en RDA pour que celle-ci autorise l'ouverture d'un bureau officiel. L'une des raisons était certainement la crainte de la fermeture du bureau en RFA par les autorités de Bonn. Mais il convient de voir ces tentatives répétées dans le contexte de la guerre en Algérie même. En effet, les différentes opérations du général Challe sur le terrain, le renforcement de la ligne Morice qui devait empêcher le transfert de troupes de l'ALN entre la Tunisie et le territoire algérien, avaient eu comme conséquence de très lourdes pertes du côté de l'armée algérienne. Militairement en cette année 1960 la guerre pouvait être considérée comme presque perdue pour les Algériens indépendantistes.[1]

Vu sous cet angle, le paragraphe de l'analyse de Mohammed Harbi en mars 1960, où il écrivit que « notre révolution pourrait trouver auprès de ce bloc [oriental] une aide sérieuse »[2] prend un sens plus urgent que ne le suggère le texte lui-même. En effet, il rejoint là la revendication de l'auteur du document interne du GPRA, daté du 18 janvier 1959, qui postula que « nous devons accorder la priorité absolue à la recherche d'appuis matériels là où ils se trouvent, que ce soit à l'Est ou à l'Ouest ».[3] Un an plus tard, cette revendication avait pris un caractère d'urgence au vu de la situation militaire en Algérie. L'installation d'un délégué général du GPRA, sous quelque forme que ce soit, dans un des pays de l'Est, de préférence celui qui n'avait pas des relations diplomatiques avec l'ennemi pouvait avoir un sens stratégique considérable pour solliciter de l'aide matérielle. Ce délégué devait nouer, officiellement ou officieusement, de nouveaux contacts avec d'autres pays dits socialistes – ce que le futur délégué de l'UGTA, Ahmed Kroun, a réellement essayé de faire.

Or, si l'envoi du délégué algérien en RDA doit être interprété sous cet angle d'une aide d'urgence pour l'Algérie en train de perdre la guerre, nous verrons que cette tentative a purement et simplement échoué.

Étant tombées d'accord sur l'installation du délégué de l'UGTA et sur ses tâches, les deux parties s'accordaient en outre sur le fait que les autorités de la RDA n'accueilleraient désormais plus, sur son territoire, que des « citoyens algériens qui peuvent présenter une autorisation de la part des services du GPRA, du FLN, de l'UGTA, de l'UGEMA ou du Croissant Rouge Algérien ».

Perception algérienne et est-allemande de l'accord pour un délégué de l'UGTA

Du côté algérien, cet accord a été considéré comme une concession proprement extorquée à une autorité est-allemande extrêmement rigide et exigeante. Belhocine

1. Cf. entre autres Miquel, Pierre : *La Guerre d'Algérie*. Paris, Fayard 1993, p. 389 *sq.* et Harbi, Mohammed/Meynier, Gilbert : *Le FLN. Documents et Histoire 1954-1962*. Paris, Fayard 2004, p. 93 *sq.*
2. Harbi, Mohammed : Archives de la révolution algérienne. Paris, Éditions Jeune Afrique 1981, p. 390, Doc. 83.
3. *Ibid.*, p. 382, Doc. 77.

n'était par ailleurs pas sûr que les dispositions de l'accord seraient appliquées sans difficulté. Le 30 juin, il écrivit au Croissant Rouge d'Algérie une lettre où il faisait part de la volonté de la Croix rouge est-allemande d'installer un représentant au Maroc pour surveiller le rapatriement des déserteurs de la Légion étrangère en RDA. Dans cette lettre, il conseilla ce que l'on peut appeler une mesure d'attentisme volontaire, comme s'il avait voulu attendre la réalisation de l'accord de la part de l'Allemagne de l'Est, à savoir l'acceptation réelle d'un délégué permanent du FLN sur son sol :

> Nous avons suggéré que cette affaire [l'installation d'un délégué est-allemand au Maroc, FT] soit d'abord posée à l'échelon des organisations homologues CRA et CR de DDR. Par la suite le GPRA appuiera auprès du gouvernement marocain la demande de la Croix rouge allemande. De cette façon, nous pensons agir pour gagner du temps et vous donner la possibilité d'étudier de près l'utilité, l'opportunité de l'installation d'un délégué de la CR allemande au Maroc ainsi que toutes les implications politiques qu'elles pourront entraîner.[1]

Délégué est-allemand au Maroc contre délégué du FLN en RDA - l'interprétation de cette affaire comme « marché » semble plausible.

De son côté, Aït Chaalal s'était plaint dans son rapport de l'attitude rigide des autorités du MfAA ; cependant il était parfaitement conscient de la volonté ferme de la RDA « d'arracher la reconnaissance » diplomatique au GPRA.[2]

Dans ce contexte, l'installation d'un délégué syndical et le fait que la RDA n'accepterait plus de ressortissants algériens sur son sol sans autorisation des autorités du GPRA pouvaient être considérés par la délégation algérienne comme un progrès. En effet, sous le titre « Ce qui a été obtenu », Aït Chaalal énumère dans son rapport les concessions faites par la RDA :

> La reconnaissance de l'autorité absolue, du moins en principe, du GPRA sur tous les ressortissants algériens en DDR, soit directement soit par l'intermédiaire de nos organisations (UGTA, CRA, UGEMA).
> L'entrée de tout Algérien en DDR est soumise à l'accord préalable du GPRA ou des organisations nationales algériennes. Tout avantage accordé à un Algérien (bourse) est soumis à la même condition.
> [...]
> Installation d'un délégué syndical qui s'occuperait des ouvriers à la fois pour les informer de la situation en Algérie et pour servir de lien entre eux et les syndicats et les organismes sociaux allemands. L'idée du délégué syndical a été avancée par nous pour combler le vide total qui résulte du refus des Allemands d'accepter la présence d'un responsable algérien qui agirait au nom du FLN.[3]

L'auteur du rapport ne pouvait pas escamoter le fait que le négociateur est-allemand avait été très intransigeant en général. Il voyait trois raisons pour l'attitude intransigeante de la RDA.

La première était qu'elle jugeait venu le moment où elle ne pouvait attendre plus longtemps une réaction de la part d'un pays qu'elle soutenait, qu'elle aidait matériellement et qui, jusqu'ici, n'avait donné aucun signe de reconnaissance réelle et pratique.

1. Harbi, *Archives*..., p. 501, Doc. 106
2. Voir chapitre « Un bureau du FLN... ».
3. Harbi, *Archives*..., p. 498, doc. 101.

Ensuite, la RDA aurait appris par l'expérience guinéenne qu'elle ne pouvait pas obtenir une reconnaissance des États africains « dans des conditions normales ». En effet, la RDA avait essayé de transformer sa mission commerciale en Guinée en une ambassade et d'obtenir par là une reconnaissance pleine et entière du régime du président Sékou Touré. L'un des auteurs d'un ouvrage est-allemand sur le « néocolonialisme ouest-allemand » écrit à ce sujet :

> Quand les puissances impérialistes essayèrent fin 1958 d'isoler diplomatiquement la Guinée, alors c'était la RDA qui reconnaissait immédiatement la Guinée [...]. Il est également connu que la Guinée était le premier État africain prêt à reconnaître diplomatiquement la RDA. Or, puisque la Guinée dépend encore partiellement des États impérialistes au niveau économique, les impérialistes profitèrent de ce fait pour exercer un chantage sur elle. Sous leur pression, la Guinée était obligée de repousser momentanément la question des relations diplomatiques avec la RDA.[1]

Troisièmement, la RDA aurait utilisé le Parti Communiste Algérien, non seulement présent, mais actif en Allemagne de l'Est, comme moyen de pression contre le GPRA et le FLN. Cette présence du PCA donnerait un « sentiment de force » aux Allemands de l'Est :

> En plus de l'aide qu'ils nous apportent, nos partenaires spéculent sur une situation beaucoup plus grave [...]. En effet, notre communauté en DDR se trouve placée devant un problème d'une extrême importance engendrée par la présence du PCA.[2]

Selon Aït Chaalal, le parti se livrerait à un travail de sape et de division parmi les ressortissants algériens en RDA, et il serait encouragé et appuyé par les autorités du pays. Chaalal écrit à propos du PCA, sous la rubrique de « recommandations générales » :

> Mettre fin à la confusion et au malaise engendré au sein de notre communauté par l'action du PCA [...]. Il est à souligner que la plupart de nos étudiants sont des jeunes n'ayant aucune formation politique sérieuse et qui par conséquent peuvent être facilement influencés. D'autant que le PCA utilise à cet effet des méthodes extrêmement habiles (soutien du gouvernement par exemple et soi disant participation à l'action de l'ALN).[3]

En ce qui concerne le dernier point, le président de l'UGEMA n'était pas d'une bonne foi exemplaire.[4] Mais il faut prendre en compte que le rapport était à usage interne et que dans le contexte algérien, c'est-à-dire pour les lecteurs de ce rapport, les faits étaient parfaitement connus. Il s'agissait ici non pas d'un rappel de ces faits, mais d'une mise en garde aux collègues pour qu'ils prennent en considération la propagande habile du PCA en RDA.

En tout cas, vu sous l'angle de ses adversaires, l'attitude des Allemands de l'Est semblait cohérente à Aït Chaalal :

---

1. TILLMANN, Heinz/KOWALSKI, Werner (ed.): *Westdeutscher Neokolonialismus*. Berlin (Est) 1963, p. 62/63.
2. HARBI, *Archives...*, p. 499, Doc. 101.
3. HARBI, *Archives...*, p. 500, Doc. 105.
4. Aït Chaalal prétend que le PCA ne participerait pas aux combats de libération tout en se vantant du contraire et affirme en même temps que le FLN n'aurait rien en commun et surtout aucun contact avec le PCA. Le FLN a par ailleurs toujours prétendu qu'il n'avait pas de lien avec le PCA. (voir là-dessus chapitre « SED, PCF et PCA... »).

> Les Allemands ne peuvent accepter la mise en place d'un organisme FLN qui a précisément pour but de contrecarrer l'action du PCA et de soustraire nos éléments à son influence fractionnelle.[1]

Il apparaît clairement entre les lignes du rapport, dans une logique qu'Aït Chaalal ne voyait peut-être pas, la chose suivante : la RDA, à ce moment, n'était prête à sacrifier le PCA – en acceptant un « organisme FLN » qui aurait « contrecarré » son action – que contre une reconnaissance diplomatique par le GPRA, c'est-à-dire une ambassade et non pas un bureau du genre du genre qui existait à Bonn, dans l'ambassade de la Tunisie.

En RDA, les négociations entre la délégation algérienne et le MfAA n'étaient pas considérées comme un échec, loin de là. Encore en mars 1961, en pleine crise avec le délégué de l'UGTA, présent depuis une demie année, l'auteur d'un rapport non signé semblait avoir bon espoir d'obtenir une reconnaissance de la part des Algériens. Après avoir situé la délégation, la première à avoir rendu visite à la RDA, dans un contexte très positif[2], l'auteur continua, en mettant l'accent sur le fait que le GPRA n'était pas encore enclin à officialiser les liens amicaux, malgré une préférence nette pour la RDA :

> La délégation du GPRA a exprimé le point que l'Allemagne forme une nation qui a été séparée à cause de certains événements. Elle déclara en outre, que le GPRA reconnaît l'existence de deux États allemands et refuse la prétention de la RFA à représenter toute l'Allemagne. Les deux États allemands sont traités de leur part sur un pied d'égalité, mais les sympathies politico-morales se trouvent du côté de la RDA.[3]

Ce qui est étonnant dans ce texte, ce n'est pas tant le contenu, mais le fait que sur les dix pages de l'analyse, l'auteur ne fait pas une seule fois allusion à la présence en RDA du très contesté délégué de l'UGTA et cela en pleine affaire Chergui – où un ouvrier algérien à Bitterfeld qui s'était comporté peu convenablement sous l'influence de l'alcool, et dont le délégué Kroun avait fait une victime du racisme.[4] Ceci pourrait signifier que l'auteur du rapport était un membre du MfAA, car dans ce cas il pouvait considérer la présence de Kroun – et les péripéties autour de lui – comme des faits négligeables compte tenu du but suprême, la reconnaissance.

Or, ce que les autorités de la RDA ne pouvaient savoir c'est que cette reconnaissance était exclue d'avance par le GPRA, puisque Ferhat Abbas en personne avait interdit formellement à Belhocine de faire en sorte que les négociations aboutissent à cela. La raison de ce refus était que l'Algérie aurait besoin de la RFA dans l'avenir.[5]

Que de l'autre côté la RDA acceptât – non sans difficulté, comme nous le verrons – aussi bien le délégué que l'autorité du FLN/GPRA sur l'immigration algérienne en Allemagne de l'Est, pourrait être interprété comme un fait qui corroborait la suggestion d'Aït Chaalal, à savoir que le calcul de la RDA pouvait être de sacrifier réellement le

1. Harbi, *Archives…*, p. 499, Doc. 105.
2. SAPMO-BArch DY 30/ IV 2/20/ 356, 23 mars 1961, (voir chapitre « Un bureau du FLN… », note 6, p. 58 : « Analyse über den Befreiungskampf des algerischen Volkes »).
3. *Ibid.*
4. Voir ci-dessous, note 1, p. 118 et chapitre prochain.
5. Entretien avec l'auteur (30 novembre 2006).

PCA. Dans ce cas, elle aurait mené une politique non idéologique, machiavélique au sens propre, une « realpolitik ». Or, les choses s'avéraient bien plus compliquées.

Dans la logique algérienne, il n'est pas étonnant que l'auteur du rapport insistât, dans ses conclusions, sur l'insuffisance de la présence d'un délégué syndical de l'UGTA en RDA. À sa présence devait se substituer, aussi vite que possible, celle d'un responsable officiel du FLN – ce que Sepp Schwab avait justement refusé :

> Revenir à la charge et imposer à tout prix l'installation d'un responsable FLN en DDR pour prendre en main tous les ressortissants algériens.
> Dans l'immédiat, et provisoirement, utiliser le canal du délégué syndical et des responsables de l'UGEMA pour contrôler tous les membres de notre communauté.[1]

Aït Chaalal ne se rendit apparemment pas compte qu'en « revenant à la charge » pour « imposer » il adoptait plus ou moins la même attitude que celle qu'il reprochait à la RDA. En tout cas, il était loin des recommandations de Mohammed Harbi sur la nécessité d'être honnête dans les relations avec les membres du « bloc oriental ».[2]

Malgré le scénario que l'auteur du rapport prévoyait implicitement – le délégué syndical préparait, pour ainsi dire, le terrain pour un représentant du GPRA –, il devait travailler officiellement en relation étroite avec le FDGB, l'organisation syndicale de la RDA.[3] La collaboration du délégué avec l'organisation syndicale est-allemande correspondait naturellement, comme nous l'avons vu, à la volonté des représentants du MfAA.[4] Or, le ministère ne fit apparemment pas part de cet accord au FDGB. En tout cas, les responsables concernés du syndicat s'en plaignirent, à plusieurs reprises, après l'arrivée du délégué.[5]

L'accord précédent de l'UGTA avec le FDGB exclut l'installation d'un délégué permanent

La réaction agacée de la direction du FDGB est d'autant plus compréhensible que non seulement elle n'avait pas été informée de cet accord, mais qu'elle avait elle-même conclu un accord avec une délégation de l'UGTA, qui avait séjourné à Berlin-Est peu de temps avant le passage de la délégation Belhocine/Aït Chaalal, fin mai 1960. Or, cet accord était l'exact contraire de celui du MfAA.

En effet, au CC du SED, on avait décidé dès janvier qu'un bureau FLN à Berlin-Est n'était pas acceptable, pour ne pas créer un précédent avant la reconnaissance diplomatique de la RDA par le GPRA. On avait fait part de cette décision aussi au

1. Harbi, *Archives…*, p. 500, Doc. 105 ; on remarquera la distinction que fait Chaalal entre « responsable FLN » et « délégué syndical ».
2. Harbi, *Archives…*, p. 382, Doc. 77.
3. Selon Mabrouk Belhocine, le chef de la délégation, il était clair d'avance, pour les Algériens, que le délégué permanent de l'UGTA serait en fait le représentant officiel du GPRA en RDA (entretien avec l'auteur le 30 novembre 2006).
4. Voir note 5, 103.
5. p. ex. dans une lettre de Rolf Deubner du Bundesvorstand du FDGB au ministre délégué aux Affaires Étrangères, Sepp Schwab, qui avait mené les pourparlers avec la délégation Aït Chaalal, du 15 octobre 1960 (SAPMO-BArch DY 34/ 2133), où Deubner parle du délégué qui « se réfère en permanence à l'accord entre le MfAA et le GPRA, et qui nous est inconnu ».

FDGB, et l'on avait précisé que même un délégué permanent de l'UGTA en RDA n'était pas désirable. Ceci ressort d'un rapport non signé au « Bundesvorstand » du FDGB, dont l'auteur est probablement l'un des directeurs du département des relations internationales, Baumgart. Il écrivit sur une réunion au CC, le 11 janvier 1960 :

> Le camarade Bergold[1] notifia enfin que le FLN a soumis entre temps aussi au « Nationalrat » la proposition d'installer un bureau du FLN en RDA. Une telle installation ne sera pas autorisée. [...] On recommande également que le FDGB n'autorise pas un bureau de l'UGTA en RDA.[2]

Par conséquent, le représentant du FDGB, Kurt Meier[3], secrétaire du « Bundesvorstand » du FDGB, refusa la proposition de la délégation de l'UGTA formée par Rahmoun Dekkar et Omar Belouchrane, en mai 1960.[4] Les Algériens avaient demandé au FDGB d'accepter l'envoi d'un chargé de mission permanent (« Verbindungsmann ») de l'UGTA en RDA. En outre, ils avaient demandé que les deux partenaires concluent un accord sur les ouvriers algériens devant aller en RDA dans le futur pour éviter qu'arrivent des « provocateurs » ou des gens qui « pourraient installer des centres d'espionnage ».[5]

Kurt Meier répondit concernant la deuxième proposition que ce n'était pas dans les compétences du FDGB de décider une telle mesure, mais dans celles du gouvernement. En ce qui concernait le « Verbindungsmann », il écrit dans son rapport :

> Je ne considère pas cette proposition comme convenable, et j'ai donc fait une contre-proposition : on devrait se réunir avec les amis dirigeants de l'UGTA de façon périodique [...] et clarifier les questions de principe [...]. Mais on n'a pas besoin d'un chargé de mission permanent. Ils ont accepté cette proposition.[6]

En effet, les discussions s'avérèrent fructueuses, car le lendemain, le 24 mai 1960, un accord officiel fut établi, entre « l'UGTA, représentée par les Camarades Dekkar et Omar [*sic*] et le Comité Directeur de la Confédération des Syndicats Libres Allemands (FDGB) représentée par son Président, le Camarade Warnke, et le Camarade Meier ». Cet accord fixe les dispositions suivantes :

> [...] Afin de renforcer les relations entre les deux organisations, un fonctionnaire responsable de l'UGTA se rendra environ une fois par trimestre à Berlin, pour discuter avec le Comité Directeur du FDGB de toutes les questions en suspens.[7]

Le rapport de Kurt Meier fut envoyé, selon une note manuscrite, au « collègue Löbel », l'un des responsables au MfAA pour les questions africaines et par conséquent algériennes.

---

1. Wolfgang Bergold, (1913 à 1987), était à cette époque (1955 à 1965) « instructeur » au département des Relations Internationales du CC auprès du SED, puis ambassadeur en République Démocratique du Vietnam (selon MÜLLER-ENBERGS, Helmut/WIELGOHS, Jan/HOFFMANN, Dieter: *Wer war wer in der DDR ? Ein biographisches Lexikon*. Bonn, Bundeszentrale für politische Bildung 2000).
2. SAPMO-BArch DY 34/ 2133, 13 janvier 1960, p. 7 du rapport.
3. Kurt Meier (1914 à 1985), était à cette époque membre du directoire fédéral (Bundesvorstand) du FDGB et son secrétaire.
4. On insiste dans la note de service (SAPMO-BArch DY 34/ 2133, 23 mai 1960, p. 1) sur le fait que les deux Algériens sont mandatés par l'UGTA. Ceci est important pour la suite, car le futur délégué de l'UGTA, Ahmed Kroun, ne pourra pas montrer des papiers l'accréditant du côté UGTA ou GPRA.
5. *Ibid.*, p. 2.
6. *Ibid.*, p. 1. En marge se trouve une précision manuscrite: « Tous les 3 mois un représentant UGTA »
7. *Ibid.*, traduction officielle de l'accord.

Du côté FDGB, on avait donc tout fait pour éviter un « sous-marin » algérien qui aurait pu évoluer en bureau permanent du FLN en RDA, et l'on avait également contourné la volonté du FLN de contrôler les Algériens en RDA par le biais d'un accord sur une éventuelle « accréditation » de nouveaux arrivants à partir de l'Algérie, de la France ou de la RFA. Le MfAA avait été informé, et il est peu probable que les délégués de l'UGTA n'aient pas informé leurs collègues du MAE du GPRA de cet accord.

Pourtant la délégation Belhocine/Aït Chaalal arracha en juin 1960 l'accord à Sepp Schwab du MfAA, qui prévoyait justement, en passant outre celui entre l'UGTA et le FDGB du 24 mai, l'installation d'un délégué permanent de l'UGTA en RDA et un contrôle des ressortissants algériens par les autorités du FLN ou du GPRA.

L'arrivée mouvementée du délégué de l'UGTA

Même s'il paraît peu imaginable que le FDGB ne fût pas informé de l'accord entre MAE algérien et MfAA – qui le concernait tout de même directement – il semble qu'il apprît très tardivement, par lettre de la part d'Embarek Djilani, datée du 20 août 1960, l'arrivée imminente du délégué de l'UGTA. Djilani annonça à Herbert Warnke, membre du « Bundesvorstand », un certain Ahmed Kroun, en se référant à « la réunion qui s'est déroulée en juin dernier entre les délégations du G.P.R.A. et du Gouvernement de la R.D.A., au cours de laquelle a été adopté le principe d'une représentation de l'U.G.T.A. auprès de votre Centrale Syndicale. » Djilani ne mentionna aucunement l'accord intersyndical du 24 mai, mais uniquement celui entre Schwab et la délégation Belhocine/Aït Chaalal :

> Cet accord entre les délégations Gouvernementales répond au vœu que nous avons exprimé en maintes circonstances.
> Dans le cadre de cet accord nous vous proposons de désigner le camarade KROUN Ahmed [...] membre de la Délégation Extérieure de l'UGTA et de la représentation au Maroc. Nous espérons que vous réserverez bon accueil à notre Représentant.[1]

Djilani n'annonça pas la date d'arrivée de Kroun, mais le « Bundesvorstand » essaya jusqu'au 19 septembre d'empêcher l'entrée de Kroun en RDA. En réaction à la lettre de Djilani, l'un des secrétaires du département des relations internationales du FDGB, Heinz Neuhäuser, proposa à son supérieur Herbert Warnke d'envoyer en Algérie une lettre exprimant le refus d'accueillir Kroun, dans laquelle on se référerait à l'accord du 24 mai. Neuhäuser justifia ce refus par la faute politique du vice-ministre Schwab, en utilisant curieusement le même argument que Dekkar avait proféré, à savoir que le contrôle des entrées et sorties des Algériens en RDA devait servir à éviter l'installation d'associations secrètes, c'est-à-dire d'éventuelles organisations d'espionnage :

---

1. SAPMO-BArch DY 34/ 2133, 20 août 1960, p. 1. Mabrouk Belhocine, dans un entretien avec l'auteur (30 novemebre 2006) donne un certain nombre d'informations sur le personnage. En effet, Belhocine a rencontré Kroun – qui avait été un de ses camarades de lycée – par hasard au Maroc, où celui-ci était instituteur et syndicaliste. C'est pour cette dernière raison qu'il l'a choisi comme représentant de l'UGTA en RDA. Kroun était, après son passage en RDA, haut fonctionnaire au MAE à Tunis, et après l'indépendance de l'Algérie, il fut plusieurs fois ministre et dirigeant de grandes entreprises nationalisées.

> Comme résultat de cette discussion, la délégation algérienne a proposé l'installation d'une délégation syndicale permanente, et le ministre Schwab ne l'a pas rejetée, sous réserve de l'accord du FDGB.
> Puis le CC a insisté sur le fait que cette acceptation partielle était politiquement erronée et que l'installation d'une délégation syndicale permanente en RDA aurait sans doute comme conséquence une centrale légalisée d'associations algériennes (voire d'associations secrètes).
> Cette analyse coïncide avec l'opinion du département Relations Internationales du « Bundesvorstand ».[1]

Le 26 septembre – Kroun se trouvait déjà à Berlin-Est – Neuhäuser rapporta à son collègue au département des relations internationales, Walter Tille, les démarches qu'il avait faites pour empêcher l'arrivée du délégué de l'UGTA en RDA. Il s'était même adressé à son collègue Löbel du MfAA pour lui demander d'intervenir auprès de la mission commerciale de la RDA au Caire, responsable pour les visas des Algériens, pour que celle-ci bloque le voyage prévu de Kroun – en vain :

> Le département des relations internationales [du FDGB, FT] [...] a [...] obtenu que le collègue Löbel rédige une note à la mission commerciale au Caire [...] précisant que cette affaire a encore besoin d'une clarification et que l'on ne doit donner en aucun cas l'autorisation d'entrée avant que l'accord du « Bundesvorstand » ne soit arrivé.
> Nonobstant cette intervention, la mission commerciale a muni d'un visa le représentant algérien prévu, le professeur Kroun, et l'a envoyé en RDA.[2]

Ce texte était probablement le projet d'une lettre destinée à Djilani, à qui l'on voulait expliquer pourquoi Kroun n'était pas le bienvenu auprès du FDGB. L'auteur de la note continua avec la citation in extenso de l'accord conclu entre l'UGTA et le FDGB le 24 mai 1960, et regretta que cet accord « ne soit plus considéré par l'UGTA comme correspondant aux nécessités ».[3]

Malgré les derniers développements, Ahmed Kroun entra en RDA, le 20 septembre 1960.[4]

Dès le début, la base légale de son séjour fut contestée. Ainsi l'auteur d'une note le concernant insista sur le fait qu'aussi bien le représentant du département Afrique du FDGB, Rolf Deubner, que les camarades du CC « (Römer [*i.e.* certainement Röhner,

---

1. SAPMO-BArch DY 34/ 2133, 19 septembre 1960, p. 1 ; suit le texte de la lettre de refus à Djilani proposée par Neuhäuser.
2. SAPMO-BArch DY 34/ 2133, 26 septembre 1960, p. 1 (n.b. : Djilani avait, dans sa lettre, annoncé Kroun comme « professeur au Collège de Sidi Kacem », d'où le titre « professeur », qui, en Allemand, désigne un professeur de l'enseignement supérieur).
3. *Ibid.*, p. 2.
4. Selon une note (SAPMO-BArch DY 34/ 2133) du « département Afrique » (Afrika-Sektor) du FDGB, datée du 11 octobre 1960, Kroun est arrivé à Berlin le 20 septembre « sans accord préalable ». Selon une lettre du Département Relations internationales du FDGB au secrétaire général Tille, Kroun serait arrivé seulement le 21 ; on s'y plaint que le MfAA n'aurait informé le FDGB que 10 minutes avant l'arrivée de son avion à l'aéroport Schönefeld (SAPMO-BArch DY 34/ 2133, 26 septembre 1960). Pourtant le FDGB demande le 26 octobre une prolongation du permis de séjour pour Kroun (SAPMO-BArch DY 30/ IV 2/20/ 353, feuille 71). Kroun n'était d'ailleurs pas inconnu de certaines personnes en RDA – et de Si Mustapha. Ainsi ce dernier et Klaus Polkehn l'évoquent dans un entretien qu'ils ont, à l'occasion de la mission Si Mustapha, en juillet 1960. Kroun y est mentionné comme secrétaire de l'UGTA qui avait accompagné Polkehn dans des camps pour enfants à Marrakech et Khemisset au Maroc (SAPMO-BArch DY / 30 / IV 2/20/ 354, feuille 38). Si Mustapha et Polkehn lui envoient un télégramme pour savoir pourquoi on a repoussé du côté algérien le voyage de dix enfants qui devaient passer l'été en RDA.

FT], Zinke, Neumann) » étaient opposés la venue de Kroun – comme d'ailleurs les camarades du CC du PCA –, et que celui-ci ne pouvait rester que grâce au MfAA ![1] L'auteur de la note insista également sur le fait que le délégué n'avait pu produire aucun titre l'accréditant de la part du syndicat algérien.[2]

De son côté, Kroun tenta ouvertement dès son arrivée de faire valoir que ses compétences ne se limitaient pas au texte de l'accord entre le MAE et le MfAA. Selon le même rapport, il se présentait comme « représentant permanent de l'UGTA jusqu'à la fin de la guerre en Algérie, pourvu d'un mandat de son gouvernement ». En tant que tel il prétendit pouvoir élargir son champ d'activité :

> Selon lui il a été mandaté pour étendre les accords existants [...]. Son mandat inclut [...] d'établir des contacts avec les pays du camp socialiste, avant tout la Pologne populaire et la CSSR.[3]

En effet, dès son premier contact avec la direction du FDGB, représenté par le secrétaire général du département des relations internationales Walter Tille, Kroun avait expliqué aux fonctionnaires du FDGB sa mission :

> - Coopération avec les étudiants algériens à l'école syndicale et dans les universités [...]
> - Coopération avec les autorités de l'État
> - Encadrement des ouvriers et des blessés algériens
> - Coopération avec les pays socialistes particulièrement la CSSR, la Pologne, la Hongrie
> - Coordination des documents syndicaux concernant l'Algérie et la RDA.
>
> Pour ce faire il a besoin d'un appartement, d'un bureau et des locaux de stockage pour lui-même et sa famille ainsi que d'équipement de bureau et d'une secrétaire.[4]

Les autorités du FDGB lui rétorquèrent immédiatement qu'en tant que représentant du syndicat algérien, il ne pouvait exercer que des fonctions syndicales[5] : il était le représentant officiel de l'UGTA auprès du FDGB, et il devait superviser, d'un point vu syndical, les seuls ouvriers algériens en RDA.[6]

En même temps, la direction du FDGB envoya une lettre au secrétaire de l'UGTA, Embarek Djilani, pour protester contre l'envoi du délégué permanent, et ce dans des termes à peine voilés. Tous les éléments de l'affaire Kroun sont réunis dans cette lettre, à commencer par la « surprise » concernant la venue d'un délégué – dont la présence avait été exclue presque expressément dans l'accord du 24 mai : le conflit avec le MfAA, le désaccord sur les compétences du délégué, particulièrement ses tâches « inter-étatiques » et l'arrière plan de l'affaire, la volonté de la RDA de se faire reconnaître par le GPRA :

> Nous avons reçu votre lettre dans laquelle vous nous informez sur la conversation entre le Ministère des Affaires Étrangères du Gouvernement Provisoire de la République d'Algérie et le gouvernement de la RDA,

1. SAPMO-BArch DY 34/ 2133, 10 octobre 1960, p. 1. On décide pourtant que Kroun sera accueilli seulement parce que sur « le dossier est écrit "oui" ».
2. *Ibid.*; le dernier fait sera évoqué quasiment chaque fois que Kroun apparaît dans les documents du CC et du FDGB.
3. Ibid., p. 2.
4. Ibid., 11 octobre 1960.
5. Ibid.
6. Apparemment, ceci était nécessaire, car les entreprises dont ces ouvriers étaient salariés n'envoyaient pas que des rapports positifs sur les « amis algériens » – selon la nomenclature officielle - à Berlin (voir chapitre prochain).

pendant laquelle on a entre autres évoqué une éventuelle installation d'un représentant de l'UGTA sous réserve d'un accord préalable entre les deux syndicats. Puisqu'il n'existe pas, entre nos fédérations syndicales, de tels accords et puisque nous considérons la déclaration commune du 24 mai 1960 comme adaptée aux besoins et comme valide, nous avons été très surpris de l'arrivée soudaine du collègue KROUN.
Le collègue Kroun, selon ses propos, [a] obtenu oralement des mandats pour des tâches [...] qui relèvent des compétences d'un État [...]. Nous considérons utile [...] d'arrêter précisément les tâches syndicales du collègue Kroun, pour qu'elles correspondent à vos souhaits et nous proposons qu'il [...] reste en RDA pendant le temps qui correspond à des études nécessaires des institutions et des problèmes syndicaux. À notre avis 6 mois devraient suffire. [...]
En ce qui concerne les tâches étatiques, en tant que syndicat nous ne pouvons évidemment pas conclure d'accords. En revanche, nous espérons que pendant la période du séjour du collègue Kroun des relations politiques bilatérales entre le GPRA et la RDA seront établies ; ainsi les intérêts des États pourront être correctement assumés.[1]

On remarquera que Tille ne considérait pas l'accord entre MEA et MfAA comme tel, mais comme de simples « conversations » ; en revanche, il insista sur les tâches strictement syndicales du délégué qu'il fallait redéfinir et il mit une limite bien déterminée à son séjour, pendant laquelle les deux États devaient se reconnaître diplomatiquement. Par là, le FDGB exerça une sorte de chantage sur le GPRA, tout en insistant sur le fait qu'en tant que syndicat, il n'avait pas la compétence de faire de la politique et que Kroun ne devait pas en faire non plus. À la fin de la lettre, le FDGB concéda poliment que le délégué pouvait séjourner provisoirement dans la résidence pour invités et qu'il devait avoir à sa disposition, aussi vite que possible, des locaux (bureau et appartement) ainsi qu'une secrétaire, un enseignant de langue allemande, bref l'infrastructure nécessaire à un délégué syndical étranger permanent. En outre, le FDGB s'engagea à loger sa famille (son épouse et ses deux enfants) et à réserver des places de « Kindergarten » pour les jeunes Kroun.[2]

Kroun avait été très exigeant concernant sa famille que le FDGB ne voulait pas accueillir avant la clarification de la situation et avant d'avoir trouvé un logement pour quatre personnes.[3] Lors de deux entretiens, Kroun se montra impatient parce que sa famille n'avait toujours pas pu se rendre en RDA et menaça de l'y faire rentrer clandestinement à partir de Coblence à travers Berlin-Ouest.[4]

En outre, Kroun n'arrêta pas de faire tout ce qu'un citoyen « normal » de la RDA ne pouvait faire : il « voyage partout dans la république »[5], « s'entretient avec de nombreuses personnes qui nous sont en partie inconnues »[6], et « assume pratiquement

1. SAPMO-BArch DY 34/ 2133, lettre « zur Übersetzung/französisch » à l'UGTA, s.d. (fin septembre/début octobre 1960), signée « FDGB-Bundesvorstand », p. 1 et 2.
2. *Ibid.*, note de Neuhäuser à « Org-Sektor » [i.e. organisation, FT] du 13 octobre 1960, pour ces derniers points qui ne figurent pas dans la lettre à Djilani.
3. Dans la lettre à Djilani, il était encore déconseillé de faire venir la famille de Kroun.
4. SAPMO-BArch DY 34/ 2133, note de service du « Afrika-Sektor », 11 octobre 1960 concernant Kroun et rapport du 10 octobre 1960 (Neu/To.) : le terme utilisé est « einschleusen ». Par là Kroun fait savoir qu'il est au courant de la situation politique entre les deux États allemands. En effet, la frontière à Berlin était encore assez perméable, à la fin de l'année 1960. Le terme même de « einschleusen » n'est pas neutre, mais correspond à des marchandises de contrebande ou – *horribile dictu* ! – à des espions que l'on fait passer chez l'adversaire. Neuhäuser l'avertit que si la famille entre en RDA sans visa, elle n'aura pas d'autorisation de séjour et sera envoyée au camp de réfugiés à Fürstenwalde. Il est compréhensible que Kroun était particulièrement contrarié.
5. *Ibid.*, 11 octobre 1960.
6. SAPMO-BArch DY 34/ 2133, lettre de Neuhäuser à Schwab, du 15 octobre 1960, p. 1.

des tâches diplomatiques »[1] ; ainsi il demanda qu'aucun Algérien ne fût accueilli en RDA sans son accord personnel et que ce fût à lui de donner des indications sur le rapatriement des Algériens en Afrique du Nord.[2] L'auteur du rapport soupçonne derrière toutes ces activités une volonté politique de l'UGTA en tant qu'organisme du gouvernement algérien, quand il conclut :

> Le danger que l'activité de Kroun porte préjudice au PC algérien est à mon avis très important.[3]

En effet, les autorités du FDGB sentirent que leurs collègues syndicaux algériens ne se comportaient pas réellement comme des anti-impérialistes. Ainsi l'auteur d'un rapport non signé déplora l'attitude qu'avait eue Abdelkader Maâchou, premier secrétaire de l'UGTA et délégué, à la Havane, à la Troisième Assemblée du « Comité International pour la Solidarité avec les Travailleurs algériens et le Peuple algérien » de la « Fédération syndicale mondiale » (FSM), qui eut lieu à cette période. Il constata que Maâchou ne rendit pas assez hommage aux activités de solidarité des pays socialistes ; apparemment l'UGTA exclut, de surcroît, les communistes algériens de la distribution d'envois de solidarité issus des mêmes pays. L'auteur en conclut une droitisation de l'UGTA, et il évoque, dans ce contexte, Ahmed Kroun :

> [...] le collègue Kroun est à limiter strictement, dans son activité, au travail syndical, c'est-à-dire il doit être empêché de créer, en RDA, un groupe illégal anti-communiste avec l'aide d'étudiants algériens réactionnaires. On doit tâcher que soit mis un terme à son séjour au bout d'une demi-année.[4]

Du côté de l'UGTA, en revanche, le mandat de Kroun devait être officiellement étendu, comme Maâchou l'écrivit à un collègue du FDGB, après le congrès du Comité de solidarité, dans une lettre du 4 novembre 1960 :

> Nous pensons que le camarade Tille a dû vous faire part de notre désir d'accréditer Kroun Ahmed pour s'occuper du sort de tous les Algériens résidants en D.D.R. et aider au règlement de tous les problèmes posés par nos compatriotes. Cette mission devra s'effectuer avec votre concours et toujours après votre consultation préalable.[5]

Lors d'un entretien entre Kroun et quatre fonctionnaires du FDGB, le 9 novembre 1960, cette extension du mandat du délégué de l'UGTA fut évoquée, mais les autorités

---

1. SAPMO-BArch DY 34/ 2133, note du 11 octobre, p. 2.
2. *Ibid.*, rapport du 10 octobre.
3. *Ibid.*
4. SAPMO-BArch DY 34/ 2132, « Vorlage zur Information des Sekretariats über die 3. Tagung des "Internationalen Gewerkschaftskomitees für die Solidarität mit den algerischen Arbeitern und dem algerischen Volk" » (à la Havane du 16 au 20 octobre 1960). Ce paragraphe a été rayé manuellement, ce qui veut dire qu'au sein de la direction du FDGB, on n'était pas unanimement d'accord avec une ligne dure concernant Kroun. Que Kroun fût anti-communiste est confirmé par des étudiants algériens réfractaires à un rapatriement en Afrique du Nord (SAPMO-BArch DY 34/ 2133, note de service non signée du 29 décembre 1960) : « Les camarades Abbu et Mekerba confirment [...] notre méfiance par rapport au collègue Kroun : celui-ci, un nationaliste fervent, est employé uniquement pour trouver les communistes parmi les amis algériens et pour combattre toute influence communiste sur ses compatriotes algériens de façon secrète mais avec tous les moyens imaginables. » Il faut ajouter que les deux « camarades » n'avaient aucune envie de se faire rapatrier, pour des raisons personnelles et peu politiques.
5. SAPMO-BArch DY 34/ 2133, lettre de Maâchou à « W. Beyreuther, secrétaire de la F.D.G.B. », du 4 novembre 1960.

du FDGB refusèrent, sous prétexte que le MfAA n'était pas de cet avis – et la raison que l'on donne est révélatrice :

> Le Ministère des Affaires Étrangères est pourtant de l'avis que suite à l'échec des négociations sur la reconnaissance réciproque RDA-Algérie, la République Démocratique Allemande ne peut considérer le collègue Kroun comme autorisé à négocier en République Démocratique Allemande sur des questions gouvernementales.[1]

L'espoir que les deux États établissent des relations diplomatiques, une attente que l'on avait exprimée auprès de Djilani au début de l'affaire, ne s'était pas réalisé. On invita donc Kroun à respecter désormais scrupuleusement son mandat qui devait se réduire définitivement aux tâches strictement syndicales. Puisqu'on se doutait que Kroun n'agirait pas de la façon souhaitée, le secteur Afrique du département des relations internationales du FDGB avait suggéré dès le début du mois d'octobre 1960 que Kroun, en RDA grâce à un accord du GPRA avec le MfAA « qui n'a pas encore été reconnu par nous », fût surveillé :

> Puisque nous ne sommes pas en mesure de renvoyer Krun [*sic*], d'un autre côté nous souhaitons qu'il soit contrôlé, nous proposons que l'État fasse preuve de vigilance à son égard.[2]

La RDA envisage d'expulser Ahmed Kroun

Malgré « la vigilance de l'État » portée à Kroun, les autorités de la RDA, représentées par le FDGB, n'arrivaient pas à limiter son activité au strict minimum syndical. Quelque trois mois après son arrivée en RDA, le délégué avait exaspéré ses collègues est-allemands au point qu'ils souhaitaient le renvoyer. Dans une lettre annonçant à l'UGTA un envoi de biens de solidarité qui devait arriver en janvier 1961, accompagné par une délégation, dirigée par Jupp Battel[3], membre de la direction nationale du FDGB, le secrétaire Walter Tille[4] évoqua l'épineux problème Kroun auprès de son homologue Maâchou de l'UGTA. Pour la première fois, un fonctionnaire de la RDA demanda officiellement le rappel du délégué de l'UGTA, en justifiant sa demande par son comportement inadapté, son arrogance et ses agissements dangereux pour la République :

---

1. SAPMO-BArch DY 34/ 2133, Aussprache über die Tätigkeit des Kollegen Kroun in der DDR, 11 novembre 1960, p. 1/2.
2. SAPMO-BArch DY 34/ 2133, Neuhäuser à une institution non spécifiée, le 6 octobre 1960. Visiblement cette « vigilance de l'État » n'a pas l'efficacité souhaitée. En effet, Kroun fait ce qui lui plaît ; il a même le cran de demander qu'on lui prouve ce qu'on lui reproche : « Selon nos informations, le collègue Kroun a tenu, en décembre 1960, une réunion avec des Algériens. Les organes étatiques n'ont pas été avisés de cette réunion contrairement au règlement légal. [...] Le collègue Kroun conteste l'existence de cette réunion et nous demande de lui faire part de l'endroit où cette réunion aurait eu lieu et de l'identité de ceux qui y avaient été invités. » (SAPMO-BArch DY 34/ 2133, note de service, datée du 11 janvier 1961, sur un entretien entre Kroun, Deubner et Fischer du 10 janvier, p. 2).
3. Joseph (Jupp) Battel (1919 à ?) était à cette époque membre de la direction (Bundesvorstand), puis du bureau de direction (Präsidium des Bundesvorstands) du FDGB.
4. Walter Tille, 1906 à 1986, était à cette époque secrétaire et membre du bureau de direction (Präsidium des Bundesvorstands) du FDGB, membre du CC du SED, et président de la section construction à la FSM.

> Vous vous souviendrez certainement, qu'il y a environ 8 semaines nous vous avons informés, que l'arrivée inopinée du Camarade Kroun nous avait surpris. Malgré l'avis opposé du Camarade Kroun, nous vous proposions de considérer notre communiqué bilatéral du 24 mai 1960 comme toujours valable. Nous vous réitérons donc notre proposition [...] et vous prions de rappeler le Camarade Kroun.
> Comme vous le savez, quoiqu'il n'y ait pas eu d'accord préalable à ce sujet, nous étions prêts à accueillir chez nous Monsieur Kroun pour une durée de 6 mois. Or, à notre regret, nous avons dû constater, que celui-ci, malgré notre bon accueil et notre volonté de traiter avec lui, s'est montré extrêmement prétentieux et qu'il persiste dans cette attitude. Il saisit ainsi toutes les occasions pour se faire passer pour le représentant officiel du GPRA, sans en avoir les pouvoirs.
> [...] ne sachant pas mesurer toute l'étendue des dangers venant des forces néocolonialistes et militaristes d'Allemagne occidentale, Monsieur Kroun ignore la nécessité d'une entente préalable avec nous, lorsqu'il désire avoir des entretiens avec des invités d'Allemagne fédérale.
> Il serait donc bien simple pour les agents occidentaux de mettre à leur profit l'idée fausse que Monsieur Kroun se fait des dangers qui nous guettent du côté des militaristes et néocolonialistes, pour perpétrer leur sale besogne.
> Bien que nous ayons eu des entretiens avec Monsieur Kroun à ce sujet il ne montre pas beaucoup de compréhension et ne tient aucun compte de nos avertissements.[1]

Lors de sa visite en Tunisie en janvier 1961, Jupp Battel, chef de la délégation accompagnant l'envoi du matériel envoyé par la RDA, évoque également le cas Kroun auprès de ses collègues syndicalistes, avant tout avec Embarek Djilani. Battel insista sur le rappel de Kroun qui ne respectait pas les lois et ignorait l'importance des questions de sécurité et de l'ordre en RDA. On lui répondit que la lettre que Tille avait écrite dans ce sens avait été perdue et qu'il fallait envoyer une copie pour que l'UGTA, en accord avec le gouvernement algérien, révoque le collègue Kroun. En même temps, les Algériens redemandèrent que l'on installe un délégué permanent de leur syndicat en RDA, ce qui, pour la future collaboration des deux organisations, serait d'une extrême importance. En marge de cette demande, formulée par Battel dans son rapport, un lecteur a écrit à la main « ja ».[2]

À Berlin-Est, en même temps, les difficultés avec le délégué continuaient. On lui reprocha maintenant indirectement de tenter de violer les lois de la RDA puisqu'il s'occupait de la formation d'étudiants et de travailleurs algériens :

> [On explique] que la formation des ouvriers spécialisés et des étudiants est l'affaire des organes de l'État. [...] Le collègue Kroun est représentant syndical. Chaque pas indépendant dans une telle direction serait en contradiction avec nos lois [...][3]

On voit ici la complexité de l'affaire. Du côté algérien, on se référait en permanence à l'accord entre la délégation Belhocine/Aït Chaalal et Sepp Schwab du MfAA. Dans l'esprit de ses collègues algériens, les tâches d'Ahmed Kroun étaient évidemment assez larges, ne pouvaient se limiter à ce que la RDA avait accordé, les fameux petits problèmes syndicaux. Ainsi, en Algérie, l'affaire était apparemment considérée comme

1. SAPMO-BArch DY 34/ 2133, 7 décembre 1960 p. 1 et 2 ; il s'agit de la traduction en Français de la lettre de Tille en allemand qui se trouve en SAPMO-BArch DY 34/ 2132, sous la même date.
2. Les éléments cités se trouvent dans le rapport de Battel sur son séjour en Tunisie, du 10 au 20 janvier 1961 SAPMO-BArch DY 34/ 3379, p. 5, 6, 14, le même rapport se trouve dans le dossier du département de la politique étrangère auprès du CC : SAPMO-BArch DY 30/ IV 2/20/ 354, feuilles 99 à 113.
3. SAPMO-BArch DY 34/ 2133, note de service du 11 janvier 1961 sur entretien de Deubner et Fischer avec Kroun (10 janvier).

une affaire entre deux gouvernements et l'on prétendit ne pas très bien comprendre les réticences du FDGB. C'est ainsi que l'on pouvait faire croire également que les difficultés tenaient à des problèmes de personnes – et par cette attitude, on pouvait à la fois accepter le rappel de Kroun et demander l'envoi d'un autre délégué permanent.

Du côté du FDGB, pour rester dans le schéma d'une stricte séparation des tâches diplomatiques et syndicales, on n'évoqua jamais ouvertement à Tunis, devant les collègues, l'enjeu principal, à savoir le souhait qu'avait la RDA d'obtenir la reconnaissance diplomatique du GPRA. On prétexta des problèmes de compétences et de comportement du délégué.[1]

Ni d'un côté ni de l'autre ne fut par ailleurs évoquée la dimension idéologique de l'affaire – elle avait été pourtant mentionnée du côté algérien dès le début par Aït Chaalal, et du côté du FDGB rapidement après l'arrivée de Kroun en RDA. La lutte, sur le sol de l'État communiste en Allemagne, entre deux fractions du mouvement algérien de libération, celle des « bourgeois nationalistes » et la fraction communiste, était une lutte idéologique.

Du côté est-allemand s'y ajoutait dans la rivalité entre les deux États allemands qui se manifestait

1° dans le refus d'ouvrir un bureau semi-officiel du FLN tel qu'il existait en RFA, et

2° dans une paranoïa d'influence éventuelle du côté occidental, d'une espionnite - dont Kroun se servit habilement, ne fût-ce que pour faire venir sa famille à Berlin plus vite que prévu.

Le problème Kroun devint plus complexe encore avec l'affaire Chergui, l'ouvrier algérien mêlé à une bagarre avec la police.[2] Cette affaire dura jusqu'en mars 1961. Or, en mars, arriva à nouveau Rahmoun Dekkar de l'UGTA en RDA, entre autres pour convaincre certains de ses compatriotes de se faire rapatrier en Afrique du Nord. À cette occasion, Walter Tille relança auprès du secrétaire de l'UGTA la réalisation de l'accord du 24 mai 1960 – que Dekkar avait signé personnellement – et dont la mise en œuvre aurait épargné à tout le monde les difficultés que connaissait la RDA avec Kroun :

> Jusqu'ici, les discussions trimestrielles ne pouvaient être maintenues. Le collègue Tille signala que ces discussions étaient indispensables pour fixer les objectifs futurs et pour exclure dès le début des malentendus. Si l'on suit cette procédure, la présence du collègue Kroun n'est pas nécessaire. Un accord sur le maintien du collègue Kroun n'a pas pu être trouvé.[3]

Malgré ces dernières tentatives de concertation avec l'UGTA concernant Kroun, le CC du SED pressait désormais le FDGB d'agir plus vite pour se débarrasser du délégué dont la présence s'approchait de la limite des six mois accordés à son secrétaire général, Djilani. Ainsi, après le rapport final de la Police Populaire sur l'affaire Chergui, daté du

1. SAPMO-BArch DY 34/ 2133, lettre de Tille à Maâchou, datée du 10 février 1961, dans laquelle le « oui » mis en marge du rapport de Battel se concrétise. En effet, l'auteur, après s'être plaint encore une fois de l'attitude de Kroun, pense à l'envoi d'un autre délégué : « Toutefois, nous ne doutons pas qu'avec votre appui et l'arrivée du nouveau chargé de mission permanent, nos bonnes et étroites relations de franchise et confiance mutuelle de toujours seront vite rétablies. » (p. 1/2).
2. Voir chapitre prochain.
3. SAPMO-BArch DY 34/ 2133, rapport du 14 mars 1961, sur le suivi du séjour du collègue Dekkar en RDA (du 8 au 14 mars), p. 2.

17 mars 1961, Edmund Röhner du département des relations internationales du CC, attaqua même les lenteurs du FDGB dans cette affaire, selon un rapport interne de la centrale syndicale :

> Le CC exige le retrait immédiat de Kroun et ne tardera pas de s'occuper de nos manœuvres dilatoires. Proposition du camarade Röhner : En raison de l'attitude intrigante dans l'affaire de Bitterfeld (présentation incorrecte par Kroun, diffamation de nos organes officiels) expulsion immédiate.[1]

Pourtant les manœuvres dilatoires continuaient apparemment, car l'expulsion – si expulsion il y a eu – n'intervint qu'en mai 1961, c'est-à-dire que Kroun a pu se maintenir en RDA largement au delà du délai de six mois accordé initialement. Or, à la fin, la séparation entre Kroun et ses hôtes ressembla à un divorce par consentement mutuel – au moins au niveau du FDGB. C'est ce qui apparaît dans une lettre de Walter Tille à Maâchou, daté du 17 mai 1961, peu après le départ de Kroun. Le secrétaire du FDGB prêta à Kroun des paroles qui – sans le dire ouvertement – suggéraient l'établissement de relations diplomatiques entre les deux pays :

> [Kroun] nous a dit que, quoique représentant des syndicats, il était chargé de tâches qui auraient facilement pu être réglées par un représentant gouvernemental, mais qui dépassaient souvent ses compétences et charges de représentant syndical. [...]
> Le Camarade Kroun nous a aussi informé qu'il pouvait considérer en quelque sorte ses tâches ici étaient accomplies et qu'il avait lui-même demandé, il y a deux mois déjà, sa révocation.[2]

Puisque Kroun avoua implicitement qu'il n'avait pas les compétences d'un représentant gouvernemental et puisqu'il s'en alla de son plein gré, on pouvait considérer que tout le monde avait gardé la face. Il n'est donc point étonnant que la prétendue expulsion se soit réalisée d'une façon pour le moins courtoise. L'auteur d'une note non signée aux autorités du FDGB la décrit :

> L'actuel représentant de [...] l'UGTA en RDA, le collègue Ahmed Kroun, l'a quitté avec sa famille le mercredi 3 mai. [...] On a pris congé dans son appartement au nom de la présidence de la Fédération [le FDGB, FT], du secrétaire et des collègues du Département Relations internationales. Lui fut offert un vase en porcelaine de Meissen, à son épouse et à ses enfants des petits cadeaux (fleurs, nounours).[3]

Le côté idéologique de l'affaire Kroun, la polémique entre SED et MfAA et la réaction du PCA

Que le FDGB eût des problèmes avec Kroun est une chose que l'on pourrait, à première vue, considérer comme une querelle intra-syndicale. Mais d'autres services de la RDA, qui n'étaient pas directement concernés par la présence d'un délégué permanent auprès du FDGB, intervinrent dans l'affaire. Ainsi, la *Deutsch-Arabische Gesellschaft* (DAG) qui s'occupait du rapatriement des Légionnaires – domaine du ressort de l'énigmatique Si Mustapha –, tâchait, elle aussi, de « régler » l'affaire. En décembre 1960, le Dr. Brentjes s'entretint avec l'un des vice-directeurs du Ministère de

1. SAPMO-BArch DY 34/ 2133, note de service à Helmut Fischer (sans signature de l'auteur), du 24 mars 1961.
2. SAPMO-BArch DY 34/ 2133, lettre de Tille à Maâchou du 17 mai 1961, p. 2.
3. SAPMO-BArch DY 34/ 8344, 4 mai 1961.

l'Intérieur du GPRA, Ahmed Taleb, avocat et l'un des fondateurs de l'UGEMA, qui était de passage à Berlin-Est afin de sonder les possibilités pour la RDA d'envoyer un représentant au Maroc. Taleb, selon ses dires, vint comme émissaire du cabinet de guerre, autour de Belkacem Krim, qui, comme l'avait fait également Si Mustapha, fut présenté comme anti-occidental, mais qui ne voulait ni ne pouvait rompre avec Ferhat Abbas et son groupe.[1] L'émissaire du groupe « gauchiste » autour de Bel Kassem n'avait apparemment aucun lien amical avec Kroun, au contraire, il relata à Brentjes que celui-ci était un personnage plutôt suspect :

> M. Taleb dit [...] que M. Kroun a été démis à plusieurs reprises, par le FLN, de ses fonctions au Maroc en raison d'incompétence et d'arrogance, et qu'il est également sulfureux au niveau moral (femmes). S'il se montre désinvolte ici à Berlin, on doit le renvoyer. Aucun représentant (que ce soit l'UGEMA ou l'UGTA) ne devrait être accepté officiellement par nous sans autorisation et encadrement de son activité écrits et signés par un ministre.[2]

Cette information montre outre son intérêt pour l'affaire Kroun, que la politique de pression demandée par Aït Chaalal ne faisait pas forcément l'unanimité au sein du GPRA.

L'affaire Kroun en RDA apparaît ici tout d'un coup comme une opportunité utilisée par certains Algériens pour régler leurs comptes au sein de la direction politique même. Ainsi, une lettre du fameux Si Mustapha au Dr. Brentjes du 18 janvier 1961 peut être interprétée comme faisant partie du même contexte que la visite d'Ahmed Taleb ; Si Mustapha y demanda à son correspondant un peu de patience, car les choses ne paraissaient pas si simples que Taleb l'avait suggéré :

> Je regrette beaucoup les difficultés avec Khrun [*sic*], j'avais de l'estime pour cet homme et le considérais comme très qualifiée pour son travail chez vous. Mais nous vous croyons ; seulement je ne sais pas quand le rappel interviendra, car la décision vient d'une autre institution que nous ne pouvons influencer qu'indirectement.[3]

La présence de Kroun provoqua pourtant moins de remous en Algérie qu'à Berlin-Est. En effet, comme nous l'avons déjà vu, l'affaire du délégué de l'UGTA remonta jusqu'au SED, entre autres à cause de l'intervention du département des relations internationales du FDGB. Mais à cette instance supérieure, le FDGB n'était plus seul à intervenir, c'est ici que le PCA intervint également – et c'était par son intervention que l'affaire Kroun devint politique et idéologique à la fois.

Revenons en juin 1960, à l'accord entre la délégation algérienne dirigée par Mabrouk Belhocine et le MfAA, représenté par Sepp Schwab. A cette époque, en RDA, ni le MfAA ni le FDGB – qui, de toute façon n'était pas au courant de cet accord et pensait que la base de ses relations avec l'UGTA était l'accord du 24 mai 1960 – ne pouvaient connaître sa concrétisation passablement désastreuse à travers la personne d'Ahmed Kroun. Dans son rapport en Algérie, Aït Chaalal avait seulement prévu qu'il fallait essayer de rendre le futur représentant de l'UGTA aussi efficace que possible dans le sens du FLN/GPRA.

---

1. SAPMO-BArch DY 30/ IV 2/20/ 354, note d'information du 20 décembre 1960, sur des entretiens avec le Dr. Brentjes.
2. *Ibid.*, p. 3.
3. SAPMO-BArch DY 30/ IV 2/20/ 354, feuille 53/54, lettre au Dr. Brentjes du 18 janvier 1961.

Et pourtant, l'accord suscita dès le début une virulente polémique entre Otto Winzer et Sepp Schwab du côté du MfAA et les camarades du département « Politique étrangère et Relations internationales », représenté par Günter Kohrt et Edmund Röhner, du côté du CC du SED ; dans cette polémique, le PCA jouait un rôle considérable.

Il s'agissait, dans cette affaire, d'un mélange de désaccord idéologique et de querelle de compétences ; elle dura au moins six semaines, les derniers échanges de lettres datant du 20 août 1960 – curieusement la date de l'annonce par Djilani de l'arrivée de Kroun.[1]

Les représentants du CC reprochèrent à ceux du MfAA de ne pas avoir respecté les directives du Bureau politique pour les négociations avec le GPRA, en acceptant d'abord l'envoi d'un représentant permanent de l'UGTA en RDA pour s'occuper des « petites questions matérielles » et en ayant accepté de surcroît la sélection des Algériens susceptibles de venir en RDA par les organismes du FLN.

Ce reproche apparaît de prime abord comme un blâme administratif : un service subordonné n'avait pas respecté la hiérarchie et avait dépassé ses compétences. Les directives venaient effectivement du Bureau politique ; chaque ministère devait les suivre et respecter. C'est ici que se révéla la véritable signification de la phrase que Sepp Schwab avait lui-même mise dans sa proposition au CC du SED avant les négociations, à savoir que « la ligne pour les négociations est d'enregistrer les souhaits du côté algérien pour ensuite les présenter aux autorités compétentes de la RDA ».[2] On rappela donc au subordonné justement cette directive du Bureau Politique du 14 juin 1960.

Ceci montre qu'en RDA, le MfAA n'était pas une autorité compétente dans le domaine de la politique étrangère, du moins dans l'esprit du CC du SED. En outre, les représentants du CC reprochèrent à la délégation conduite par Schwab de ne pas avoir pris soin de s'accorder avec le syndicat FDGB, avant d'avoir accepté le représentant de l'UGTA – ce qui était effectivement le cas, on ne l'avait même pas informé a posteriori de l'accord. En clair, le supérieur hiérarchique critiqua violemment une négligence flagrante d'entraide administrative. Günter Kohrt de la délégation « Politique étrangère et Relations internationales » du CC écrivit à Otto Winzer, vice-ministre des Affaires Etrangères et par là supérieur du ministre délégué, Sepp Schwab :

> Les deux accords [sur l'attestation d'organisations du FLN pour les Algériens susceptibles de s'installer en RDA et sur l'envoi d'un représentant algérien ; FT] ne correspondent pas à la directive du bureau politique pour les négociations avec la délégation du GPRA. Le camarade Schwab a conclu ces accords de façon arbitraire. [...] Il va de soi qu'un accord sur l'envoi d'un représentant du syndicat ne peut être conclu sans l'acceptation de la direction du FDGB. Ceci n'a pas non plus été respecté. [...] Nous demandons que la direction du Ministère pour les Affaires Etrangères organise une discussion de fond avec le camarade Schwab sur son mode de travail. Il est nécessaire que le camarade Schwab suive

1. SAPMO-BArch DY 30/ IV 2/20/ 354, feuilles 60 à 63. Même en septembre – Kroun se trouve déjà à Berlin –, le Comité Central n'a pas encore tranché l'affaire, car dans un aide-mémoire de préparation au débat de la délégation de politique étrangère qui devait avoir lieu le 29 septembre, l'auteur qui ne signe pas le document demande une décision ferme concernant l'accord conclu le 21 juin. (*ibid.*, feuille, 72, *i.e.* page 9 de l'aide mémoire).
2. SAPMO-BArch DY 30/ IV 2/20/ 354, feuille 61, p. 2 d'une lettre de Günther Kohrt à Otto Winzer, Vice-ministre des Affaires Étrangères, du 20 août 1960. Cf. note 2, p. 56

soigneusement la ligne décidée par le bureau politique et ne conclue pas des accords de façon arbitraire.[1]

Il est cependant peu probable qu'un blâme de la sorte pour le chef de la délégation qui négociait avec la délégation du GPRA ait pu être émis uniquement pour un « vice de forme », c'est-à-dire à cause d'un dépassement de compétences par celui-ci. Il est plus logique de penser qu'il s'agissait du contenu de l'accord, des concessions faites à un régime qui n'avait jusque là pas fait un seul geste de reconnaissance concrète envers un État qui non seulement le soutenait au niveau idéologique, mais qui l'aidait concrètement dans son conflit avec la France.

En effet, il est avéré que, dès le début de l'affaire, le fond de la polémique était idéologique. Il s'agissait d'un conflit entre partisans d'une politique « réaliste » et les idéologues du SED. Les uns voulaient arriver à une attitude plus favorable du partenaire en vue d'une future reconnaissance diplomatique, en faisant des concessions au GPRA. Les autres voyaient poindre des problèmes avec les frères communistes d'Algérie[2], en l'occurrence avec le PCA. Ils se dressaient alors en gardiens des principes du fonctionnement de l'État « socialiste » – le prétendu « centralisme démocratique » – où c'était le parti qui décidait. Cette fraction des politiques est-allemands prétendait respecter les bases idéologiques communes entre les deux partis communistes – et les frères algériens devaient se servir de cette attitude pour contrecarrer les manœuvres de leurs rivaux du FLN.

Le CC du SED clarifia également dès le début de la polémique les raisons pour lesquelles le FLN insistait sur ce que Schwab avait « naïvement » concédé : il s'agissait du contrôle politique des Algériens sur place et de l'intention d'écarter une influence idéologique « positive », exercée entre autres par le parti frère algérien. Dans la lettre de Kohrt, du département des relations internationales du CC, au vice-ministre du MfAA Winzer, on trouve la raison du courroux des idéologues du SED :

Les deux accords sont dirigés exclusivement contre le PC d'Algérie et les forces qui sympathisent avec lui.[3]

La délégation du GPRA, assez habilement, avait argumenté que la décision d'une autorisation officielle du FLN ou l'un de ses organes pour les citoyens algériens se dirigerait contre les activités des « éléments asociaux et contre-révolutionnaires du MNA »[4] – comme par ailleurs l'avaient déjà affirmé les interlocuteurs algériens du FDGB avant l'accord du 24 mai 1960. Ceci laisse supposer que les deux délégations n'agissaient pas de façon totalement indépendante, puisqu'elles avaient un argumentaire commun.

Dans le rapport du MfAA, cet argument avait été pudiquement détourné de la cible explicite des représentants du FLN, dans la mesure où Schwab avait évoqué le

1. SAPMO-BArch DY 30/ IV 2/20/ 354, feuilles 18 et 19, lettre de Kohrt à Winzer, du 21 juillet 1960 (« une discussion de fond » signifie dans le contexte très clairement un blâme!).
2. Selon la lettre de Kohrt à Winzer (20 août 1960), Bouhali avait « exprimé son étonnement » sur l'accord (*ibid.*, feuille 62). Le terme « étonnement » semble être, dans le contexte, passablement en deçà de la réalité.
3. SAPMO-BArch DY 30/ IV 2/20/ 354, feuille 18.
4. *Ibid.*, feuille 20, dans la réponse de Winzer à Kohrt, datée du 28 juillet, celui-ci cite le résumé de son ministère sur les négociations : « Le secrétaire général [...] dit qu'ils veulent écarter des éléments asociaux et contrerévolutionnaires (MNA). »

« problème Berlin-Ouest », d'où viendraient des « douzaines d'individus », qui affirmeraient d'être « des citoyens algériens et combattants pour la liberté ». L'accord était censé servir à éviter que « des espions et des escrocs arrivent chez nous ». Pour Günter Kohrt de la direction du SED, l'argument du MNA – même détourné vers le danger d'espionnite – n'était pas concluant.[1] Il profita de l'occasion pour rappeler au vice-ministre du MfAA que le FLN n'était pas un mouvement frère, idéologiquement parlant :

> Pour les forces dirigeantes du FLN, bourgeoises et anticommunistes, l'évocation du MNA sert de toute évidence de prétexte pour repousser en vérité, par tous les moyens, l'influence des forces progressistes sous la direction du Parti Communiste Algérien. L'argument sur le MNA a par ailleurs été caractérisé par le camarade Büttner, lors d'une discussion avec le camarade Röhner, collaborateur de notre délégation, comme prétexte donné par les représentants algériens pour œuvrer chez nous, contre les cercles de gauche.[2]

L'impression des idéologues du SED que cet argument était un prétexte est entre autres corroborée par le fait que le MNA n'apparaît nulle part dans le rapport d'Aït Chaalal, pourtant assez exhaustif, pour son ministère en Algérie.

Plus loin, Kohrt regretta que le contenu de l'accord sur la « sélection » des Algériens, fût largement répandu parmi les citoyens algériens en RDA, « grâce à l'appareil du FLN ». Ainsi une certaine incertitude se serait fait sentir parmi les ouvriers et les étudiants progressistes, renforcée par l'autre volet de l'accord qui prévoyait qu'un représentant permanent de l'UGTA fût délégué auprès du FDGB.

Mais ce que Kohrt semblait regretter le plus est que le secrétaire général de la Délégation extérieure du Parti Communiste Algérien fût déjà au courant de l'affaire – et cela très tôt, quelques jours seulement après l'accord – et qu'il ait protesté de façon quasi officielle, au nom de son parti.[3] Par l'évocation même de cette protestation, la direction du SED signifia qu'elle ne considérait pas le PCA comme une quantité négligeable, et cela évidemment pour des raisons idéologiques.

En effet, le PCA ne s'était pas trompé sur les dispositions accordées par le MfAA, et il réagit promptement. Larbi Bouhali se rendit immédiatement à Berlin, où il rencontra, dès le 7 juillet 1960, le directeur adjoint du département des relations internationales du CC du SED, Neumann.[4] Le résumé de cet entretien rend compte

1. La réponse de Winzer à Kohrt du 28 juillet 1960 est par ailleurs aussi cinglante ; non seulement Winzer persiste et signe sur le danger de l'entrée de mauvais éléments en RDA qui passeraient par Berlin-Ouest – ce qui justifie l'accréditation des Algériens par le GPRA –, mais encore il rétorque au CC qu'un délégué algérien auprès du FDGB ressort de la décision de celui-ci – ce que le MfAA aurait parfaitement respecté : « Je ne vois pas pourquoi on ferait au camarade Schwab des reproches de ne pas exécuter des décisions relevant de cet accord, qui laisse entière liberté de décision au FDGB. » Winzer conclut, avec une colère à peine retenue : « Enfin, je donne au camarade qui a préparé la lettre le conseil de principe de s'informer désormais avec plus de soin, avant d'avancer de telles accusations dans des lettres. »
2. SAPMO-BArch DY 30/ IV 2/20/ 354, feuille 62, souligné dans le texte.
3. SAPMO-BArch DY 30/ IV 2/20/ 354, feuille 62, p. 3, 7. 7. 1960. Dans cette même lettre au MfAA du 20 août 1960, Kohrt insiste sur le fait que le Secrétaire général du PCA « qui nous a rendu visite quelques jours après les négociations était déjà au courant de tout. Il nous a fait part de l'avis officiel du Parti, à savoir que ces accords ne se dirigent que contre le PC et les forces qui sympathisent avec lui, et exprima son étonnement concernant les promesses du MfAA. »
4. Selon la liste des participants aux pourparlers, SAPMO-BArch DY 30/ IV 2/20/ 354, feuille 64 ; puisqu'il apparaît comme premier sur cette liste et donc comme le participant le plus haut placé dans la hiérarchie, il pourrait s'agir de Alfred Neumann qui était à cette époque membre du bureau politique et secrétaire du CC du SED.

de la déception de Bouhali d'avoir appris l'existence de l'accord entre le MfAA et le GPRA par la presse communiste française, en l'occurrence *L'Humanité*, mais surtout de sa stupéfaction, et de son entière désapprobation dudit accord.[1]

Selon le rapport de Neumann, Bouhali regretta amèrement le fait que le GPRA pouvait désormais donner son autorisation à toute entrée d'un Algérien en RDA ; cet accord devait donner au GPRA un pouvoir exorbitant concernant les Algériens – surtout ceux qui ne se trouvaient pas sur la ligne du FLN/GPRA. Ce contrôle incluait logiquement, selon le PCA, le droit de révocation de concitoyens proches du parti :

> [le GPRA pourrait rappeler] un étudiant ou un travailleur, si celui-ci est en disgrâce auprès du gouvernement algérien [après l'avoir dénoncé auprès des autorités du FLN, FT].[2] [...] Cette mesure se dirigerait exclusivement contre le Parti Communiste de l'Algérie. »[3]

Un tel contrôle total du FLN sur les activités des Algériens en RDA devait désormais rendre impossible « tout travail politique parmi les étudiants et les ouvriers en RDA ».[4]

Concernant la présence d'un représentant permanent du syndicat à Berlin, Larbi Bouhali fit parvenir à son partenaire l'information suivante :

> Le gouvernement algérien tend à ouvrir ce genre de bureaux dans les pays socialistes et l'on s'en sert pour faire du travail de sape contre le parti.[5]

Le secrétaire général du PCA suggéra donc que si les autorités de la RDA acceptent l'installation d'un représentant syndicaliste, elles acceptent l'installation, sur leur territoire, d'une sorte de bureau du GPRA – comme l'avait revendiqué Aït Chaalal dans les conclusions de son rapport.[6] Le représentant du MfAA, Schwab, qui avait essayé de contrecarrer cette tentative du GPRA, d'installer en RDA un bureau qui aurait ressemblé à celui en RFA – parce qu'il ressemblait aux yeux des négociateurs est-allemands plutôt à une ambassade au rabais –, s'était fait complètement leurrer par le FLN/GPRA.

Quand Ahmed Kroun, délégué permanent de l'UGTA, arriva à Berlin Est à la fin septembre, contre l'avis du FDGB et des membres du département de politique étrangère auprès du CC du SED, sa présence à elle seule était déjà assez embarrassante

---

1. *Ibid.*
2. *Ibid.* ; L. Bouhali donne même un exemple concret de ce genre de pratiques de délation d'ouvriers communistes au GPRA de la part d'un certain Lounissi (ou Lounici), ancien étudiant à Berlin. En marge de ce rapport se trouve une note manuscrite qui indique que le dit Lounissi est maintenant secrétaire au Ministère des Affaires Étrangères du GPRA. Dans un rapport daté du 7 novembre 1960, l'auteur (Löbel, Hauptreferent) précise « qu'un ancien étudiant de l'Université en économie planifiée à Karlshorst, Ali Lounici, s'est rendu, au mois de juillet, au Congrès National des Étudiants à Tunis n'est pas revenu. La dite personne exerce maintenant l'activité de secrétaire politique au ministère des affaires étrangères du GPRA. » SAPMO-BArch DY 30/ IV 2/20/ 355, feuille 74. Le problème du rapatriement des étudiants algériens sera traité dans le chapitre « Formation et endoctrinement communiste... ».
3. *Ibid.*
4. *Ibid.* , feuille 63.
5. *Ibid.*
6. À l'époque, fin juin 1960, les Algériens avaient défini les tâches d'un représentant gouvernemental ainsi : « Comme champ d'action serait prévu uniquement le territoire de la RDA. Avec l'autorisation du gouvernement de la RDA, des voyages dans les pays alliés, la République populaire de Pologne et la CSR, pourraient être effectués. » (SAPMO-BArch DY 30/ IV 2/20/ 354, feuille 14).

pour ces institutions. Or, pour aggraver son cas, il ne s'occupait pas uniquement des « petites questions matérielles » des ouvriers, comme l'avaient prévu les accords entre le MfAA de la RDA et la délégation du GPRA, en juin.

Pour contrer les actions du délégué de l'UGTA ou pour écourter sa présence, on voit en filigrane un jeu subtil entre le département de politique étrangère du CC, le département des relations internationales du FDGB et le PCA. Le SED prenait le rôle principal, le PCA celui de l'instigateur en coulisses et le FDGB celui de l'exécutant – qui subissait, de temps à autre, des pressions de la part du SED.

Fin novembre eut lieu, au Département de politique étrangère auprès du CC du SED, une discussion qui eut comme seul sujet les relations avec le GPRA et ses organisations. Dans une « Disposition » du 28 novembre 1960, protocole de la discussion, l'auteur évoqua dès l'ordre du jour les difficultés créées par le représentant du syndicat algérien :

> Celui-ci se fait passer, devant les étudiants algériens, pour le plénipotentiaire du Gouvernement Provisoire et s'arroge le droit de régler des questions de relations inter-étatiques.[1]

Le rapport précisait que Kroun, qui n'avait jamais présenté de document écrit émanant de l'UGTA et l'autorisant à agir auprès du FDGB – on le répétait ici comme le répétaient en permanence les fonctionnaires du FDGB –, essayait d'asseoir son influence dans les universités et les entreprises où se trouvaient des étudiants et des ouvriers algériens, sans consulter le FDGB. Il avait des contacts à Berlin-Ouest et essayait de nouer des contacts avec la Pologne et avec la CSSR. Le CC du SED lui reprocha donc les mêmes dépassements de compétences que le FDGB.[2]

Les participants au débat de novembre trouvaient trop importante l'accumulation de dérives par rapport aux accords pour maintenir le délégué officiel dans sa fonction. Aussi décidèrent-ils d'intervenir auprès du FDGB pour que celui-ci « annule l'installation permanente du représentant syndical algérien » et demandèrent au président du FDGB d'évoquer, dans une lettre au secrétaire général de l'UGTA, les difficultés concernant la collaboration avec Kroun, et de proposer « pour remplacer la mission permanente de M. Kroun, l'organisation de ces relations par des *pourparlers communs périodiques* concernant la réalisation des engagements réciproques issus des accords conclus au mois de juin 1960 ». On en revint donc même au CC du SED à l'accord UGTA-FDGB avant la mission d'Aït Chaalal. Fermement on ordonna à la direction du FDGB :

> Le rappel de M. Kroun doit être demandé et les précautions nécessaires doivent être prises pour que son visa ne soit pas prolongé.[3]

Ce qui est frappant dans la « Disposition » est avant tout le fait que le MfAA n'y est même pas mentionné, bien que ce fût ce ministère qui avait négocié les accords qui avaient permis l'envoi du délégué. Le SED ne considérait manifestement pas ce

1. SAPMO-BArch DY 30 / IV 2/20/ 354, feuille 82, 28.11.1960. Pire : non seulement Kroun se présente auprès des étudiants algériens comme plénipotentiaire du GPRA, mais il est présenté par un étudiant comme tel à des camarades du Secrétariat d'État, lors d'une visite, sans que l'on ne corrige cette « erreur » (*ibid.*, feuille 84).
2. *Ibid.*, feuille 84 et 85; cf. la lettre de Deubner du FDGB à Schwab du MfAA (SAPMO-BArch DY 34/ 2133, 15 octobre 1960, note 38) qui a trouvé, d'une façon ou d'une autre, son chemin également au CC du SED.
3. *Ibid.*, feuille 87.

ministère comme une autorité compétente, ceci même après la tentative de conciliation entre le « Bundesvorstand » du FDGB, représenté par Rolf Deubner, et Sepp Schwab du MfAA, dans la deuxième moitié du mois d'octobre.[1]

Le SED applique la politique demandée par le PCA

Un autre élément doit être pris en considération : le SED, loin de soutenir une politique « réaliste » voire « machiavélique » en faveur d'un gouvernement qui pouvait reconnaître la RDA au niveau international, suivait à la lettre les revendications du parti frère algérien concurrent plutôt malheureux du FLN et de ses organisations.

En effet, Larbi Bouhali avait écrit, entre autres au sujet de Kroun, une lettre au « Comité Central du Parti Unifié Socialiste d'Allemagne », le 1er novembre 1960.[2] Dans cette lettre, il ne cachait pas sa colère concernant d'abord l'individu Kroun et puis le SED qui se serait fait abuser en acceptant un délégué permanent du FLN par le biais du FDGB. La liste des reproches concernant Kroun était longue :

> [...] le nommé Kroun [...] réside à Berlin avec sa femme et ses enfants aux frais de la F.D.G.B. [...]
> Il convoquerait régulièrement étudiants et ouvriers algériens pour leur dire qu'il est le représentant officiel du GPRA.
> Il prend également contact avec des éléments qu'il convoque de Berlin-Ouest.
> Il manœuvre pour faire dissoudre la section des étudiants algériens (UGEMA) de Berlin-Est parce que dirigée par des éléments communistes.
> Il espère une fois installé dans « ses appartements et son bureau » pouvoir rayonner de là sur les autres démocraties populaires d'Europe.
> Pour avoir un contrôle effectif sur tous les Algériens il veut se servir des jeunes Algériens qui ont suivi des formations syndicales [...][3]

Tout cela n'était pas l'activité d'un individu isolé, selon la missive, mais la suite logique d'une politique du FLN, contre laquelle les communistes algériens avaient clairement mis en garde leurs camarades allemands :

> À la vérité, cette activité ne nous étonne pas. Lorsque la question nous a été posée par les camarades de la F.D.G.B. pour savoir notre opinion sur une éventuelle représentation de l'UGTA en R.D.A. nous avons répondu qu'à notre avis ce que le F.L.N. n'a pu faire officiellement sous son égide, il désire le faire de manière camouflée notamment par l'intermédiaire de l'U.G.T.A. C'est pourquoi nous avions dit que si la RDA n'estimait pas opportune une représentation officielle du FLN elle n'avait pas à accepter une représentation de l'UGTA étant donné que la F.D.G.B. était capable de s'occuper elle-même des travailleurs algériens ce qui n'exclut pas des *contacts périodiques entre représentants de la F.D.G.B. et de l'U.G.T.A.*[4]

Bouhali connaissait donc lui aussi l'accord du 24 mai 1960 entre l'UGTA et le FDGB qu'il citait presque littéralement.[5] Selon le secrétaire général du PCA, non

---

1. SAPMO-Barch DY 34/ 2133, lettre de Rolf Deubner à Sepp Schwab, où il se plaint de l'accord conclu entre GPRA et MfAA. La réponse de Schwab (*ibid.*, 25 octobre 1960) parle de « suppositions incorrectes », trouve une réponse écrite « inutile » et propose une « conversation personnelle ». Malheureusement, je n'ai pas trouvé trace de celle-ci dans les archives.
2. SAPMO-BArch DY 30/ IV 2/20/ 353, feuille 68 à 70.
3. *Ibid.*, p. 1, feuille 68.
4. *Ibid.*, p. 1/2, feuille 68/69.
5. Comme les protagonistes du FDGB étaient par ailleurs au courant de la position du PCA au plus tard après la réunion de crise chez les collègues du département de politique étrangère après du CC vers le 22 septembre et qui concernait l'arrivée subite de Kroun (voir ci-dessus, note 4, p. 111).

seulement l'accord entre UGTA et FDGB suffisait pleinement comme moyen de concertation, mais pour lui les personnes visées par les activités du GPRA et son délégué permanent ne faisaient aucun doute ; de même on connaissait les personnes qui, en RDA, foulait aux pieds l'idéal commun des partis frères :

> À notre avis, le but recherché par le FLN est [...] de briser l'influence du PCA qu'il commence à sentir aussi bien dans les milieux étudiants qu'ouvriers. C'est pourquoi il cherche à tout prix à avoir un homme sur place pour atteindre cet objectif. [...] Donc, compte tenu de ce qui précède, ce n'est pas seulement le Parti Communiste Algérien qui est visé en l'occurrence, mais notre idéal commun auquel il veut soustraire les Algériens résidant en R.D.A.[1]

Le SED – c'est cela qui semblait chagriner particulièrement le représentant du parti frère – avait laissé entrer le loup dans la bergerie, non seulement au niveau de la politique d'influence d'un parti ou d'un autre, mais surtout au niveau idéologique. En effet, le FLN visait à détruire l'idéal commun aux deux partis par le biais de son délégué officiel, et tendait même à élargir ce travail de sape vers d'autres pays socialistes en abusant de l'hospitalité de la RDA. Par là, il réussit ce que lui avait été refusé initialement, à savoir établir un bureau officiel du GPRA en RDA – et le tout sans faire le moindre effort en vue d'une reconnaissance diplomatique de la RDA.[2] La seule conséquence possible qui s'imposa selon Larbi Bouhali était de renvoyer Kroun :

> À notre avis, partant de l'activité même déployée par KROUN durant son court séjour en R.D.A., il vous est possible de demander son rappel à l'U.G.T.A. en expliquant que son activité s'est révélée *incompatible avec les lois de votre pays*. Il vous est possible aussi de dire que dans l'intérêt des rapports amicaux entre les deux centrales syndicales *il vaudrait mieux revenir à l'ancienne formule qui consiste à recevoir périodiquement les représentants de l'U.G.T.A. pour discuter de problèmes communs* et en particulier des Algériens résidant en R.D.A.[3]

Quand on compare le texte de la lettre de Bouhali au CC du SED et le document du 28 novembre, l'on constate que, dans la « Disposition », plusieurs passages correspondent de façon étonnante, comme le possible élargissement de l'activité du FLN vers d'autres républiques populaires et l'usurpation de la part de Kroun de fonctions qu'il n'avait pas.[4] Mais ce qui est le plus frappant c'est la formulation que le SED voulait faire adopter par le FDGB pour qu'il se débarrasse de cet individu : c'étaient au mot près les propos de Bouhali, à savoir le fait que Kroun agissait de façon incompatible avec les lois de la RDA et la proposition de consultations réciproques communes et périodiques, telles que l'accord avec le FDGB du 24 mai 1960 les avait prévues.

Une première fois, on peut considérer ce phénomène comme un hasard. Mais après moult péripéties avec Kroun, le SED arriva finalement au bout de sa patience. Une fois de plus, on a l'impression que la délégation extérieure du PCA dictait au SED ce qui concernait Kroun. En effet, les consultations entre une délégation du PCA, représenté

---

1. SAPMO-BArch DY 30/ IV 2/20/ 353, p. 2, feuille 69.
2. Comme nous l'avons vu, cette crainte du PCA correspond exactement aux intentions du GPRA, exposées dans son rapport par Aït Chaalal (HARBI, *Archives...*, Doc. 101). En revanche, dans les lettres de Bouhali au SED, la reconnaissance n'est jamais mentionnée, puisque le secrétaire général devait s'en méfier, car elle pouvait amener la RDA à sacrifier son parti pour l'obtenir.
3. SAPMO-BArch DY 30/ IV 2/20/ 353, p. 2, feuille 69.
4. Certes, en 1958 et 59, Mohammed Yala avait ouvertement revendiqué une activité internationale pour un bureau du FLN à Berlin-Est. Il est pourtant peu probable que Bouhali était au courant de ces agissements.

par Bouhali et son camarade Boudiaf du CC du PCA, et le SED, qui eurent lieu du 27 au 30 mars 1961[1], eurent comme résultat la proposition du SED d'expulser Kroun :

> Le délégué permanent de l'UGTA auprès de la présidence du FDGB, Kroun, doit être expulsé de la République Démocratique Allemande pour avoir *violé en permanence les lois de la RDA* [...].[2]

Bouhali avait suggéré : « son activité s'est révélée incompatible avec les lois de votre pays », et le SED l'avait suivi.

Comme nous l'avons vu, Kroun resta à Berlin-Est jusqu'au mois de mai, mais finalement la RDA réussit à faire en sorte qu'il prenne congé.[3] En revanche, le département de politique étrangère du SED n'était apparemment pas au courant de la cérémonie amicale précédant ce départ. Dans une note qui concerne les étudiants algériens et le « collègue Kroun » datée du 15 novembre 1960, on trouve la remarque manuscrite de Kurt Schwotzer du même département : « Selon une information, Kroun, Ahmed a quitté la RDA début mai 1961 ».[4]

Suites de l'affaire Kroun

Étant donné que Kroun avait demandé lui-même son rappel devant les responsables du FDGB – du moins selon Walter Tille[5] – et la façon courtoise dont sa prise de congé s'était passée, l'on aurait pu croire que cette affaire était désormais close. Et que finalement, les querelles de personnes avaient été oubliées et qu'un nouveau délégué pourrait s'installer à Berlin-Est – comme l'avait prévu le rapport de Jupp Battel en janvier 1961.

Or, il n'en fut rien, Kroun et son départ plus ou moins volontaire continuaient à faire des vagues et les autorités d'Algérie allèrent presque jusqu'à la rupture - au moins entre l'UGTA et le FDGB.

De façon non officielle, l'Algérie fit savoir que les reproches contre Kroun – qui se trouvait encore à Berlin – n'avaient pas été présentés « convenablement » ; en effet, Fritz Möllendorf, réalisateur de films documentaires, au retour d'un tournage en Algérie, avertit ses supérieurs que les termes dans lesquels la RDA avait présenté son mécontentement envers Kroun, avaient été très mal pris sur place.[6]

Après le départ de Kroun, les autorités de RDA se trouvaient en face d'un phénomène rare « chez eux », à savoir des protestations officielles de la part de certains étudiants de l'UGEMA, qui « ont rédigé des résolutions de protestation et exprimé leur regret par rapport à cette expulsion ».[7]

---

1. SAPMO-BArch DY 30/ IV 2/20/ 353, feuilles 105 à 129.
2. *Ibid.*, feuilles 109/110.
3. SAPMO-BArch DY 30/ IV 2/20/ 354, feuille 162 ; en Algérie, le départ de Kroun a été considéré comme une expulsion, malgré la petite cérémonie d'adieu organisée par le FDGB : ainsi dans un rapport non signé sur une rencontre avec le secrétaire général de l'UGEMA au conseil central du FDJ, celui-ci regrette l'expulsion (« Ausweisung ») de Kruhn [*sic*].
4. SAPMO-BArch DY 30/ IV 2/20/ 353, feuille 78.
5. Voir lettre de Tille à Maâchou du 17 mai 1961, note 68.
6. SAPMO-BArch DY 30/ IV 2/20/ 354, feuille 131, Möllendorf à Adameck, le 20 mars 1961.
7. SAPMO-BArch DY 30/ IV 2/20/ 354, feuille 160, « Information über eine Aussprache mit Bou Abdallah, Generalsekretär der UGEMA am 7. 6. 61 im ZR der FDJ (non signé) ». Le même dossier se trouve dans MfAA B 3010, feuilles 318 à 320.

Au mois d'août 1961 arriva au FDGB une lettre d'Embarek Djilani, dans laquelle le secrétaire de l'UGTA attaquait de façon virulente le FDGB et la RDA, à cause des difficultés qu'y avait eues jusqu'ici aussi bien le gouvernement algérien que son délégué Kroun.

Djilani commença par l'accusation « que de nombreux Algériens étaient placés dans des camps », pour enchaîner sur la fonction d'un délégué permanent qui aurait pu éviter bien de problèmes :

> Par ailleurs, de nombreux Algériens se rendaient en DDR sans aucun contrôle de notre part et du vôtre, leur situation n'a cessé de soulever des problèmes tant pour vous que pour nous. Les membres de nos délégations n'ont cessé d'attirer votre attention sur leur cas en insistant notamment sur la nécessité d'avoir un responsable permanent de notre organisation. Le camarade en question vous aurait aidé considérablement au règlement de tous les problèmes, ce qui vous aurait évité une perte de temps et des désagréments. [...] Il vous aurait aidé dans la connaissance de nos problèmes et nous aurait édifié sur les vôtres. Malheureusement notre proposition et nos lettres sont restées sans réponse. Cela nous a causé une grande déception et une grande inquiétude. [...] Puis il est venu se greffer le cas du camarade KROUN, chargé d'une mission de représentation dans le cadre d'un accord bien conclu entre votre gouvernement et le nôtre. Mais sa mission n'a pas été facilitée et toutes les entraves lui ont été faites. Vous vous êtes empressés de « l'expulser » de votre territoire en arguant de l'achèvement de sa mission.[1]

L'évocation du cas Kroun de la part de Djilani est contradictoire dans le contexte ; en effet, l'auteur de la lettre mentionne le refus de la RDA de laisser y séjourner un délégué permanent de l'UGTA. Or, Kroun avait bien été accueilli en RDA. En tout cas, sa soi-disant expulsion était un trop bel argument pour que Djilani fît une interprétation minutieuse de cette affaire compliquée. Il continue, pour faire bonne mesure, avec l'exemple d'un pays, où, selon lui, tous ces problèmes étaient parfaitement résolus, la RFA. Était-ce une perfidie de sa part ou était-ce un hasard d'évoquer la rivale de la RDA justement au moment où cette dernière s'apprêtait à construire le mur de Berlin ? De toute façon, louer le bon fonctionnement de la RFA dans une lettre à des autorités de la RDA n'était certainement pas innocent de la part du secrétaire de l'UGTA :

> Une situation pareille a été réglée dans les meilleures conditions en République fédérale Allemande où nous avons près de 4.000 travailleurs réfugiés. Nous avons à Cologne une délégation de l'UGTA et des responsables dans tous les « lands ». Cette délégation travaille en étroite collaboration avec le DGB et dispose de nombreux bureaux aux frais du DGB [...] Pourquoi n'en serait-il pas de même en D.D.R. ?[2]

Le chiffre que donna le secrétaire de l'UGTA, est probablement exagéré[3], mais il montra bien aux autorités de la RDA où ne séjournaient que « plusieurs centaines de travailleurs algériens »[4] que la RDA était moins importante que la RFA et que son personnel était incapable de gérer correctement si peu d'individus.

---

1. SAPMO-BARCH DY 34/ 2133, Lettre (en français) de Djilani à Tille (8 août 1961), p. 1 et 2, soulignement dans l'original.
2. *Ibid.*, p. 2 ; cf. sur la réalité des faits relatés cf. CAHN, Jean-Paul/MÜLLER, Klaus-Jürgen : *La République fédérale d'Allemagne et la Guerre d'Algérie*. Paris, le Félin 2003, p. 337/38. Les auteurs corroborent grosso modo les affirmations de Djilani.
3. *Ibid.*, p. 463, où les auteurs parlent de deux à trois mille Algériens qui « trouvèrent refuge en RFA » ; égalemet BOUHSINI, Sabah : *Die Rolle Nordafrikas (Marokko, Algerien, Tunesien) in den deutsch-französischen Beziehungen von 1950 bis 1962.* Aachen 2000, p. 196, qui parle d'environ 2000 Algériens qui y vivent légalement, en 1959, et entre 500 et 1000 clandestins, pour la plupart des réfugiés de France.
4. SAPMO-BARCH DY 34/ 2133, Lettre de Djilani à Tille (8 août 1961), p. 1.

Malgré ces fortes attaques, Djilani répondit favorablement à une invitation de Tille du 26 juillet à venir en RDA pour débattre de l'avenir des relations entre les deux syndicats. L'UGTA accepta cette invitation et annonça une délégation pour le mois d'août (à cause du remaniement du GPRA en août 1961, Djilani et son collègue Brahim Bendriss devaient venir seulement en novembre). Toutefois le secrétaire de l'UGTA adressa un avertissement sévère à ses collègues est-allemands :

> Vous pensez bien qu'il y a suffisamment de points de frictions qui rendent nos relations de plus en plus gênantes et nous envisagions la possibilité d'interrompre tous liens avec votre organisation et porter les faits sur le plan public.[1]

En mettant sa phrase au passé, Djilani enleva habilement son actualité à son propos, pourtant la menace en restait une.

Que la réaction du FDGB fût indignée n'est pas étonnant, mais elle ne se manifestait pas à l'extérieur. Heinz Neuhäuser prépara une réponse à Djilani, mais on ne trouve pas trace d'une lettre. Le secrétaire du département des relations internationales du FDGB réfuta en bloc toutes les accusations algériennes :

> ➞ Il n'y a pas de camps. Peut-être a-t-on accueilli des Algériens dans des foyers provisoires après leur passage de la frontière. [...]
> ➞ Notre proposition sur les discussions régulières avec un représentant de l'UGTA date du mois de mai 1960. L'UGTA n'a pas respecté cet accord. KROUN ne peut être considéré comme représentant syndical. [...]
> ➞ Il est politiquement de mauvais goût que les Algériens nous présentent leurs assassins comme exemple positif.[...]
> ➞ Kroun n'a pas été expulsé.[2]

Finalement, la rencontre entre Djilani et le FDGB eut lieu en novembre 1961. En RDA, on l'avait soigneusement préparée. Un document non signé ni daté qui s'appelle « base de discussion », un dossier qui contenait à l'origine apparemment 17 annexes, a probablement servi de point de départ pour le deuxième document appelé « Base de discussion pour les négociations avec la délégation syndicale algérienne ».[4] Dans ce document préparatoire, l'auteur ne lésina pas sur les critiques envers l'UGTA qui étaient, selon le rapport, toutes justifiées par des documents annexés.[5] À part les problèmes de rapatriement[6], l'auteur déplora l'attitude de l'UGTA et de son délégué dans le passé : son manque de coopération, l'attitude négative de Kroun, son influence néfaste sur les étudiants syndiqués et ses calomnies contre la RDA.

1. *Ibid.*, p. 3.
2. SAPMO-BARCH DY 34/ 2133, note de service du 24 août 1961.
3. SAPMO-BArch DY 34/ 2133, « Diskussionsgrundlage für die Aussprache des Kollegen W. Tille mit den algerischen Kollegen Djilani und Ben Driss » et « Linie für Verhandlungen mit der algerischen Verhandlungsdelegation » du 19 octobre 1961. Le MfAA a par ailleurs « encouragé » le FDGB à reprendre les activités envers l'UGTA et de proposer de l'aide (SAPMO-BArch DY 34/ 3379, 17 octobre 1961).
4. Les annexes ne se trouvent malheureusement pas dans le document.
5. Ces questions seront traitées dans les prochains chapitres.
6. SAPMO-BArch DY 34/ 2133, directives du 19 octobre 1961, p. 1. Neuhäuser demande entre autres : « une base politique claire : unité dans la lutte anti-impérialiste, en particulier contre l'impérialisme ouest-allemand. La coopération demande également une estime réciproque. »

En revanche, les « directives de négociation » rédigées par Heinz Neuhäuser, étaient dirigées vers l'avenir ; les conditions pour une coopération étroite avec l'UGTA y étaient fixées.[1] Puis l'auteur posa la question de l'honnêteté de l'UGTA et, au vu des expériences passées, spécula sur les intentions de la centrale syndicale algérienne. Plusieurs strates politiques furent réunies en quelques phrases : le problème des contacts de l'UGTA avec le DGB ouest-allemand, les intrigues de Kroun, le PCA et son encouragement à résister au FLN, comme la question de la reconnaissance, évoquée en relief sur fond de discussion sur le rapatriement des Algériens en RDA :

> Existe-t-il assez de confiance et d'honnêteté à l'UGTA ou la rupture des relations prononcée par l'UGTA aurait-elle été provoquée par des gens comme Kroun ou autres après que l'UGTA ait établi des relations étroites avec le DGB [...] ?
> [Le rapatriement des Algériens ne peut être de la compétence de syndicats.] Mais apparemment le GPRA veut justement nous utiliser pour la réalisation de ce rapatriement, pour ne pas être obligé d'établir des contacts avec le gouvernement de la RDA. [...] A l'occasion d'une discussion avec le camarade Larbi Bouhali [...] au CC du SED, celui-ci nous invita à ne pas procéder à des expulsions et à ne pas laisser la direction de l'UGTA nous faire chanter.[1]

Pour encadrer les velléités probables du syndicat algérien, on prévoyait, dans les « directives », de remplacer l'accord du 24 mai 1960 – « jusqu'ici jamais réalisé » – par un accord avec « des objectifs précis » dont on demandait la publication aussi bien dans la *Tribüne* est-allemande que dans l'*Ouvrier Algérien*.[2]

La rencontre même, au début du mois de novembre, se déroula apparemment de façon moins houleuse que l'on aurait pu le craindre.[3] Pour commencer, les partenaires du FDGB « informèrent » les collègues algériens de la construction du mur de Berlin, des problèmes d'un traité de paix allemand et du règlement pacifique du problème de Berlin-Ouest.

Djilani avait à son tour une attitude diamétralement opposée à celle exprimée dans sa lettre du mois d'août. Tout ce qu'il dit devait plaire à ses interlocuteurs communistes. Non seulement il prétendit que l'UGTA romprait avec la CISL pro-occidentale[4], mais il informa ses collègues syndicalistes que le nouveau gouvernement algérien sous Ben Khedda avait des tendances politiques bien plus « gauchisantes » que le précédent :

> La guerre de libération pose maintenant de nouveaux problèmes. Il ne s'agit plus seulement de liberté politique, mais aussi de la solution des problèmes sociaux comme la réforme agraire etc. Il s'agit maintenant d'achever la révolution en Algérie qui se prolongera automatiquement par une révolution socialiste. Le nouveau chef du gouvernement Ben Khedda [...] était précédemment ministre pour les questions sociales et a séjourné pendant un certain temps à Moscou et à Pékin.[5]

En outre Djilani informa ses interlocuteurs que Kroun était désormais secrétaire au Ministère de l'Intérieur et que Majoub (*i.e.* Maâchou), « jusqu'ici directeur du

---

1. *Ibid.*, p.1/2.
2. *Ibid.*
3. Selon la note de service du 4 novembre 1961 (SAPMO-BArch DY 34/ 3379), signée Deubner sur la discussion entre les collègues Meier et Deubner (FDGB) et les collègues Djilani et Zefouni (UGTA) du 3 novembre 1961. Le même document se trouve en SAPMO-BArch DY 30/ IV 2/20/ 354, feuille 174 *sq*. Le document confidentiel devait être distribué non seulement au collègue Warnke du FDGB, mais également à Peter Florin du CC du SED et à Sepp Schwab du MfAA (p. 6).
4. *Ibid.*, p. 1.
5. *Ibid.*, p. 2.

secrétariat de l'UGTA », avait un poste dans la direction du Ministère des Affaires Étrangères.[1]

Après ces perches que les représentants de l'UGTA tendirent à la RDA – à côté du « virage à gauche » de la politique algérienne, la promotion de l'un des interlocuteurs principaux des autorités du FDGB, Maâchou, au ministère des Affaires étrangères pouvait être comprise par la RDA comme la présence d'un « ami » qui interviendrait à l'occasion en sa faveur directement au niveau diplomatique –, les Algériens posèrent à nouveau la question d'un délégué permanent à Berlin-Est.

Mais les représentants du FDGB tinrent bon. Malgré l'affirmation répétée que les délégués permanents existaient dans des pays aussi différents que la France, la Yougoslavie et l'Allemagne occidentale - les représentants de la RDA devaient apprécier ! – et la menace de retirer les Algériens de RDA en cas de refus, le FDGB resta catégorique :

> Au cours des discussions, le problème d'un délégué permanent algérien a une fois de plus été posé. [...] nous avons déclaré que cela n'était pas possible [...].[2]

Les représentants de l'UGTA firent alors la proposition de regrouper les Algériens en RDA, leur donner la possibilité d'élire un délégué local de l'UGTA (« Vertrauensmann ») ou une commission, qui pouvaient traiter des questions de discipline et assurer un contact permanent avec le FDGB. Cette proposition fut accueillie positivement par les interlocuteurs est-allemands. Ceux-ci insistèrent en même temps sur l'accord de mai 1960 qui avait prévu que l'UGTA n'envoie un délégué que tous les trimestres.[3]

Le FDGB réussit même à faire figurer explicitement l'accord du 24 mai 1960 – « jamais entré en vigueur », comme nous l'avons vu – dans l'accord du 6 novembre 1961 qui fixa les futures relations entre les centrales syndicales :

> 1) [Amélioration de la formation des ouvriers]
> 2) [...] nommer une commission composée de 3 à 4 ouvriers travaillant en RDA [qui] sera autorisée à mener avec l'accord de l'UGTA des pourparlers avec les directions de la FDGB [...] [entre autres sur rapatriement, FT]
> 3) En accord avec le communiqué de l'UGTA et de la FDGB du 24 mai 1960, un représentant de l'UGTA se rendra trimestriellement à Berlin, afin de discuter de toutes les questions découlant de la collaboration entre UGTA et FDGB et de s'entretenir avec les travailleurs algériens se trouvant en RDA. C'est avec ce représentant de l'UGTA que l'on pourra fixer, avec l'accord de la FDGB, de nouvelles dispositions se rapportant à cet accord. [...][4]

Ainsi, tout devait désormais aller mieux entre RDA et GPRA, au moins au niveau syndical. C'est en tout cas ce que pensait le vice-directeur du département, Hans Voß, dans une « information pour le secrétariat » du 13 décembre. Ce rapport retrace une fois de plus toutes les difficultés rencontrées avec Ahmed Kroun – avec comme analyse intéressante que ses activités perturbatrices avaient augmenté de façon considérable dès

---

1. *Ibid.*
2. *Ibid.*, p. 4. C'est tout de même la troisième fois, selon le document, que les Algériens ressassent la demande.
3. *Ibid.*, p. 5.
4. SAPMO-BArch DY 34/ 2133, 6 novembre 1961.

le début des négociations d'Évian entre la France et le GPRA –, les menaces de l'UGTA de rompre les relations, pour arriver à des conclusions proprement politiques et des résultats positifs pour la RDA.[1] Déjà le nouvel accord du 6 novembre dépassait, selon Voß, le cadre bi-latéral entre deux centrales syndicales :

> Partant de l'hypothèse que le mouvement de libération algérien est au centre de l'attention de tous les pays africains et qu'une bonne coopération entre le FDGB et l'UGTA a un impact énorme sur tous les syndicats d'Afrique, le nouvel accord entre FDGB et UGTA du mois de novembre 1961 a une grande importance et doit être considéré comme un pas en avant – malgré le fait qu'une prise de position concernant le problème allemand n'y figure pas.[2]

L'auteur construisit, d'une façon plutôt artificielle, une position algérienne concernant les deux Allemagnes en écrivant dans le communiqué commun, publié dans la *Tribüne* du 6 novembre :

> L'UGTA reconnaît le rôle de la RDA dans la lutte pour la paix et reconnaît l'existence de deux États allemands.[3]

Or, l'existence de deux États allemands n'apparaît pas expressément dans le communiqué ! C'était une déduction assez hasardeuse qui, à partir de la « reconnaissance du rôle primordial de la RDA dans la lutte pour le maintien de la paix », montrait qu'il y avait donc une autre Allemagne qui ne jouait pas ce rôle pacifique ; de là on pouvait déduire que cette Allemagne existait à côté de la RDA : la reconnaissance par l'UGTA de l'existence de deux Allemagnes en découlait en toute logique.

Par cette affirmation, l'auteur suggéra implicitement que la reconnaissance diplomatique de la RDA pouvait se réaliser rapidement[4], puisque le GPRA ne se cachait plus derrière une vague Allemagne réunifiée susceptible d'être reconnue un jour.[5]

Si l'on résume l'affaire Ahmed Kroun – autre orthographe « Khrun », « Krun » – avec ses ramifications, plusieurs constatations et questions s'imposent.

D'abord cette affaire – par la présence même du délégué permanent de l'UGTA en RDA – s'avère une conséquence de la volonté de la RDA d'être reconnue

1. SAPMO-BArch DY 34/ 2133 : « Information für Sekretariat über die Ergebnisse der Verhandlungen mit der Delegation der UGTA, 13.12.1961 », p. 2 et 3.
2. *Ibid.*, p. 2.
3. *Ibid.*, p. 7.
4. On ne doit pas oublier que le mur de Berlin a été construit seulement quatre mois avant cette date.
5. Comme il l'avait fait lors du problème évoqué par Mohammed Harbi quant à une demande de la part de la RDA d'établir des relations diplomatiques, où l'on avait répondu « qu'entre une Algérie libérée et une Allemagne réunifiée existeraient les meilleurs relations » (SAPMO DY 30/ IV 2/20/ 354, feuille 7). Dans une analyse non signée datée du 23 mars 1961 (« Analyse über den Befreiungskampf des algerischen Volkes » SAPMO-BArch DY 30/ IV 2/20/ 356, feuille 22, p. 7) on trouve un prétexte similaire qu'aurait présenté la délégation Belhocine/Chaalal : « La délégation soutenait le point de vue que l'Allemagne représente une nation qui a été divisée par certains événements. Elle déclarait en outre, que le GPRA reconnaît l'existence de deux États allemands et refuse l'arrogance de la RFA de représenter l'Allemagne entière. » Cette affirmation postérieure me semble extrêmement enjolivée vu les tensions qu'on put constater lors de la rencontre elle même. Ni dans les rapports de la RDA immédiatement après celle-ci, ni dans le rapport d'Aït Chaalal lui même, on ne trouve une telle déclaration.

diplomatiquement par le GPRA. Autrement ses autorités n'auraient jamais accepté la présence du délégué.

Puis on peut constater que la RDA se trouvait, dans le cas Kroun, devant le dilemme de soutenir d'un côté un mouvement de libération nationale que l'on analysait comme petit-bourgeois et nationaliste[1], et de l'autre, de maintenir une ligne « orthodoxe » communiste, qui se manifestait ici par l'« écoute » très attentive du parti frère communiste d'Algérie.

Ensuite, on note que dans ce cas précis, la ligne « idéologique » l'a emporté sur une éventuelle ligne « réaliste » de la politique envers les puissants de la future Algérie indépendante. Cette politique idéologique était en grande partie influencée par le PCA.

En effet, le renvoi de Kroun - quelle que fût la forme qu'il ait prise concrètement – était une victoire de l'idéologie au sein de la *nomenklatura* politique de la RDA qui ne voulait pas laisser entraver son idéal par des agissements, sur son sol, d'un délégué d'un futur État non communiste. On peut supposer que seule une reconnaissance diplomatique par le GPRA aurait pu faire fléchir les dirigeants de la RDA. Dès maintenant, on peut donc affirmer que la politique de la RDA, dans ce cas, n'était certainement pas « machiavélique » dans le sens qu'envisagent des auteurs comme Manfred Kittel ou Jan Lorenzen.[2]

Certes, le « diplomate » Sepp Schwab avait essayé de laisser une porte ouverte au gouvernement algérien en acceptant le délégué permanent syndical et le contrôle du GPRA concernant les ressortissants algériens sur le sol de la RDA.[3] Mais une première erreur du FLN intervint ici. Les quelques politiques algériens formés à la profession de diplomate l'avaient été « à l'occidentale » ; ils croyaient que leurs collègues de la RDA

---

1. Un exemple de cette analyse dans le « Perspektivplan für die Entwicklung der Beziehungen zwischen der DDR und der Republik Algerien im Jahre 1962 » (non signé, 8.2.1962, SAPMO-BArch DY 30/ IV 2/20/ 354, p. 1/2, feuilles 193/94).

2. Voir chapitre « Un bureau du FLN… », p. 60.

3. Le MfAA continue par ailleurs ses tentatives de faire reconnaître la RDA par le GPRA, en plein milieu de l'affaire Kroun, en février 1961. En effet, l'auteur d'une présentation pour la 9ème session du collège du MfAA (Kollegium des MfAA der DDR), le 20 février 1961, propose de forcer un peu les relations diplomatiques entre la RDA et le GPRA. Il évoque la reconnaissance de facto de la part de la RDA qui existerait vu les multiples relations « étatiques » entre les deux « États » depuis la création du GPRA en 1958. Il propose que l'ambassadeur auprès de la RAU, Wolfgang Kiesewetter, proclame publiquement cette reconnaissance *de facto*, ce qui aurait certainement un effet positif auprès du GPRA, du peuple algérien et d'un grand nombre d'États afro-asiatiques, en particulier arabes. (SAPMO-BArch DY 30/ IV 2/20/ 354, feuilles 116/17). Dans la suite, l'auteur des conclusions de cette séance (*ibid.*, feuilles 124 *sq.* du 11 mars 1961) propose concrètement de passer à une reconnaissance *de jure* unilatérale, de la part de la RDA : « Le GPRA doit être reconnu par le gouvernement de la RDA », phrase qui est corrigée par l'un des lecteurs de façon manuscrite : « sera reconnu ». La suite concrète : « L'ambassadeur Kiesewetter transmet, lors de sa visite d'investiture, la déclaration de la reconnaissance de jure de la part de la RDA au Premier Ministre du Gouvernement Provisoire Algérien, Ferhat Abbas » (*ibid.*, feuille 124). Ce scénario surréaliste n'a jamais pu être réalisé, mais il montre que le MfAA, hors toute scrupule idéologique, était prêt à reconnaître unilatéralement le GPRA, en pleine crise Kroun, et contre l'avis du PCA et surtout du SED. La reconnaissance *de jure* de la part de la RDA interviendra après le référendum algérien sur l'indépendance, le 1er juillet 1962, par une déclaration d'Otto Grotewohl, publiée dans le *ND* du 4 juillet – sans que l'Algérie n'y réagisse.

étaient des véritables autorités de l'État. Ils croyaient donc qu'après un contact « raté » avec le FDGB – l'accord du 24 mai 1960 –, ils pouvaient faire mieux avec une représentation de l'État, le MfAA.

Or, les représentants du FLN ne se rendaient pas compte que les autorités du MfAA devaient obéir à des ordres d'autres autorités, les autorités idéologiques de l'État est-allemand, représentées par des instances qu'ils ne connaissaient pas, les départements responsables rattachés au CC du SED, le parti unique. Ils ne savaient pas non plus que la centrale syndicale de la RDA avait à la limite plus de pouvoir que le MfAA, justement parce qu'elle était liée à l'appareil idéologique de la RDA. Les contacts systématiques entre le département des relations internationales du FDGB et celui du CC du SED le prouvent.

Le représentant du PCA, de son côté, connaissait la structure d'un État communiste. Il ne s'adressait pas au MfAA, mais agissait auprès des vrais responsables, les idéologues du parti – et il réussit à faire chuter le représentant de l'UGTA.

On peut donc dire que l'affaire Kroun est le résultat politique d'un malentendu « culturel » voire idéologique entre deux « classes » politiques « formées » à deux écoles diamétralement opposées.

Ceci est par ailleurs également le cas dans différentes autres strates de l'affaire.

Ainsi la RDA ne comprenait pas le rôle de Kroun auprès des Algériens sur place. En effet, on lui reprochait systématiquement de s'arroger la fonction du représentant permanent du GPRA, d'organiser le rapatriement d'Algériens et de nouer des contacts avec d'autres pays socialistes – tâches qui ne correspondaient pas à celles d'un délégué syndical.

Michel Martini, quand je lui ai posé la question sur l'attitude de Kroun comme délégué officiel du GPRA, s'est exclamé : « Mais ça, il l'a fait pour les Algériens ! »[1] – et pour les Algériens, UGTA, UGEMA et autres organisations étaient synonymes de GPRA et de FLN[2] ; il n'y avait donc, pour le partenaire algérien, aucune « arrogance » de la part d'Ahmed Kroun dans la fonction qu'il essayait de remplir.

Le PCA lui-même semblait d'ailleurs admettre ce rôle, au moins implicitement, comme nous l'avons vu. Larbi Bouhali évoqua plusieurs fois, dans le contexte de la contestation des concessions que Schwab avait faites à Aït Chaalal, le GPRA qui « pourrait rappeler un étudiant ou un travailleur, si celui-ci est en disgrâce auprès du gouvernement algérien », ou encore que le « gouvernement algérien tend à ouvrir ce genre de bureaux dans les pays socialistes ». Kroun agissant au nom de l'UGTA, un organe du mouvement qui formait ce gouvernement – Bouhali était très explicite là-dessus –, devait donc être légitimement considéré comme représentant du GPRA, par les Algériens en RDA.

Ce que les autorités de la RDA ne voulaient pas voir non plus, c'était qu'il y avait naturellement, dans un État en gestation et en guerre, une pénurie de personnel compétent. Le GPRA ne pouvait pas envoyer en RDA, via l'UGTA, une personne qui

1. Interview du 21 avril 2005. Martini ne connaissait pas Kroun, comme il l'affirme dans la même interview, et ne pouvait donc rien dire sur l'attitude personnelle du délégué de l'UGTA.

2. Pourtant Belhocine, lors des entretiens avec Schwab qui avaient abouti au compromis avec la délégation du GPRA, avait expliqué à ses partenaires que GPRA et FLN (et le peuple algérien en général) formaient une unité (cf. note 4, p. 60).

n'avait comme tâche que de régler d'éventuels petits problèmes de discipline et de moralité des quelques travailleurs sur place. Il était logique que le délégué de l'UGTA s'occupât de tout ce que son gouvernement considérait comme important. Il devait donc, pour des raisons simplement géographiques, établir aussi des contacts avec les voisins de la RDA – et ceci malgré l'accord avec le FDGB qui limitait son activité.

Le FLN, de son côté, ne comprenait pas le système très formellement « juridique » de la RDA qui prétendait être un État de droit avec compétences partagées de pouvoirs séparés – qui ne servaient qu'à cacher l'autorité suprême du parti. Même si Kroun n'était pas officiellement le délégué du GPRA, les autorités algériennes pensaient qu'on devait comprendre, en RDA, qu'il faisait tout ce qu'il pouvait faire, pour être « rentable »[1] – on prenait probablement comme modèle les personnels politiques dans les structures algériennes en RFA.

Il s'agissait d'un malentendu entre les deux protagonistes, le GPRA et la RDA, dont le secrétaire général du PCA se servait pour réduire l'influence du délégué du FLN autant que possible, à défaut de le faire renvoyer en Algérie. Bouhali mettait le levier au bon endroit, c'est-à-dire il s'adressait à l'autorité « compétente », celle qui était sensible aux arguments idéologiques. Ceci n'était pas seulement une action de rivalité entre deux concurrents idéologiques, le FLN et le PCA, mais aussi, pour ce dernier, une action d'autodéfense, car si la tâche de Kroun, à savoir affaiblir l'influence du PCA, n'était pas explicite, elle était néanmoins évidente.

De son côté, le FLN ne comprenait pas le rôle réel, c'est-à-dire idéologique, du PCA en RDA, car dans la réalité, celui-ci représentait une quantité négligeable. À ce niveau, le FLN rejoignait partiellement les militaires français, comme nous l'avons vu au chapitre précédent. Or, dans le cas de Kroun, l'idéologie, argument fort du PCA, l'emporta, en RDA, sur une politique rationnelle.

Cependant, ce que le FLN avait compris dès le début, c'était qu'il pouvait compter sur la volonté de la RDA de se faire reconnaître au niveau diplomatique. Cette volonté avait énervé au début Aït Chaalal, puisqu'il la considérait comme exacerbée, mais après lui, quasiment tous les émissaires du GPRA ou de l'ALN jouèrent sur l'éventuelle reconnaissance diplomatique auprès de leurs interlocuteurs est-allemands – jusqu'après la fin des négociations d'Évian, en mars 1962.

Certes, après l'affaire Kroun, les autorités de la RDA avaient opposé aux demandes des Algériens d'accueillir un nouveau délégué permanent du FLN une fin de non-recevoir, mais nous verrons qu'elles feront beaucoup de concessions, au niveau des étudiants et au niveau du rapatriement des Algériens, après de vagues promesses d'une reconnaissance.

Si l'on veut donc parler de « machiavélisme », comme le font Manfred Kittel et autres, on peut se demander si ce machiavélisme n'est pas à chercher plutôt du côté des représentants du FLN, que ce soit Si Mustapha pour l'ALN, ou Achmed Kroun et Embarek Djilani pour l'UGTA.

1. Même *a posteriori* les responsables algériens ne comprennent pas - ou prétendent ne pas comprendre – en quoi Kroun a posé un réel problème. En effet, le 20 janvier 1962, l'un des attachés de l'ambassade de la RDA au Caire, Scharf, a un entretien avec Abdelmalek Benhabyles, le responsable pour les pays socialiste au MAE algérien (MfAA A 13 775, feuille 100). Celui-ci lui dit, sur Kroun : « M. Kroun n'a pas compris qu'il se trouve dans un pays ami et il n'a pas su non plus influencer dans ce sens les Algériens résidant en RDA. »

« C'EST AVEC LES AMIS ALGÉRIENS QUE NOUS AVONS EU LE PLUS DE SOUCIS. » LES TRAVAILLEURS ALGÉRIENS EN RDA

Le 14 novembre 1958, le MfAA publia une déclaration solennelle dans laquelle la RDA condamna le soutien ouest-allemand de la France dans sa guerre colonialiste en Algérie et invita tous les Algériens persécutés en Europe occidentale à rejoindre Berlin-Est :

> [La RDA confirme qu'elle] peut mettre à disposition de tous les patriotes algériens qui se trouvent dans l'impossibilité de continuer à travailler en Allemagne de l'Ouest en raison de l'appui que le gouvernement fédéral donne à la politique coloniale de la France, des postes de travail et d'études, jusqu'au moment où ils auront la possibilité de retourner en Algérie.[1]

Cette déclaration eut une répercussion assez rapide auprès des militaires français. Dans le mémoire « L'aide communiste à la rébellion algérienne » du SDECE, daté du 16 février 1959, qui traitait de l'accueil des Algériens en RDA, on présentait l'arrivée accrue d'étudiants en RDA comme la conséquence directe de cette invitation :

> Le 12 novembre 1958, le ministère des Affaires Etrangères d'Allemagne Orientale annonce que les autorités est-allemandes offrent des emplois aux Algériens « qui ne peuvent rester en Allemagne Occidentale en raison de l'appui que le gouvernement fédéral donne à la politique coloniale de la France ».
> Dans une déclaration diffusée par l'agence ADN, le ministère est-allemand accuse les autorités de la République fédérale de prendre des mesures contre les Algériens résidant en Allemagne Occidentale et contre le FLN algérien.
> Selon [un étudiant], le gouvernement de la DDR se propose d'accueillir tous les étudiants « persécutés » en Allemagne de l'Ouest; il leur accorde des bourses ainsi d'ailleurs qu'aux ouvriers.[2]

On peut supposer que la plupart des ouvriers qui se trouvaient en RDA, jusqu'à leur rapatriement en 1962, venaient de France et étaient passés par la RFA. Ceci est confirmé *a posteriori* par plusieurs documents, notamment un article du *Neues*

1. *Dokumente zur Außenpolitik der Regierung der Deutschen Demokratischen Republik*, tome VI, p. 118.
2. SHD/DAT 1H 1721 : « L'aide communiste à la rébellion algérienne » (16 février 1959, SDECE), p. 19.

Deutschland (*ND*) à l'occasion du 7ème anniversaire du soulèvement d'Alger. Le 1er novembre 1961, on y lisait :

> Les ouvriers algériens expulsés par l'Allemagne de l'Ouest, par la France ou par d'autres pays de l'OTAN, trouvèrent en RDA un accueil amical. Ils y obtinrent un emploi et l'occasion d'évoluer professionnellement.[1]

Un document interne à propos du rapatriement des ouvriers en RDA en 1962, corrobore l'information sur l'origine des Algériens en RDA donnée par le *ND*. Le secrétaire de la délégation extérieure de l'UGTA à Tunis, Embarak Djilani, expliquait à ses collègues du FDGB pourquoi celui-ci ne devait désormais plus accueillir des ouvriers algériens :

> La nécessité d'immigrer en RDA, à partir de la France, de l'Allemagne de l'Ouest ou d'autres pays, n'existe plus ; tous les Algériens ont la possibilité de rentrer dans leur patrie.[2]

L'accueil des immigrants en RDA fut organisé de la façon suivante, selon le représentant de la France à Berlin, B. de Chalvron :

> Environ 900 « Algériens » se trouveraient actuellement en D.D.R. et le rythme des arrivées se serait accru depuis quelque temps.
> Dirigés sur le Centre d'accueil de Furstenwald [= Fürstenwalde, FT], « les réfugiés », après avoir signé une déclaration par laquelle « ils affirment vouloir demeurer en D.D.R. », sont envoyés à l'Hôpital de la Charité où ils subissent un examen médical complet.
> Une commission de fonctionnaires du Ministère du Travail et du Ministère de la Sûreté d'État décide alors du sort de ces « Algériens » :
> Les mineurs de fond et les ouvriers spécialisés sont versés dans des usines ou entreprises industrielles où ils perçoivent le même salaire que leurs collègues allemands.
> Les manœuvres sont affectées dans des entreprises agricoles ou dans des firmes travaillant pour la reconstruction.[3]

Ce rapport semble confirmer qu'il y eut, après la déclaration de l'automne 1958, un mouvement croissant de demandes d'entrée en RDA de la part des Algériens ; le chiffre de 900 Algériens en RDA semble pourtant largement exagéré. Eu égard aux difficultés qu'avaient les autorités elles-mêmes à obtenir des chiffres fiables sur le nombre d'Algériens sur leur territoire, on ne peut savoir réellement s'il y eut un soudain mouvement migratoire algérien vers la RDA après la déclaration. On peut cependant supposer un éventuel accroissement du nombre des étudiants, à qui l'on avait promis des bourses, mais il touchait aussi les ouvriers.

Selon ce rapport, les autorités est-allemandes auraient même vérifié avec soin que les réfugiés en étaient réellement :

> Les Autorités de zone orientale ne désirent d'ailleurs conserver sur leur territoire que des « réfugiés sûrs » et tout « Algérien » qui demande à retourner en France est généralement immédiatement reconduit jusqu'à la frontière de la République Fédérale allemande [*sic*].[4]

---

1. *ND*, 31 octobre 1961, n° 300, p. 5.
2. SAPMO-Barch DY 34 / 3379, entretien Deubner/Fischer avec Djilani du 7 mai 1962, p. 2. Mohammed Harbi, dans un entretien avec l'auteur, le 29 novembre 2006, confirme également cet itinéraire des ouvriers algériens, contrairement, selon lui, aux étudiants, qui venaient souvent d'Afrique du Nord.
3. MAE, Europe 1956-1960, RDA 32 ; Relations France/RDA, feuilles 48b/48c : B. de Chalvron au MAE, le 22 juin 1959.
4. *Ibid.*

Nous verrons que ces précautions ne suffisaient pas à éviter aux Allemands de l'Est de graves problèmes avec les « amis algériens ».

En effet, l'un des éléments que la RDA n'avait certainement pas pris en considération dans son calcul idéologique d'aide aux Algériens persécutés, c'était le choc culturel qui allait se déclencher sur son territoire avec les « amis » algériens.

Michel Martini, qui s'est rendu plusieurs fois en RDA entre 1958 et 1962, dans sa fonction de médecin, y a rencontré des « frères », comme il les appelle. Il était particulièrement impressionné par leur comportement envers les femmes :

> J'ai vu, ce samedi soir le parfait déchaînement hétérosexuel des frères : c'était absolument épouvantable. [...] Toutes les filles présentes ont été systématiquement, rationnellement, chronologiquement attaquées par nos amis. Pas une n'échappait à la prise en charge. [...] Toutes y passaient ! Cela a duré de 18 heures à 1 heure du matin. Tous ceux avec qui j'étais sont d'ailleurs rentrés se coucher tout seuls.[1]

C'est à cette réaction du médecin polyglotte et cosmopolite, qui avait déjà vécu plus de dix ans en Afrique du Nord, qu'on peut mesurer le choc culturel des citoyens – et surtout des citoyennes[2] – de la RDA, pour la plupart sans aucun contact avec l'étranger « non-socialiste », soudain confrontés à des personnes que l'on devait accueillir pour des raisons de solidarité internationale imposée « d'en haut ».

Du côté des Algériens, le choc existait certainement aussi. Ils parlaient arabe et français, ils devaient donc apprendre une nouvelle langue, ils n'étaient pas habitués au climat, et n'étaient surtout pas habitués à l'encadrement social très strict d'un État du Bloc soviétique – même si certains avaient adhéré au PCF, puisque la plupart venaient de France.

La rencontre entre ces deux mondes n'était pas des plus faciles.

Les « amis algériens » – une quantité difficilement chiffrable

Une des premières grandes difficultés pour une recherche approfondie sur les Algériens en RDA – bien que la RDA fût un État omniprésent qui avait tendance à tout contrôler – est le caractère peu fiable des chiffres. Effectivement la RDA n'a pas réussi à contrôler de façon stricte les personnes qui entraient et surtout qui sortaient de son territoire avant la clôture définitive de la frontière vers la RFA avec la construction du mur de Berlin, le 13 août 1961. Avant cette date nous trouvons de temps à autre dans les rapports sur la présence d'ouvriers algériens dans les entreprises de la RDA des remarques telles que « Son adresse nous est inconnue » ou même « Notre département politique a découvert qu'il séjourne actuellement à Düsseldorf » en RFA.[3]

L'un des rares documents qui donne des chiffres crédibles est le compte-rendu d'une rencontre au CC du SED consacrée aux Algériens en RDA. Y participaient deux

---

1. MARTINI, Michel : *Chronique des années algériennes 1946-1962*. Saint Denis, Bouchène 2002, p. 242.
2. La constatation de Martini est corroborée par le document « In der DDR lebende Algerier » (SAPMO-Barch DY 34 / 2132, 13 janvier 1960, p. 5), où l'auteur écrit : « Dans une grande partie des rapports présentés, on exprime que le comportement des Algériens envers les femmes, en particulier envers les collègues femmes au travail, n'est pas bon. »
3. SAPMO-BArch DY 30/ IV 2/20/ 355, feuilles 65/66, 3 mai 1960, rapport du VEB Sachsenring Automobilwerke à Zwickau au CC du SED.

membres du CC (Mme Vosske et M. Bergold), deux représentants du Ministère de l'Intérieur (le Colonel Pfeuffert et le Capitaine Scharnowski) ainsi qu'un représentant du FDGB, un certain Baumgart. Le document distingue les étudiants algériens des « émigrés algériens issus de l'Europe occidentale », passés en RDA ; il énumère 280 individus depuis la déclaration du 14 novembre 1958 du MfAA – étudiants non inclus – dont 78 avaient été renvoyés « parce qu'il s'agissait d'éléments douteux ».

Parmi les 202 restants, 25 autres avaient été expulsés :

> Il s'agissait [...] d'éléments rétifs au travail et asociaux qui n'arrivaient pas à s'intégrer dans la vie sociale.[1]

Quatre Algériens avaient demandé officiellement à quitter la RDA. Un seul l'avait quittée illégalement et un autre avait été emprisonné pour un délit sexuel.

Puisque quelques-uns des blessés soignés en RDA y ont trouvé du travail après leur guérison, et puisque le nombre date de janvier 1960, on peut le considérer comme un minimum.

On peut en même temps supposer que le nombre de travailleurs algériens en RDA n'a jamais dépassé quelques centaines, comme le confirme indirectement Larbi Bouhali du PCA, qui demande dans une lettre du 1er novembre 1960 le nombre exact des ouvriers, en affirmant :

> Nous savons qu'il y a maintenant plusieurs centaines de travailleurs algériens qui résident en RDA et dont la plupart sont venus par leurs propres moyens et non par l'intermédiaire du FLN ou des organisations qui lui sont rattachées.[2]

Cette phrase corrobore la thèse selon laquelle la RDA ne réussissait pas à exercer un contrôle très efficace. Il semble que même le terme « plusieurs centaines » soit exagéré : dans un rapport non daté, probablement de novembre 1959, on ne parle que d'« environ 160 ouvriers algériens dans différentes entreprises de la RDA ».[3]

Même après la construction du mur, les autorités du FDGB semblent ne pas avoir disposé du nombre exact des ouvriers.[4] En effet, dans un récapitulatif sur les activités concernant l'Algérie, fin 1962, à propos des rapatriés et des travailleurs qui restaient encore en RDA il était signalé « environ 120 sur 180 ouvriers algériens sont partis ».[5]

Travail, qualification et formation des ouvriers algériens

Les travailleurs algériens étaient pour la plupart employés dans la production industrielle[6] ; on s'efforçait de faire correspondre leurs connaissances professionnelles –

1. SAPMO-BArch DY 34/ 2133, 13 janvier 1960, « In der DDR lebende Algerier », p. 4.
2. SAPMO-BArch DY 30/ IV 2/20/ 353, feuille 69.
3. SAPMO-BArch DY 34/ 2132, « Bericht über die algerischen Bürger in der DDR » (s.d., novembre 1959).
4. D'un autre côté, on promet au PCA de lui faire parvenir « une liste des citoyens algériens présents en RDA » (SAPMO-BArch DY 30/ IV 2/20/ 353, feuille 109, résultats de plusieurs réunions avec Bouhali et Boudiaf, du 27 au 30 mars 1961).
5. SAPMO-BArch DY 34/ 2132, « Stand der Solidaritätsaktion » (s.d., novembre 1962).
6. SAPMO-BArch DY 34/ 2132, « Bericht über die algerischen Bürger in der DDR » (s.d., novembre 1959).

selon leurs déclarations – aux branches dans lesquelles on les employait.[1] Toutefois, les responsables des usines de la RDA s'apercevaient parfois du manque de fiabilité des récits des Algériens sur leurs capacités. Ainsi au VEB Sachsenring, on déplorait qu'aucun des Algériens ne pût présenter un diplôme quelconque d'ouvrier spécialisé.[2] On donnait comme exemple un collègue algérien qui avait travaillé beaucoup et avait ainsi considérablement augmenté son salaire, mais qui n'avait produit quasiment que du rebut.[3] Dans ces cas, les responsables déplaçaient les ouvriers algériens vers un autre poste de travail :

> Après une période d'essai convenable, des déplacements de poste s'imposèrent en raison de connaissances professionnelles insuffisantes.[4]

Ceci ne se passa pas toujours sans contestation. Les Algériens faisaient valoir qu'ils ne pouvaient améliorer leur situation, concrètement se qualifier pour gagner plus d'argent, dès lors qu'on les « déplaçait » perpétuellement ; selon le rapport surgissaient alors des « disputes entre les responsables et les collègues algériens, qui perdurent jusqu'aujourd'hui ».[5]

Citons un exemple concret des difficultés entre les ouvriers algériens qui avaient travaillé auparavant dans un système plus libéral, en France, et qui voulaient au moins profiter des possibilités de formation qu'on leur proposait en RDA, État socialiste. Raba Derri, mécanicien électricien, il avait travaillé dans la branche automobile en France. Il prétendit avoir gagné bien davantage en France, où il « pouvait mieux s'habiller et mieux vivre en général ». En RDA, son salaire « suffisait tout juste pour se nourrir ».[6] Or, il affirmait auprès de l'« inspecteur » du SED que l'on lui avait promis « du côté de la FDJ, de la BGL et du parti de l'aider dans sa formation professionnelle ». Pour cela, il voulait absolument travailler dans sa branche pour pouvoir intégrer plus tard la ABF et devenir ingénieur.[7] Derri se plaignit que « tout le monde fait des promesses et personne ne tient parole ». Selon le rapporteur, ce mécontentement se répandait même chez les collègues allemands et risquait d'être utilisé à des fins de propagande, surtout dans un contexte où d'autres Algériens se plaignaient de leurs conditions de travail dans des lettres au Ministère de l'Intérieur.[8]

Plusieurs éléments d'incompréhension culturelle interviennent dans cette affaire. Le premier est la profession initiale de l'Algérien. Il avait travaillé en France, dans une

---

1. Selon un rapport de janvier 1960 d'un membre du Département Politique étrangère et Relations internationales du SED, Petter, dans une usine d'automobiles à Zwickau (VEB Sachsenring Automobilwerke), où travaillaient dix Algériens (SAPMO-BArch DY 30/ IV 2/20/ 355, s.d., feuilles 34 à 40) : « Tous les Algériens ont obtenu un poste de travail selon leurs capacités professionnelles dans le cadre des possibilités de l'entreprise. »
2. SAPMO-BArch DY 30/ IV 2/20/ 355, feuilles 44/45 : lettre de Meier, l'un des responsables au VEB Sachsenring, au CC du SED, du 1er février 1960.
3. *Ibid.*, feuille 37.
4. *Ibid.*, feuille 36.
5. *Ibid.*, feuille 37.
6. *Ibid.*
7. *Ibid.* : FDJ = *Freie Deutsche Jugend*, l'organisation de la jeunesse socialiste, BGL = *Betriebsgewerkschaftsleitung*, direction du syndicat de l'entreprise, ABF = *Arbeiter- und Bauernfakultät*, Académie de formation continue et de qualification pour ouvriers et paysans.
8. *Ibid.*

branche, l'automobile, qui n'était pas, à cette époque, une priorité en RDA, où la production des biens de consommation n'en était qu'à ses débuts ; l'industrie de l'automobile devait démarrer bien plus tard. Les connaissances de l'ouvrier spécialisé « français » ne pouvaient donc être prises en compte comme en France – ce qui eut des répercussions sur son salaire. Il est significatif que Derri évoque son salaire français, selon le rapport, dans le contexte de sa déception sur les possibilités de formation continue. Ceci est logique dans la mesure où l'Algérien s'était résigné à ne plus vivre la « belle vie à la française », c'est-à-dire toucher un bon salaire. En revanche il voulait profiter des possibilités de formation et de promotion professionnelle de l'État où il se trouvait. Il surestimait probablement le titre d'« ingénieur » qu'il pouvait obtenir après des études à la « Arbeiter- und Bauernfakultät » et qui, en concurrence avec des éventuels ingénieurs « à la française » dans une future république algérienne, ne devait correspondre qu'à un poste d'ouvrier qualifié supérieur.

Du côté de la RDA, le problème se posait différemment. Les revendications des ouvriers étrangers semblaient partiellement injustifiées dans la mesure où le fait même d'accueillir des étrangers et de les intégrer au nom de la solidarité internationale, devait être pris en compte par ces étrangers dont on pouvait attendre de la reconnaissance.[1] Un deuxième élément ne doit pas être oublié : sans la maîtrise de la langue allemande, une qualification n'était pas possible. Les autorités de la RDA offraient, à titre gratuit, des cours d'allemand à tous les étrangers.[2] Or, les auteurs des rapports des BGL ou du FDGB se désolaient parfois du fait que les Algériens ne profitaient pas de ces cours, puisqu'ils ne les suivaient pas.[3]

Eu égard à tous les autres problèmes que les Algériens posaient en RDA, on peut comprendre que les autorités essayaient d'abord de les résoudre avant de s'occuper de leur qualification par la formation continue.

Et pourtant, la qualification des ouvriers étrangers – en l'occurrence des ouvriers algériens –, était une question qui surgissait très souvent. Ainsi, dans un rapport sur une entreprise à Magdebourg, où les ouvriers algériens ne posaient apparemment aucun problème, leur qualification était évoquée comme une tâche dont la direction syndicale sur place ne s'était pas encore chargée :

> Jusqu'ici aucun plan de formation continue n'a été élaboré. Pour cette raison, on a parlé avec la BGL et suggéré qu'elle prête dans l'avenir davantage d'attention aux collègues étrangers et prenne lors de sa prochaine session une décision concernant la formation continue des collègues algériens.[4]

Un responsable syndical sur place pouvait se demander pourquoi il devait établir un plan de formation continue pour les « amis algériens », même quand ceux-ci ne posaient pas de problème. La réponse à cette question pouvait se trouver dans des dessins plus généraux d'une politique, où l'idéologie jouait un rôle primordial.

---

1. Voir *infra*, SAPMO-BArch DY 30/ IV 2/20/ 355, feuille 43, lettre Schwotzer du 28 février 1960, où il écrit qu'il faut certes de la solidarité internationale, mais qu'on ne peut pas tolérer tout (note 32).
2. SAPMO-BArch DY 30/ IV 2/20/ 355, feuille 35, dans une usine à Magdebourg : « On organise des cours d'allemad en permanence. »
3. *Ibid.*, feuille 36 : des dix Algériens au VEB Sachsenring, seuls six suivent les cours. En mai 1960, l'entreprise arrête les cours, car il n'y restent que trois Algériens – qui dès le début n'avaient pas suivi ces cours (lettre du 3 mai 1960, SAPMO-BArch DY 30/ IV 2/20/ 355, feuille 66).
4. *Ibid.*, feuille 35.

En effet, le souci de la RDA de renvoyer dans un futur État algérien des travailleurs qualifiés correspondait de toute évidence à l'intérêt d'y importer des idées bien spécifiques d'organisation sociale. Dès septembre 1960, après une session du Comité Syndical International pour la solidarité avec les travailleurs et le peuple algériens de la FSM, l'internationale des syndicats communistes, à la Havane, on constata au FDGB que l'UGTA n'était pas réellement dans la ligne et l'on en tira la conséquence suivante :

> Vu l'évolution droitière du secrétariat de l'UGTA, le travail avec les ouvriers employés en RDA aura de plus en plus d'importance. Ces ouvriers devraient obtenir une formation professionnelle et une éducation politico-syndicale afin qu'ils représentent, après la fin de la guerre, un soutien pour les forces progressistes en Algérie.[1]

Au MfAA, pourtant en litige avec le FDGB à cause de Kroun, on était du même avis. La « Disposition » du 28 novembre 1960 en vue d'une réunion concernant les futures relations avec l'Algérie, propose entre autres :

> Inviter le Ministère de la Formation Nationale (Ministerium für Volksbildung) à choisir parmi les ouvriers algériens employés en RDA en 1961 50 éléments progressistes pour les amener à la qualification d'ouvriers spécialisés dans les professions métallurgiques et agricoles.[2]

En mars 1961, cette proposition de qualifier les ouvriers algériens pouvait même apparaître comme une sorte d'appât pour le GPRA, dans un document qui prévoyait sa reconnaissance diplomatique unilatérale de la part de la RDA. On n'y parlait plus « d'éléments progressistes », mais d'un « nombre assez important » de « citoyens algériens qui travaillent déjà en RDA ». On évoquait ces éléments dans le cadre d'un programme plus vaste de formation de cadres qu'on proposait au GPRA « pour assurer, une fois l'indépendance atteinte, la reconstruction et la direction de l'économie et de l'administration ».[3] Le souci de qualification des ouvriers algériens en vue de leur influence future continua même après la création de la République algérienne ; encore à l'automne de l'année 1962, le FDGB conclut des contrats de qualification avec les ouvriers qui n'avaient pas encore été rapatriés et restaient provisoirement en RDA.[4]

Difficultés concrètes avec les ouvriers algériens

Les autorités du SED n'avaient pas osé imposer un quelconque plan de qualification à l'usine « VEB Sachsenring Automobilwerke » de Zwickau, en raison des problèmes qui furent évoqués dans le rapport de janvier 1960 – dont le contenu était apparemment confirmé par une lettre de la BGL, le 1er février 1960. En revanche, Kurt Schwotzer, l'un des secrétaires du Département des Relations Internationales, essaya d'amadouer les camarades de Zwickau, par une lettre dans laquelle il rappela l'obligation de l'État de pratiquer la solidarité internationale. Mais il rappela aussi que certaines limites ne devraient pas être franchies de la part « des amis » :

1. SAPMO-Barch DY 34/ 2132, « Vorlage zur Information des Sekretariats über die 3. Tagung des "Internationalen Gewerkschaftskomitees für die Solidarität mit den algerischen Arbeitern und dem algerischen Volk" » (in Havanna 16.-20.10.1960, cf. note 4, p. 114)., p. 8
2. SAPMO-BArch DY 30/ IV 2/20/ 354, feuille 88, 11 novembre 1960.
3. *Ibid.*, feuille 124/125 (cf. note 3, p. 116).
4. SAPMO-Barch DY 34/ 2132, « Stand der Solidaritätsaktion » (s.d., novembre 1962).

> Objet : Algériens et Marocains
> Chers camarades,
> Votre lettre [...] évoque – ce que nous savions déjà – qu'il y a de grandes difficultés avec certains de ces collègues. Or, pour une minorité infime d'entre eux il s'agit de communistes. Et même ceux-là ont des idées sur la construction du socialisme qui diffèrent des nôtres.
> Nous devons évidemment pratiquer une solidarité internationale. Ceci ne signifie pourtant pas que nous pouvons favoriser les attitudes aventurières ou le désir de voyager de certains collègues. Il est nécessaire de faire un travail obstiné d'éducation et d'assurer les moyens de leur subsistance. Si alors ils ne se plaisent pas chez nous, malgré tout, nous ne les empêcherons pas de quitter notre République.[1]

C'était donc non seulement pour l'avenir de l'Algérie que l'encadrement et le travail d'éducation étaient nécessaires, mais aussi parce que certains Algériens ne se comportaient pas vraiment selon les règles de l'État où ils vivaient.[2]

Il apparaît que les problèmes avec les « amis » algériens étaient dus, dans la vision des autorités de la RDA, au manque d'éducation « politico-sociale ». En effet, le SED déplorait que « la formation et l'éducation politique sont insuffisantes »[3], il estimait qu'elles devaient « être améliorées considérablement ».[4]

Que reprochait-on concrètement aux ouvriers algériens ?

L'un des reproches qu'on leur faisait était leur manque d'« ardeur au travail » ; « Arbeitsmoral » en Allemand englobe discipline, ponctualité, s'attacher à une bonne finition du produit, en gros une bonne adaptation au processus de la production « à l'allemande ».

Ce manque de volonté de travailler aurait même conduit les autorités de la RDA à renvoyer des « Nord-Africains » en RFA qui, selon le service de Sûreté français à Berlin, s'étaient réfugiés avant en RDA :

> Selon des renseignements recueillis par notre Service de la Sûreté, les autorités de zone soviétique, peu satisfaites du travail et du comportement des Algériens en D.D.R. (au nombre de 600 environ), auraient refoulé, depuis un mois, aux limites zonales, de nombreux Nord-Africains venant de la République Fédérale pour se réfugier en D.D.R.
> Cette attitude, nouvelle et surprenante de la part des autorités de Pankow à l'égard des éléments Nord-Africains, serait dictée par le souci de réduire, à l'avenir, les dépenses importantes qu'occasionne depuis deux ans environ leur hébergement, pendant plusieurs semaines, dans des camps. Les Algériens, dans leur majorité, se seraient empressés de retourner en Allemagne occidentale dès qu'un emploi leur avait été offert en zone soviétique.[5]

---

1. SAPMO-BArch DY 30/ IV 2/20/ 355, feuille 43, 28 février 1960 : « Betr. : Algerier und Marokkaner » (Schwotzer se réfère à la lettre du 1er février).
2. Il convient de remarquer que, dans les documents, on ne trouve naturellement que les « mauvaises nouvelles ». Comme nous l'avons vu, dans certaines entreprises, il n'y eut pas de problèmes avec les ouvriers algériens.
3. SAPMO-BArch DY 30/ IV 2/20/ 354, feuille 134, Neuhäuser du FDGB au CC du SED.
4. *Ibid.*, feuille 128, cf. également le document « In der DDR lebende Algerier » (SAPMO-BArch DY 34/ 2133, 13 janvier 1960, p. 5), où l'on déplore que « l'encadrement dans les entreprises est très différent de l'une à l'autre, et dans la plupart des cas totalement insuffisant. »
5. MAE, Europe 1956-1960, RDA 32 ; Relations France/RDA, feuilles 99/100 : B. de Chalvron au MAE, le 8 octobre 1960. Selon ces services, on renvoyait aussi d'autres personnes, après un stage particulier : « Ceux qui possèdent un certain degré d'instruction ou qui ont obtenu un grade dans l'Armée française sont en général rapidement séparés de leurs camarades et sont soumis à un stage de quelques mois organisé soit pour le compte des Soviétiques soit pour les Services spéciaux de zone orientale. Après avoir reçu cette formation très particulière, ils seraient alors renvoyés en mission en France ou en Afrique du Nord. » (*ibid.*, feuilles 48b/48c, B. de Chalvron au MAE, le 22 juin 1959).

Donc ce qui intéressait les « amis » qui restaient, était plutôt de toucher « un salaire complet pour une charge de travail minimale »[1], ce qui était difficile à accepter pour les représentants d'un « État d'ouvriers et de paysans ».

Dans le VEB Sachsenring à Zwickau, les plaintes concernant l'» ardeur au travail » des Algériens étaient multiples. Décidément, certains « amis » algériens n'étaient pas des stakhanovistes, loin de là. Ainsi, une partie de la dizaine d'Algériens sur place ne venait pas au travail « le lundi matin, mais ils veulent toucher le salaire pour toute la journée ». On peut supposer qu'après un refus de la direction, « ils ne reviennent pas au travail d'autres jours, sans donner de raisons. Le taux d'absentéisme pour maladie est relativement élevé ».

Les jours fériés en Occident posaient également des problèmes. En effet, en RDA Noël n'était pas férié, mais les entreprises fermaient quand même, les salariés devaient rattraper ces journées par anticipation. Or quatre salariés algériens refusèrent cette anticipation, « se mirent en grève sit-in pendant 5 heures et menacèrent même le directeur de l'entreprise ».[2]

Les Algériens ne comprenaient pas non plus pourquoi ils n'avaient pas le droit de travailler où cela leur convenait – en tout cas dans les pays socialistes, aujourd'hui en RDA, demain en Tchécoslovaquie etc… :

> Lors des entretiens, plusieurs fois la volonté a été exprimée de travailler un peu partout ; aujourd'hui en RDA, demain en CSR et après-demain peut-être en Bulgarie. Ils expriment l'opinion que cela devrait être nécessairement possible, puisque nous appartenons tous au camp socialiste.[3]

Dans ce contexte, on peut même parler d'une grève spontanée dans le cas d'Abdessalam Kader, qui ne voulait plus travailler du tout parce que le syndicat local lui avait refusé l'autorisation de quitter la RDA pour travailler dans un autre pays.[4]

Un autre exemple est celui d'un ouvrier algérien à Güstrow, Harrirech Belkacem, qui, selon un rapport du Ministère de l'Intérieur, ne travaillait pas bien et se bagarrait avec des Allemands. Il avait demandé à aller en Tchécoslovaquie pour y apprendre un métier, mais la Tchécoslovaquie ne lui avait pas répondu.[5] En effet, l'ambassade tchèque avait demandé à Löbel, le 24 février 1961, ce qu'il en était, car Belkacem s'était adressé directement au gouvernement tchécoslovaque :

> L'auteur de la lettre nous a fait part […] du fait qu'il habite depuis 1959 à Güstrow ; on ne lui y donne pas la possibilité d'apprendre un métier utile « pour le futur développement de sa patrie ».[6]

Inutile d'ajouter qu'il n'y eut point de départ pour la Tchécoslovaquie.

Dans les derniers cas évoqués on peut certainement constater un malentendu interculturel. Les ouvriers algériens ne comprenaient pas qu'ils ne pouvaient changer

1. SAPMO-BArch DY 30/ IV 2/20/ 354, feuille 86.
2. SAPMO-BArch DY 30/ IV 2/20/ 355, feuille 36 pour tous les exemples.
3. *Ibid.*, feuille 45.
4. *Ibid.*, feuille 36.
5. MfAA B 3010, feuille 80, Major [illisible] de la « Volkspolizei » au MdI à Löbel, le 4 août 1961 sur demande du même Löbel, le 5 juin 1961.
6. *Ibid.*

de région ou de pays quand ils le voulaient, comme en France, par exemple. En RDA, même un déplacement personnel dans une autre ville devait être annoncé à la préfecture.[1] Et le rattrapage d'un travail pour jours fériés ne pouvait être compris par des travailleurs habitués aux systèmes de France ou de RFA, où Noël est une fête sacro-sainte pour tous.

Le fait que les Algériens n'avaient pas une « ardeur de travail » satisfaisante, au moins égale à celle de leurs collègues est-allemands, est corroboré par le bilan du VEB Sachsenring. Des onze Algériens arrivés au printemps de 1959, restaient seulement trois en mai 1960, trois autres avaient choisi d'autres emplois à Zwickau et le reste manquait à l'appel depuis avril, voire février ou janvier 1960. Ils manquaient sans donner de raisons, et deux d'entre eux étaient passés en RFA, l'un en emmenant avec lui une bachelière qui avait déjà commencé ses études supérieures à Leipzig. La lettre du secrétaire du parti à l'entreprise, Oelschlegel, est évocatrice :

> [...] Pendant les 10 dernières années, beaucoup d'étrangers, camarades et non-communistes, ont travaillé dans l'usine, et ont fait preuve en général de très bonnes intentions d'apprentissage, de discipline au travail et même de coopération au niveau social. [...] Or, c'est avec les amis algériens que nous avons eu le plus de soucis. On a organisé beaucoup de discussions en groupe et individuelles avec eux et leurs responsables pour avoir un impact éducatif sur eux. Presque toujours sans succès. La plupart voulaient gagner beaucoup d'argent et peu travailler. Leur discipline au travail était très insuffisante. Ils venaient selon leur bon plaisir, ne s'excusaient pas et l'on a souvent passé des jours entiers avant de les retrouver.[2]

Ces plaintes de la part du secrétaire Oelschlegel étaient d'autant plus crédibles qu'il ne voyait pas les problèmes uniquement chez les « amis ». Il était assez honnête pour évoquer également les heurts dont des collègues allemands étaient à l'origine[3] et les problèmes dont souffraient les Algériens, tel le manque d'intégration « culturelle » et l'habitat.

Les Algériens souffraient, encore davantage que leurs hôtes, les Allemands de l'Est, de la pénurie de logements dans les villes, et en plus le groupe qu'ils auraient pu former était forcément éparpillé, ceci étant l'une des conséquences des difficultés à se loger. La

---

1. Quand Schwotzer fait allusion, dans sa lettre au VEB Sachsenring (cf. note 31), à l'envie de voyager (« Reiselust ») des Algériens, il a en tête ce phénomène insolite dans la RDA de l'époque. En effet, on trouve plusieurs fois dans les documents concernant les Algériens le grief suivant : ils rendent visite à leurs amis dans d'autres villes – naturellement sans annoncer ces déplacements ! Des exemples se trouvent dans le même document, où un responsable du VEB, répondant à une question, affirme qu'il est parfaitement probable que les Algériens se rendent de Zwickau à Berlin, Leipzig ou Fürstenwalde, pour deux raisons : 1° l'absentéisme et 2° la correspondance échangée très activement entre les Algériens résidant en différents lieux en RDA. L'exemple le plus étonnant – et édifiant – concernant ce que Schwotzer appelle « Reiselust » est un document qui relate un échange entre les responsables pour le rapatriement du FDGB avec le vice-directeur du consulat de l'Algérie à Prague ; ils évoquent les « dangers » pour les Algériens de traverser la RFA, ce à quoi M. Idriss répond « qu'il y a des Algériens qui par pur plaisir d'aventure voyagent à travers l'Europe occidentale, sans avertir la RDA ou les autorités algériennes » (SAPMO-BArch DY 34/ 3379, 14 septembre 1962).
2. SAPMO-BArch DY 30/ IV 2/20/ 355, feuille 64, 6 mai 1960.
3. Un exemple dans le rapport VEB Sachsenring, SAPMO-BArch DY 30/ IV 2/20/ 355, feuille 38 : « Du côté des membres de l'équipe il n'y a pas eu toujours une bonne entente avec les collègues algériens. Une fois cela a dégénéré dans la mesure où des ouvriers de l'entreprise ont jeté par terre des collègues algériens qui étaient assis ensemble à une table en train de prendre leur déjeuner, sous prétexte que cette table leur était réservée, bien qu'il y eût des places libres à d'autres tables. Puis on en vint aux mains et il s'ensuivit une bagarre. »

description des chambres dans lesquelles ils étaient logés, certainement à la hâte, est à la fois honnête et désolante : pas de chauffage, des lits trop courts ou même pas de lit, seulement une chaise longue – le rapporteur du SED s'adressait même aux autorités de la ville de Zwickau pour remédier à cette misère.

D'un autre côté, les loueurs allemands avaient, quant à eux, parfois des problèmes de loyers impayés. Une loueuse demandait par exemple au syndicat du VEB Sachsenring de retenir sur leur salaire les loyers non payés de deux Algériens et de les lui verser directement.[1]

Le problème de l'« encadrement culturel » des Algériens était naturellement vu dans la perspective de les amener à une sociabilité convenable. On voit à travers les rapports émanant du terrain que le remède qui s'imposait dans les cas de mauvais comportement, ne se situait pas uniquement dans une « éducation socialiste » améliorée des ouvriers algériens, mais que même les idéologues les plus haut placés pouvaient aller dans les détails d'une « gestion terre à terre » des problèmes. Ainsi, le rapporteur du SED écrit au sujet des problèmes concrets des Algériens :

> L'encadrement culturel est encore insuffisant. La BGL leur offre certes la possibilité de participer à des programmes organisés par l'entreprise, mais pendant les soirées, les collègues se trouvent souvent tout seuls. [La BGL] essaiera de trouver pour chacun des Algériens un parrain, pour augmenter l'influence éducatrice à travers des contacts personnels étroits.
> Il n'est pas étonnant dans ces circonstances et à cause du logement insuffisant que la plupart d'entre eux se trouvent dans un entourage qui a des répercussions néfastes sur leur comportement général.[2]

De son côté, la municipalité envisageait de regrouper désormais les Algériens dans un complexe commun, pour qu'ils ne se trouvent plus si isolés.[3]

Or, ni la municipalité ni le SED ne pouvaient arranger les choses, quand les difficultés sortaient du cadre de l'entreprise et quand les mésententes entre Allemands et Algériens arrivaient à un point où elles dégénéraient en véritables rixes.

Dans ce contexte, on peut se souvenir du récit de Michel Martini sur les relations hommes-femmes qu'évoque à son tour l'un des responsables du VEB Sachsenring :

> Au niveau sexuel, les difficultés sont encore plus importantes. Il n'est pas rare que dans une période de 15 jours, trois femmes différentes passent la nuit chez un collègue algérien. Pour ces raisons, les logeurs se sont plaints auprès de nous à plusieurs reprises.[4]

L'un des exemples est celui d'un ouvrier du VEB Sachsenring, Mohammed Maafa qui était correctement logé. Il pouvait donc facilement emmener « des femmes dans son appartement » –, ce que sa logeuse n'appréciait pas. Elle se plaignit donc auprès de la municipalité en arguant « qu'ils sont menacés nuitamment avec un couteau ». Or, le couteau dont initialement on pouvait croire qu'il ne servait qu'à appuyer la plainte, devait réellement servir :

---

1. *Ibid.*
2. *Ibid.*, feuille 39.
3. Une solution qui est envisagée à plus grande échelle dans les pourparlers entre UGTA et FDGB pour pallier l'éparpillement des ouvriers et permettre un encadrement plus efficace après le refus de la RDA d'accueillir à nouveau un représentant permanent du syndicat algérien (cf. chapitre « Concessions de la RDA… », sous-chapitre « Suite de l'affaire Kroun »).
4. SAPMO-BArch DY 30/ IV 2/20/ 355, feuille 44 (verso), lettre de Meier au CC du SED, du 1er février 1960.

> La nuit de la Saint Sylvestre, il y eut une lutte au couteaux entre Maafa et les habitants de l'immeuble. Maafa a été arrêté et expulsé de RDA. (Selon un rapport de l'agence pour l'emploi il serait revenu et serait à l'hôpital.)[1]

Le fait que toute une partie des habitants de l'immeuble participe à la rixe, et que seul l'intrus, l'Algérien Maafa, cause directe des problèmes, fut arrêté et expulsé est significatif d'une mésentente interculturelle générale, même au niveau de la police. Décidément, l'intégration « culturelle » avait été très insuffisante.

Mais le plus étonnant dans ce rapport est que l'auteur semble croire possible, voire probable, que Maafa soit revenu se faire soigner à l'hôpital.

Ceci n'est pas seulement un signe de plus qu'en RDA, le réseau d'informations, au moins à cette époque, était assez peu dense et que les Algériens – au moins eux – réussirent à échapper assez facilement au contrôle d'un État pourtant passablement policier.[2]

Ce dernier cas est aussi un exemple de l'extraordinaire « débrouillardise » des Algériens, qui frôlait parfois l'insolence. Ainsi, des « amis » algériens qui arrivaient d'Allemagne de l'Ouest demandaient à l'entreprise de les aider matériellement prétendant n'avoir rien de correct à se mettre. L'entreprise fournissait alors non seulement les vêtements de travail, mais aussi une tenue « de ville » pour quelques-uns des nouveaux arrivés, tout de même à hauteur de 1.200 marks :

> Nous avons effectué l'achat des complets parce qu'ils arrivèrent avec des affaires totalement usées et déclarèrent qu'ils ne possédaient rien d'autre et ne pourraient même pas aller au cinéma le weekend. Après nous avons constaté qu'ils avaient menti et possédaient une garde-robe convenable.[3]

Deux choses exaspéraient les responsables de l'entreprise (« Volkseigener Betrieb/VEB »), d'abord la tentative de frauder, mais deuxièmement que les « amis » ne se prêtèrent pas du tout au jeu de l'autocritique :

> Lors d'un entretien, nous avons essayé de leur expliquer que leur façon d'agir était incorrecte, puisque ces affaires avaient été achetées avec l'argent du fonds de solidarité. Lors de tels entretiens critiques, nous sommes souvent obligés de constater que les amis algériens ne nous comprennent soudainement plus très bien.[4]

Est-il étonnant que l'éducation politico-sociale apparaisse comme l'une des constantes dans les rapports, que ce soit du FDGB, des « inspecteurs » du SED ou des responsables dans les entreprises mêmes ?

Mais l'éducation ne suffisait plus, quand la police devait se mêler des bagarres et quand l'État des paysans et ouvriers fut mis en cause dans sa base idéologique par le représentant permanent de l'UGTA, Ahmed Kroun, qui accusa le peuple de cet État de racisme envers ses compatriotes.

---

1. SAPMO-BArch DY 30/ IV 2/20/ 355, feuille 38.
2. Par ailleurs, dans le rapport du chef du parti au VEB Sachsenring, Oelschlegel, en mai de la même année, Maafa apparaît comme « expulsé hors de RDA » (*ibid.*, feuille 65, 3 mai 1960).
3. SAPMO-BArch DY 30/ IV 2/20/ 355, feuille 44, lettre de Meier, du VEB Sachsenring, au CC du SED, du 1er février 1960.
4. *Ibid.*

L'affaire Chergui : un exemple de racisme est-allemand ?

L'affaire Chergui est un exemple édifiant pour la complexité des relations entre Allemands de l'Est et ouvriers algériens – affaire utilisée par le délégué permanent de l'UGTA pour faire pression sur les autorités est-allemandes. Plus généralement l'affaire est une belle illustration des relations difficiles entre des ouvriers du tiers-monde et un État qui, pour des raisons d'idéologie, prétend tout faire pour leur réussite. Soit il les accueille sur son sol et les aide à se former, soit il soutient matériellement leur gouvernement en lutte pour l'indépendance, mais il n'arrive pas à les intégrer réellement, car ces ouvriers n'ont pas l'habitude du système de fonctionnement de cet État et ne peuvent pas le comprendre, en raison de leur histoire et de leur socialisation dans un système différent, en l'occurrence le système français.

Les ouvriers algériens eux-mêmes – contrairement peut-être aux étudiants algériens en RDA – n'avaient pas une idée précise des enjeux qu'ils représentaient pour la RDA. Le fonctionnement idéologique et concret du mouvement de libération en Algérie – auquel ils adhéraient certainement tous –, ne pouvait être connu que des ouvriers qui avaient des attaches proprement politiques sur place ou de ceux qui avaient acquis une formation politique en France. Parfois on ne peut s'empêcher de voir dans ces personnes – souvent passées d'Algérie en France, de France en RFA, pour des raisons politiques qui leur échappaient pour le moins en grande partie, et qui arrivaient en RDA – les victimes de différents systèmes qu'ils subissaient tous, l'un après l'autre, et dont ils ne maîtrisaient en fait aucun des différents fonctionnements.

La RFA présentait pour ces ouvriers certainement un déracinement dramatique, ne serait ce qu'à cause de la langue ; en revanche, son fonctionnement social ressemblait encore passablement à celui de la France. La RDA par contre ne ressemblait, dans la vie quotidienne, ni à l'Algérie, ni à la France, ni même à l'Allemagne occidentale. Ces constatations n'excusent en rien les dérapages d'ouvriers incriminés tels Chergui ou Maafa. Mais elles visent à illustrer l'exaspération des deux côtés, côté algérien dans une société assez fermement encadrée, et côté est-allemand, où la société n'était en fait ni préparée ni habituée à l'accueil d'individus déracinés. Nous verrons que le délégué de l'UGTA Kroun n'hésitait pas à exploiter cette situation pour essayer d'exercer des pressions sur ses hôtes.

Doit-on ajouter que quand le responsable du VEB Sachsenring écrit au CC du SED que son entreprise avait déjà accueilli souvent des ouvriers étrangers[1], il omet de prendre en considération – mais on ne peut en aucun cas lui en vouloir –, que les ouvriers d'autres pays étaient dans leur grande majorité venus de leur plein gré, pour se former, et ne devaient pas s'attendre comme les Algériens, au retour dans leur pays, à des actes de belligérance ? En outre, ils étaient venus directement de leurs pays respectifs et n'avaient pas fait tout le périple de leurs collègues algériens.

Rabah Chergui est un exemple emblématique des difficultés que rencontraient les ouvriers algériens en RDA, et de celles qu'avaient les citoyens de la RDA avec ces « amis ». Le rapport du Ministère de l'Intérieur, daté du 17 mars 1961, rédigé par un « Major-Général » de la « Police Populaire » (Generalmajor der Deutschen Volkspolizei), et qui concerne Chergui, fait clairement ressortir les problèmes :

---

1. Voir plus haut, note 3 p.145.

> Chergui, né le 24 mars 1926, est arrivé en République Démocratique Allemande le 12 novembre 1959, venant de France et après avoir traversé l'Allemagne occidentale. Il prit du travail à la VEB EK [= Elektrokombinat, FT] Bitterfeld en qualité de serrurier auxiliaire. Or, après 5 jours de travail, il s'est porté malade et fut envoyé dans un sana [= sanatorium, FT]. Là, il fut mis à la porte, pour avoir enfreint très sérieusement les prescriptions. On le plaça dans d'autres centres médicaux pour tuberculeux, toujours avec le même effet. Il abandonna le dernier centre médical sans autorisation.
> Une fois de retour à Bitterfeld, où il fut déclaré apte au travail, il ne reprit pas d'occupation, était toujours l'hôte de bistros et avait un train de vie sans aucune moralité. Aussi vagabondait-il à l'intérieur de la RDA sans autorisation.
> Ici en RDA on avait donné à Chergui toutes les possibilités de se qualifier professionnellement en devenant tourneur et de poursuivre une vie rangée. En plus des aides qu'il recevait de notre gouvernement, ses camarades de travail faisaient des collectes en sa faveur.[1]

Toutes sortes de problèmes étaient réunis dans la personne de Chergui : ouvrier, déjà assez âgé (34 ans) qui avait fui la France, était passé par la RFA, où il n'avait pas pu rester, il avait finalement échoué en RDA, à Bitterfeld, un centre de l'industrie chimique près de Halle. Son travail non qualifié était celui de serrurier auxiliaire, il ne parlait certainement pas couramment l'allemand et les possibilités de qualification étaient pour lui un phénomène qu'il ne comprenait peut-être même pas. En plus, il était malade – la réalité de cette maladie ne fut pas mise en cause, même par la police est-allemande. Dans les centres médicaux, il se sentait probablement assez isolé et il fit des fugues ; quand il « vagabondait » à travers la RDA, c'était probablement pour retrouver des collègues algériens, ou peut-être aussi, simplement, par ce que Kurt Schwotzer appela, indigné, « Reiselust », désir de voyager.

Sa « moralité » correspondait évidemment à ce que Michel Martini avait décrit dans la citation au début du chapitre. Le problème de la sexualité des Algériens en RDA fut par ailleurs explicité de façon péremptoire par l'un des étudiants que le médecin franco-algérien interrogea. L'étudiant chasseur de femmes lui répondit laconiquement :

> En Algérie, les Musulmanes, pas question ! Les Françaises, pas question non plus ! Il ne restait que les boxons ! Alors ici, tu comprends ![2]

Chergui s'était apparemment comporté de cette façon également, puisqu'on lui reprocha que « de la manière la plus grossière [il] portait atteinte aux principes de la moralité socialiste ».[3]

Rappel et rapatriement des ouvriers algériens. La RDA comme réservoir de combattants ?

Un dernier élément à prendre en considération dans la situation de ces ouvriers est que, dès ce printemps 1961, le gouvernement algérien commençait à rappeler ses concitoyens. Les ouvriers comme Chergui, serrurier auxiliaire, c'est-à-dire ouvrier non qualifié, et dont le processus de qualification n'avait pas (encore) commencé, se trouvaient rappelés en priorité.

---

1. SAPMO-BArch DY 34/ 2133, Traduction, probablement pour Kroun, d'un rapport de la « Volkspolizei », Administration Centrale, à Berlin du 17 mars 1961, p. 2, d'où certaines fautes de français.
2. Martini, *Chroniques…*, p. 242.
3. SAPMO-BArch DY 34/ 2133, rapport de la « Volkspolizei », p. 2.

En effet, les étudiants en cours de formation, comme les « étudiants » syndicalistes, les futurs cadres formés à l'académie du syndicat (« Gewerkschaftshochschule ») à Bernau pouvaient, du fait de leur formation en cours, espérer un « sursis » de leur rapatriement au front en Afrique du Nord – car c'est de cela qu'il s'agissait. Même Ahmed Kroun, le représentant permanent de l'UGTA, qui s'occupait d'une partie de ce rapatriement – à tort selon les représentants du FDGB, car il n'en avait pas la légitimité – admettait que le GPRA et l'UGTA ne voyaient aucune utilité pour ces étudiants algériens de quitter la « Gewerkschaftshochschule » pour se faire rapatrier, puisque l'on pouvait pas les employer en Afrique du Nord comme syndicalistes tant que la guerre n'était pas finie.[1] Ils devaient donc plutôt terminer leur formation de futurs syndicalistes.

En revanche, un ouvrier non qualifié et qui ne suivait pas de formation pouvait craindre effectivement d'être envoyé chez lui combattre l'ennemi.

Dans ce contexte, on pourrait se demander si la RDA servait au FLN de base arrière de combattants, qui les y « parquait » pour en rapatrier quand il en avait besoin. *A priori*, une telle attitude pourrait être plausible. Or, dans le cas de la RDA, elle me semble peu logique, pour plusieurs raisons.

D'abord, le « réservoir » était très restreint. Quand on regarde les chiffres que la RDA donne en 1962, il s'avère qu'il n'y a jamais eu plus de 600 Algériens sur son sol. Cette quantité contredit en elle-même une volonté des autorités algériennes de se servir d'un tel « réservoir ».

S'y ajoute le fait qu'un certain nombre de ces Algériens étaient des étudiants. Or, comme nous le verrons au prochain chapitre, une partie d'entre eux était effectivement « parquée » en RDA pour être « rapatriée » plus tard – en RFA, où des bourses les attendaient. Ceci réduit encore le nombre de combattants potentiels en RDA.

Enfin, l'envoi de Kroun aurait eu un sens comme prévu dans la convention entre le MAE algérien et la RDA, si l'on avait voulu l'employer pour contrôler un groupe important et le préparer à s'engager à tout instant dans les combats en Afrique du Nord. Or, la mission de Kroun n'avait pas consisté en un contrôle de ce genre, il était censé accomplir des tâches plus élargies et compliquées.

Si certains Algériens rentrés en RDA en passant par la RFA devaient être effectivement rapatriés en Afrique du Nord, il s'agissait là certes d'un phénomène normal dans la mesure où, dans la guerre, on avait besoin de chaque homme, surtout après les opérations du général Challe sur le terrain. Mais on ne peut considérer la RDA comme base arrière de combattants uniquement à cause de ces rapatriements, somme toute peu importants. Par contre le rapatriement représentait très certainement une mesure disciplinaire pour des Algériens, une menace de rétorsion en cas de mauvais comportement.

Ainsi, l'on peut interpréter les propos de l'un des secrétaires de l'UGTA, Rahmoun Dekkar[2], quand il se rendit en RDA en mars 1961, comme un avertissement

---

1. SAPMO-BArch DY 34/ 8344, dans un rapport du 21 novembre 1960, sur une conversation avec Tille, le 18 novembre.
2. Martini caractérise Dekkar comme « syndicaliste *play-boy* [...] brillant » qui ne croit guère au socialisme en Algérie : « Depuis quelques années nous parlons de socialisme sans savoir ce que c'est. Une aimable conversation autour d'un petit café ... ça vous met la conscience tranquille et ça vous permet de croire qu'on voit un peu plus loin que le bout du nez du nationaliste intransigeant. Mais

camouflé aux « mauvais éléments ». En effet, il fit une distinction claire entre ceux des Algériens qui pouvaient provisoirement rester, et ceux qui devaient partir pour rejoindre les troupes algériennes. Dekkar réunit un groupe d'étudiants et d'ouvriers à Berlin pour les rappeler « chez eux » :

> Le collègue Dekkar a informé les amis algériens de la situation et essayé de leur expliquer qu'un retour est nécessaire pour tous ceux qui n'ont pas une mission (études) de l'UGTA. A ce propos, il y eut des conflits avec ceux des amis algériens qui ont avancé des prétextes divers et variés pour rester ici. Pendant l'entretien, il a insisté sur le fait que les dispositions et les décisions de l'UGTA engagent également les amis algériens en RDA et qu'en aucun cas des atteintes à la discipline ne seront tolérées.[1]

Or, les discussions sur un éventuel rapatriement des ressortissants algériens n'avaient pas commencé au printemps 1961, mais duraient depuis l'automne de l'année précédente. En tant que non-étudiants, des ouvriers comme Chergui pouvaient alors se sentir particulièrement visés, puisque Dekkar avait fait la distinction entre étudiants avec « mission » et les autres « amis » dont il faisait partie.

En plus, les autorités de la RDA – après avoir contacté le PCA – avaient décidé de ne pas faire opposition à une demande de rapatriement de la part du GPRA, puisque, contrairement à ce que l'on avait éventuellement pu soupçonner[2], il n'y avait aucun danger particulier pour les Algériens, même communistes. Même le parti frère était apparemment de l'avis qu'il fallait contrecarrer une tendance répandue parmi les Algériens à « se rendre la vie agréable et rester éloignés des combats ».[3]

Que des personnes comme Chergui aient pu éprouver une certaine nervosité à la fin de l'année 1960 est donc parfaitement compréhensible.

Racisme est-allemand ? Ahmed Kroun et l'affaire Chergui

Cette nervosité pouvait expliquer des dérapages comme ceux de Bitterfeld en décembre 1960, mais en aucun cas ne les excuse.

En effet, il y eut une altercation entre des policiers participant à une fête privée dans une Maison de la Culture et Chergui ; elle donna lieu à deux présentations diamétralement opposées de la part de Kroun et de la part de la « Police populaire ».

---

tout chez nous s'oppose à l'installation du socialisme : famille, individualisme, paresse, dégoût de la lecture, de s'instruire, vanité, manque de civisme … et le pire de tout, c'est que nous n'avons même pas de cadres pour essayer d'éduquer les masses. Alors, le socialisme, bien le bonjour! » (Martini, Chroniques…, p. 267). Le délégué de l'UGTA ne tenait évidemment pas de tels propos en RDA.

1. SAPMO-BArch DY 34/ 2133, 14 mars 1961, rapport sur le séjour du collègue Dekkar, secrétaire de l'UGTA en RDA (du 8 au 14 mars 1961), p. 1/2.
2. Certains Algériens refusaient de rentrer en Afrique du Nord sous prétexte qu'en tant que communistes ou même seulement « affiliés », ils risquaient d'être tués immédiatement à leur retour ou d'être envoyés aux endroits de combat les plus dangereux. Ainsi, deux étudiants à la « Gewerkschaftshochschule » de Bernau, Sachnoun Mekerba et Ahmed Abbou, ne voulaient pas répondre à l'appel de retourner avec la justification qu'ils étaient membres du PCA et qu'ils devaient être « descendus » dès qu'ils mettaient le pied sur le sol tunisien (SAPMO-BArch DY 34/ 2133, 29 décembre 1960). Mekerba mit même immédiatement en cause Ahmed Kroun (SAPMO-BArch DY 34/ 2133, Aktennotiz de Neuhäuser du 21.3.1961) : « […] Mekerba insiste sérieusement à ne pas aller en Tunisie, parce qu'il "ne fait pas partie des amis de Kroun", comme il dit, et doit s'attendre à une balle dans le dos […] ». Ajoutons que les deux réfractaires étaient l'un fiancé, l'autre même marié en RDA.
3. SAPMO-BArch DY 34/ 2133, Aktennotiz de Neuhäuser du 21.3.1961, sur une conversation de son collègue Neumann avec Bouhali.

Kroun évoque l'affaire dans une lettre, dans laquelle il se plaint des « brimades » dont font l'objet quasi systématiquement ses compatriotes. Le 9 janvier 1961, il écrit au « Secrétariat de la FDGB » :

> J'ai déjà attiré l'attention des responsables de la FDGB sur les brimades dont sont victimes nos travailleurs. [...] J'attire encore l'attention de la FDGB sur le dernier incident [...] :
> Le frère CHERGUI Rabah, tuberculeux, était dans sa chambre le samedi 16 décembre. N'ayant rien pour dîner, il a décidé de se rendre au Kultur Palace. Vers 11 heures du soir, il résolut de rentrer chez lui, mais en sortant fut interpellé par un camarade allemand qui lui dit : « Si tu rentres à la maison, attends-moi, nous rentrerons ensemble. » Ce dernier est rentré dans une salle privée, où se déroulait une soirée de danse de la police.
> Rabah [...] après une longue attente [...] voulut entrer se renseigner sur son ami allemand. La portière lui refusa l'entrée. A ce moment un membre de la police de sécurité est sorti en prononçant ces mots : « ta place n'est pas ici » et en le frappant du poing à la mâchoire. Rabah n'a rien dit ; il a été frappé par la suite par deux autres qui suivaient le premier. Un des trois est rentré en courant pour appeler du renfort. En se voyant entouré par tout ce monde saoul, il aperçut un policier en train de boire une bouteille de vin. Il lui arracha la bouteille, en la cassant sur le bord d'une marche, il voulut se défendre avec le goulot de la bouteille. Rabah fut reconnu par une camarade allemande qui l'interpella. Ayant honte, il jeta la bouteille. À ce moment tout le monde lui est tombé dessus à coup de poing et de pieds jusqu'à l'arrivée des policiers gardiens de l'usine.
> Les derniers sont arrivés le casse-tête [Kroun pense certainement à une matraque, FT] à la main et ont commencé à matraquer l'Algérien sans raison. [...][1]

Kroun parla aussi d'un camarade allemand de Chergui qui était venu à son secours et avait été également matraqué par les policiers.

Les différentes expériences de heurts entre Algériens et leurs collègues ou autres Allemands, ne rendaient pas le récit de Kroun totalement improbable aux yeux des autorités du FDGB.[2]

Donc, dès le 10 janvier, Kroun fut convoqué au secrétariat du syndicat pour s'expliquer sur sa lettre devant Rolf Deubner et son collègue Helmut Fischer. Ces derniers condamnèrent, dans la note de service, le comportement de la police :

> Le collègue algérien a porté plainte auprès de la police, les résultats ne sont pas encore connus. Nous avons arrêté : indépendamment de la question des responsabilités, le traitement du collègue algérien doit être condamné, s'il a eu lieu comme il a été décrit.[3]

Mais les camarades du FDGB ne voulaient pas attendre le terme de l'enquête normale de l'administration policière, ils écrivirent directement aux instances régionales à Halle, chef-lieu du « département » dans lequel se trouve Bitterfeld, pour précipiter une investigation qui leur paraissait essentielle pour l'image de leur État. Dans

1. SAPMO-BArch DY 34/ 2133, KROUN Ahmed Délégué de l'UGTA à Berlin au Secrétariat de la FDGB, 9 janvier 1961.
2. En effet, Kroun s'était déjà plaint en novembre 1960 des problèmes qu'avaient ses compatriotes. Dans un entretien avec Tille de la direction du FDGB, il évoque non seulement – à part la façon inégale dont sont traités les ouvriers allemands et algériens (interdiction d'entrer dans la cafétéria de l'entreprise) – des bagarres entre Allemands et Algériens dans les entreprises, mais aussi leur traitement non équitable de la part de la police allemande qui donne raison systématiquement aux Allemands. Il cite l'exemple d'un Algérien à Bernau qui après une altercation désignait son agresseur – on lui avait infligé une blessure grave à la tête – qui n'avait pas été importuné par la police, et à Leipzig, on avait craché sur un Algérien avec comme résultat que la police voulait arrêter la victime (SAPMO-BArch DY 34/ 2133, 11 novembre 1960, « Aussprache über die Tätigkeit des Kollegen Kroun in der DDR », p. 2/3).
3. SAPMO-BArch DY 34/ 2133, Aktennotiz du 10 janvier 1961, p. 2.

la lettre au Colonel Heinze, on explique pourquoi l'affaire devait être traitée de façon prioritaire – elle risquait de prendre une envergure internationale :

> [...] nous vous prions d'éclaircir d'urgence ce cas, qui risque de brouiller les relations entre les syndicats algériens et notre organisation. Puisque le [...] collègue CHERGUI RABAH a porté plainte [...], selon l'affirmation du collègue Kroun, nous vous prions de poursuivre la plainte et de nous informer aussi vite que possible. Si l'incident a réellement eu lieu comme le décrit Kroun dans sa lettre, nous exigeons une punition exemplaire, dont nous l'informerons évidemment. Puisqu'il faut supposer que cet incident sera exploité au niveau international, nous insistons une fois de plus pour que l'investigation soit aussi rapide qu'approfondie.[1]

La réponse à la requête du FDGB ne vint pas du Colonel Heinze, mais du Ministère de l'Intérieur – qui avait été sollicité apparemment par la direction du FDGB, car l'objet de la réponse est « Votre lettre du 17 janvier 1961 » ; elle est signée par le Major-Général Winkelmann.[2]

Les faits tels qu'ils sont relatés ici ne ressemblent en rien à la description qu'en fait Kroun. Déjà, le rapporteur corrige des erreurs dans la description du délégué de l'UGTA, qu'il appelle le « camarade Kroun ». Selon lui, l'incident n'a pas eu lieu le 16 décembre vers 23 heures, mais le 18, vers 2 heures 30 du matin, ce qui le situe dans un contexte légèrement différent, vers la fin d'une soirée plus longue que celle évoquée par Kroun – et à la fin de la soirée privée des policiers. En plus, le fait que Chergui soit sorti pour dîner ne se trouve que partiellement corroboré par le rapport. Selon Winkelmann, Chergui s'était rendu en ville bien avant, l'après-midi afin de faire « des courses » ; et puis il s'était mis à consommer des « boissons alcooliques » dans « différents débits », où il avait rencontré son camarade allemand.[3] Ils étaient passés ensemble devant le Palais de la Culture de Bitterfeld en rentrant chez eux, vers 2 heures 30, lorsqu'« une réunion amicale » « des membres d'un service de sûreté » venait juste de se terminer.[4] L'altercation même se présente évidemment de façon différente, dans le rapport de la police :

> Chergui, qui, contrairement à ce que le Camarade Kroun affirme dans son rapport, était en état d'ivresse, chercha à pénétrer de force dans cette salle, alors que la soirée venait de se terminer et que tout le monde s'apprêtait à partir.
> L'assertion de Chergui, prétendant qu'il devait chercher dans la salle un camarade allemand pour rentrer avec lui, ne correspond pas non plus à la vérité.
> Chergui, bien qu'il fût averti d'une manière polie et correcte que la réunion était terminée, se mit à insulter les membres du service du Ministère de la Sûreté de l'État en question, qui se sont fait connaître comme tels et comme membres du Parti Socialiste Unifié. Il les traita de « socialistes de merde et de fascistes » en prononçant de graves menaces contre eux.
> Lorsqu'on lui demanda correctement d'arrêter ses invectives et calomnies, Chergui continua de plus belle. Bien qu'il n'y eût la moindre raison pour cela, il commença à se battre avec les camarades du service du Ministère de la Sûreté de l'État. Pour mettre les affirmations du Camarade Kroun bien au clair il faut aussi dire que Chergui cassa une bouteille qu'il avait amenée, et qu'il menaçait de tuer avec le morceau de bouteille qu'il tenait par le goulot les camarades en question.
> Lorsqu'il se rua sur ces hommes, Chergui blessa à la main avec ce morceau de verre un camarade du service du Ministère. [...]
> Il fallut donc, pour maîtriser Chergui, employer la force. Il s'y opposa vivement lorsqu'il fut conduit au poste des gardiens de l'entreprise. L'on dut employer le bâton de police pour le maîtriser.[5]

---

1. SAPMO-BArch DY 34/ 2133, lettre « An die Leitung des Bezirksamtes Halle », 25 janvier 1961.
2. SAPMO-BArch DY 34/ 2133, Traduction en français, probablement pour Kroun.
3. *Ibid.*, p. 2.
4. *Ibid.*, p. 1.
5. *Ibid.*, p. 2.

Que le rapport de police diffère de beaucoup du récit d'une victime de brimade, voire de bavure, n'est pas étonnant ; le dénouement de l'affaire l'est beaucoup plus. Et là, le comportement de Chergui commence à être bien moins convaincant.

En effet, Chergui fut convoqué auprès des services du ministère de la Sûreté de l'État pour s'expliquer sur le fait qu'il avait « donné sciemment des renseignements faux ». Là, il avoua avoir « déposé différentes plaintes au sujet du traitement injuste qui lui avait été infligé, suivant le conseil de son colocataire, le citoyen algérien Mustapha Boulaghem ». Chergui se rétracta complètement devant les agents de la Sécurité de l'État :

> Lorsque Chergui admit avoir mal agi, il dit que l'intervention des organes avait été méritée et que pour lui l'affaire était close.[1]

Qui croire ?

Que ces problèmes existaient réellement, semble évident.

Que Kroun ait utilisé les difficultés de ses compatriotes pour exercer une certaine pression sur ses hôtes me semble probable.

Que les autorités de la RDA fussent gênées par de telles péripéties ressort de plusieurs rapports, depuis novembre 1960, quand Kroun avait évoqué l'attitude parfois plus que désagréable de certains Allemands envers ses compatriotes.

À ce moment, le secrétaire du FDGB Tille lui avait promis de se charger personnellement de ces affaires pour que des investigations précises sur certains cas fussent faites pour résoudre le problème une fois pour toutes.[2] La réaction rapide à la lettre de Kroun concernant Chergui montre également le sentiment de gêne que pouvaient avoir certains des hauts fonctionnaires – ne serait-ce que par peur du bruit que l'affaire pouvait faire à l'étranger.

Par conséquent, il n'est pas étonnant que leur réaction après le dénouement de l'affaire ait été virulente. En effet, une note de service du 29 mars 1961, c'est–à-dire à peine deux semaines après le rapport du Ministère de l'Intérieur, fait apparaître la colère des camarades contre Kroun à l'origine de toute cette affaire. Un auteur non identifié fit part à son collègue Fischer du secrétariat du FDGB de la colère des collègues du CC du SED et de leurs recommandations :

> Proposition du camarade Röhner :
> En raison de l'attitude intrigante dans le cas de l'affaire de Bitterfeld (présentation incorrecte de la part de Kroun, diffamation des organes de notre État) expulsion immédiate.[3]

Le CC du SED reprocha même au FDGB une « tactique dilatoire » dans le cas de Kroun – ce qui est parfaitement injuste, car le FDGB avait tout intérêt à revenir à l'accord du 24 mai 1960 et donc à se débarrasser du délégué permanent de l'UGTA – comme le montrent tous les documents qui concernent Kroun.

---

1. *Ibid.*, comme les citations précédentes.
2. SAPMO-BArch DY / 34 / 2133, *Aussprache über die Tätigkeit des Kollegen KROUN in der DDR*, 11 novembre 1960, p. 3.
3. *Ibid.*, Aktennotiz an Koll. Helmut Fischer du 24 mars 1961 (cf. chapitre « Concessions de la RDA... », note 66).

En conclusion on peut constater que pour la RDA, les ouvriers algériens, souvent passés de France en RFA et de RFA en RDA, étaient des « amis » difficiles, pour différentes raisons.

Au niveau idéologique, ces individus pouvaient certes être considérés comme des persécutés de l'« impérialisme français » et de son laquais fascisant, la RFA. Par conséquent – et ici l'affaire se complique – on pouvait les considérer comme combattants volontaires potentiels pour la libération nationale de leur pays.

Or, si un émissaire de l'UGTA doit venir exprès de Tunisie pour expliquer à ses compatriotes que la patrie a réellement besoin d'eux en Afrique du Nord et qu'ils doivent y rejoindre leurs frères combattants, ceci indique que l'enthousiasme pour les combats de libération n'était pas forcément débordant.[1]

En outre, si les convictions libératrices des « amis » ne semblaient pas encore suffisamment consolidées, force est de constater que leurs convictions socialistes et leur comportement social ne l'étaient pas beaucoup plus. Les autorités de la RDA s'en étaient aperçues bien plus vite que les responsables sur place qui était en contact direct avec ces ouvriers. En effet, que Schwotzer du CC du SED doive expliquer au responsable « politique » du VEB Sachsenring que ses « protégés » n'étaient pas des vrais communistes, montre un problème de communication politique que l'on voit aussi ailleurs.

Ainsi, en novembre 1961, les « Camarades du PO [Parteiorganisation] 11 du VEB Waggonbau Görlitz » écrivirent un télégramme au GPRA qu'ils apostrophèrent par la formule « Chers frères et sœurs de classe ! Chers camarades en Algérie [...] ». Or, comme Schwotzer avait dû l'expliquer aux collègues du VEB Sachsenring, on aurait dû expliquer également aux camarades de Görlitz que les Algériens en lutte pour la libération n'étaient pas toujours des communistes[2] ou – quand ils prétendirent l'être – qu'ils avaient des idées qui différaient « passablement des nôtres sur la construction du socialisme ».[3]

Il faut rappeler également que le citoyen est-allemand qui prenait ses informations dans la presse n'y voyait quasiment jamais d'autres combattants que les communistes avec à leur tête Larbi Bouhali.

---

1. Martini suggère, certes pour des anciens blessés, une telle attitude : « Une fois leurs soins terminés, ils avaient joué des pieds et des mains pour rester en DDR [...] : après avoir eu suffisamment de courage et de patriotisme pour s'engager dans l'ALN, ces gars avaient eu suffisamment de tonus et de persévérance pour trouver le "truc" pour se faire évacuer en Europe, besoin réel ou pas besoin, et là, les soins terminés, au lieu de choisir la solution facile (matériellement) de rentrer, ils avaient cherché soit à s'instruire soit à travailler et donc à s'autonomiser. » (MARTINI, Chroniques..., p. 249).

2. SAPMO-BArch DY 30/ IV 2/20/ 355, feuille 52, 11 mars 1960 : Dans un autre contexte, à l'occasion de la demande d'adhésion au SED de l'Algérien Mohamed Kherraz, le même Schwotzer rappelle à la direction du SED au district de Brandebourg : « En outre, le FLN n'est pas identique au le PC algérien. » Il faut rajouter pour excuser l'erreur des « provinciaux » que 1° Kherraz était arrivé en RDA sur « décison du parti algérien illégal en France » et avait « demandé de l'aider à garder son adhésion » (SAPMO-BArch DY 30/ IV 2/20/ 355, feuille 54, 26 février 1960). Kherraz lui-même avait fait valoir, dans une lettre du 5 février 1960 qu'il adhéra « en 1958 au PCF. Je suis dans le parti algérien FLN depuis 1957. Sur décision du parti illégal algérien en France je suis venu en Allemagne » (*ibid.*, feuille 56).

3. Cf. *supra*, note 1 p. 144.

Obnubilées par leur vision idéologique des phénomènes sociaux, les autorités de la RDA ne voyaient pas que la simple « éducation politico-sociale » – du côté algérien comme du côté allemand – ne pouvait suffire à résoudre les problèmes interculturels algéro-allemands. Ce qui manquait, c'était une analyse approfondie de la situation des ouvriers algériens arrivés en RDA.

À la fin de la période ici traitée, il semble que les autorités est-allemandes avaient développé une vision plus réaliste des problèmes. L'accord avec l'UGTA sur le regroupement des ouvriers, la possibilité pour eux d'élire une sorte de « médiateur » – qui devait prendre une partie des fonctions qu'avait eues le délégué Kroun – devait améliorer les contacts des Algériens entre eux – peut-être même faire diminuer le fameux désir de voyager – et par là créer un contrôle social interne au groupe concerné. En février 1962, on commença effectivement à former des commissions pour les ouvriers (à partir des « Algériens les plus progressistes et fiables »).[1] La qualification des ouvriers qui resteraient provisoirement en RDA après la fin des hostilités en Algérie pouvait s'envisager alors plus sereinement.

Du côté algérien, on peut affirmer que le délégué Kroun n'a pas agi d'une façon salutaire pour les travailleurs algériens encadrés en principe par l'UGTA. Son rôle dans le débat autour du rapatriement n'était pas clair, ses positions étaient contradictoires. D'un côté, il semble avoir incité certains compatriotes à un retour en Afrique du Nord. Or, lorsqu'un responsable allemand lui demanda quelles personnes il fallait renvoyer, il répondit que, dans l'état actuel, les cadres formés en RDA ne pouvaient y remplir aucune fonction.

Quand il accusait les citoyens de la RDA de racisme envers les Algériens, il avait probablement raison, les réactions des autorités de la RDA et les rapports qui « remontaient » à Berlin en témoignent. Mais il ne prenait pas en compte la situation de la population concernée et les perturbations que pouvaient représenter les ouvriers algériens avec leurs problèmes dans des villes comme Magdebourg, Zwickau ou Bitterfeld.

Quand on observe entre autres la misère sexuelle des Algériens qu'évoquaient aussi bien les auteurs de plusieurs rapports en RDA que Michel Martini *a posteriori*, on peut conclure que le délégué permanent de l'UGTA aurait peut-être dû se concentrer, comme sa mission le prévoyait, sur le règlement des « petits problèmes quotidiens » qu'avaient et que posaient ses compatriotes.

Kroun commit en plus une erreur en prenant l'aventure de Chergui comme exemple type du racisme et des brimades de la part des Allemands et avant tout de la « Police Populaire », sans se renseigner sérieusement sur ce qui s'était réellement passé. S'il est évident que dans tous les régimes du monde, la version de la police diffère plus ou moins de celle de la victime des brimades, les antécédents que cite le rapport de Winkelmann concernant Chergui invitent le lecteur à ne pas accorder une crédibilité parfaite à la version exposée par Kroun. Et que la « victime » se rétracte pendant la procédure est d'autant plus troublant.

Il me semble que, dans cette affaire, les autorités de la RDA étaient encore relativement indulgentes envers le délégué permanent. Certes, elles demandaient son

1. SAPMO-BArch DY 34/ 3379, 12 février 1962.

expulsion immédiate, mais elles le toléraient encore pendant deux mois dans ses fonctions et sur leur territoire.

Ce qu'il convient de retenir de toutes ces péripéties autour des « amis algériens », c'est le manque flagrant d'entente des deux côtés.

Les autorités de la RDA – et certainement une partie de la population – ne comprenaient pas que les « amis » ne se comportaient pas comme tels. Les activités de solidarité internationale envers les représentants d'un peuple en lutte héroïque pour sa libération ne suscitaient pas la reconnaissance des intéressés.

En effet, en RDA, très peu de personnes pouvaient comprendre ce qu'affirmait Rabah Derri sur son séjour en France où il s'habillait mieux et où son niveau de vie était plus élevé.[1] Extrêmement peu nombreux étaient les citoyens de la RDA qui avaient pu vivre en Europe de l'Ouest après la guerre.

L'un des exemples les plus significatifs de cette méprise du côté est-allemand est certainement le reproche que fait le représentant du CC du SED aux Algériens, la « Reiselust », l'envie de voyager. Si envie il y a eu en RDA, cette envie était fortement diminuée par le règlement qui prévoyait que chaque déplacement vers une autre ville du territoire national devait être autorisé par les agents de l'ordre public dans la ville du départ.[2] La remarque du représentant à Prague face à un délégué de la RDA sur les voyageurs algériens est une illustration parfaite de cette incompréhension entre deux mondes.

L'asile que donnait la RDA aux ouvriers algériens était pour ceux-ci une sorte de pis-aller, une station qu'ils n'avaient pas choisie et qui représentait la fin d'une pérégrination dont la fin n'était pas encore visible.[3] Ils ne pouvaient comprendre qu'en RDA l'idéologie officielle était la construction du socialisme réel, c'est-à-dire d'un monde meilleur que celui qu'ils avaient quitté en France ou en RFA. En plus, le rappel des ouvriers vers une Afrique du Nord en guerre et qui représentait pour eux un destin plus qu'incertain ne les incitait pas réellement à faire des efforts d'intégration dans un système qui ne les protégeait pas contre ce sort.[4]

---

1. Cf. supra, note 21.
2. Dans le document « In der DDR lebende Algerier » (SAPMO-BArch DY 34 / 2133, 13 janvier 1960), l'auteur Baumgart du FDGB, demande que sur la carte de séjour des Algériens, soit appliqué le tampon « Non valable pour Berlin », et que l'on organise une meilleure coopération « pour que de telles personnes ne voyagent pas incontrôlées à travers la RDA » (*ibid.*, p. 5).
3. Le document « In der DDR lebende Algerier » (SAPMO-BArch DY 34/ 2133, 13 janvier 1960) ne contredit pas cette constatation. En effet, l'auteur y affirme que « seulement une petite partie des Algériens vivant en RDA considèrent leur séjour comme un asile politique » (*ibid.*, p. 4). Ceci est probablement vrai, mais pas pour la raison que donne l'auteur du rapport. Il croit que les raisons de ces personnes pour un séjour en RDA « sont primordialement basées sur la situation économique en France et en Allemagne de l'Ouest » (*ibid.*). La remarque de Rabah Derri sur la belle vie en France contredit cette affirmation, comme l'affaire de l'habillement des Algériens arrivés en RDA ; et surtout la conjoncture économique générale en Europe occidentale ne correspond pas du tout à l'opinion du fonctionnaire de la RDA.
4. En novembre 1961, autour de la visite des secrétaires de l'UGTA, Djilani et Ben Driss, à Berlin, au MfAA et au FDGB, on réfléchit à la fois à regrouper les ouvriers algériens et leur donner la possibilité de se prononcer à travers un délégué local, et à utiliser le rapatriement comme moyen de pression contre les débordements de certains des « amis » (SAPMO-BArch DY 30/ IV 2/20/ 354 feuille 256, 8 mars 1962 ; rapport sur la visite de la délégation de l'UGTA en novembre 1961, p. 7). En effet, « pour améliorer la discipline et la moralité des ouvriers algériens » le FDGB « fera désormais des propositions

En revanche, le syndicat algérien, au lieu de s'occuper concrètement des personnes qui dépendaient de lui, avait envoyé un délégué permanent qui aspirait à des fonctions quasi diplomatiques, ne comprenait pas très bien le fonctionnement de l'État qui l'avait accueilli sans enthousiasme, et n'avait pas les réflexes politiques nécessaires pour agir dans l'intérêt quotidien des gens pour lesquels il avait été « accrédité » par ses hôtes.

Car les ouvriers algériens en RDA n'étaient pas des « amis », ne se comportaient pas en amis, et la RDA avait du mal à comprendre pourquoi – c'étaient avec eux « que nous avons eu le plus de soucis ».[1]

[...] de rapatriement à l'UGTA, dans les cas d'atteintes graves contre les lois démocratiques de la RDA ou autres atteintes graves contre la discipline de la part d'ouvriers algériens. Jusqu'ici le côté algérien n'a pas été informé dans ces cas ». Le même propos se trouve dans le rapport pour le secrétariat du FDGB sur la visite de Djilani, daté du 13 décembre 1961, p. 6 (SAPMO-BArch DY 34/ 2133).

1. Ajoutons que le seul souci que les responsables de toute sorte en RDA n'ont apparemment jamais eu était celui de l'alimentation. Je n'ai trouvé nulle part dans tous les documents une quelconque remarque sur le régime alimentaire des Algériens, pratiquement tous musulmans. La question « halal » ne se pose pas encore (?) à cette période.

FORMATION, ENDOCTRINEMENT COMMUNISTE ET RAPATRIEMENT. LES ÉTUDIANTS ALGÉRIENS EN RDA

Les préoccupations de la RDA concernant les « Algériens persécutés » en Europe de l'Ouest, exprimées dans l'appel de novembre 1958, ne s'adressèrent pas seulement aux ouvriers ; la RDA avait proposé aussi des possibilités d'études avec bourses à des étudiants pour attirer les futures élites de l'État qui devait sortir de la guerre en Afrique du Nord.

Les services du Ministre délégué auprès du Gouvernement militaire français de Berlin s'apercevaient bien de cette vision des autorités est-allemandes qui firent parler ces étudiants devant le personnel des entreprises en RDA :

> Ces derniers, étudiants aux universités Est-allemandes et dans lesquels les dirigeants de Pankow voient, dans un avenir proche, des hommes influents dans leurs pays respectifs, sont invités à prendre la parole devant le personnel des entreprises. [...][1]

Les propositions de la RDA étaient par ailleurs prises très au sérieux par l'Auswärtiges Amt (Ministère des Affaires étrangères) de la RFA. Ainsi, l'ambassadeur de la France en RFA, François Seydoux, relata à son ministère, en mars 1959, la crainte de ses collègues allemands après l'attentat contre l'un des dirigeants du bureau du FLN à Bonn, Aït Ahcène :

> L'Auswärtiges Amt notait aussi avec inquiétude les efforts faits par la DDR afin d'attirer vers elle les étudiants algériens inscrits dans les universités de l'Allemagne de l'Ouest. Au lendemain de l'attentat dirigé contre Aït Ahcène à Bonn, un départ massif des étudiants vers l'Est avait failli se produire. Le FLN avait en effet fait savoir à l'époque à l'Auswärtiges Amt que, si les Autorités allemandes le désiraient, il pouvait donner l'ordre aux Algériens résidant en Allemagne de quitter immédiatement le territoire fédéral. Bonn avait eu alors de bonnes raisons de penser que cet exode, s'il se produisait, se ferait dans la direction de l'Est.[2]

---

1. MAE, Europe 1956-1960, RDA 30, dossier 1959-1960, feuille 155/56, 14 avril 1960 : B. de Chalvron au MAE sur « Activité du FDGB à l'égard des pays non-engagés ».
2. MAE, Afrique-Levant, 39, Algérie 1953-1959, François Seydoux au MAE, 4 mars 1959.

Les étudiants comme problème, mais combien d'étudiants ?

Selon Mabrouk Belhocine, à l'époque secrétaire général du MAE du GPRA à Tunis et qui dirigea la délégation algérienne en juin 1960, les étudiants étaient même le problème principal de la politique algérienne en RDA en cette période.[1] Selon lui, les étudiants algériens se disputaient non seulement entre partisans du FLN et partisans du PCA, donc pour des raisons politico-idéologiques, mais également parce que les partisans du PCA obtenaient des bourses plus élevées que les autres.[2] Cette description est corroborée par deux rapports de l'automne 1959, de Belaïd Abdessalam, chargé des Affaires estudiantines au ministère algérien des Affaires culturelles, et de Messaoud Aït Chaalal, responsable de l'UGEMA, qui devait accompagner Belhocine dans son voyage à Berlin-Est en juin 1960. Tous les deux déplorent le comportement parfois inadmissible de certains étudiants, mais Aït Chaalal élargit le problème en reprochant aux autorités de la RDA des tentatives de débauchage d'étudiants au profit du PCA et au détriment de l'UGEMA.[3]

Le nombre d'étudiants en RDA était pourtant relativement faible, il variait selon les périodes. On trouve un chiffre dans l'ouvrage de Mohammed Harbi et Gilbert Meynier sur le FLN dans une note :

> Le FLN obtint des bourses d'études pour des étudiants algériens dans plusieurs pays de l'Est. Le plus grand nombre fut accueilli en RDA (à la date du document [fin 1959], 83 des 134 étudiants des pays de l'Est sont en RDA).[4]

Les militaires français semblent confirmer ces chiffres ; on estimait cependant ici, en août 1959, le nombre d'étudiants qui séjournèrent dans les pays « socialistes » à un minimum de 300, dont près d'un tiers en RDA :

> Un minimum de 90 étudiants algériens se trouve ainsi en RDA (300 même d'après certaines sources) à Berlin, à Dresde, à Leipzig (50 d'après certaines sources).[5]

---

1. Entretien avec l'auteur, le 30 novembre 2006. Ce qui est étonnant, c'est qu'avant la fin de la guerre en Algérie, dans la presse de la RDA, surtout dans le ND, quotidien officiel du SED, on ne trouve pratiquement pas trace des étudiants algériens, pourtant subventionnés par la RDA – et parfois idéologiquement proches d'elle (voir *infra* Zoubir, Mouffok, Bounedjar). Ces étudiants n'étaient pas seulement un problème pour la RDA ; certains responsables algériens, comme ledit Belhocine également, réagissent très gênés à des question directes concernant les étudiants et aussi Kroun (cf. le rapport sur un entretien entre le 3ème secrétaire de l'ambassade au Caire Haschke et Belhocine, le 27 avril 1962, MfAA A 13 775, feuille 165/66).
2. Je n'ai pas trouvé de preuves de cette affirmation de M. Belhocine qui est pourtant corroboré par son ami et collègue Harbi : « M'hammed Hadj Yala, que le ministère des Affaires extérieures avait dépêché dans les pays de l'Est [...] estimait que les choses se passaient comme si un vaste plan avait été minutieusement mis au point pour attirer le maximum d'Algériens en RDA et les confier au PCA. Lors d'une discussion que j'ai eue avec lui, il fit état de recrutement d'étudiants par les services de sécurité est-allemands, de privilèges accordés aux militants communistes, de protection des étudiants réticents rappelés par l'UGEMA pour des raisons politiques et autres. » (Harbi, Mohammed : *Une vie debout. Mémoires politiques ; tome 1 1945-1962.* Paris, La Découverte 2001, p. 307).
3. Harbi, Mohammed/Meynier, Gilbert : *Le FLN. Documents et histoire 1954-1962.* Paris, Fayard 2004, p. 715/16.
4. *Ibid.*, p. 715, note 5.
5. SHD/DAT 1H 1721, Premier Ministre Cabinet Août 1959, p. 45. Communisme et Rébellion algérienne (75 pages).

La difficulté de se fier à ce genre d'informations – Harbi et Meynier ne donnent pas de références – se révèle quand on compare ces chiffres avec ceux que l'on trouve dans un rapport interne du FDGB de janvier 1960, c'est-à-dire quelques mois plus tard.[1] Ici on parle de 113 étudiants, dont la moitié à Leipzig, les autres à Halle, Berlin, Freiberg, Jena, Rostock, Babelsberg.[2] S'y ajoutaient encore 21 étudiants qui faisaient des études syndicalistes au « arabisch-afrikanisches Seminar an der Hochschule der Gewerkschaften in Bernau ».[3]

Dans ce contexte, la délégation dirigée par Mabrouk Belhocine partit en RDA, en juin 1960, pour deux raisons. L'une était d'obtenir des autorités est-allemandes l'autorisation d'installer un bureau officiel du FLN à Berlin-Est. Mais pour arriver à cette fin, le front des Algériens sur le territoire de la RDA devait être aussi peu agité que possible. La deuxième mission de la délégation était donc de régler les problèmes des étudiants, qui risquaient de perturber la politique algérienne envers le deuxième État allemand. Pour cette raison Belhocine se faisait accompagner par l'un des dirigeants de l'UGEMA, Aït Chaalal.[4]

Les étudiants algériens s'étaient rendus en RDA sur l'invitation de cet État pacifique, anti-impérialiste et anti-colonialiste, pour s'y former à des tâches utiles de l'après-guerre dans leur patrie. Aussi devaient-ils se comporter de façon convenable chez leurs hôtes.

Certes, quelques étudiants algériens se trouvaient en RDA déjà avant l'invitation du MfAA en novembre 1958 ; mais leur nombre est difficile à évaluer. Il ne devait pas dépasser une vingtaine au maximum. Produire des chiffres exacts est d'autant plus difficile qu'évidemment, tous les Algériens ne faisaient pas les mêmes études dans les universités et autres instituts de formation est-allemands.

Des études de terrorisme en RDA ?

Parfois il s'agissait d'étudiants proprement atypiques, tels que le SDECE les mentionne pour l'année 1958, année de la création du GPRA :

1. Le chiffre que donna un journal ouest-allemand, Südwest Kurier du 5 décembre 1961 (cité dans CAHN, Jean-Paul/MÜLLER, Klaus-Jürgen : *La République fédérale d'Allemagne et la Guerre d'Algérie*. Paris, le Félin 2003, p. 404), à savoir 2 500 étudiants que la RDA aurait accueillis, est de toute façon très largement exagéré.
2. SAPMO-BArch DY 34/ 2133, rapport sur une réunion, le 11 janvier 1960, au CC entre Mme Vosske et M. Bergold, du CC, MM. Pfeuffert et Scharnowski du Ministère de l'intérieur, et et M. Baumgart du FDGB) sur les Algériens en RDA, p. 2. Les étudiants à Freiberg faisaient des études techniques des mines à la « Bergwerksakademie », ceux à Berlin éventuellement des études de philosophie comme Bounedjar, et d'économie à Berlin-Karlshorst comme Houari Mouffok (cf. MOUFFOK, Houari : *Parcours d'un étudiant algérien de l'UGEMA à l'UNEA*. Saint Denis, Bouchène 1999, p. 71), ceux à Babelsberg faisaient des études de cinéma. Leipzig était un centre de formation linguistique (Allemand langue étrangère), d'où cette quantité considérable sur la totalité des étudiants inscrits en RDA, aussi bien dans le rapport du FDGB que celui des militaires français.
3. *Ibid.*, p. 6 ; le nom complet de cette institution était « Hochschule der Deutschen Gewerkschaften "Fritz Heckert" ».
4. La mission de Chaalal n'apparaît pas précisément, ni dans son rapport au MAE à Tunis, ni dans les documents allemands. Harbi, *Une vie debout…*, p. 309, écrit par ailleurs que la délégation était dirigée par Aït Chaalal. Considérant la position de Mabrouk Belhocine, secrétaire général au MAE, ceci me semble peu probable.

Des membres du FLN, au nombre de 76, sont arrivés en DDR, le 21 août 1958, par la Suisse et la Tchécoslovaquie, pour suivre des cours dans des écoles spécialisées de la « Nationale Front », en particulier dans les écoles du FDJ [Freie Deutsche Jugend, l'organisation des jeunesses du SED, FT] de MECKLEMBOURG et de SAXE. Le séjour en DDR de ces Schüler technischer Ausbildungszweige (titre officiel des stagiaires) est prévu jusqu'au 25 septembre 1958 par le « Büro zur Betreuung der Diplomaten » [...].
Ces Algériens FLN viennent s'initier en zone soviétique aux problèmes des activités politiques illégales. Par mesure de sécurité ils sont inscrits dans les cours sous des pseudonymes allemands, mais aucun d'eux ne parle cette langue.
Les cours sont faits en Français, principalement par des fonctionnaires de MOSCOU. Les stages sont ouvertement dénommés par les milieux informés de DDR « Schule für individuellen Terror » (école pour le terrorisme isolé). L'organisation des stages est confiée à la DDR pour les questions administratives. Un Tchèque, Jan MJKH, qui parle couramment le russe, l'allemand et le français, est le chef responsable de l'école. [...]
Un deuxième stage est prévu pour le mois d'octobre.
Le but de ces stages est de former des membres du FLN pour des actions de terrorisme en France.
Le vice-ministre WINZER a demandé que le nécessaire soit fait pour que les stages restent ignorés de l'étranger, afin d'éviter des complications diplomatiques à PANKOW.[1]

Du côté est-allemand, on ne trouve aucune trace de ces « stagiaires », ce qui n'est pas étonnant. Il est par contre fort probable qu'au moins une partie des « apprentis terroristes » algériens faisait simplement des études d'organisation syndicale, comme plus tard les étudiants à la « Hochschule der Gewerkschaften » à Bernau, près de Berlin. En revanche, il n'est pas à exclure qu'il y ait eu, dans des pays dits socialistes, des écoles de guérilla, et que l'une d'entre elles se soit trouvée en RDA, État qui n'avait pas de relations diplomatiques avec la France, contre laquelle ces activistes s'entraînaient.[2]

Il est pourtant possible que les services français aient exagéré, dans leurs rapports destinés au pouvoir politique, les informations qu'ils avaient récoltées sur le terrain – et qui étaient, plusieurs recoupements le prouvent, souvent très fiables –, pour donner plus de poids à leur propre activité. Accuser des États communistes de former des « terroristes » qui devaient être mis en service en Algérie, était logique dans l'optique des militaires français.[3]

Dans ce contexte, il est également significatif que les militaires français ne faisaient pas la distinction entre FLN et parti communiste. Dans le même document, dans le même chapitre V « Aide militaire et paramilitaire », le SDECE évoque l'école de Bischofswerda, près de Dresde :

Une école de cadres pour militants communistes algériens fonctionnerait à BISCHOFSWERDA, à 35 km à l'Est de DRESDE et à environ 3 heures en voiture de PRAGUE.[4]

Il ressort toutefois clairement des documents militaires que, même pour des Algériens « communisants », le choix de la RDA était, dès le début des relations avec cet État, un pis-aller par rapport à la RFA. Ainsi on mentionne dans le même document

1. SHD/DAT 1H 1721, 26 mai 1959 : L'aide communiste à la rébellion algérienne (16 février 1959, SDECE), p. 23.
2. C'est probablement le sens de la phrase qui se termine par « pour les questions administratives » dans le document précité.
3. Cf. chapitre « SED, PCF et PCA... ».
4. SHD/DAT 1H 1721, 26 mai 1959 : L'aide communiste à la rébellion algérienne (16 février 1959, SDECE), p. 25.

un ouvrier algérien travaillant dans une usine ouest-allemande que ses camarades dans l'entreprise invitèrent à se rendre en RDA :

> Au mois d'août 1958, Boudjema BOURAK, Algérien, membre du FLN, est invité par le groupe communiste de l'entreprise dans laquelle il travaille à STUTTGART à se rendre en zone soviétique, où il recevrait, lui dit-on, sans avoir à prendre aucun engagement, une bourse pour ses études. BOURAK n'acceptera, en fait, de se rendre en RDA que si son « passeport allemand pour étrangers » n'est pas renouvelé.[1]

Dans un autre document du SDECE, on retrouve l'école de Bischofswerda, et également l'un des indices prouvant que, pour les militaires français, les stagiaires du FLN devaient être communistes :

> Les élèves, qui seraient au nombre de 80 environ, seraient venus en majorité de France via le Luxembourg à la fin de septembre 1958. Les professeurs viennent en général de PRAGUE. Les cours seront à la charge d'Auguste CORNU (P.C.F.) qui se trouve depuis 1949 en D.D.R.[2]

Le personnage d'Auguste Cornu est intéressant par son parcours pour le moins inhabituel[3], mais dans les documents le concernant, on ne trouve pas trace de son activité à l'école de Bischofswerda. Celle-ci, selon le SDECE, devait être par ailleurs dissoute, ce qui n'empêchait pas ces étudiants particuliers d'étudier les méthodes de guérilla leur besogne néfaste ailleurs, en l'occurrence à Prague, probablement au cours de l'année 1959 :

> Selon les plus récentes nouvelles cependant, l'école de BISCHOFSWERDA, dont l'existence est maintenant trop connue, serait en voie de dissolution en D.D.R. Mais les stagiaires communistes algériens devraient, selon la même source, être transplantés à PRAGUE où leur instruction se poursuivrait.[4]

Même fin 1960, des soupçons sur des étudiants formés militairement subsistaient auprès de certains services français. Ainsi le service de Sûreté informa B. de Chalvron du Gouvernement militaire de Berlin que les étudiants algériens en RDA devaient subir obligatoirement une telle formation :

> Selon les renseignements émanant de notre Service de la Sûreté, tous les étudiants algériens immatriculés aux universités de la D.D.R., devront obligatoirement suivre, à la demande du ministre de la guerre du « G.P.R.A. », des cours de formation d'officiers de réserve de l'armée de terre.
> Les cours qui auraient débuté le 15 Octobre à l'école des Cadets de Naumburg seraient suivis par 82 étudiants algériens qui doivent consacrer à leur formation accélérée les samedis et dimanches pendant une année.
> Parallèlement aux exercices pratiques de tir aux armes automatiques, au lance-grenade, à la carabine d'assaut, ils étudieraient la guerre de mouvement, la topographie et la tactique. Une place importante serait réservée aux exercices de guérilla.
> À l'issue du stage, les Algériens seraient nommés sous-lieutenant de réserve et prêteraient serment devant un représentant du « Gouvernement Provisoire de la République Algérienne », délégué à cet effet en D.D.R.

1. *Ibid.*, p. 17.
2. SHD/DAT 1H 1721, Présidence du Conseil SDECE 16165/IV, p. 25 (non daté, fin 1958).
3. Professeur de littérature à la Sorbonne et membre du PCF, Auguste Constant Cornu (1888 à 1981) quitte la France pour la RDA en 1949. Il y poursuit sa carrière de professeur, d'abord à l'université Karl Marx de Leipzig, à partir de 1950, puis à l'université Humboldt de Berlin, comme successeur du très célèbre romaniste Werner Krauss, jusqu'en 1959, quand il est élu membre de l'« Akademie der Wissenschaften ». Il n'est apparemment jamais rentré en France (SAPMO-BArch DY 30/IV 2/11/2630, Institut für Marxismus-Leninismus beim ZK der SED – Zentrales Parteiarchiv).
4. SHD/DAT 1H 1721, Présidence du Conseil SDECE 16165/IV, p. 25. Malheureusement le document n'est pas daté, on y évoque « septembre 1958 » comme date passée.

Le refus de suivre les cours entraînerait l'exclusion immédiate de l'étudiant de l'université et la fin de ses études en D.D.R.[1]

Plusieurs raisons font douter de la véracité de cette information, pour. D'abord, à cette période, le nombre d'étudiants en RDA que donne l'informateur était probablement plus élevé. Mais d'autres raisons sont plus importantes.

Un gouvernement, en l'occurrence le GPRA, qui s'inquiétait parce que ses ressortissants subissaient un endoctrinement renforcé, ne pouvait les envoyer dans une structure militaire, où, à cet endoctrinement se rajoutait l'obligation d'obéissance stricte que cultivent toutes les armées. En plus, le PCA aurait certainement protesté auprès des autorités de RDA contre une telle demande de la part du GPRA. Le PCA aurait pu faire valoir qu'en cette même période, un certain nombre d'Algériens, essentiellement des étudiants, refusèrent de se faire rapatrier sous prétexte qu'ils étaient sympathisants du PCA et que le GPRA les enverrait, sur place en Afrique du Nord, dans des endroits où ils devaient être les premiers à mourir.[2]

Du côté est-allemand, on n'aurait pu accepter une telle revendication de la part du gouvernement algérien sans des négociations « interétatiques », de gouvernement à gouvernement – et l'on ne trouve aucune trace et même aucune allusion à de telles négociations dans les documents est-allemands.

En outre, à la fin de l'année 1960, les autorités de RDA commençaient à se douter qu'une partie des étudiants « rapatriés » furent transférés en RFA pour y poursuivre leurs études avec des bourses pour réfugiés de l'Est.[3] Elles ne pouvaient risquer l'envoi d'étudiants algériens sur le territoire de l'État rival, alors qu'ils avaient reçu une formation militaire du Pacte de Varsovie.

L'information du service de Sûreté doit donc être considérée comme l'un des multiples éléments d'autosuggestion des autorités françaises, surtout des militaires, décrite au chapitre « SED, PCF et PCA... », à savoir un complot communiste en Algérie, dont le GPRA n'aurait été qu'une marionnette.[4]

L'affaire Zoubir : « élément positif », exclu du PCA

Mais à part les prétendus apprentis communistes de la terreur, d'autres étudiants, parfois particuliers eux aussi, se trouvaient déjà en RDA quand celle-ci invita les « Algériens persécutés » à se réfugier sur son territoire.

Ainsi, dès le mois de janvier 1958, Larbi Bouhali du PCA avertit le CC du SED de la présence d'un certain Miloud Zoubir comme étudiant à la « Ingenieur-Schule ,Otto Grotewohl' Fachschule für polygraphische Industrie »[5] à Leipzig.[6] Cet étudiant avait probablement été accueilli en RDA en tant qu'ancien membre du PCA. Ce qui est plus

1. Europe 1956-1960, RDA 32, Relations France/RDA, feuille 100, Chalvron au MAE, 8 octobre 1960.
2. Voir *infra*, note 62.
3. Voir *infra*, sous-chapitre « le cas Hellel... ».
4. Voir chapitre « SED, PCF et PCA... ».
5. SAPMO-BArch DY 30/ IV 2/20/ 353, feuille 247, entête d'une lettre concernant Zoubir.
6. Selon une note biographique signée Schwotzer et datée du 9 mai 1958 (*ibid.*, feuille 249), Zoubir est arrivé en RDA dès mars 1957.

étonnant, c'est qu'il y fit des études de « polygraphie » à un âge avancé – il était né en 1913 ; il avait donc déjà 45 ans quand il devint l'objet d'un léger différend entre les autorités de la RDA et le PCA.

La correspondance entre le SED, le PCA et Zoubir lui-même est révélatrice d'un certain nombre de problèmes qui vont bien au delà de son cas particulier. D'abord la rivalité entre FLN et PCA ressort clairement de cette affaire. Ensuite, on apprend que l'étudiant Zoubir n'était pas seul, mais que d'autres étudiants étaient venus en RDA, envoyés par des organismes du FLN, surtout l'UGEMA ; ils s'y étaient organisés en groupe que le FLN contrôlait étroitement, entre autres par la menace de les rapatrier[1] – et cela sans que les autorités de la RDA ne fussent au courant. Enfin réapparaissent les problèmes de « moralité » déjà évoqués.

Dès le 20 janvier 1958, Bouhali mit donc en garde le CC du SED contre Zoubir. Certes, cet « élément » avait adhéré jadis au PCA, mais il en avait été exclu en 1954. Après avoir été licencié par le quotidien communiste « Alger Républicain », pour des raisons économiques, il avait systématiquement calomnié le PCA.[2] Déjà du temps où il en était membre, le PCA s'était méfié de Zoubir, car il avait été soupçonné de jouer un double jeu entre nationalistes et communistes, selon Bouhali.[3] Il alla jusqu'à le soupçonner de désertion[4] :

> Tous ces reproches pourraient être aujourd'hui sans importance, si nous l'avions rencontré au cœur de la lutte en Algérie. Mais le fait qu'il se cache en Allemagne démocratique, sous prétexte de se parfaire dans sa profession, ne peut être interprété que comme une désertion, ce qui confirme notre opinion sur lui.[5]

Mais dans la lettre du secrétaire général, la personne même de Zoubir apparaît comme prétexte, car Bouhali fait remarquer à ses interlocuteurs du SED qu'ils n'étaient pas assez vigilants dans leur choix d'Algériens :

> Par ailleurs, nous ne vous cachons pas notre étonnement qu'un tel élément puisse se rendre en Allemagne démocratique et y trouver du travail [...]. Nous avons également appris [...] que 6 étudiants

1. Si la mission de Kroun était d'encadrer plus strictement les ouvriers algériens, il ne l'avait pas réellement remplie. Le contrôle des étudiants était apparemment plus efficace, pour le moins pour le groupe autour de Zoubir.
2. SAPMO-BArch DY 30/ IV 2/20/ 353, feuille 235/36. Le document est la traduction en allemand de la lettre de Larbi Bouhali. Zoubir, dans sa lettre de justification, conteste cette affirmation : « Je n'ai été jamais exclu du Parti, j'ai milité à la casbah et payé mes cotisations jusqu'à la veille de mon arrestation et mon évasion [*sic*]. » (*Ibid.*, feuille 254/255).
3. Ici Bouhali confirme indirectement le reproche que lui fait Mabrouk Belhocine quand il dit qu'il lui a préféré le communiste marocain Ali Yata qui accepte le FLN tel qu'il est et tel qu'il se veut, c'est-à-dire un mouvement d'union de toutes forces politiques partisanes de la libératon nationale (cf. chapitre « SED, PCF et PCA... »). En effet, Zoubir semble être de cette tendance unificatrice, comme l'indique également sa lettre de justification à Bouhali (voir *infra*, note 44).
4. Bouhali demande par ailleurs à Zoubir de justifier son comportement et son attitude, dans une lettre datée du 24 novembre 1958 qu'il lui fait parvenir par le parti allemand et où il demande à Zoubir de transmettre sa réponse également par le SED (SAPMO-BArch DY 30/ IV 2/20/ 353, feuille 251). Zoubir obéit et demande au CC de transmettre sa lettre à Bouhali, le 15 décembre (*Ibid.*, feuille 252).
5. *Ibid.*, feuille 236. Dans sa réponse, Zoubir affirme « avoir pris part à la bataille d'Alger » et toucher pour cela un « secours particulier en vêtement et vivre de notre association qui est à Lausanne ». (*ibid.*, lettre de Zoubir du 15 décembre, feuille 253). Ces informations qui servent de base à la note administrative signée Wolfgang (*ibid.*, feuille 259, non datée, un résumé de la lettre de Zoubir), sont soulignées par un lecteur non identifié du CC qui note sur la demande de transmission de Zoubir (*ibid.*, feuille 252) : « Les camarades algériens ne savent pas que nous avons fait une photocopie de la lettre de Zoubir » (souligné dans l'original).

algériens séjournent à Leipzig avec l'accord de leur fédération, donc aussi du FLN. Or, lors de notre séjour à Berlin, vous n'en étiez apparemment pas informés. Alors nous vous faisons part de ce fait.[1]

Le soupçon que c'était en fait le PCA qui n'avait pas été informé par les autorités de la RDA de la présence d'étudiants envoyés par le FLN, fut à peine dissimulé, surtout dans le contexte de l'accueil d'un élément présenté comme particulièrement ambigu comme l'était l'étudiant ex-communiste Zoubir.

La réponse du SED tarda, elle n'arriva qu'en mars 1958, et l'on se montra surpris de l'information du parti frère :

Quant à l'Algérien nommé Zoubir il faut dire qu'il n'y a personne de ce nom, ni en RDA ni dans le secteur démocratique de Berlin.[2]

En revanche, les étudiants dont Bouhali avait parlé étaient bien en RDA, mais on lui fit comprendre aux camarades que cela ne les concernait pas, bien que l'on fût disposé à leur faire parvenir des renseignements :

Concernant les six étudiants algériens que vous mentionnez dans votre lettre, nous vous informons que nous étions bien au courant de leur séjour à Leipzig depuis déjà longtemps. Mais parce qu'ils ne sont pas venus par recommandation de votre parti, nous ne nous sommes pas occupés d'eux jusqu'à maintenant. Nous nous renseignerons sur tous les détails qui vous intéressent et vous les communiquerons bientôt.[3]

Ici les autorités de la RDA suggéraient entre les lignes aux camarades du PCA qu'elles ne pouvaient pas s'intéresser qu'aux partenaires « naturels », les communistes, mais devaient prendre en compte la réalité, le pouvoir concret en Algérie, le FLN et le GPRA.

Dans cette affaire, plusieurs problèmes se posaient au SED. Le premier était qu'il s'avéra rapidement que Zoubir existait réellement, comme Bouhali l'avait indiqué. Le SED apprit la véracité de l'affirmation du parti frère par le Secrétariat d'État pour les Etudes Supérieures (« Staatssekretariat für Hochschulwesen »).[4] L'« Ingenieurschule Otto Grotewohl » confirma l'existence de cet étudiant par écrit, le 22 mai.[5]

Là-dessus, Kurt Schwotzer du Département des Affaires Étrangères du CC du SED fit part à ses collègues d'une certaine gêne : il n'était pas convenable, selon lui, qu'on affirme d'abord la non-existence de Zoubir face au PCA, d'un ton relativement sec, et qu'il s'avère *a posteriori* que celui-ci faisait des études tout à fait officiellement et de surcroît bénéficiait d'une bourse. De façon très injuste, on décida d'ailleurs de « punir » Zoubir pour sa vraie-fausse existence en lui refusant l'autorisation deregroupement familial avec sa femme.[6]

1. *Ibid.*, feuille 235. Bouhali fait certainement allusion à son séjour à Berlin en octobre 1957 (cf. chapitre « SED, PCF et PCA… »).
2. *Ibid.*, feuille 237.
3. *Ibid.*
4. Schwotzer évoque l'existence de Zoubir dans une note de service du 23 avril (*ibid.*, feuille 244) et donne l'information exacte dans une autre du 9 mai 1958 (*ibid.*, feuille 249).
5. La lettre de la Fachschule répond apparemment à une demande d'information écrite (*ibid.*, feuille 247/48).
6. Ibid., feuille 249 : « Nous l'avons appris [le fait que Zoubir fait ses études à Leipzig] seulement par le camarade Mohaupt du Secrétariat pour les Etudes Supérieures, en avril 1958, quand Zoubir avait demandé l'autorisation d'entrée en RDA pour sa femme. Nous avions obtenu de la part de la Police Populaire l'information que Zoubir n'est pas enrégistré chez nous. Ce n'est pas bon quand nous donnons au parti frère un tel rapport et que plus tard il s'avère qu'il fait ses études et obtient une bourse. Des dispositions ont été prises pour refuser l'autorisation d'entrée sur le territoire pour sa femme. »

Mais la lettre de la « Fachschule » est troublante pour d'autres raisons. En effet, elle infirme les propos du secrétaire général du PCA, car selon la direction de l'école, l'étudiant Zoubir ne pouvait être considéré, du point de vu du système socialiste même, comme un élément douteux, au contraire. Zoubir apparaît comme un communiste convaincu, bien intégré en RDA ; il participait à la vie politique (il avait adhéré à la FDJ, ce qui est curieux vu son âge), et il tenait régulièrement des conférences sur la lutte de l'Algérie pour sa libération. Certes, il est possible que Zoubir « obéissait » à des « suggestions » politiques de la part de ses supérieurs quand il participait à des conférences sur sa patrie. Ses lettres de justification à Larbi Bouhali suggèrent plutôt qu'il voulait réellement informer la population qui l'entourait des problèmes que connaissait l'Algérie.

Quoi qu'il en soit, la « Fachschule » avait de lui « une très bonne impression ».[1]

Puis, l'affaire devint réellement inquiétante pour les autorités de la RDA, avec les informations supplémentaires de l'école sur Zoubir :

1° il affirme qu'il a été envoyé par le PCA en RDA, après son évasion d'un camp de concentration en Algérie ;

2° il adhère à un groupe d'Algériens qui se réunit régulièrement ;

3° il affirme être le seul à adhérer au PCA et à défendre la ligne du parti – contrairement au dirigeant de ce groupe, un membre du FLN à Tunis à « l'attitude totalement ambiguë » qui essaie d'influencer Zoubir dans un sens pro-américain, ce contre quoi Zoubir se serait élevé ;

4° il « s'est déclaré dès le début comme adhérent au FLN et a affirmé que les membres directs de sa famille sont des partisans ».[2]

Si la première affirmation peut être interprétée comme une vantardise qui pouvait servir à gagner les faveurs des maîtres communistes en RDA, ceux-ci pouvaient effectivement se demander qui il fallait désormais croire, le PCA ou l'un de ses anciens membres, surtout quand il était considéré comme un « bon élément ».

Cependant, la deuxième affirmation révèle un manque d'information des autorités qui dépassait celui sur la présence de Zoubir en RDA. On y apprend qu'il y avait en RDA, sans que les autorités fussent au courant, des groupes d'étrangers organisés et politisés. Le terme « Landsmannschaft » qu'utilise l'auteur de la lettre de la Fachschule – comme Zoubir lui-même dans sa lettre de justification[3] –, est presque un euphémisme, car le groupe avait, selon Zoubir, une importance qui dépassait de très loin un simple regroupement de compatriotes algériens. En fait, il s'agissait d'un groupe qui travaillait pour le FLN au niveau international en étant contrôlé étroitement par lui :

> [...] ici nous sommes 65 Algériens et nous avons le contact et le contrôle de tous les Algériens en Démocratie populaire, y compris l'Allemagne de l'ouest. Je suis le secrétaire adjoint et le trésorier de la Landsmannschaft, c'est-à-dire « groupe d'Algériens » et nous dépendons maintenant, à partir de janvier, du Caire, du Ministère culturel, pour moi spécialement je suis en liaison avec Benkhedda Youssef, Ministre des Affaires Sociales et nous sommes tous sans exception sous les ordres du Front

1. *Ibid.*, feuille 247/48.
2. *Ibid.*, feuille 247/48.
3. *Ibid.*, feuille 253 *sq.*

> particulièrement pour ceux qui comme moi, car nous sommes une vingtaine qui ont pris part à la bataille d'Alger, nous avons un secours particulier en vêtement et vivre de notre Association qui est à Lausanne (Suisse). [...] Mon rôle est de pousser les copains dans une ligne politique juste. Seulement nous avons des ordres et des documents que nous devons strictement respecter, et qu'il est interdit à tout Algérien de dévier la ligne du Front, sinon on l'envoie au Maroc ou en Tunisie.[1]

Au vu de ces informations somme toute surprenantes, il n'est pas étonnant que les autorités de la RDA aient gardé une copie de la lettre de Zoubir. Certes, elle ne leur était pas adressée, mais les faits qu'elle relatait se déroulaient sur le territoire de l'Allemagne « socialiste » et la concernaient naturellement. Un État ayant tendance à contrôler très étroitement ce qui se passe sur son territoire se devait aussi de se renseigner par des moyens adaptés. Or, il s'avéra non seulement que le groupe des Algériens existait comme organisation, mais que la « Landsmannschaft » fonctionnait proprement comme une association, sans qu'elle ne fût pour autant enregistrée légalement. Si Zoubir était réellement le trésorier de ce groupe en plus de son rôle de secrétaire adjoint, on pouvait se demander ce qu'il faisait des « cotisations » qu'il administrait.[2] Visiblement elles n'allaient aucunement dans les caisses du PCA, sinon toute l'affaire n'aurait pas été déclenchée par Bouhali.

En revanche, puisque Zoubir mentionnait un contrôle strict du FLN et le fait que régulièrement des émissaires « contrôleurs » arrivaient de Tunis ou de Lausanne, l'on pouvait soupçonner que c'étaient soit ces émissaires qui récoltaient les cotisations, ce qui semble peu probable[3], soit – ce qui aurait été encore plus inquiétant – que ces sommes servaient à certains membres du groupe à voyager, ou à contacter les sous-groupes qu'ils prétendaient contrôler à leur tour dans les pays voisins, RFA incluse.

Dans les dossiers consultés, on ne trouve pas la réponse à ces questions. Ce qui est certain c'est qu'il était désormais évident pour les autorités de la RDA que le PCA n'avait pas tort quand il les avertit des dangers que pouvait présenter une trop forte présence du FLN.

En revanche, l'image que les autorités de la RDA pouvaient avoir des Algériens sur leur territoire devenait bien plus floue, c'est-à-dire qu'on ne pouvait désormais les départager en « bons » partisans du PCA et « douteux » partisans du FLN nationaliste. En effet, Zoubir expliquait de façon assez naïve que l'on pouvait tout à fait être les deux.[4] Certes, le FLN contrôlait tout, mais le vrai communiste que Zoubir prétendit être essayait tout de même d'influencer les collègues dans le sens d'une « ligne politique juste ».

---

1. *Ibid.*, feuille 253, concernant l'association à Lausanne, il doit s'agir de l'UGEMA, dont le siège s'y trouvait effectivement. L'orthographe, la syntaxe et la grammaire française de la lettre sont relativement incertaines.
2. En tant que secrétaire adjoint, c'est lui qui fait un rapport mensuel aux organes supérieurs : « [...] tous les mois je fournis un rapport au Ministère des Affaires sociales et un au Secrétariat de l'UGTA au Maroc et un au syndicat marocain. » (*ibid.*, feuille 258). Dans la même lettre, Zoubir désigne comme président le « Berlinois » El Hachemi Bou Nadjar (*ibid.*, feuille 254).
3. Zoubir évoque, dans une phrase fragmentaire ce contrôle, à la fin de sa lettre : « Voici ce que l'UGTA (syndicat algérien) lors de leur dernier passage à Leipzig, car nous sommes contrôlés tous les mois soit de Tunis, soit de Lausanne. » (*ibid.*) En ce qui concerne les cotisations, elles ne pouvaient servir directement aux responsables à Lausanne, puisque le DM Est n'était pas convertible.
4. Il prétend même d'avoir adhéré aux deux mouvements déjà en Algérie, puisqu'il à payé sa « cotisation de 1000 fr au Parti et 500 fr au Front » (*ibid.*, feuille 256).

La ligne politique même que proposa Zoubir devait sembler un peu simpliste aux dialecticiens du SED et du PCA. Unité à tout prix contre l'impérialisme était la devise :

> Dans les circonstances actuelles, il s'agit de diviser ou d'unir. A mon avis c'est d'unir toutes les forces vives du Pays contre l'impérialisme.[1]

Larbi Bouhali avait mis en garde le SED contre le double jeu que jouait Zoubir ; en fait il aurait dû l'avertir de sa naïveté.[2]

Ou était-il réellement un élément suspect ? À la fin de l'affaire, les personnes concernées en RDA devaient tout de même douter de son honnêteté. D'abord, contrairement à ses intentions, il n'avait pas réussi l'examen final de l'« Ingenieurschule », c'est-à-dire son mémoire de fin d'études. Il avait renoncé à la possibilité de le refaire, car il s'était marié entre temps et avait eu, avec sa femme allemande, un enfant ; pour les trois, la bourse ne suffisait pas et donc il avait cherché un travail.

Ici nous trouvons encore une fois la question de moralité ; en effet, aussi bien à l'école dans laquelle il était et qui ne pouvait rien lui reprocher au niveau « social »[3], qu'au CC du SED, on se demanda comment quelqu'un qui en mars 1958 avait demandé le regroupement familial avec sa femme algérienne avait pu se marier avec une femme allemande après le refus de regroupement par le Secrétariat d'État.

Schwotzer écrivit en octobre 1960 à la direction du journal à Dresde qui employait désormais Zoubir :

> Nous voulons attirer votre attention sur le fait qu'il a été exclu du PC d'Algérie. Il est en relations très étroites avec des autorités du gouvernement en exil, dont l'attitude envers le PC d'Algérie est très négative.
> En outre, on n'a pas encore clarifié comment il a pu épouser une femme allemande. Nous savons qu'il a demandé le regroupement familial avec sa femme, restée en Algérie, en 1958.
> Nous vous recommandons d'être vigilant envers lui, pour ne pas avoir un jour de mauvaises surprises.[4]

Zoubir n'avait apparemment pas pu convaincre de son innocence le secrétaire général du PCA qui maintenait ses reproches, transmises par le SED à l'entreprise où Zoubir travaillait. Mais son récit sur le strict contrôle du FLN qui menaçait les réfractaires aux consignes de les envoyer en Tunisie ou au Maroc, voire directement au front, avait visiblement été pris au sérieux par les communistes qui, depuis environ

---

1. *Ibid.*, feuille 257. On retrouvera en 1962 la même argumentation, cette fois de la part des représentants de la RDA ; elle servira à suggérer l'intégration du PCA dans le processus de la création de l'État algérien après la fin des hostilités (voir fin de ce chapitre).
2. Toutefois, le représentant du PCA n'est ici pas d'une honnêteté exemplaire. En effet, lors de la dissolution du PCA en septembre 1955, il n'était pas inhabituel qu'un membre adhère directement au FLN, justement pour assurer l'unité du mouvement. Ainsi Alleg cite Raymond Hannon, combattant, membre du PCA depuis 1949 : « J'ignore si Mohamed Benali [qui avait recruté Hannon, FT] avait informé le P.C.A. de son appartenance au F.L.N. Moi, en tout cas, je le fis et cela ne posa pas de problème particulier. J'ai donc adhéré au F.L.N. en octobre 1955. C'était un phénomène courant. Beaucoup d'adhérents, des Musulmans surtout, du P.C.A. passaient au F.L.N. » (ALLEG, Henri (dir.)/DE BONIS, Jacques/DOUZON, Henri/FREIRE, Jean/HAUDIQUET, Pierre : *La Guerre d'Algérie*. T. 2. Paris, Temps Actuels 1981, p. 478/79).
3. *Ibid.*, feuille 262, lettre de l'« Ingenieurschule » datée du 30 septembre 1960.
4. SAPMO-BArch DY 30/ IV 2/20/ 353, feuille 264, lettre datée du 5 octobre 1960 du Département Politique Etrangère et Relations Internationales à la Sächsische Zeitung à Dresde.

1958, déconseillaient aux camarades du SED de consentir à ces « rapatriements ». Dans ce contexte, Zoubir avait mentionné avec gratitude, dans sa lettre de justification, le « président » de la « Landsmannschaft », un certain El Hachemi de Berlin. Celui-ci aurait « sauvé » le groupe entier d'un rapatriement « punitif » en Afrique du Nord, après une invitation malhabile à Leipzig d'une personne mal vue par le FLN, une affaire qui avait apparemment été très peu appréciée par les autorités algériennes.[1] À cette fin, El Hachemi aurait effectué spécialement un voyage à Tunis et avait ainsi épargné à la « Landsmannschaft » un sort peu enviable.

L'endoctrinement marxiste des étudiants algériens

Bou Nadjar El Hachemi, de son nom complet[2], était un personnage important parmi les étudiants algériens en RDA – atypique comme Zoubir, mais pour d'autres raisons.

Bou Nadjar fit des études de philosophie non pas à Leipzig[3], mais à l'université Humboldt de Berlin-Est, il était connu pour ses positions de dialecticien marxiste, mais apparemment il ne l'avait pas été à Paris, d'où il était parti en RDA :

> [Aït Chaalal] a beaucoup d'estime pour Bounadjar (le philosophe marxiste de Berlin-Est) mais il trouve qu'il perd un peu de vue les problèmes algériens ou tout au moins la classification de ceux-ci par ordre d'importance. Il l'a connu à Paris où Bounadjar était plutôt du genre frère-musulman et où il fallait le freiner à tout bout de champ […] : mais, ajoute-t-il, il doit être devenu aussi emmerdant en coco qu'en frère-musulman.[4]

Aït Chaalal, anti-communiste acharné – et qui fit ici une exception remarquable dans son mépris pour les communistes –, n'était pas le seul à penser que Bou Nadjar était un marxiste convaincu dans un État où le marxisme-léninisme était idéologie officielle. Le SDECE était du même avis :

> Les étudiants algériens, bénéficiaires de bourses d'études en DDR, étaient soumis à une propagande politique très habilement organisée.

---

1. *Ibid.*, feuille 254 de la lettre de justification ; le passage est presque illisible, il s'agit apparemment d'un problème concernant Abd El Kadr, qui a été avant 1958 intermédiaire entre FLN et SED, selon le SDECE : « Parmi les responsables de l'école [Bischofswerda] figure l'Algérien Abd El KADER qui circule continuellement entre BERLIN-EST et PRAGUE. Abd El KADER a sa résidence principale à PRAGUE, Hôtel Météor. Il est le président du ‚BUND ALGERISCHER WERKTATIGER' à PRAGUE, dont le financement est assuré par le F.S.M. […]. » (SHD/DAT 1H 1721 Premier Ministre Cabinet Août 1959, deuxième chemise [jaune], p. 25). B. de Chalvron, conseiller politique à Berlin, évoque le même personnage dans un télégramme à son ministre Christian Pineau, le 29 mars 1957 : « Je crois devoir signaler au Département que depuis près de deux mois, un nommé ABDEL RAZAK ABDEL KADER exerce ses activités en D.D.R. Plusieurs fois par semaine, dans des conférences, des interviews à la radio, il fait une critique systématique de la politique française en Algérie […]. Il s'efforce de préparer les masses à participer largement à la « Semaine d'Algérie », qui se déroulera en D.D.R. du 7 au 14 avril, sous les auspices de la Fédération Syndicale Mondiale et des Syndicats d'Allemagne Orientale. » (MAE, Afrique-Levant, 39, Algérie 1953-1959).
2. Selon MARTINI, Michel : *Chronique des années algériennes 1946-1962*. Saint Denis, Bouchène 2002, p. 242.
3. La plupart des étudiants algériens à Leipzig suivaient des cours d'allemand, à l'« Institut für Ausländerstudium », qui devait les préparer à des études générales ou techniques. (sur cet institut, cf. Ebersbach, Margit : « Institut für Ausländerstudium. Zum 50. Jahrestag der Gründung am 1. September 2006 » ; in : www.uni-leipzig.de/campus2009/jubilaeen/2006/auslaenderstudium).
4. MARTINI, *Chroniques…*, p. 282.

> Sous la direction de HACHEMI BOU NEDJAR [...] représentant du parti communiste algérien en DDR, le noyautage des Algériens avait été entrepris avec l'aide des autorités locales. Des conférences, des réunions et des séances d'étude du marxisme, avaient lieu régulièrement. Les thèmes couramment développés en cours de ces manifestations étaient les suivants :
> « Le FLN est d'essence réactionnaire, il n'offre qu'un leurre de liberté aux Algériens ! »
> « Il faut lutter pour établir une République démocratique algérienne après la libération ! »[1]

Mais Bou Nadjar était aussi un intermédiaire du FLN, comme on l'a vu dans l'affaire du rapatriement du groupe autour de Zoubir. Ainsi il devait manœuvrer entre PCA et FLN, ce qui donne, dans un rapport est-allemand la caractérisation suivante :

> L'Algérien Hachemi Bounedjar, bien connu au FDGB [...] participe à l'exécution des ordres du FLN. Contre son gré, selon ses déclarations, mais puisqu'il n'adhère pas au parti, il ne peut être amené à une autre attitude par les camarades du PCA.[2]

Bou Nadjar revendiquait sa double appartenance ouvertement, malgré le fait qu'il était devenu marxiste. Toutefois il est clair que l'endoctrinement des étudiants algériens en RDA était une réalité ; plusieurs témoignages corroborent le récit du militaire français. Ainsi Michel Martini, lors d'une visite en RDA où il a rencontré des « frères », se montre étonné de leurs connaissances politiques :

> Au point de vue politique, ils m'ont paru, dans l'ensemble, sacrément impressionnés par ce qu'ils voient ou entendent. Ceux qui sont là depuis longtemps ont même l'air d'avoir des connaissances théoriques du marxisme léninisme non négligeables [...].[3]

Mais même les étudiants arrivés en RDA plus récemment étaient, par le biais des cours de langue, soumis à un enseignement fortement empreint d'idéologie, au moins aux yeux des militaires français :

> 50% de l'effectif total des soi-disant étudiants sont des jeunes qui ne font pas d'études universitaires au sens propre du mot mais reçoivent simplement une formation politique ou syndicale et surtout « agit-prop ». [ne parlant pas l'allemand] ils effectuent en conséquence un stage préalable de langue, qui correspond à un véritable cours d'endoctrinement.
> De même, lors de la célébration de la Semaine de l'Algérie en RDA, une grande réunion eut lieu le 7 avril 1959 à l'université de Leipzig et Djemal Ouldabas, président du groupe des étudiants algériens de l'Université, déclara, au nom des 90 étudiants algériens en RDA : « Toute aide que nous recevons dans notre lutte de la part des pays du camp socialiste est pour nous d'une valeur inestimable. »[4]

Si la phrase de Djemal Ouldabas peut être comprise comme un hommage poli à ses hôtes de RDA, les stages linguistiques se prêtaient certainement à un endoctrinement. En ce qui concerne la « formation politique et syndicale », l'auteur de la brochure *Communisme et rébellion* pense peut-être à l'Académie des syndicats (« Hochschule der Deutschen Gewerkschaften "Fritz Heckert" ») à Bernau près de Berlin.[5] Or, s'il est évident

---

1. SHD/DAT 1H 1721, SDECE 44030 ([illisible].3.1961) 8/5/1961 [date rajoutée de façon manuscrite].
2. SAPMO BArch DY 34/ 2133, Baumgart, « Abteilungsleiter » au FDGB (Relations Internationales), le 15 janvier 1960 : « In der DDR lebende Algerier », p. 3.
3. MARTINI, *Chroniques...*, p. 241.
4. SHD/DAT 1H 1721, Premier Ministre Cabinet Août 1959, Communisme et Rébellion algérienne, p. 45/46, soulignement dans l'original.
5. Créée comme centre de formation des fonctionnaires syndicalistes en 1947, cette « université » a été fondée comme telle en 1951 ; elle porte son nom complet depuis 1956. (cf. HORN, Andreas : *Die Gewerkschaftshochschule « Fritz Heckert » des FDGB*, Berlin 2003 ; in : www.bundesarchiv.de/aufgaben_organisation/abteilungen/sapmo/00751).

que, dans cette école, les étudiants algériens n'apprenaient pas le syndicalisme à l'occidentale, l'endoctrinement « socialiste » ne pouvait que partiellement déranger les futurs responsables de l'État algérien. Comme l'ont expliqué Mohammed Harbi et Gilbert Meynier à l'auteur, lors d'un entretien[1], les responsables algériens, certes anti-communistes, ne pouvaient pourtant pas être hostiles à l'enseignement syndicaliste en RDA, au niveau du contenu. L'étatisme très prononcé de tous les mouvements sociaux dans les pays dits « socialistes », le centralisme pyramidal des décisions, l'organisation et l'encadrement très stricts des membres, à la limite même l'obligation pour les ouvriers d'être syndiqués correspondait parfaitement – comme par ailleurs le système de parti unique –, à ce qui devait être appliqué en Algérie après l'indépendance.[2]

De toute façon, les responsables de l'UGEMA savaient pertinemment où ils envoyaient leurs boursiers. Après une offre de bourses de la part de la RDA, avant l'appel de novembre 1958, selon le SDECE, la « délégation du FLN en Suisse demande qu'on lui envoie des étudiants pour la DDR ».[3]

Ainsi, les expressions d'étonnement et d'indignation de certaines autorités algériennes que l'on lit dans les documents ressemblent souvent à des prétextes. Le récit *a posteriori* du SDECE, daté du mois de mars 1961, étrangement peu critique envers l'ennemi, le GPRA, recouvre entièrement l'argumentation d'un étudiant algérien, domicilié en RFA, après un séjour en RDA :

> C'est à la suite d'une réclamation d'un responsable du FLN en DDR, TAYEB LADHIRI [note : Ex-étudiant au CAIRE. Actuellement à TUBINGEN (R.F.A.)], dénonçant le caractère obligatoire et le danger de ces séances de « formation politique » que le GPRA décida d'envoyer des dirigeants de l'UGEMA enquêter sur place puis de rapatrier d'urgence les étudiants algériens de DDR.[4]

Par rapport à ce souci pour ses camarades à l'Est, feint par l'étudiant de Tübingen, la raison que donna le président de l'UGEMA, Aït Chaalal, à Michel Martini paraît d'une honnêteté exemplaire :

> Il [*i.e.* Aït Chaalal, FT] m'a parlé du lourd contentieux avec la DDR qu'il accuse de vouloir saper l'autorité de l'UGEMA chez eux. Ils espèrent bien ne pas à avoir à rompre les relations avec la DDR, mais en cas d'échec ils seraient prêts à le faire.[5]

---

1. Le 29 novembre 2006.
2. Cf. MEYNIER, Gilbert : « Il fronte di liberazione nazionale algerino 1954-1962 » : « Dans l'ensemble, le FLN fut plutôt conservateur. Il fut totalitaire dans le sens où les idéologues italiens Alfredo Rocco ou Giovanni Gentile entendaient le totalitarisme : la dévotion absolue au pouvoir d'État […] ». In : *Studi piacentini*, 2004, n° 35, p. 177 à 186 (p. 180).
3. SHD/DAT 1H 1721, 26 mai 1959 : L'aide communiste à la rébellion algérienne (16 février 1959, SDECE), p. 18. Les militaires, dans ce document, donnent même des chiffres exacts concernant les bourses proposées : « La section d'Allemagne de l'Est de l'UIE a offert cinq bourses aux étudiants algériens. Le gouvernement de l'Allemagne de l'Est en offrait 100 à 200 à l'UGEMA qui ne les a pas acceptées en bloc. […] Les étudiants de l'université de ROSTOCK ont, en octobre 1958, collecté 40.000 DM affectés à des bourses d'études à ROSTOCK pour trois étudiants algériens. […] la délégation du FLN en Suisse dirige des étudiants algériens vers la DDR, l'« ambassadeur » de la DDR au CAIRE ayant promis un nombre illimité de bourses gouvernementales (au minimum 30). » (*ibid.*, p. 17/18).
4. SHD/DAT 1H 1721, SDECE 44030 ([illisible].3.1961) 8/5/1961 [date rajoutée manuscrite].
5. MARTINI, *Chroniques…*, p. 282.

Il s'agit tout simplement d'un conflit entre deux institutions cherchant à influencer les étudiants algériens. Car du côté de la RDA, l'affaire se présentait évidemment de manière différente, puisqu'elle avait de prime abord tout intérêt à savoir ce qui se passait chez elle. Or, les autorités ne comprenaient pas vraiment pour quelle raison les étudiants devaient être rapatriés ; en effet, les informations que l'on obtenait sur demande du délégué de l'UGTA, Ahmed Kroun, restaient vagues, l'attitude des étudiants sur lesquels on croyait pouvoir compter devenait ambiguë, et le PCA donnait des recommandations contradictoires.

Rapatriement d'étudiants : dissensions entre PCA et GPRA

On avait compris, à la lecture de la lettre de justification de Zoubir en décembre 1960, qu'un rapatriement vers la Tunisie ou le Maroc faisait peur aux étudiants du groupe autour d'Hachemi Bou Nadjar. Le parti frère algérien semblait abonder dans ce sens, car selon un rapport du FDGB sur une réunion avec Larbi Bouhali au CC du SED, celui-ci aurait dit, à propos du sort des communistes en Afrique du Nord :

> Les camarades sont démis des postes à responsabilité et envoyés aux endroits les plus dangereux de la lutte.[1]

Les craintes des étudiants de la « Hochschule der Gewerkschaften » comme Mekerba et Abbou qui se disaient communistes n'étaient donc pas infondées.[2] Le directeur de l'École, Hornickel, confirma par ailleurs les paroles de Bouhali :

> Le collègue Hornickel a confirmé cela et dit qu'il avait déjà parlé avec le collègue Voss dans la mesure où, selon toutes informations connues sur les méthodes du FLN, du GPRA et aussi de l'UGTA, on doit supposer qu'on isole d'une certaine manière tous les communistes et qu'on les rend inactifs.[3]

Or les rapatriements d'étudiants algériens n'étaient pas un phénomène nouveau, ils avaient commencé dès 1959. En octobre de cette année, Ali Lakhdari du MAE algérien au Caire avait informé le second secrétaire de l'ambassade, Greiser, de la volonté du GPRA de rapatrier un certain nombre d'étudiants pour les raisons suivantes :

> M. L. m'informa [...] qu'un certain nombre d'étudiants algériens a de mauvais résultats universitaires et que leur comportement n'est pas celui que le gouvernement algérien attend de citoyens d'un pays révolutionnaire. Il m'a dit que nous recevrons dans quelques jours une lettre dans laquelle on demandera à notre gouvernement de retirer le permis de séjour à un certain nombre d'étudiants. On aurait décidé de rappeler un certain nombre d'étudiants, mais ils ne sont pas prêts à obéir à cette demande.[4]

---

1. SAPMO-BArch DY 34/ 3379. Cf. là-dessus MEYNIER, Gilbert : *Histoire intérieure du FLN 1954-1962.* Paris, Fayard 2002, p. 184 : « À la suite de la Soummam, des communistes furent éliminés immédiatement ou, dûment désarmés, ils moururent sacrifiés, sans défense dans les combats. »
2. Voir chapitre précédent, note 51.
3. SAPMO-BArch DY 34/ 2133, p. 1/2, note de service du 29 décembre 1960 sur une rencontre entre Hornickel et Köhn du FDGB et les étudiants algériens Mekerba et Abbou.
4. MfAA A 13 775, feuille 195, sur l'entretien du 29 octobre 1959. L'expulsion d'Algériens pour mauvais comportement est également évoquée dans une note de B. de Chalvron au MAE français, le 8 octobre 1960 (MAE Europe 1956-1960, RDA 32, feuille 99/100) : « Un certain nombre d'entre eux se seraient également rendus coupables de délits de droit commun qui ont entraîné leur expulsion de la D.D.R. »

Le PCA de son côté soupçonnait le GPRA d'utiliser le mauvais comportement de certains étudiants comme prétexte pour rapatrier des « éléments positifs » quasiment de force en Afrique du Nord. L'affaire M'hammed Issiakhem qui a eu lieu à la fin 1959 et au début 1960, semble être une illustration des efforts du PCA pour empêcher des rapatriements, même d'éléments douteux, afin de ne pas créer des précédents. Le peintre Issiakhem, connu par beaucoup des ses camarades étudiants à Paris au début des années 50, avait émigré en RDA, mais n'avait pas changé ses habitudes de bohème. Mohammed Harbi le décrit, pour l'année 1955, dans ses mémoires :

> M'hammed Issiakhem portait toujours un carton rempli de gouaches qu'il échangeait contre quelques verres de vin. Il ne marchandait jamais. Mais comme il ne savait pas s'arrêter de boire, ses gouaches pouvaient coûter cher. Révolté contre tout ce qui était institué, refusant de se singulariser comme artiste, il se considérait comme un homme ordinaire. [...] L'indépendance devait éroder légèrement son égalitarisme sans pour autant neutraliser sa violence qu'une infirmité – il était manchot – exacerbait.[1]

On ne sera pas étonné du fait que la RDA eût du mal à gérer un tel personnage. Houari Mouffok, étudiant en RDA de 1959 à 1961 relate l'affaire Issiakhem, en dessinant le contexte de façon lucide. En effet, l'UGEMA se méfiait de l'endoctrinement exercé par le groupe autour de Bou Nadjar qui « encadrait les nouveaux venus et tentait, non sans succès, de les convertir au marxisme ».[2] Or, Issiakhem ne posait pas de problème idéologique, mais de comportement ; et l'UGEMA profita de cet élément pour lancer un mouvement de rapatriement :

> Cette situation [endoctrinement socialiste, FT] ne tarda pas à alarmer la direction de l'UGEMA installée à Lausanne. La crise dégénéra avec, pour prétexte, une banale histoire, dont le héros n'était autre que le peintre M'hamed Issiakhem. Jugeant que son comportement était indigne de l'image que doit donner un étudiant algérien du peuple en lutte, en raison de sa fréquentation assidue des bars de Leipzig, la direction de l'UGEMA exigea de la FDJ la suspension de sa bourse. La FDJ recevait des directives du SED [...]. Celui-ci consultait le PCA pour tout ce qui concernait la communauté algérienne en RDA. Or le PCA craignait que le cas Issiakhem ne créât un précédent qui pourrait concerner ses militants. L'UGEMA se heurta donc à un refus de la FDJ [...].[3]

Mouffok n'a pas tort quand il affirme que le SED consultait le PCA entre autres en ce qui concernait le rapatriement d'Algériens. Environ un an après l'affaire du peintre – qui était retourné à Paris « de sa propre initiative », bien que « sa bourse n'eût pas été supprimée »[4] – Edmund Röhner écrivit au CC du PCA pour s'enquérir de ses recommandations sur la volonté de l'UGTA de rapatrier une partie des 19 étudiants inscrits à la « Hochschule der Gewerkschaften », délégués par le syndicat algérien, qui initialement devaient rester en RDA jusqu'à la fin de la guerre[5] :

---

1. HARBI, *Une vie debout...*, p. 165.
2. MOUFFOK, *Parcours...*, p. 67. Le problème Issiakhem apparaît également comme prétexte pour un mouvement de rapatriement dans un rapport signé Aït Chaalal, le 18 septembre 1959, cité *in* : HARBI/MEYNIER, *Le FLN...*, p. 716. Le nom du personnage n'est pas cité en entier, mais il ne peut s'agir que de lui.
3. *Ibid.*, p. 67/68.
4. *Ibid.*, p. 72.
5. On se souvient que Kroun avait prétendu qu'actuellement il n'y avait pas de champ d'action en Afrique du Nord pour les cadres syndicaux algériens formés en RDA (voir chapitre « C'est avec les amis... ».

Entre temps le Bureau fédéral du FDGB a reçu une information de la part de l'UGTA selon laquelle certains d'entre eux doivent retourner au Maroc ou à Tunis. Certains disent que leur vie serait menacée après leur retour. Selon nos informations, la plupart des 8 rappelés fait partie des collègues positifs.
Nous vous prions de décider quelle attitude les forces progressistes doivent adopter. Il s'agit avant tout du collègue Ahmed Abbou qui prétend être membre du PCA [...].
Nous vous prions de bien vouloir nous répondre par retour.[1]

Les problèmes concernant le rapatriement avaient commencé dès la deuxième moitié de l'année 1960, avant l'arrivée d'Ahmed Kroun, dont le rôle dans cette affaire semblait suspect au Département des Relations internationales du CC. Kurt Schwotzer, dans une note concernant les étudiants algériens et Kroun, évoque ce rôle opaque :

Il semble jouer un rôle ambigu. On doit encore clarifier : quels sont ses rapports avec le Parti [i.e. le PCA, FT]. De toute façon, il est lié à la planification du retour des étudiants algériens en Algérie. Lors d'une conversation [...], un étudiant l'a présenté au chef de la « Landsmannschaft » comme collaborateur du Ministère de l'Extérieur.[2] À cette occasion on a parlé d'une décision de la conférence des étudiants à Tunis, selon laquelle les étudiants se trouvant à l'étranger doivent être considérés comme en congé de l'armée et peuvent être rappelés à tout moment.[3]

En effet, la RDA avait accordé au GPRA le 14 juillet, sur sa demande, l'« exmatriculation »[4] de huit étudiants algériens, ce qui impliquait la suppression de leur bourse.[5]

Le premier problème pour les autorités de la RDA était que le PCA voulait maintenir en RDA deux ou trois étudiants, probablement des éléments « positifs », comme le relate Schwotzer du CC du SED, en octobre 1960 :

Le gouvernement algérien en exil a rappelé un certain nombre d'étudiants de RDA. Parmi [les derniers huit, FT] se trouvent 3 étudiants dont le parti frère algérien souhaite ardemment le maintien en RDA. De grandes complications se présentent pour cette raison. Car le secrétariat estudiantin a promis qu'ils seront renvoyés à la fin de l'année universitaire. C'était en juin. [...] Il n'y a qu'une possibilité : ces 3 étudiants quittent les études, occupent un emploi et suivent des études à distance. Ils ne peuvent en aucun cas rester à l'université de Leipzig, car si c'était le cas, de grands désagréments pourraient intervenir.[6]

Quelques jours plus tard, on apprend dans une note de Löbel du Département des Relations Internationales du SED que le maintien avait été décidé au CC :

Le département des sciences auprès du Comité Central du SED aurait l'intention d'autoriser deux ou trois de ces étudiants à continuer leurs études selon le souhait des camarades du Parti Communiste d'Algérie. [...] Le camarade Lange nous a informé le 11 novembre 1960 que lors d'une réunion avec le Dépt. des sciences du Comité Central, on a décidé de supprimer les bourses de 5 des étudiants algériens et qu'on donne la possibilité à 3 d'entre eux de poursuivre leurs études.[7]

---

1. SAPMO-BArch DY 30/ IV 2/20/ 355, feuille 92.
2. Ceci n'est pas étonnant, puisque c'est son ami Mabrouk Belhocine du MAE, qui l'avait envoyé en RDA.
3. SAPMO-BArch DY 30 IV 2/20/ 353, feuille 80, « Betr. algerische Studenten und Koll. Kroun, Ahmed » du 10 novembre 1960.
4. Exmatriculation signifie la suppression d'une inscription (« Immatriculation ») dans une université allemande. Elle intervient par exemple, quand un étudiant change d'établissement, a terminé ses examens de fin d'études, etc....
5. SAPMO-BArch DY 30/ IV 2/20/ 355, feuille 75 : dans une note administrative, le signataire Löbel du département Politique Étrangère et Relations Internationales du CC du SED, révèle, le 12 novembre, que cette mesure « n'a pas encore été réalisée ».
6. SAPMO-BArch DY 30/IV 2/20/ 353, feuille 77, Notiz, Berlin, den 19.10.60, signée Schwotzer.
7. SAPMO-BArch DY 30/ IV 2/20/ 355, feuilles 75/76.

Le PCA avait donc réussi, contre la volonté du GPRA, à sauver au moins une partie des « éléments positifs ».[1]

Informations algériennes contradictoires concernant le rapatriement

Au même moment, un mouvement « patriotique spontané »[2] parmi les étudiants algériens à Halle et à Leipzig inquiétait les autorités de la RDA. En effet, à l'automne 1960, au moins quatre étudiants à Halle et un nombre d'abord inconnu d'étudiants à Leipzig affirmèrent vouloir interrompre leurs études et retourner à Tunis pour « se mettre à disposition de la lutte pour la libération suite à l'appel du Comité pour la libération du peuple algérien ». Le rapporteur, toujours Löbel, regretta de ne pas être « informé de l'existence de ce comité ni de cet appel. »[3]

À cet instant, Ahmed Kroun, le très contesté délégué permanent de l'UGTA, se mêla de l'affaire. Il informa le responsable du département culturel du CC, Engel, qu'il lui transmettrait dès le 8 novembre une confirmation du GPRA sur le rappel des étudiants concernés, ceux de Halle et de Leipzig ; entre temps il s'était avéré que 16 étudiants voulaient se faire rapatrier.

Pour voir plus clair dans l'affaire, du côté est-allemand on pria l'ambassadeur auprès de la RAU au Caire, Richard Gyptner, de demander au GPRA une décision immédiate concernant le rapatriement.[4] Celui-ci répondit qu'il était hors de doute que l'appel à interrompre les études était réellement venu du GPRA, et qu'il s'agissait là d'une mesure qui permettait à l'ALN de se fournir en cadres qualifiés.[5] Ceci contredit par ailleurs l'affirmation de Kroun dans une conversation avec Tille du FDGB, au cours de laquelle il affirma qu'à ce moment-là, les cadres formés en RDA ne seraient, en Afrique du Nord, d'aucune utilité.[6]

Kroun utilisa par ailleurs deux arguments pour expliquer pourquoi les étudiants concernés n'étaient pas utiles en Afrique du Nord. S'agissant essentiellement d'étudiants de la « Gewerkschaftshochschule » à Bernau, Kroun expliqua qu'en Algérie et au Maroc il y avait davantage de chômeurs que de personnes susceptibles d'être intégrées à des syndicats ce qui rendait vaine la venue de cadres formés en RDA.

Le deuxième argument, le danger que couraient les combattants sur place, recoupa paradoxalement la ligne du PCA dans la question du rapatriement. En effet, Kroun

---

1. Dans une lettre au CC du SED, Bouhali remercie les camarades d'avoir accepté de leur permettre par une ruse de continuer leurs études : « Nous avons appris que vous trouvant devant la nécessité d'appliquer la décision du G.P.R.A. de suspendre les bourses des étudiants rappelés, vous avez décidé pour 3 : [suivent les noms, FT], de les mettre dans un « technicum » pendant six mois et qu'après ce stage ils pourraient revenir à leurs études avec l'aide des syndicats. Nous sommes d'accord avec cette formule [...]. » (SAPMO-BArch DY 30/ IV 2/20/ 353, feuille 69, 1er novembre 1960).
2. C'est ainsi qu'Ali Lounici qualifie cette action des étudiants (SAPMO-BArch DY 30/ IV 2/20/ 355, feuille 78 : « Aktenvermerk de Löbel, 15 novembre 1960).
3. *Ibid.*, feuille 73, « Aktennotiz » du 7 novembre 1960.
4. *Ibid.*, feuille 74.
5. *Ibid.*, feuille 77, note de service datée du 19 novembre, signée Löbel.
6. SAPMO-BArch DY 34/ 8344, dans un rapport du 21 novembre 1960, sur une conversation avec Tille, le 18 novembre (cf. p. 151).

suggéra à ses partenaires en RDA que l'on ne devait pas gaspiller des cadres bien formés, et que l'on ne devait pas les rapatrier – sauf quand ils le voulaient absolument eux-mêmes :

> Quand vous posez la question de savoir pourquoi ces fonctionnaires ne sont pas affectés directement en Algérie, nous disons que nous nous réjouissons s'ils y vont comme volontaires. Si tous y allaient de façon volontaire, le problème se résoudrait tout seul, cependant n'oubliez pas qu'il y a une ligne Morice et que passer celle-ci signifie que sur cent seuls vingt arrivent en Algérie.[1]

La veille, le 17 novembre, Kroun et Ali Loucini, secrétaire « politique » au ministère des Affaires Étrangères du GPRA, étaient pourtant venus voir le directeur de secteur au secrétariat d'État pour les universités, Käbel, avec une lettre du Ministre des Affaires sociales et culturelles du GPRA, Abdelhamid Mehri, confirmant le rappel des 16 étudiants[2] :

> Le secrétaire politique, Monsieur L., a déclaré qu'il considère cet avis officiel comme une obligation, aussi pour sa propre mission, et a demandé au collègue Kroun de prendre immédiatement des mesures préparatoires pour qu'aucun retard concernant le départ des 16 étudiants n'intervienne, jusqu'à l'arrivée d'une lettre officielle du gouvernement algérien.[3]

Or, les autorités concernées du SED connaissaient « Monsieur L. » : Ali Lounici, ancien étudiant à la « Hochschule für Planökonomie » à Karlshorst avait quitté la RDA, au mois de juillet 1960, à l'occasion de l'Assemblée générale de l'UGEMA sur le « M » dans son nom, c'est-à-dire son caractère musulman.[4] Au même moment, Larbi Bouhali du PCA avait mis en garde le vice-directeur du Département des Relations internationales du CC, Neumann, contre l'étudiant Lounici qui aurait dénoncé « nos camarades communistes » auprès du GPRA :

> Ainsi il a dénoncé un certain BOUNEDJAR HACHEMI, étudiant de philosophie, pour qu'il parte de la RDA et se rende à Tunis d'où on ne le laisserait ensuite pas revenir.[5]

Lors de cette même rencontre avec les camarades du SED, Bouhali parla de persécutions des communistes dans l'armée de libération qui furent systématiquement « mis aux endroits les plus dangereux, là où la mort était certaine ».[6]

Si l'ex-étudiant essayait maintenant de faire rappeler quelques étudiants algériens, surtout des « éléments positifs », on pouvait sérieusement craindre pour leur vie, et l'on

---

1. *Ibid.*, p. 2.
2. SAPMO-BArch DY 30/ IV 2/20/ 355, feuille 77.
3. *Ibid.*
4. Cf. Martini, *Chroniques…*, p. 289 *sq.* et Harbi/Meynier, *Le FLN…*, p. 712 et 718/19. Houari Mouffok, qui faisait ses études au même endroit, m'a confirmé ce fait par une lettre du 3 juin 2005. Lounici avait par ailleurs une raison personnelle pour ce voyage en RDA. Le 26 octobre, il avait eu un entretien au Caire, certainement pour préparer la visite, avec Richard Gyptner et un secrétaire de l'ambassade, Haschke (du côté algérien participèrent à cet entretien Harbi et Belhocine). À cette occasion il avait demandé un visa de sortie pour sa femme allemande, qui venait d'accoucher en RDA. (MfAA A 13 775, feuille 183).
5. SAPMO-BArch DY 30/ IV 2/20/ 353, feuille 62/63 ; « Aktennotiz » datée du 7 juillet 1960.
6. *Ibid.*, feuille 65, rapport sur la réunion « de camarades algériens issus de différents pays socialistes sous la direction du secrétaire général, le camarade Larbi Bouhali » avec sept responsables du SED, le 11 juillet 1960.

pouvait aussi légitimement douter de l'affirmation de Lounici qu'il s'agissait d'un mouvement spontané.

Cependant l'affaire se compliqua encore avec la réponse officielle de Gyptner depuis le Caire. En contradiction avec son opinion sur le besoin du GPRA de cadres, le MAE à Tunis « n'est pas d'accord avec l'interruption des études ».[1]

Or, le 12 novembre Kroun avait présenté au collègue Lange du secrétariat d'État pour les Etudes Supérieurs, un télégramme signé par le ministre Mehri, dans lequel celui-ci lui demandait de se procurer les visas pour le départ des étudiants.[2]

Lounici, pour sa part, déclara que le MAE n'avait pas été au courant de cette affaire et qu'il avait été averti par télégramme à partir du Caire ; lors de son propre départ du Caire vers la RDA, le ministère ne lui avait pas encore répondu :

> Monsieur L. déclara encore qu'une notification officielle nous parviendrait, si le gouvernement provisoire souhaite le départ des étudiants.[3]

En même temps Lounici se déclara étonné par le fait que Kroun s'occupait du rapatriement des étudiants, puisqu'il ne devait s'occuper que des affaires syndicales.[4] Lounici était certainement informé que le GPRA avait envoyé Saïd Hermouche, un étudiant en médecine, en RDA « pour remettre de l'ordre dans la communauté », c'est-à-dire endiguer les dérives marxistes des étudiants algériens en RDA.[5]

Entre temps, au SED on décida qu'il fallait d'abord attendre que les deux ministères algériens s'accordent et donnent un avis commun dans cette affaire *a priori* inextricable[6], entre autres aussi parce que Kroun, interrogé par Tille du FDGB sur les raisons de ce rappel, ne pouvait en donner aucune.[7]

Pour clarifier la situation, on fit même appel au président de l'UGEMA, Aït Chaalal, qui arriva à Berlin le 24 novembre. Il se déclara en accord avec les autorités de la RDA pour attendre une réaction officielle du GPRA, mais organisa des réunions avec des étudiants algériens à Leipzig et à Berlin-Karlshorst, dont un des résultats fut l'exclusion de la section berlinoise de l'UGEMA, pour cause de déviation communiste.[8]

---

1. SAPMO-BArch DY 30/ IV 2/20/ 355, feuille 78, « Aktenvermerk » daté du 15 novembre 1960, signé Löbel.
2. *Ibid.*
3. *Ibid.*
4. *Ibid.*, feuille 79.
5. MOUFFOK, *Parcours*..., p. 68. C'est ce même Hermouche qui a envoyé les rapports alarmistes sur l'image de l'Algérie en RDA, à l'origine de l'action de Mohammed Harbi auprès de son ministre Belkacem Krim (HARBI, Mohammed : *Archives de la révolution algérienne.* Paris, Éditions Jeune Afrique 1981, p. 495/96) ; il est également évoqué dans le rapport (daté du 13 janvier 1960, p. 2) sur une réunion au CC du SED, le 11 janvier 1960, où il est présenté comme « Präsident » de tous les étudiants en RDA, « installé par l'UGEMA et qui entreprendrait des voyages à Lausanne » (SAPMO-BArch DY 34/ 2133).
6. SAPMO-BArch DY 30/ IV 2/20/ 355, feuille 79.
7. SAPMO-BArch DY 34/ 8344, « Bericht über die Aussprache des Kollegen Tille mit dem Vertreter der UGTA, Kollege Kroun am 18.11.1960 » daté du 21 novembre 1960.
8. MfAA B 3010, feuilles 358/59. Il s'agit d'un résumé des péripéties autour de cette affaire de rapatriement envoyé à l'ambassadeur Gyptner en Egypte, pour qu'il demande au GPRA de mieux organiser désormais les rappels et de l'informer que le titre de séjour pour Kroun ne serait pas prolongé. C'est certainement lors d'une des réunions organisées par Aït Chaalal que Mohammed Hellel, étudiant en chimie à Leipzig, attaqua verbalement Aït Chaalal pour son comportement peu amical envers les pays socialistes (voir *infra*).

En fin de compte, les étudiants partirent effectivement, sans l'accord officiel d'une autorité du GPRA. En effet, lors d'une réunion au CC du SED rassemblant dix personnes, représentants du SED, du FDGB, de la FDJ, du Département des Sciences auprès du CC et du MfAA, on décida entre autres de demander à l'ambassadeur Gyptner au Caire de se procurer, de la part du GPRA, une confirmation rétroactive pour le rappel de moins de vingt étudiants algériens.[1]

Pendant cette même réunion, d'autres mesures furent proposées, qui devaient tendre à éviter un futur désordre et qui montraient une certaine méfiance envers les autorités algériennes. Après l'épisode des informations contradictoires des deux ministères algériens, on envisagea de faire traiter les affaires d'envoi comme de rapatriement de toutes sortes d'étudiants en RDA (qu'ils soient « normaux », syndicalistes ou encadrés par la FDJ) désormais exclusivement par Gyptner au Caire.[2] Les prétendues « Landsmannschaften » devaient être tolérées comme avant, mais encadrées de façon à ne pas être utilisées à des fins hostiles à la RDA par les organisations algériennes telle l'UGEMA, dont les dirigeants avaient été « démasqués » depuis longtemps comme des « nationalistes de droite qui regardent la RDA avec de fortes réserves »[3] :

> On doit parvenir à ce que des forces progressistes parmi les étudiants [...] soient réparties dans les universités [...], en tenant compte du travail politique approprié. On doit travailler de façon que la répartition d'éléments inamicaux à notre égard, voulue par les représentants algériens, soit contrecarrée.[4]

L'idée d'utiliser les « bons éléments » pour qu'ils d'endoctrinent les autres – qu'ils soient étudiants ou travailleurs – et celle de répartir à travers le pays des éléments non hostiles, mais pas encore assez enthousiastes, pour les mettre en contact avec des cadres convaincus – comme c'était également proposé lors de la réunion – ont été reprises d'une lettre de Larbi Bouhali, du 1er novembre.[5]

Premiers soupçons concernant le rapatriement en Afrique du nord

Quand on suit les péripéties de cette affaire opaque du rapatriement de certains étudiants algériens, on est frappé par l'apparente incohérence de l'attitude algérienne. Il est certes probable que dans les ministères à Tunis, tous les fonctionnaires ne savaient pas ce qui se faisait dans d'autres ministères, et il est évident qu'au niveau politique, les

1. SAPMO-BArch DY 30/ IV 2/20/ 355, feuille 86, rapport sur une conversation chez le camarade Kohrt, au CC du SED, le 1er décembre 1960.
2. *Ibid.*
3. SAPMO BArch DY 34/ 2133, rapport (daté du 13 janvier 1960, p. 2) sur une réunion au CC du SED, le 11 janvier 1960.
4. SAPMO-BArch DY 30/ IV 2/20/ 355, feuille 87 (1er décembre 1960).
5. SAPMO-BArch DY 30/ IV 2/20/ 353, feuille 70 (lettre de Larbi Bouhali du 1er novembre 1960) : « [...] il paraît qu'il y aurait 4 ou 5 éléments très intéressants qu'il faut non seulement garder, mais il faut [...] qu'ils puissent travailler dans des centres ou des entreprises à concentration algérienne de façon à ce qu'ils puissent faire leur travail syndical parmi les travailleurs algériens. Ensuite, il y aurait d'autres éléments qui sans être bons ne sont pas ennemis et qu'on peut également garder en les dispersant à travers le pays et autant que possible en les mêlant aux militants syndicaux allemands qui pourraient les aider à avancer. »

membres du même gouvernement de guerre n'avaient pas tous la même opinion sur l'ensemble des problèmes, particulièrement en ce qui concernait les États dits socialistes.

Cependant la méfiance des autorités de RDA envers les représentants des organisations officielles algériennes n'était point infondée, surtout quand elles doutaient de l'honnêteté de ceux-ci dans l'affaire des rappels d'étudiants. Au moins une partie de l'apparente incohérence du mouvement de rapatriement résulte du fait que celui-ci n'en était pas réellement un : dans certains cercles de la RDA, on soupçonnait le GPRA, et surtout l'UGEMA, d'organiser ces rappels « patriotiques » à des fins passablement étrangères aux combats en Afrique du Nord.

L'une des premières personnes à se douter de la destination réelle du « rapatriement » fut la directrice de l'« Institut des études pour étrangers » (« Institut für Ausländerstudium ») à l'université Karl-Marx de Leipzig, Katharina Harig, professeur de sciences de l'éducation[1], soupçonnée par Ahmed Kroun d'avoir dit aux étudiants candidats au retour qu'elle ne croyait pas à la destination prétendue :

> Le collègue Kroun nous fit part également du fait que Mme le professeur Harig [...] aurait dit aux étudiants algériens quand ceux-ci annoncèrent leur retour : « Je sais que vous voulez aller à Berlin-Ouest ». Il voit par ailleurs dans cette parole l'origine de toute la suspicion.[2]

Or, le « Hauptreferent » du Département Affaires Étrangères et Relations Internationales du CC du SED, Löbel, signala à trois de ses collègues (Büttner du même département, Schwab du MfAA, Zinke du CC) un soupçon similaire à celui de Mme Harig. Il leur fit connaître, le 7 novembre 1960, des doutes concernant le retour des étudiants algériens en Afrique du Nord, dont le responsable pour les études supérieures, Lange, l'avait informé :

> Le 5 novembre 1960, le collègue Lange m'a informé du fait que certaines informations indiquent qu'un groupe d'étudiants de Leipzig a l'intention de retourner à Tunis. Selon des indications obtenues, il serait possible que l'Allemagne occidentale ait mis des bourses à la disposition de ces étudiants. [...] Il est parfaitement possible que le côté ouest-allemand en coopération avec la fédération des étudiants algériens (UGEMA) organise des mesures de débauchage pour entraver le travail politique que le gouvernement de la République Démocratique d'Allemagne entreprend afin de soutenir la lutte de libération nationale du peuple algérien.[3]

Les représentants de la FDJ avaient par ailleurs posé directement une question concernant la destination des étudiants rappelés à Aït Chaalal pendant son séjour à Berlin-Est en novembre 1960. Aït Chaalal ne voulait pas répondre à la question :

> Quand les représentants de la FDJ demandèrent directement à M. Ch. s'il était possible que ces étudiants continuent leurs études dans d'autres pays, il répondit que c'était une affaire relevant du Gouvernement Provisoire.[4]

---

1. Katharina Harig prend la direction de l'« Institut für Ausländerstudium » en 1958. Elle développe l'enseignement de l'allemand spécialisé qui prépare les étudiants aux études générales ou techniques (cf. note 50).
2. SAPMO-BArch DY 34/ 8344, « Bericht über die Aussprache des Kollegen Tille mit dem Vertreter der UGTA, Kollege Kroun am 18.11.1960 » daté du 21 novembre 1960, p. 3. Kroun attaque d'ailleurs ses partenaires en leur reprochant qu'on a empêché les candidats au rapatriement de voyager de Leipzig à Berlin. (*ibid.*)
3. SAPMO-BArch DY 30/ IV 2/20/ 355, feuille 73 ; note de service de Löbel datée du 7 novembre 1960.
4. MfAA B 3010, feuille 359.

Kurt Schwotzer du département des relations internationales auprès du CC croyait même connaître la raison d'un tel débauchage :

> Or, il nous semble que ces étudiants doivent être retirés de la RDA pour faire des études à Berlin-Ouest ou en République Fédérale. On veut éviter qu'ils soient formés chez nous dans un sens socialiste. On doit parvenir à cette conclusion, quand on voit que les collègues qui étaient à l'Académie des syndicats à Bernau et qui désormais devraient normalement rentrer chez eux pour organiser le travail syndical, doivent rester ici et apprendre un métier. Il semble que l'on craint qu'ils soient trop influencés par le socialisme et c'est probablement la raison pour laquelle on n'en veut pas.[1]

L'intention des autorités algériennes aurait donc été de laisser sur place les endoctrinés qui devaient « au moins » apprendre quelque chose d'utile et de « rapatrier » en RFA d'autres étudiants pour leur donner une formation à l'occidentale.

Ce soupçon des autorités est-allemandes n'était pas nouveau. Dès janvier 1960, on évoqua cette possibilité au CC. En effet, le 11 janvier 1960 avait eu lieu, au CC du SED, une réunion de cinq haut fonctionnaires, deux représentants du CC, deux du Ministère de l'Intérieur et un de la direction du FDGB. Après avoir caractérisé l'UGEMA de nationaliste de droite qui recevait ses ordres du FLN à Lausanne, Belgrade et Tunis, le rapporteur, probablement Baumgart du FDGB, décrivit d'abord la politique générale du FLN en RDA :

> Le FLN exerce par l'UGEMA une forte pression sur les étudiants algériens. Sur demande de Lausanne [...], il exige désormais des étudiants qui lui sont hostiles de quitter la RDA (sous prétexte que les étudiants se comportent mal).[2]

Cette impression de la part des autorités est-allemandes corrobore le récit de Houari Mouffok sur l'affaire M'hamed Issiakhem. On pouvait donc supposer que ces étudiants étaient punis et envoyés au front – comme le craignait Larbi Bouhali. Or, la punition était d'un ordre tout à fait différent, et c'est peut-être pour cette raison que certains étudiants se plaignirent de la réticence de la RDA à les laisser partir, comme le relate le rapporteur[3] :

> Le rappel est partiellement le résultat des efforts de la section algérienne de l'UGEMA en Allemagne de l'Ouest et de la « Fédération des Etudiants Allemands » ouest-allemande (Verband Deutscher Studenten/VDS) qui a récemment proposé 30 bourses à l'UGEMA pour débaucher les étudiants.[4]

Si l'on prend en considération qu'en plus des 30 bourses, les États Unis mettaient à disposition 40 places d'études, selon le rapport, il semble compréhensible qu'un certain nombre d'étudiants algériens préféraient une « punition » de la part du FLN à un séjour prolongé en RDA et rédigeaient, à cette fin, des notes de protestation contre ses autorités qui voulaient les empêcher de partir.

La réalité de ces débauchages est corroborée par plusieurs éléments. Ainsi le SDECE, dans plusieurs rapports, évoque l'affaire des « rapatriements ». Ces rapports

---

1. SAPMO-BArch DY 30/ IV 2/20/ 353, feuille 78, Schwotzer dans une note de service datée du 15 novembre 1960.
2. SAPMO BArch DY 34/ 2133, rapport « In der DDR lebende Algerier » daté du 13 janvier 1960, p. 2 (cf. *supra*, note 4, p. 175).
3. *Ibid.* : Les étudiants s'en plaignent auprès des directions des universités dans lesquelles ils font leurs études.
4. *Ibid.*

complètent partiellement les informations qu'ont pu rédiger les autorités de RDA sur le comportement des ministères algériens.

Au renseignement militaire, on était d'ailleurs convaincu que, dans l'affaire, le GPRA jouait un rôle décisif. Un rapport du mois de février 1961 indique que l'on aurait même décidé de ne plus envoyer d'étudiants du tout en RDA :

> Dans les milieux algériens de Tunisie, on affirme que le GPRA a décidé de ne plus envoyer d'étudiants en DDR. Ceux qui ont été rappelés de DDR et ceux qui doivent continuer leurs études à l'étranger seront, de préférence, dirigés vers les pays d'Europe Occidentale et vers la Suède.[1]

Selon les mêmes militaires, le ministère algérien des Affaires sociales et culturelles avait par ailleurs affirmé qu'il n'avait procédé à aucun « rappel » tout en insistant sur le droit de se déplacer librement des étudiants algériens, dans un soudain accès de démocratie à l'occidentale :

> Le ministère des Affaires sociales et culturelles du GPRA précise qu'il n'a rappelé aucun étudiant mais il estime que les autorités de DDR se doivent de délivrer un visa de sortie à tout étudiant qui en fait la demande. Il estime surtout que ces autorités n'ont absolument pas à exiger de connaître la raison du départ pour octroyer le visa demandé.
> Le M.A.S.C. ajoute qu'il ne saurait imposer aux étudiants algériens de rester en DDR, étant donné le comportement des autorités de ce pays.[2]

Cette insistance sur des principes démocratiques de la part d'un ministère du GPRA peut paraître assez cynique compte tenu d'une information des militaires français quelques semaines plus tôt. En effet, le GPRA n'avait aucun intérêt à faire savoir aux autorités est-allemandes pourquoi les étudiants devaient ou voulaient obtenir des visas pour quitter la RDA. On trouve ici une des rares mentions de chiffres sur les faux rapatriements d'étudiants algériens :

> Prétextant une « mobilisation générale », 80 d'entre eux quittèrent la DDR et entrèrent en RFA où ils bénéficièrent de bourses spéciales du gouvernement ouest-allemand pour continuer leurs études.[3]

Les affaires de rapatriement empoisonnèrent les relations entre RDA et GPRA jusque dans l'année 1961, malgré le fait que les représentants de la RDA n'évoquèrent que très rarement le soupçon de détournement des « rappelés » vers la RFA auprès les Algériens.

Les rares interventions officielles dans cette affaire eurent lieu au Caire, où Haschke, l'un des secrétaires de l'ambassade auprès de la RAU s'adressa en avril et en juillet 1961 à ses collègues algériens du MAE, Belhocine et Yaker.

Le 27 avril, Haschke posa directement la question sur les étudiants qui prétendaient vouloir interrompre leurs études et quitter la RDA, et Mabrouk Belhocine lui répondit

---

1. SHD/DAT 1H 1721, SDECE N° 42055 du 15 mars 1961, Allemagne de l'Est, 7.2.61 (manuscrit) ; dans ce document, on évoque également des protestations de certains étudiants contre leur « rapatriement » en Europe occidentale : « Cette décision soulève quelques protestations parmi les étudiants provenant de DDR qui ont déjà perdu une année dans l'étude de la langue allemands, et sont dans l'obligation d'apprendre une nouvelle langue pour pouvoir reprendre leurs études. »
2. SHD/DAT 1H 1721, 6.5.61 (SDECE ?) N° 445 39.
3. *Ibid.*, SDECE 44030 (?.3.1961) 8/5/1961 (manuscrit). Le même rapport fait allusion à certains étudiants qui ne voulaient pas partir du tout.

que cette question était sous la responsabilité du Ministère des affaires sociales et culturelles. Haschke proposa alors de clarifier les rappels entre les deux gouvernements et devint plus explicite sur la destination des étudiants :

> [Je] lui demandai dans ce contexte s'il savait personnellement que des étudiants qui ont fait leurs études en RDA et les ont interrompues, continuent maintenant leurs études dans d'autres pays. [...] Il se déroba face à cette question directe et dit que les étudiants algériens font leurs études dans beaucoup de pays, comme en Chine, en Union soviétique, en Allemagne de l'Ouest et en Angleterre.[1]

Les réponses algériennes restèrent apparemment aussi peu satisfaisantes dans la suite de cet entretien. Ainsi Haschke insista auprès de Layashi Yaker, chef du département pour les pays socialistes au MAE, le 3 juillet 1961, sur une solution de cette affaire des étudiants rappelés. Lors de cet entretien, il montra même un article d'un journal ouest-allemand sur un certain Malek qui aurait « transféré plusieurs fois des étudiants algériens de la zone [soviétique, FT] en République fédérale ».[2]

Yaker essaya de faire passer l'article pour l'une des habituelles calomnies occidentales qui ne pouvaient entraver les relations amicales entre les deux pays, mais il insista sur le principe que son gouvernement pouvait rappeler qui il voulait et quand il le voulait. Haschke à son tour exprima son accord avec ce principe, mais il ajouta que le problème n'était point là :

> J'ai souligné que la déclaration de son gouvernement appelle les étudiants qui font leurs études à l'étranger à se joindre à l'armée de libération ou à se charger d'autres tâches dans la lutte pour la libération. Il est donc difficile de comprendre que certains étudiants poursuivent leurs études en Allemagne de l'Ouest ou dans d'autres pays occidentaux, et mon gouvernement ne sait même pas si les autorités algériennes sont d'accord.[3]

Il ajouta par ailleurs que les calomnies évoquées par son interlocuteur avaient une importance bien plus grande qu'il ne pouvait sembler :

> Ces calomnies avant tout issues de cercles impérialistes à Bonn ont comme objectif de détourner la population ouest-allemande des problèmes nationaux, de la conclusion d'un traité de paix, d'une réunification pacifique et démocratique.[4]

Yaker, qui n'avait apparemment pas mesuré l'étendue du problème, à savoir que les quelques étudiants algériens « rapatriés » en RFA empêchaient tout un peuple de se concentrer sur son avenir national, ne répondit pas concrètement à ces paroles du représentant de la RDA.

---

1. MfAA A 13 775, feuille 165, p. 3 d'un « Aktenvermerk über ein Gespräch mit dem Stellvertreter des Generalsekretärs des algerischen Außenministeriums, Herrn Mabrouk Belhocine am 27. 4. 61 im Algerischen Außenministerium ».
2. MfAA A 13 775, feuille 148, p. 1 d'un « Aktenvermerk über ein Gespräch mit Herrn Yaker, Abteilungsleiter im Algerischen Außenministerium für die Osteuropäischen Länder am 3. Juli 1961 im Büro des Bevollmächtigten » auprès de la RAU au Caire. Il s'agit de la *Deutsche Zeitung mit Wirtschaftszeitung* du 15 mai 1961, sous le titre « Le cas Malek met Bonn dans l'embarras ».
3. *Ibid.*, feuille 148, p. 2.
4. *Ibid.*, feuille 150, p. 3.

Les instances algériennes insistent sur le rappel des étudiants

Parmi les Algériens qui insistaient sur une réalisation du retour des rappelés, se trouvait encore en première ligne Ahmed Kroun.[1] Bien qu'il eût défendu devant l'un des secrétaires du FDGB, Tille, en novembre 1960, la thèse selon laquelle les cadres n'avaient actuellement en Afrique du Nord aucune utilité, il demanda devant un autre secrétaire, Deubner, moins de deux mois après, le 10 janvier 1961, de ne pas entraver le rapatriement des étudiants du côté est-allemand, même pour ceux qui ne voulaient pas rentrer :

> Le collègue Kroun pense que les étudiants ont eu ici une belle vie et qu'une partie voudrait continuer ainsi, au lieu de travailler activement en Afrique, dans des conditions difficiles.[2]

Deubner le rassura en affirmant que le FDGB ne subventionnait plus les étudiants rappelés.

Mais la bonne volonté de la RDA en la matière fut mise à rude épreuve, car l'un des rappelés qui étaient réellement partis, un certain Damardji, avait apparemment modifié son billet d'avion pour Tunis et se trouvait désormais en RFA, d'où il écrivit à ses camarades en RDA.[3] Au vu du soupçon que pouvaient avoir certains représentants de la RDA depuis des mois, on peut considérer que ce détournement n'avait pas eu lieu sans qu'au moins une partie des autorités algériennes soient au courant.

Pourtant, celles-ci insistèrent, en ce début d'année 1961, à plusieurs reprises sur la « malheureuse question des étudiants ».[4] Jupp Battel, chef d'une délégation du FDGB auprès de l'UGTA à Tunis – le voyage dura 10 jours, du 10 au 20 janvier 1961 – évoqua dans son rapport ce qu'il pensait être le problème principal entre les deux organisations :

> Du côté bureau fédéral [du FDGB, FT] […], les desiderata et les propositions de l'UGTA et du gouvernement algérien ne sont pas assez prises en compte, selon eux. Parmi les étudiants algériens il n'y a pas que des patriotes ; il y en a beaucoup qui veulent s'embusquer pour éviter la lutte du peuple algérien pour sa libération et préfèrent mener une joyeuse vie en RDA. Ils refusent alors d'obéir aux ordres de retour pour travailler au front […] en avançant des arguments fallacieux. Malheureusement, le FDGB ne prend pas assez connaissance de la réalité de ces questions afin de renvoyer aussi vite que possible ces collègues, selon les souhaits de l'UGTA.[5]

Le partenaire de Battel, Embarak Djilani, invalida l'affirmation de Kroun ; il prétendit, contrairement à ce qu'avait dit son collègue en RDA, que l'Algérie avait un besoin urgent de cadres formés pour le front. Il demanda instamment à la RDA de les faire rapatrier et prononça des menaces aux récalcitrants :

---

1. Dans son entretien avec Haschke au Caire, à la fin avril 1961, Belhocine devait suggérer un règlement du problème avec le délégué général de l'UGTA, ce qui fut peu apprécié par le secrétaire de l'ambassade (MfAA A 13 775, feuille 164, p. 2).
2. SAPMO-BArch DY 34/ 2133, note de service sur une conversation entre les collègues Kroun et Deubner et Fischer, du 10 janvier 1961, daté du 11 janvier, p. 3.
3. *Ibid.*
4. SAPMO BArch DY 34/ 3379, Rapport de Jupp Battel sur la visite d'une délégation à l'UGTA a Tunis, du 10 au 20 janvier 1961, daté du 26 janvier 1961 (« Bericht über die Delegationsreise vom 10. – 20.1.1961 zum algerischen Gewerkschaftsbund in Tunis… »), p. 4.
5. *Ibid.*

> Le secrétariat estimait que justement les collègues qui ont été formés au niveau professionnel et politique par le FDGB, sont les meilleures forces dans l'action, et que leur travail représente une aide précieuse pour la lutte du peuple algérien. L'UGTA s'est engagée auprès du gouvernement de mettre à la disposition du front ou de l'État-Major 40 bons cadres, dans les semaines prochaines. Pour cette raison, nous devrions clarifier rapidement la question et renvoyer immédiatement les étudiants demandés. Au cas où ces étudiants refuseraient, le peuple algérien se séparerait d'eux et nous pourrions imaginer nous-mêmes ce qui arriverait alors à de tels collègues.[1]

La menace à peine voilée visant les réfractaires au rapatriement, directement liée au message à la RDA de ne pas entraver le rappel des étudiants algériens, semble signifier que des « aménagements » pour des « bons éléments » n'étaient pas tolérés par le GPRA. Bons ou pas, ceux parmi les rappelés qui résistaient, devaient craindre pour leur vie - les autorités est-allemandes devaient se souvenir des mises en garde du PCA et des craintes d'un certain nombre de ses partisans.

Le message fut bien compris en RDA, car moins de deux semaines après le rapport de Battel, Walter Tille, secrétaire du FDGB, écrit à son collègue Maâchou de l'UGTA, pour lui expliquer – en faisant référence directe au rapport de Battel – que les difficultés dans la réalisation des rapatriements ne venaient pas de la RDA, mais de la mauvaise organisation ou de la mauvaise volonté du délégué permanent de l'UGTA :

> Nous tenons à vous certifier, qu'en ce qui concerne le rapatriement des cadres syndicaux formés ici, il n'y a absolument aucune différence entre votre point de vue et le nôtre. Nous ferons de notre mieux pour tout arranger selon vos désirs. Le retard survenu est dû exclusivement d'une part aux camarades eux-mêmes, de l'autre (et nous nous excusons de devoir faire cette constatation) à l'attitude de votre représentant, le Camarade Kroun. [...] Or, malgré nos réclamations répétées, le Camarade Kroun n'a pas encore procuré les laissez-passers [*sic*] aux [...] camarades et nous ne sommes donc pas responsables du retard que cela entraîne. [...] Les passages en avion étaient déjà notés deux fois et chaque fois ils ont dû être décommandés, quelques heures seulement avant le départ prévu.[2]

Malgré cette déclaration de bonne volonté de la part du FDGB, l'UGEMA envoya son secrétaire général Abdallah Bou à Berlin-Est, en juin 1961, pour des pourparlers d'ordre général. Il prétendit vouloir discuter avec ses homologues de la FDJ des « difficultés concernant la coopération entre nos organisations ». Il fit part à ses collègues de la FDJ que l'UGEMA avait été informée de ces difficultés, « en permanence par notre délégué général Mohamed Refes », un étudiant en géologie inscrit à l'« Académie des mines » (Bergwerksakademie) de Freiberg.[3]

---

1. *Ibid.*, p. 4/5.
2. SAPMO-BArch DY 34/ 2133, lettre (en français) de Tille au Camarade Abdelkader Maâchou, datée du 10 février 1961. Cette même accusation concernant Kroun se trouve dans le rapport sur la rencontre avec Embarek Djilani, début novembre 1961 (SAPMO-BArch DY 34/ 2133, daté du 13 décembre 1961, p. 3), où l'on explique que Kroun avait bien organisé l'arrêt de travail immédiat en vue du rapatriement, mais n'avait pas pu faire parvenir les laissez-passer nécessaires. Le FDGB pense pouvoir prouver que les reproches algériens sur les manquements du rapatriements sont infondés (p. 5). Djilani avait reproché au FDGB de couvrir les « déserteurs » Rehal, Naït et Abbou (SAPMO-BArch DY 34/ 3379, rapport, daté du 4 novembre 1961, sur l'entretien entre Meier et Deubner du FDGB et Djilani, le 3 novembre, p. 4), ce à quoi les représentants du FDGB répondent qu'ils n'ont pas « repris » les personnes en question (Naït et Abbou étaient curieusement les premiers à partir à Tunis, selon la note de service du 11 janvier 1961, p. 2). Quand Djilani insiste sur le fait que la RDA retient des « déserteurs », on lui répond que la RDA a déjà renvoyé 48 collègues, mais elle ne peut les faire passer par Bonn en RFA – ce que Djilani accepte (p. 5).
3. La FDJ considère la visite de Bou Abdallah comme assez importante pour relater systématiquement les discussions au vice-ministre Schwab du MfAA (cf. MfAA B 3010, feuilles 313 à 320).

Menaces de rupture entre UGEMA et FDJ

Si les critiques et les revendications d'Abdallah Bou s'avéraient pénibles voire inquiétantes pour les autorités de la RDA, comme nous le verrons, il y avait déjà dans cette information initiale un élément qui devait les alarmer. En effet, le délégué permanent auprès du FDGB, Ahmed Kroun, n'avait quitté la RDA qu'au mois de mai précédent et déjà un autre organisme du FLN présenta un nouveau « délégué général » résidant sur le territoire de la RDA – chose que l'on avait voulu éviter à tout prix et que le FDGB refusait systématiquement à ses homologues algériens.

Le secrétaire général Bou, loin de cacher l'existence de ce délégué, revendiqua au contraire des pouvoirs élargis pour lui, et protesta contre l'attitude de la RDA qui apparemment n'avait pas entériné le fait que cet étudiant avait désormais une fonction quasi officielle. Bou se plaignit du traitement réservé à son collègue :

> Notre plénipotentiaire pour la RDA a le mandat de discuter toutes les questions avec la FDJ. Or, nous sommes obligés de constater qu'il n'a pas de pouvoir. Il est inconnu des directions locales de la FDJ, on lui a même refusé un tarif préférentiel pour un voyage à Iéna. Il a demandé officiellement au Secrétariat d'État l'autorisation d'être transféré à l'université de Berlin. Le secrétariat d'État a repoussé sa demande au mois de juin, sans donner de raisons. Il y a eu peu de contacts entre notre délégué général et les représentants du Conseil central de la FDJ.[1]

En outre, aucune des institutions de la RDA n'avait daigné informer Refes de différentes manifestations concernant l'Algérie en lutte, où pouvaient parler, au nom du peuple algérien, des étudiants non habilités et parfois exclus de l'UGEMA, « bien qu'il eût été possible d'informer toutes les institutions de la RDA de l'existence en RDA d'un représentant officiel de l'UGEMA. »[2]

Lorsqu'on examine les reproches de Bou, il s'avère clairement qu'en refusant tous ces privilèges à l'étudiant Refes, la RDA n'avait justement pas voulu reconnaître son nouveau rôle : il devait demander un visa pour chaque déplacement à l'intérieur de la RDA et attendre son tour pour une décision de transfert[3], comme n'importe quel autre étudiant, et il n'était surtout pas signalé aux institutions de la RDA comme représentant officiel du FLN. Pour la RDA, il n'existait pas de successeur de Kroun.

Or, le secrétaire général de l'UGEMA insista précisément sur ce point. Non seulement « l'UGEMA doit obtenir le contrôle absolu sur tous les Algériens qui font leurs études en RDA »[4] – ceci était encore compréhensible – mais, comme Aït Chaalal avait essayé de l'obtenir un an plus tôt, il demanda que l'UGEMA représente désormais globalement les intérêts algériens en RDA :

> Dans une période révolutionnaire, la question de l'unité est essentielle. C'est pour cette raison qu'il n'y a, pour nous, aucune différence entre UGEMA, UGTA et FLN.[5]

---

1. SAPMO-BArch DY 30/ IV 2/20/ 354, feuille 161 ; p. 2 d'une « Information » sur un entretien avec Bou Abdallah, Secrétaire général de l'UGEMA du 7 juin 1961 au Conseil Central de la FDJ (non signée, non datée).
2. *Ibid.*
3. NB : tout étranger en RDA avait un visa pour une ou plusieurs localités précises, et ne pouvait se déplacer librement à l'intérieur de la république.
4. « Information », feuille 162, p. 3.
5. *Ibid.* ; Bou fait même allusion au PCA qu'il exclut implicitement de la communauté algérienne, face à ses homologues communistes de la RDA.

Le secrétaire général, peu après le départ de Kroun, fit comprendre une fois de plus à ses interlocuteurs que, pour les Algériens, la distinction qu'ils faisaient entre les différentes organisations n'était pas réellement adaptée à la situation de l'Algérie en guerre. Ainsi le reproche fait au délégué de l'UGTA de s'occuper d'autre chose que des « petits problèmes syndicaux » n'avait pas de sens, comme l'expliqua plus tard Abdallah Bou. Cependant les responsables de la FDJ ne cédèrent pas sur la requête de l'UGEMA d'accepter Refes comme délégué général pour toutes les affaires algériennes en RDA :

> [...] nous avons insisté sur le fait que la revendication d'exclusivité de l'UGEMA, à savoir le droit de prendre des décisions sur chaque citoyen à accueillir en RDA et qui y fait des études, doit être réfutée fermement.[1]

Bou était allé jusqu'à une sorte de chantage en déclarant que c'était à cause des « événements » – qui étaient en réalité des non-événements, car il se plaignit de tout ce qui n'avait pas été réalisé par la RDA – que l'Algérie n'avait plus envoyé, ces derniers temps, d'étudiants en RDA. La FDJ était prête à relever le défi, bien qu'elle eût l'impression que Bou pouvait chercher la rupture – on se souvient de l'attitude d'Aït Chaalal, un an avant :

> Le deuxième entretien montre clairement que l'UGEMA utilise des affaires qui sont de la compétence d'organes étatiques ou d'autres organisations de masses [...] pour créer des tensions dans ses relations avec la FDJ, voire simplement les supprimer.[2]

La FDJ devait donc constater qu'un accord avec l'UGEMA était difficilement envisageable. Malgré tout, on essaya, par deux propositions, de calmer les vagues. D'abord, la FDJ promit de s'efforcer d'informer désormais d'autres institutions de l'existence de Refes :

> Concernant la question de la représentation des intérêts algériens en RDA, nous ne sommes pas arrivés à un consensus. Toutefois nous avons assuré nos partenaires que nous informions les autres organisations de masses que l'UGEMA souhaite que toutes les organisations consultent Refes avant d'inviter des Algériens à certaines manifestations; en revanche nous avons insisté en même temps sur le fait que chez nous, les organisations sont indépendantes et décident elles-mêmes de qui elles veulent inviter.[3]

On remarquera que l'auteur du rapport évita de donner une fonction à l'étudiant Refes, il ne l'évoqua que par son nom.

Et puis la FDJ proposa, malgré l'échec apparent des négociations, d'organiser un don de solidarité, ce que Bou de l'UGEMA accepta ; il avait même préparé une sorte de catalogue et demanda au nom de son organisation « de lui fournir des lits, des couvertures ainsi que des ustensiles pour la cantine de leur résidence estudiantine à Tunis ».[4]

Le *ND* décrivit, sur sa première page, la manifestation organisée autour de ce don, au début du mois de juillet 1961 à Freiberg où se trouvaient les étudiants en formation

---

1. MfAA A 3010, feuille 313/14 : « Hausmitteilung an Minister Schwab », 7 juillet 1961 : « Besprechung mit dem Generalsekretär des Allgemeinen Algerischen Studentenverbandes (UGEMA), Bou Abdallah ».
2. *Ibid.*, feuille 164 (même « Hausmitteilung » en MfAA B 3010, feuille 315/16).
3. *Ibid.*
4. *Ibid.*

d'ingénieurs de la mine, sous le titre « La jeunesse fait un don de 50 000 DM », et évoqua Refes :

> Le point culminant de cette rencontre fut la remise au plénipotentiaire général de l'UGEMA, Mohamed Refes d'un document de donation à hauteur de 50 000 DM pour le camp de réfugiés à Tunis, par Hans-Joachim Linn, membre du conseil central de la FDJ.[1]

Pour le public, la RDA reconnaissait donc à Refes un titre qui supposait une fonction officielle, ce qui pourrait expliquer qu'il eut, après son départ de RDA, un successeur aussi officiel, Ali Oubouzar. En effet, quand au début de l'année suivante, 1962, lors d'un entretien avec des responsables de la FDJ, Refes apparut comme « secrétaire de l'UGEMA pour la presse et l'information », Oubouzar fut présenté comme « représentant de l'UGEMA à Berlin ».[2]

Cette reconnaissance publique d'un soi-disant « plénipotentiaire » n'empêcha pourtant pas un refus quasi explicite de l'administration est-allemande de reconnaître les fonctions de Refes. Derrière ce refus de la part des autorités se trouvait non seulement l'expérience du FDGB avec Kroun, mais également une mise en garde contre cet étudiant, de la part du PCA. En janvier 1961, Larbi Bouhali avait averti la RDA que Refes, successeur de l'étudiant Hermouche[3], « serait parti en Allemagne occidentale en novembre dernier avec 17 autres étudiants algériens » :

> Nous voudrions vous signaler le cas d'un étudiant algérien à l'égard de qui nous pensons qu'il convient d'être très vigilant. [...]
> Cet étudiant était pratiquement le mouchard d'un autre étudiant qui se trouvait à Leipzig, un nommé HERMOUCHE, qui représentait à la fois l'U.G.E.M.A. [...] et le F.L.N. Cet étudiant n'a jamais caché ses sentiments anti-communistes et en même temps anti-R.D.A. Nous apprenons qu'il serait parti en Allemagne occidentale en novembre dernier avec 17 autres étudiants algériens. Les 18 auraient emporté des pièces d'identité que la R.D.A. leur avait délivrées sous prétexte qu'ils se rendaient en Tunisie.[4]

Bouhali corrobore donc, dans cette lettre, le soupçon de certains fonctionnaires du SED, selon lequel le GPRA « rapatriait » des étudiants de l'Allemagne de l'Est vers l'Allemagne de l'Ouest. La filière qu'il indique en RDA fit réapparaître deux personnages déjà impliqués dans des affaires qui avaient créé des tensions entre RDA et FLN, Aït Chaalal et Ahmed Kroun, qui auraient imposé Mohamed Refes contre l'avis même des étudiants algériens sur place :

> Lors de sa récente visite en R.D.A., AIT CHAALAL, président de l'U.G.E.M.A. a, sans tenir compte de l'avis des étudiants algériens en R.D.A., désigné REFES comme représentant du Comité Exécutif de l'U.G.E.M.A. en R.D.A. [...] Comme il faisait remarquer qu'il ne pouvait pas remplir sa mission parce qu'il étudiait à Freiberg et y habitait, [...] KROUN [...] lui a promis une chambre à Berlin avec téléphone afin de faciliter ses relations avec l'ensemble des étudiants. De cette façon, il a été convenu

1. *ND*, 6 juillet 1961, n° 184, p. 1.
2. SAPMO-BArch DY 30/ IV 2/20/ 354, feuille 227 (14 février 1962), note sur une conversation avec des représentants de l'UGEMA du 1er février 1962 : Refes – « secrétaire de l'UGEMA pour la presse et l'information » ; Oubouzar – « représentant de l'UGEMA à Berlin ». Dans ce rapport, Refes apparaît également comme « ami » comme on appelait souvent en RDA les ouvriers étrangers ou encore des réfugiés non communistes (*ibid.*, feuille 228/p. 2).
3. Voir p. 180 ; il s'agit de l'étudiant en médecine que le GPRA avait dépêché en RDA pour remettre de l'ordre parmi les étudiants trop turbulents.
4. SAPMO-BArch DY 30/ IV 2/20/ 353, feuille 87, lettre de Larbi Bouhali au CC du SED, datée du 5 janvier 1961.

qu'aucune section de l'UGEMA ni aucun étudiant algérien ne pouvait rien faire sans l'accord exprès de REFES. Cela signifie l'impossibilité pour toute organisation démocratique de la R.D.A. d'utiliser sous quelque forme que ce soit un étudiant algérien.[1]

Vu sous cet angle politique, il est compréhensible que le représentant du PCA n'ait pas la même perception de ce que celui de l'UGEMA, Abdallah Bou, trouve normal pour un représentant officiel du FLN :

D'abord il nous paraît anormal qu'un étudiant inscrit à une faculté de Freiberg puisse obtenir aussi facilement son transfert à Berlin avec toutes les commodités de logement désirables. Ensuite, connaissant l'individu et le travail dont il est chargé (en relation avec KROUN) il nous paraît inadmissible de laisser faire une pareille chose.[2]

De toute évidence, la RDA a suivi, dans le cas de Refes, les conseils du parti frère le PCA, car sinon le secrétaire général de l'UGEMA n'aurait pas dû revendiquer pour son délégué en RDA ce que le PCA avait suggéré aux camarades du CC du SED de lui refuser.

Le cas Hellel et autres preuves pour un « rapatriement » en RFA

Or, pendant cette même période, le « rapatriement » d'étudiants algériens vers la RFA par l'intermédiaire de représentants de l'Algérie continuait apparemment, surtout au printemps 1961. Katharina Harig de Leipzig écrivit une lettre au MfAA dans laquelle elle fit part aux diplomates des difficultés qu'elle avait avec les étudiants algériens, qui se trouvaient sous l'influence de l'étudiant Hermouche, envoyé par l'UGEMA, et qui faisaient de la propagande anticommuniste en général et anti-RDA en particulier dans son université. Elle parla de « magouilles de l'UGEMA ».[3]

On comprend de quelles intrigues il pouvait s'agir à partir des documents qui arrivèrent du CC du SED au MfAA. Ainsi le « Hauptreferent » Löbel informa ses collègues des agissements de certains étudiants à Leipzig, Halle et Freiberg :

Le camarade Junghanns du Conseil central de la FDJ m'a informé qu'environ 8 étudiants des universités de Leipzig, Halle et Freiberg veulent renoncer illégalement à la poursuite de leurs études et veulent quitter illégalement la RDA. Ils continueraient probablement leurs études en Allemagne de l'Ouest ou en Suisse. [...] Ici se manifeste une perturbation organisée de l'aide de la RDA à l'Algérie et un préjudice probablement intentionnel porté à la renommée de notre république.[4]

L'agitation de ces étudiants était prise assez au sérieux pour que l'on en fît état auprès d'un pays ami, impliqué dans le conflit nord-africain lui aussi, la Tchécoslovaquie, à travers l'ambassade de la RDA à Prague. En effet, un responsable du MfAA, Simons décrivit à son collègue Neugebauer à Prague les problèmes rencontrés avec les étudiants algériens :

[...] nous vous faisons part du fait que nous avons des difficultés particulières avec certains étudiants algériens. À la fin novembre, 17 étudiants algériens ont renoncé à leurs études et quitté la RDA en prétextant vouloir se mettre à la disposition du FLN algérien. Pourtant selon certaines informations,

1. *Ibid.*
2. *Ibid.*
3. MfAA B 3010, feuille 343.
4. *Ibid.*, feuille 346/47, Löbel, manuscrit, le 17 et 18 avril 1961.

> une partie de ces étudiants continue ses études en Allemagne de l'Ouest et en Suisse. Nous avons été informés du fait qu'une autre partie des étudiants algériens organise une action similaire. Ces actions - qui sont apparemment menées par des éléments réactionnaires du FLN et l'UGEMA - ont comme but de réduire le nombre d'étudiants algériens résidant en RDA.[1]

Jusqu'ici il ne s'agissait que de suppositions et de soupçons. Or le cas de Mohamed Hellel prouvait la réalité des faux rapatriements.

Hellel, ancien fedayin, étudiant en chimie à Merseburg depuis 1959, décrivit ainsi son aventure dans une lettre au premier secrétaire de la FDJ, Horst Schumann :

> Fin avril [1961], un représentant de l'UGEMA venant de Berlin, m'a rendu visite et m'a demandé de me rendre en Suisse, sans me donner d'explications. [...] En bon soldat [...] j'ai obéi aveuglément aux ordres. Arrivé à Zurich j'ai dû constater que nous six (quelques amis et moi-même) étions victimes d'une machination atroce et terrible. Nous avions des bourses au même nom que les « réfugiés » hongrois. Nous étions considérés comme anticommunistes. [Après son retour en RDA] J'ai eu plusieurs entretiens avec M. Lange.[2]

Hellel avait donc été contacté par un responsable algérien qu'il prétendit, dans ce témoignage, ne pas connaître. Or, dans un témoignage plus proche de son retour, en face du secrétaire des affaires universitaires Lange, son récit fut nettement plus précis. Lange demanda à ses collègues du MfAA, si l'on pourrait le réintégrer tout en relatant les dessous de cette « fuite » :

> Concernant l'arrière-plan de son départ de la république il déclara :
> On l'aurait convoqué avec un autre étudiant de Merseburg [...] à Berlin pour y rencontrer le [...] « représentant syndical » Croun. Là, on leur aurait expliqué que le gouvernement algérien demandait qu'ils interrompent leurs études en RDA pour continuer ailleurs. D'abord ils ont cru qu'ils devaient quitter la république légalement et auraient attendu un avis officiel de leur gouvernement adressé à la RDA. Soudain Croun lui aurait demandé de quitter la république immédiatement. Il aurait obtenu de l'argent par Croun, pour s'envoler de Tempelhof [Berlin-Ouest, FT] à Zurich.[3]

À Zurich, Hellel découvrit que l'UGEMA locale n'était pas très progressiste dans le sens du « camp socialiste » puisqu'elle le mit en contact avec des propagandistes anticommunistes :

> À Zurich, il se manifesta auprès de l'UGEMA, reçut une bourse [...] et une chambre. On le confia à un prétendu groupe de contact de l'université de Zurich, qui s'occupe d'étudiants étrangers, surtout d'émigrants hongrois. Ce groupe de contact fit de la propagande anti-communiste et essaya de l'entraîner sur cette même position. On lui demanda de faire de déclarations publiques en lui indiquant ce qu'il devait dire. Il refusa.[4]

Entra alors en scène le président de l'UGEMA Aït Chaalal, car Hellel le contacta pour lui demander l'autorisation de retourner en RDA, où par ailleurs il avait une « fiancée » qui attendait un enfant de lui[5] :

1. MfAA A 11 873, Simons à Neugebauer, 4 mai 1961.
2. SAPMO-BArch DY 34/ 2133, Mohamed Hellel à Horst Schumann, 1er secrétaire de la FDJ, le 18 septembre 1961 (le texte est apparemment une traduction du français).
3. MfAA B 3010, feuille 330, Lange du secrétariat pour l'enseignement supérieur à Löbel, le 13 juin 1961, sur un entretien avec Hellel, le 6 juin.
4. *Ibid.*
5. *Ibid.*, feuille 331.

> [...] il a contacté le président de l'UGEMA, Aït Chaalal, et lui a déclaré qu'il voulait retourner en RDA. Aït le lui aurait strictement interdit et l'aurait menacé, s'il rentrait en RDA sans autorisation de l'UGEMA. Malgré cela il aurait utilisé sa bourse pour retourner en RDA via Berlin-Ouest.[1]

L'ancien fedayin Hellel, excédé par l'attitude des personnes qui détournaient ainsi les collègues et piétinaient leurs convictions – en l'occurrence communistes[2] – était donc revenu en RDA – où il ne rencontra pas que compréhension de la part de ses camarades algériens, ni de l'administration. Au contraire, certains étudiants s'étonnèrent de son attitude :

> H. déclara qu'il avait rencontré à Leipzig six ou sept étudiants algériens très étonnés de son retour. C'étaient ceux qui voulaient également quitter la république. Il leur aurait raconté ses expériences en Suisse et il est convaincu qu'ils resteront désormais en RDA.[3]

Heureusement Hellel avait trouvé des appuis au sein de la hiérarchie universitaire, en la personne de Mme Harig, qui se prononça pour sa réintégration dans l'enseignement supérieur. L'auteur de la note le concernant, Lange, partageait implicitement cette opinion.

Car Hellel devait effectivement être considéré comme un élément positif. Non seulement il était revenu au pays et avait convaincu des camarades de ne pas se laisser entraîner dans une telle affaire, mais il avait aussi pris ses distances avec des responsables algériens suspects tels Kroun, Refes ou Hermouche :

> Il désigna l'ancien étudiant algérien en médecine Hermouche et Refes qui fait encore ses études à Freiberg, comme des adversaires explicites des pays socialistes. Refes travaillerait sur la même ligne que Croun.[4]

L'ancien fedayin n'avait pas seulement résisté à Aït Challal, à Zurich, mais déjà en novembre 1960, lors du déplacement du président de l'UGEMA et de ses rencontres avec des étudiants algériens à Leipzig, il avait, selon une information que détenait le MfAA, contrecarré les « intrigues » de celui-ci, dans une des réunions :

> [...] parce que dans cette réunion, l'étudiant algérien Hellel [...] avait soudainement pris parti contre lui en démasquant l'attitude de l'UGEMA qui ne servirait pas l'évolution amicale des deux organisations.[5]

On pouvait donc procéder sans hésiter à la réintégration de cet élément. Or, pour ne pas froisser le GPRA – qui l'avait « rappelé » – il fallait traiter l'étudiant revenu comme les « bons éléments » soutenus par le PCA, qui n'avaient pas voulu partir à l'automne 1960 ; c'est-à-dire il fallait le « cacher » dans la production pendant quelques

---

1. *Ibid.*
2. Au SDECE on connaît d'autres cas de refus de rapatriement pour des raisons idéologiques et l'on cite celui d'un collaborateur de la radio est-allemande : « Quelques uns refusèrent d'obéir à cet ordre de rappel, parmi eux, figure MOHAMED CHOUYOUCK qui serait actuellement employé à la radiodiffusion de BERLIN-Est. Cette information complète les renseignements en notre possession faisant état du rappel des étudiants algériens de DDR. [SHD/DAT 1H 1721, SDECE 44030 (?.3.1961) 8/5/1961 (manuscrit)].
3. MfAA B 3010, feuille 331.
4. *Ibid.*
5. *Ibid.*, feuille 314, « Hausmitteilung » du MfAA du 7 juillet 1961.

mois, puis le réintégrer à l'université, en espérant que le GPRA ne s'en aperçoive pas. Lange fit logiquement une proposition en ce sens :

> Il est prêt à travailler dans un premier temps, mais il demande à obtenir un poste à Leipzig (entreprise chimique) et à être autorisé à continuer ses études dès la nouvelle année universitaire.[1]

Apparemment, au MdI, on lui avait promis de le traiter ainsi, comme il l'écrivit dans sa lettre à Schumann de la FDJ en septembre :

> Au Ministère de l'Intérieur, on m'a promis que j'aurai la possibilité de faire des études après trois mois de travail dans une usine.[2]

Or, Embarek Djilani de l'UGTA avait fait comprendre à Jupp Battel en janvier 1961 que désormais ce genre de « détournement » ne serait plus toléré. D'un côté comme de l'autre, on continuait apparemment le même jeu de cache-cache, bien que même le PCA eût signalé au CC du SED que les rapatriements n'étaient pas dangereux pour les étudiants algériens. C'est au moins ce qui apparaît dans une note de Neuhäuser du FDGB qui avait contacté le CC du SED, après le refus insistant de Sachnoun Mekerba qui prétendait craindre pour sa vie en Afrique du Nord, en raison de son appartenance au PCA :

> Après une nouvelle consultation [...] du collègue Neumann au CC [...], l'entretien du collègue Neumann avec un délégué du PC algérien donne le résultat suivant :
> 1° Il n'y a aucun danger pour la vie des camarades et syndicalistes algériens qui doivent rentrer à Tunis ou au Maroc.
> 2° On doit contrecarrer une tendance à mener une vie agréable et fuir les combats.
> 3° Les camarades du PC algérien expriment leur mécontentement sur le fait que Kroun se trouve toujours en RDA.[3]

Si le cas de Mohamed Hellel, réfractaire au « rapatriement » pour des raisons idéologiques – il ne voulait pas être considéré comme anticommuniste et faire partie des gens qui fuyaient « son » camp – devait être relativement rare, il montre néanmoins que l'UGEMA agissait réellement comme le soupçonnait la RDA et qu'il y a eu des « débauchages » Est-Ouest, comme l'affirmait également le SDECE.

L'affaire Hellel se termina par ailleurs tragiquement pour lui. En effet, l'administration du MdI ne voulait surtout pas réintégrer Hellel, pour deux raisons, la première relevant de l'espionnite hystérique de la période de la guerre froide et la seconde de peur de créer un précédent. Simons du MfAA relata, le 10 juin 1961, à son supérieur de tutelle, le vice-ministre Sepp Schwab, qu'il avait informé le secrétariat d'État pour les affaires universitaires, donc en fait son collègue Lange, en lui disant « qu'il n'est pas question d'une réintégration », pour deux raisons :

> 1 - Si des étudiants étrangers partent en Allemagne de l'Ouest ou dans un autre pays de l'Europe occidentale et en reviennent [...], il n'existe aucune garantie que des services secrets occidentaux ne les aient pas enrôlés entre temps et renvoyés pour réaliser certaines tâches.
> 2 - Puisque les étudiants savent que nous insistons sur le fait qu'ils mènent leurs études à terme, s'il n'y a pas un accord contraire entre le gouvernement de la RDA et le gouvernement de la patrie de

---

1. MfAA B 3010, feuille 332.
2. SAPMO-BArch DY 34/ 2133, Mohamed Hellel à Horst Schumann, 1er secrétaire de la FDJ, le 18 septembre 1961.
3. SAPMO-BArch DY 34/ 2133, note de service de Neuhäuser, du 27 janvier 1961.

> l'étudiant, une réintégration ne pourra avoir comme conséquence que le fait que l'autorité de nos services universitaires soit diminuée aux yeux des étudiants étrangers et que la discipline soit sapée par une telle décision.[1]

Simons déplora par ailleurs que l'on ait réintégré Hellel malgré ces considérations – et réussi apparemment à le faire expulser – les lettres pathétiques que Hellel écrivit du Maroc à Horst Schumann de la présidence de la FDJ, en témoignent. L'affaire fut même traitée au Département des relations internationales du CC du SED, d'où Löbel adressa ses regrets à l'intéressé et lui conseilla de faire une demande officielle de réintégration à l'UGEMA – ce qui révèle un certain cynisme, quand on regarde les problèmes qu'avait eus Hellel avec le président de cet organisme, Aït Chaalal.[2]

Hellel avait eu la malchance de tomber dans une période où la RDA durcissait sa politique envers le GPRA. Elle venait de se débarrasser de Kroun et elle insistait auprès des représentants algériens sur la nécessité de relations intergouvernementales, à l'occasion des rapatriements d'étudiants algériens sur son sol, comme l'avait écrit Simons dans son refus de réintégrer Hellel. À peu près à la même période, à l'ambassade du Caire, on réitéra la même revendication auprès du responsable pour les pays de l'Europe de l'Est au MAE, Layashi Yaker qui avait demandé de rencontrer les représentants de la RDA (il s'agissait du troisième secrétaire de l'ambassade, Haschke, et de son collègue Scharf) pour les informer des négociations franco-algériennes à Évian. La rencontre eut lieu le 16 mai.

Après avoir informé ses interlocuteurs des problèmes concernant les négociations, Yaker les choqua quand il dit que le GPRA voulait maintenir les contacts avec les « forces démocratiques » en RFA et qu'il « avait besoin de la coopération de ces forces ».[3] Il en vint en fin d'entretien aux problèmes du rapatriement des étudiants :

> Le ministre l'a mandaté pour transmettre au gouvernement de RDA la demande d'autoriser tous les étudiants qui le demandent à sortir. On a maintenant besoin de beaucoup de forces pour remplir les différentes tâches du gouvernement algérien aussi bien en Algérie qu'en Tunisie. Il n'évoqua nullement notre revendication, à savoir que le gouvernement algérien doit aviser officiellement le gouvernement de RDA pour des cas concrets. [...] Dans ce contexte [il s'agissait une fois de plus du délégué Kroun, FT] nous avons déclaré sans ambiguïté à M. Yaker que le gouvernement de la RDA souhaite traiter toutes les questions inter-étatiques au niveau des gouvernements, ce qui vaut également pour le problème des étudiants algériens.[4]

Puisque, selon l'analyse du secrétaire de l'ambassade, les Algériens « veulent probablement évincer [lors d'éventuelles négociations, FT] les problèmes d'une normalisation des relations », la RDA avait un intérêt particulier à leur montrer que sans discussions « inter-étatiques » on ne pouvait avancer. Hellel était probablement une victime de ce durcissement de ton, qui résultait aussi de la certitude croissante des autorités est-allemandes sur ce qu'était la vraie destination des étudiants rapatriés.

Les autorités algériennes de leur côté admettaient indirectement ces détournements quelques mois plus tard. Dans un entretien avec l'un des secrétaires de l'ambassade au

1. MfAA B 3010, feuille 324.
2. La correspondance entre les différents acteurs se trouve en MfAA B 3010, feuilles 255, 285, 308 à 310.
3. MfAA B 3010, feuille 337. Haschke en tire la conclusion (*ibid.* feuille 340) que « le côté algérien veut élargir sa position en Allemagne de l'Ouest ».
4. *Ibid.*, feuilles 338 et 339.

Caire, Scharf, Abdelmalek Benhabyles, le successeur de Yaker au département Europe de l'Est/Pays socialistes du MAE algérien, regretta, en janvier 1962, ce détournement :

> M. Benhabiles mentionna que les dissensions ont surgi parce que
> l'ordre de l'armée de rappeler tous les étudiants était appliqué de façon très formelle [...]. L'idée que les jeunes gens qui font leurs études dans les pays socialistes seront des cadres précieux pour la future Algérie n'est apparue que plus tard, quand l'affaire était déjà bâclée.
> Comme circonstance aggravante s'est ajouté le fait que leur appel au retour est arrivé en même temps que le détournement d'étudiants en RDA par des organisations d'agents occidentaux ce qui a donné l'impression d'un lien entre les deux affaires. Il souligna que ce lien n'a jamais existé.[1]

Du côté de la RFA, les « rapatriements » étaient parfaitement connus et la procédure soupçonnée par les autorités est-allemandes s'est apparemment déroulée de la façon décrite par le SDECE et par Hellel. L'historien Thomas Scheffler confirme l'action commune de l'UGEMA et du VDS[2], et il donne également la raison pour laquelle le FLN agissait ainsi :

> L'UGEMA établissait, en accord préalable avec la direction du VDS, des listes confidentielles d'étudiants à qui elle souhaitait procurer une possibilité de faire des études en RFA. Ces étudiants étaient alors envoyés dans la « Zone d'occupation soviétique » pour y suivre un cours de langue allemande, puis se « réfugiaient » comme convenu en RFA, où ils profitaient d'une bourse du fait qu'ils étaient des réfugiés d'un État du bloc soviétique. En même temps ils dissipaient, par leur présence, la crainte que l'industrie et l'administration de l'Algérie seraient noyautées après l'indépendance par des cadres formés dans l'idéologie communiste.[3]

La politique que Mohammed Harbi dénonçait dans le contexte de l'aide des États socialistes au peuple algérien en lutte, c'est-à-dire l'instrumentalisation du bloc oriental pour « menacer l'ouest d'une alliance avec l'est »[4], était devenue celle du GPRA envers la RDA. Avec l'affaire des faux rapatriements d'étudiants en Afrique, où ils devaient prétendument participer aux combats – et qui se trouvaient finalement en RFA pour y manifester la volonté du GPRA de ne pas rompre avec l'Occident – la politique de l'instrumentalisation avait trouvé une nouvelle facette.

Or on avait envoyé en RDA des étudiants en pleine conscience de ce qui les y attendait. La preuve en est, entre autres, que les lettres d'Algérie commencent très

---

1. MfAA A 13 775, feuille 100, « Aktenvermerk über ein Gespräch mit den Herren Benhabiles, Leiter der Abteilung Osteuropa/sozialistische Länder, und Meftahi, Leiter der Informationsabteilung im algerischen Außenministerium am 24. Januar 1962 im algerischen MfAA (Kairo, den 27. Januar 1962, Scharf, Attaché).
2. Le Verband Deutscher Studenten (VDS) avait d'ailleurs alerté les autorités de RFA dès août 1958 sur la volonté de la RDA d'accueillir des étudiants algériens et du danger que cela représentait pour la renommée de la partie occidentale de l'Allemagne. Dans les archives du MfAA, on trouve tout un dossier à ce propos, avec des dépêches de la Deutsche Presseagentur/DPA, des coupures de presse, etc. (MfAA B 3010, feuilles 383 *sq.*).
3. SCHEFFLER, Thomas : *Die SPD und der Algerienkrieg (1954-1962)*. Berlin 1995, p. 71. Cf. également la note 485/p. 126, où Scheffler cite l'ancien président du VDS, Friedemann Büttner, selon qui on aurait mis à disposition de l'UGEMA environ 70 bourses, dont 35 de cette façon.
4. HARBI, *Archives...*, Doc. 83, p. 390 (mars 1960) : « Notre révolution trouverait auprès de ce bloc [le « bloc oriental », FT] une aide sérieuse. Encore faudrait-il lever l'exclusive politique jetée contre lui, le considérer comme un partenaire au même titre que les autres et mettre un terme au chantage verbal qui consiste à menacer l'ouest d'une alliance avec l'est. ».

souvent par l'intitulé « camarade », comme si l'on était entre communistes voire socialistes, ce qui, ne serait-ce que pour le président de l'UGEMA Aït Chaalal, n'était absolument pas le cas.

Si alors, comme l'écrivent le SDECE et également Houari Mouffok, certains responsables algériens semblent s'être aperçus que leurs étudiants étaient endoctrinés par une idéologie néfaste et qu'il fallait les en sauver[1], cette « surprise » ne peut être considérée que comme prétexte. Dans le rapport sur la visite du secrétaire général de l'UGEMA, Abdallah Bou, il s'avère au contraire très clairement que l'intérêt des organisations du FLN était de garder ou de regagner une emprise complète sur les Algériens en RDA, comme le précédent délégué de l'UGTA, Ahmed Kroun, avait déjà essayé de le faire – et comme Aït Chaalal l'avait demandé dès septembre 1959.[2] Le rapatriement en Afrique du Nord comme menace pour les réfractaires pour lesquels un séjour en RFA n'était pas prévu, semble être le revers de la même médaille.

Que certains Algériens en RDA aient utilisé l'argument de la crainte d'être persécutés après un retour en Afrique du Nord, sous prétexte qu'ils seraient partisans du PCA, semble également probable. Une telle attitude est suggérée par Martini, pour les blessés séjournant après leur guérison en RDA, mais elle peut être transposée au cas de certains étudiants, surtout ceux qui y avaient fondé un foyer.[3] Rajoutons que même Kroun avait évoqué le danger que couraient les combattants qui passaient la ligne Morice entre la Tunisie et l'Algérie.

On peut constater que la RDA n'a pas réagi très vigoureusement dans cette affaire auprès des représentants du FLN, malgré la malhonnêteté dont on les soupçonnait – à juste titre comme différents éléments le prouvaient.

En revanche, elle a essayé à son tour de faire le tri entre les « bons éléments » et certains étudiants qui n'étaient pas considérés comme tels. Ainsi on a fait des tentatives pour garder les éléments recommandés par le PCA par des moyens qui ne peuvent être caractérisés que comme quasi clandestins. D'un autre côté, elle protesta de sa bonne foi en faisant valoir que l'on avait renvoyé un certain nombre d'étudiants rappelés.

Apparaît ici là à nouveau le problème du rapatriement des Algériens, demandé par certains représentants du FLN. Il révèle un certain nombre de difficultés organisationnelles dont les Algériens essayaient de faire porter la responsabilité aux autorités est-allemandes.[4]

Toutefois, malgré les attaques et les menaces exprimées par certains représentants algériens, et malgré les avertissements systématiques du secrétaire général du PCA, la RDA essayait de garder le contact avec le GPRA et avec les organisations du FLN.

1. Aït Chaalal, dans un rapport du 18 septembre 1959 écrit que « nos hôtes [les autorités de la RDA, FT] s'évertuent à vouloir arracher des louanges à l'intention du PCA » (HARBI/MEYNIER, *Le FLN*..., p. 716).
2. *Ibid.* : Chaalal demande « un contrôle riguoureux et permanent de nos étudiants. »
3. MARTINI, *Chroniques*..., p. 249 : « Une fois leurs soins terminés, ils avaient joué des pieds et des mains pour rester en DDR [...] ».
4. Voir chapitre prochain.

LE RAPATRIEMENT DES ALGÉRIENS APRÈS ÉVIAN : PROBLÈMES ALGÉRIENS D'ORGANISATION, NOUVEAUX ESPOIRS DE RECONNAISSANCE

Une deuxième affaire de rapatriement des Algériens de RDA vers leur nouvelle patrie se dessina à partir de l'aboutissement des négociations entre le GPRA et le gouvernement français. Il ne pouvait désormais plus s'agir de combattants – vrais ou faux –, mais d'un personnel apte à reconstruire l'Algérie et à en assurer l'avenir en tant que véritable État.[1]

Différents organismes de RDA s'occupaient depuis octobre 1961, c'est-à-dire avant la visite du secrétaire général de l'UGTA, du souhait de l'Algérie de rapatrier ses ouvriers et étudiants en Afrique du Nord.

Difficultés techniques et financières du rapatriement

L'auteur d'un document non signé, daté du 31 octobre 1961 et sans doute destiné au CC du SED, passa en revue toutes les difficultés que l'on pouvait rencontrer dans l'affaire du rapatriement définitif des ouvriers algériens. Y figuraient les véritables intentions des Algériens pour rentrer et le trajet qu'ils devaient suivre (à travers la RFA ou par d'autres itinéraires), le financement, et même le soupçon du détournement des candidats au rapatriement vers l'occident (qui, en fait, ne concernait que les étudiants).[2]

Le problème de leur trajet apparaît selon ce document comme doublement compliqué ; non seulement à cause des visas pour la RFA qui étaient un problème pour

1. C'est dans ce sens qu'Embarak Djilani instruit son délégué responsable pour le rapatriement à Berlin-Est, Ali Oubouzar: « [...] l'essentiel est que ces ouvriers regagnent leur pays pour participer à d'autres batailles importantes et contribuer à la reconstruction de leur pays. » (SAPMO-BArch DY 34/ 2133, 15 juin 1962, lettre de Djilani à Ali Oubouzar).
2. SAPMO-BArch DY 34/ 2133, 31 octobre 1961 « Rückführung algerischer Bürger nach Tunesien und Marokko ».

la RDA – peu après la construction du mur de Berlin[1] –, mais aussi parce que les Algériens de leur côté avaient peur d'être livrés aux Français, s'ils passaient en RFA - abstraction faite de leur éventuelle défection :

> Depuis peu, l'UGTA souhaite que les collègues algériens se rendent à Bonn pour y être dirigés en Afrique par des organisations algériennes. Contrairement à cette exigence, les collègues algériens sont presque tous contre un trajet par l'Allemagne de l'Ouest, car ils craignent d'être extradés par la police ouest-allemande vers la police française. [...] En revanche, chez nous, surtout au Ministère de l'Intérieur, on pense qu'une grande partie de ces Algériens rapatriés en passant par Bonn ne se rendra pas en Afrique, mais continuera à séjourner en Allemagne de l'Ouest ou d'autres États occidentaux tels la Hollande, la Belgique. C'est pour cette raison que depuis un certain temps, pour les Algériens, la sortie de la RDA en destination de Bonn n'est plus autorisée.[2]

L'auteur évoqua également le problème du financement du rapatriement des quelque 250 ouvriers restant en RDA. Il est intéressant de constater que, selon ce document, pendant une certaine période, le gouvernement algérien était apparemment d'avis que les candidats à un retour en Afrique du Nord devaient supporter eux-mêmes les frais de leur rapatriement, surtout quand ils souhaitaient revenir sans être rappelés par un organisme algérien :

> L'UGTA et le gouvernement algérien pensent pouvoir demander, dans ces cas, les frais de voyage aux voyageurs eux-mêmes.[3]

Cette période semblait désormais révolue, car « tout le monde vient au FDGB en demandant de l'aide, aussi bien pour les visas que pour la prise en charge des frais de voyage », comme le déplora l'auteur du document.[4] Il fit quelques propositions pour une organisation plus « sûre » de ce rapatriement – en évitant la RFA –, moins coûteuse également (par train jusqu'en Italie, puis par bateau, voire directement par bateau à partir d'un port allemand). Ses arguments étaient probablement dirigés contre certains « idéologues » dans les sections départementales du FDGB qui prônaient la générosité de la RDA pour des gens qui voulaient s'engager dans la libération définitive de leur pays. En tout cas, suggéra l'auteur, ces questions devaient être débattues, non seulement au sein des organismes responsables en RDA, mais aussi avec la délégation algérienne attendue pour le mois de novembre.

---

1. L'une des justifications pour la construction du mur de Berlin était la doctrine de l'existence des deux États allemands qui était désormais propagée par la RDA, en relation avec un traité de paix pour les deux Allemagnes. Ainsi, à cette même époque, début novembre 1961, l'ambassadeur de la RDA auprès de la RAU, Wolfgang Kiesewetter, rencontre le secrétaire général du Ministère des Affaires Etrangères du GPRA, Mohammed Harbi pour un échange amical de points de vue politiques: « Harbi informa l'ambassadeur de la phase actuelle de la lutte de son peuple contre l'impérialisme français, tandis que Kiesewetter présenta une vue d'ensemble sur la question allemande et évoqua la nécessité de la conclusion d'un traité de paix. » (*ND*, 9 novembre 1961, n° 309, p. 7).
2. SAPMO-BArch DY 34/ 2133, 31 octobre 1961, p. 1. On peut toutefois s'interroger sur la signification du terme « presque tous », car il n'y a aucun indice prouvant que la police de la RFA ait livré des Algériens à la police française.
3. *Ibid.* L'auteur donne un autre exemple, celui de onze ouvriers révoqués par l'UGTA qui devaient se présenter auprès d'un représentant algérien à Prague en vue d'une assistance – sous-entendu financière – pour la continuation de leur voyage.
4. *Ibid.*

La réaction du destinataire du rapport, Edmund Röhner, fut plutôt sèche. Il jugea inutile, dans une annotation manuscrite du 31 octobre, en bas du texte, d'aller au delà des demandes de l'Algérie – ajoutant qu'il fallait passer outre les réticences idéologiques envers la RFA et l'éventuelle peur des candidats à un rapatriement :

> À mon avis, le CC devrait au contraire donner l'ordre au Ministère de l'Intérieur d'accorder le transfert par Bonn. Autrement nous nous créons davantage [de problèmes] d'organisation que ne l'exige l'UGTA de notre part.[1]

On sent dans cette remarque de Röhner un scepticisme légèrement lassé dans la mesure où il estimait inutile de se créer des difficultés avant l'heure.

Ce scepticisme n'était pas injustifié, car les difficultés ne tardèrent pas à arriver, incarnées par Embarak Djilani qui demanda, dès novembre 1961, aux autorités de la RDA de s'occuper d'un rapatriement rapide des ouvriers algériens. Or, ses exigences dans ce domaine devaient pour le moins gêner les représentants d'un État soucieux de contrôler autant que possible tout ce qui se passait sur son territoire. Lors de la rencontre « de réconciliation » entre l'UGTA et le FDGB, celui-ci, soucieux de renouer les contacts avec le syndicat algérien – qui avait menacé de rompre les relations, en août 1961 – consentit à l'exécution quasi complète des demandes de Djilani, dans l'accord du 6 novembre. Le procédé de rapatriement, devait être le suivant :

> Le rapatriement des ouvriers algériens se déroulera immédiatement après leur formation voire sur demande de l'UGTA. Les frais du rapatriement seront prélevés sur les fonds de solidarité du FDGB. [...] Si parmi les ouvriers algériens le souhait de rentrer à Tunis ou au Maroc se manifeste, ils s'adresseront par l'intermédiaire de leur commission à la présidence du FDGB qui en informera l'UGTA. C'est l'UGTA qui décidera du départ.[2]

Par là, le FDGB se soumit aux souhaits de son partenaire, car une partie des mouvements de certains étrangers sur le territoire de son État n'était plus sous contrôle de la RDA.[3] Désormais l'UGTA pouvait décider seule quelles personnes devaient rentrer au pays, et même quand elles devaient rentrer.

En outre, le FDGB avait consenti, lors de cette rencontre, au financement intégral, sur ses fonds propres, du rapatriement des Algériens rappelés. Une telle concession n'est compréhensible que si l'on prend en compte la ligne générale fixée par l'accord, le rapatriement des seuls ouvriers ayant terminé leur formation. Ainsi un échelonnage sur plusieurs mois voire plusieurs années pouvait être envisagé. On ne pouvait, en novembre 1961, prévoir que les ouvriers algériens devaient rentrer quasiment tous ensemble, à la fin de la guerre.

---

1. *Ibid.*, p. 2.
2. SAPMO-BArch DY 34/ 3379, « Copie » de l'accord entre FDGB et UGTA du 6 novembre 1961, p. 1 et 2.
3. C'est ce que Löbel du MfAA dans sa « Stellungnahme zu den Ergebnissen der Verhandlungen zwischen dem Bundesvorstand des FDGB und einer Delegation des Allgemeinen Algerischen Gewerkschaftsverbandes (UGTA) vom 2. bis 7. 11. 1961 » datée du 8 mars 1962 (il s'agit d'une analyse tardive de la visite de « réconciliation » de Djilani) semble considérer comme problème quand il demande à la direction du FDGB « de faire attention au fait que la prétention d'exclusivité voulue par l'UGTA, à savoir de prendre les décisions concernant tous les ouvriers algériens vivant en RDA, ne correspond pas aux droit souverains de la RDA – par exemple en ce qui concerne l'attribution du droit d'asile – et doit être refusée. » (SAPMO-BArch DY 30/ IV 2/20/ 354, feuille 256, p. 7).

Les étudiants algériens : une délégation de l'UGEMA très revendicative

Le rapatriement des ouvriers n'était pas seul à poser problème. Pour les étudiants algériens encore sur place, après les soupçons d'un « rapatriement » vers la RFA les difficultés perduraient. Ici, même la terminologie n'était pas claire, car du côté algérien, on accusa les autorités est-allemandes d'expulsions arbitraires d'étudiants tout en exigeant la sortie d'autres, rappelés en Algérie.

Le 1er février 1962 le chef du département des Relations Internationales de la FDJ Werner Rümpel, accueillit l'ancien « délégué général » de l'UGEMA en RDA, Mohammed Refes, pour un entretien qui devait se révéler plutôt peu fructueux, surtout pour la RDA. Refes, désormais secrétaire de l'UGEMA responsable de la presse et de l'information, était accompagné de son successeur comme délégué général, Ali Oubouzar. Refes et Oubouzar reprochèrent aux représentants de la FDJ d'héberger des étudiants qui n'avaient pas été homologués par l'UGEMA, malgré les accords entre les gouvernements des deux pays :

> Refes nous informa que quatre étudiants font des études à Leipzig sans avoir été délégués par l'UGEMA et obtiennent pourtant une bourse de notre part. [...] il s'appuya sur l'accord gouvernemental dans lequel on a fixé que des étudiants algériens ne peuvent faire des études en RDA qu'après accord de l'UGEMA avec la FDJ. Nous ne savons rien du séjour de ces quatre étudiants à Leipzig.[1]

Les représentants de l'UGEMA accusèrent donc les autorités de la RDA de ne pas respecter les règles sur lesquelles ils sont tombés d'accord en 1961. Par ailleurs, les représentants algériens demandèrent à être informés des notes que les étudiants avaient obtenues lors de leurs études en RDA – comme l'aurait prévu l'accord de 1961. Cette information, que les représentants de la FDJ promirent d'obtenir pour leurs collègues de l'UGEMA, apparaît en relation directe avec la question du rapatriement de certains étudiants algériens. La question qui se pose alors est de savoir si les autorités algériennes voulaient faire usage de cette information comme critère pour un rapatriement rapide d'étudiants dont les études s'étaient avérées médiocres voire peu efficaces. Une telle interprétation semble plausible quand on observe que les Algériens rapatriaient des étudiants pour des raisons « disciplinaires » :

> Les représentants s'informèrent du sort de l'étudiant Mokrani qui a été « exmatriculé » pour des raisons disciplinaires et devait rentrer en Algérie. [...] Refes nous informa que quatre autres étudiants devraient quitter la RDA. Ce sont les amis suivants :
> Koli et Mebarki - ne savent rien encore, exclus de l'UGEMA
> Oetelbar - rappelé par le gouvernement
> Aouch - études terminées[2]

Les représentants de l'UGEMA demandèrent donc à la RDA de leur prêter main-forte dans des rapatriements dont pour le moins certains semblent politiques (les deux exclus de l'UGEMA qui « n'en savent rien encore »). De l'autre côté, on reprocha à la RDA d'avoir expulsé des étudiants :

---

1. SAPMO-BArch DY 30/ IV 2/20/ 354, feuille 227 (Aktennotiz über eine Aussprache mit Vertretern der UGEMA am 1.2.62). Refes fait allusion à la visite du secrétaire général de l'UGEMA, Abdallah Bou, en juin 1961 (voir chapitre précédant).
2. *Ibid.*, p. 2. Les deux derniers noms sont difficilement lisibles; ils ont par ailleurs été corrigés à la main en « Oultabbas » et « Aniouch ».

> Dans la discussion apparut la tendance de rendre responsable la FDJ d'expulsions d'étudiants. […] Nous avons fait la mise au point suivante : la question concernant les expulsions est primo une affaire gouvernementale et secundo la RDA n'expulse des citoyens que quand ils ont violé les lois de la RDA.[1]

Les interlocuteurs convinrent alors de reprendre les entretiens après un voyage de Refes à Leipzig, où il devait rencontrer des compatriotes qui y faisaient des études.

La rencontre avec le responsable Pallas du « Herderinstitut », où étaient organisés les cours de langue pour les étudiants étrangers devait être un test de la bonne volonté de la RDA pour le responsable de l'UGEMA. Or, Pallas avait apparemment été prévenu pour ne donner aucune des informations demandées par Refes :

> Après les politesses habituelles, M. Refes demande des informations sur les performances et le comportement général des étudiants à l'institut. Je lui répondis, qu'il était à ma connaissance représentant de l'UGEMA. J'ajoutais que j'étais prêt à lui donner toute information sur les étudiants délégués par son organisme mais que malheureusement il ne se trouvait pas à l'institut d'étudiants délégués par l'UGEMA. […] M. Refes répondit qu'il avait été jusqu'ici pensé qu'en RDA ne se trouvaient que des étudiants délégués par l'UGEMA. Il voyait maintenant qu'il y a aussi d'autres étudiants. Cela changeait complètement la situation. Si la FDJ reconnaît l'UGEMA comme seule organisation de jeunesse d'Algérie, elle devait également reconnaître son droit au contrôle et à l'instruction pour tous les étudiants algériens. Une coopération était possible à ces seules conditions.[2]

Puis Refes avait averti son interlocuteur que l'UGEMA n'enverrait pas de nouveaux étudiants, si les non « homologués » continuaient à toucher leurs bourses.[3]

Le second entretien entre les représentants de la FDJ et Refes et Oubouzar à Berlin eut lieu le 13 février et l'UGEMA réitéra ses exigences :

> Comme déjà lors du premier entretien, les représentants algériens insistèrent lourdement sur la question du rappel des étudiants algériens et leur expulsion de RDA dans ce contexte. Ils exigèrent que nous suspendions les bourses et les titres de séjour d'étudiants rappelés par le gouvernement provisoire algérien. Il s'agit en l'espèce principalement d'étudiants qui ont évolué de façon progressiste en RDA.[4]

Mais les représentants de la FDJ tinrent bon, arguant que les Algériens avaient un intérêt à récupérer des personnes qui avaient terminé leurs études et étaient par là bien formées pour les tâches à remplir dans leur patrie. Même les menaces de l'« ami Refes » ne les firent pas reculer :

> Les représentants algériens réagirent très négativement à nos efforts de leur expliquer que nous sommes un pays souverain avec des droits souverains comme tous les autres pays et que la RDA n'expulsera jamais des citoyens étrangers qui n'ont pas contrevenu aux lois de notre République. Refes essaya de nous menacer de la rupture des relations entre l'UGEMA et la FDJ, si nous ne donnons suite à leurs exigences. On leur a expliqué très clairement qu'un étudiant algérien ne peut être rappelé que par le gouvernement algérien qui doit faire une demande en ce sens au MfAA, en passant par notre consulat au Caire. […] Au cours de l'entretien les représentants algériens durent se rendre compte qu'ils ne pouvaient exercer aucune pression sur nous.[5]

---

1. *Ibid.*
2. MfAA B 3010, feuille 273, « Bericht über einen Besuch von Herrn Refes […] am 8. 2. 62 ».
3. *Ibid.*; Refes prétend même avoir été agressé par des étudiants que la RDA n'avait pas expulsés après une demande de rapatriement de la part du GPRA.
4. *Ibid.*, feuilles 263/64.
5. *Ibid.*, feuille 264. Il est à noter que la partie « notre consulat au Caire » a été soulignée à la main, ce qui est certainement dû au fait que la RDA considérait cette institution comme ambassade.

Pourtant la FDJ fit des efforts pour satisfaire au moins partiellement « leurs » exigences. Elle accepta d'inscrire seulement les étudiants proposés par l'UGEMA et de supprimer leur bourse si l'organisation estudiantine du FLN le souhaitait. En revanche, on ne pouvait pas s'engager – comme l'avait fait Sepp Schwab en 1960 en acceptant que seuls les Algériens « homologués » par un organisme du FLN puissent être accueillis en RDA – pour d'autres organisations est-allemandes. Explicitement on refusa l'exclusivité pour l'UGEMA :

> Nous ne sommes cependant pas responsables de l'inscription d'étudiants par les autres autorités étatiques et d'autres organisations publiques. Il n'y a aucun droit d'exclusivité pour l'UGEMA qui les autoriserait à être l'unique institution à déléguer des étudiants.[1]

Selon l'auteur des rapports la raison pour laquelle les camarades Rümpel, Böhme et Seifert n'acceptaient pas la rupture des relations était que ces discussions sur le rapatriement d'étudiants servaient également aux Allemands de l'Est à clarifier des problèmes de politique générale.[2] Ainsi, l'on voulait savoir, en RDA, si la politique de l'organisme du FLN faisait réellement une distinction entre les deux États allemands, puisque, selon une dépêche de la DPA, l'agence de presse ouest-allemande[3], Refes s'occupait désormais, dans un sens très parallèle, de l'UGEMA dans les deux pays :

> La dépêche de la DPA [...] sur le mandat de Refes de réorganiser l'UGEMA en Allemagne de l'Ouest et en RDA, fut déclarée par lui comme fausse. Il affirma que dans l'UGEMA rien ne changera, que sa politique avait été fixée clairement lors du dernier congrès.[4]

Or, quand il s'agit de concrétiser ces déclarations générales, les représentants de la FDJ restèrent sur leur faim. L'auteur du rapport s'en plaignit quand il évoqua l'attitude des « amis » :

> Les représentants de l'UGEMA [...] s'efforcèrent de parler en termes généraux, ne se revendiquent aucunement de la politique de la RDA. Ils acceptent très volontiers tout soutien de notre part, et nous en remercient, mais ils veulent éviter par tous les moyens que l'on exerce une influence progressiste sur leurs étudiants en RDA. [...] Des tentatives de notre côté de parler de certaines questions politiques avec les représentants de l'UGEMA, restèrent sans réponse. Ils ne s'exprimèrent pas.[5]

Lors du second entretien, Refes et Oubouzar furent à peine plus loquaces :

> Ils furent d'accord avec nous sur le fait que la guerre en Algérie n'est pas menée que par les impérialistes français, mais par les impérialistes de l'OTAN au sommet de laquelle se trouve l'Allemagne de l'Ouest. Ils en restèrent à cette constatation ; une condamnation par les représentants algériens de la politique des militaristes et revanchards ouest-allemands n'a pas été prononcée.[6]

---

1. *Ibid.*
2. Signature illisible, probablement Ellen Seifert du département des Relations Internationales de la FDJ.
3. La dépêche de la DPA du 25 janvier 1962, en provenance de Tunis, se trouve sous la référence MfAA B 3010, feuille 277 : « Le comité directeur de [...] l'UGEMA a mandaté le secrétaire général adjoint de l'organisation de réorganiser les étudiants algériens en république fédérale et en zone soviétique. ».
4. *Ibid.*, p. 1.
5. SAPMO-BArch DY 30/ IV 2/20/ 354, feuille 227, Aktennotiz über eine Aussprache mit Vertretern der UGEMA am 1.2.62.
6. MfAA B 3010, feuille 263. La phrase relative « au sommet de laquelle se trouve l'Allemagne de l'Ouest » est soulignée à la main et commentée en marge par deux points d'exclamation et un point d'interrogation. Apparemment le MfAA n'était pas de l'avis que la RFA dirigeait désormais l'OTAN.

On pourrait voir dans ce comportement des représentants de l'UGEMA une réaction algérienne à la rivalité des deux États allemands pour leur implantation respective en Algérie. En effet, les tentatives de surenchère des deux côtés semblent s'être accélérées à partir de la reprise des négociations entre le FLN et la France, au milieu de l'année 1961. Ainsi, le plénipotentiaire et futur ambassadeur de la RFA, von Nostitz, essaya, dès septembre 1961, de convaincre son ministère à Bonn d'envoyer du matériel médical, parce que la RDA avait envoyé « une installation hospitalière complète » au FLN.[1]

Pourtant, vue sous cet angle, la réaction des représentants de l'UGEMA aux demandes est-allemandes ne semble pas logique. D'abord, il eût été étonnant que le pouvoir algérien installât un seul responsable pour les étudiants dans les deux Allemagnes, s'il avait voulu profiter simplement de la surenchère. Un responsable pour la seule RDA aurait fait plus d'effet, surtout pour aller dans le sens de la reconnaissance de l'existence de deux États allemands, revendiquée par la RDA. En plus on peut se demander pourquoi Refes et son collègue ne répondaient pas positivement à ces revendications pour obtenir éventuellement encore davantage d'aide matérielle est-allemande.

Mon interprétation tendrait plutôt vers la volonté de la part du FLN et du GPRA de prendre ouvertement leurs distances par rapport au PCA qui, de son côté, défendait en toute logique totalement les positions de la RDA.

Ainsi, l'attitude évasive des représentants de l'UGEMA prend tout son relief dans les paroles de l'une des plus célèbres victimes de la répression militaire française en Algérie, Henri Alleg, membre du PCA. Dans une interview publiée par le *ND*, le 18 janvier 1962, il avait fait des déclarations pour le moins étonnantes, mais très favorables aux thèses de la RDA, à savoir qu'il y avait désormais deux États allemands. Après avoir évoqué les tortures dans les geôles françaises en Algérie, où, selon lui, « des nazis allemands s'activent », Alleg répondit à une question du correspondant du *ND* :

> Question : Avez-vous pu vous faire une image claire, si vite après votre évasion réussie du bagne, de la question allemande ?
> Réponse : Nous autres Algériens avons suivi avec beaucoup d'intérêt la lutte de la RDA pour un traité de paix, même pendant notre détention – quand nous avions des informations. [...] Le peuple algérien est conscient du fait que colonialistes et bellicistes français et ouest-allemands sont unis contre le peuple algérien. Nous estimons d'autant plus l'amitié et la solidarité de la RDA qui lutte à Berlin et partout pour la sécurisation de la paix.[2]

L'auteur de *La Question* devait faire une tournée de conférences en avril 1962 à travers la RDA et parler à cette occasion de la théorie des deux États allemands – ce qui n'est pas étonnant.[3] Or en janvier, après sa fuite éprouvante, Alleg parla à La

1. CAHN, Jean-Paul/MÜLLER, Klaus-Jürgen : *La République fédérale d'Allemagne et la Guerre d'Algérie*. Paris, Le Félin 2003, p. 404. Je n'ai pas trouvé trace de cet envoi particulier dans les documents. Ceci ne signifie en aucun cas qu'il n'a pas eu lieu, car ces envois sont souvent répertoriés *a posteriori* et globalement. Martini, dans MARTINI, Michel : *Chronique des années algériennes 1946-1962*. Saint Denis, Bouchène 2002 n'évoque pas un tel envoi non plus. Vu l'extrême habileté de von Nostitz, on peut imaginer qu'il dramatisait auprès de son ministère un envoi somme toute « ordinaire » de la part de la RDA pour que son argument politique prenne plus d'importance.
2. *ND*, 18 janvier 1962, n° 18, p. 5.
3. *ND*, 5,6 et 7 avril 1962.

Havane, brièvement, de la question allemande qui aurait été discutée dans les bagnes de l'Algérie, ce qui peut paraître extravagant. En tout cas, il y avait des Algériens qui n'étaient pas aussi évasifs que Refes et Oubouzar.

Une deuxième délégation de l'UGEMA, plus ouverte aux problèmes interallemands

La deuxième délégation de l'UGEMA que Refes et Oubouzar avaient annoncée n'hésita pas non plus à parler des questions allemandes que les deux protagonistes avaient esquivées en février.

Cette délégation arriva après avoir visité plusieurs pays « socialistes », quelques semaines plus tard, à la fin février. Ses deux membres[1], accompagnés par Ali Oubouzar, rencontrèrent les mêmes représentants de la FDJ, Werner Rümpel et Ellen Seifert. Soit les deux représentants de l'UGEMA avaient été mieux choisis par leurs supérieurs en vue de rencontres avec des fonctionnaires communistes, soit ils avaient déjà appris, lors de leur voyage, ce qu'il fallait dire – de toute manière, ils surent trouver les mots qu'il fallait pour rassurer leurs partenaires.

Le directeur du département des Relations Internationales de la FDJ, Werner Rümpel, avait affirmé, après avoir salué le courage du peuple algérien, le lien direct entre sa lutte et la lutte de la RDA contre l'Allemagne occidentale :

> Chaque action de la FDJ contre l'impérialisme ouest-allemand représente en même temps un soutien pour le peuple algérien.[2]

La réponse des délégués de l'UGEMA semblait être tout à fait dans la ligne idéologique de l'anti-impérialisme est-allemand, elle devait ravir les dirigeants de la Jeunesse est-allemande :

> Les représentants de l'UGEMA affirmèrent haut et fort qu'ils se dressent systématiquement et ouvertement contre tout impérialiste et qu'ils évoquent ouvertement l'aide ouest-allemande à l'OTAN et à la France. Ils insistèrent sur le fait que leur politique est loin de tout opportunisme et qu'elle se base sur les principes de la lutte contre tout néocolonialisme, colonialisme et impérialisme. Ils sont conscients que la France ne peut mener seule cette guerre en Algérie, mais que celle-ci est menée par l'OTAN.[3]

L'auteur du rapport attribua même une bonne note à ses interlocuteurs, qui avaient compris comment il fallait désormais agir en Algérie :

> Ils exprimèrent correctement que les tâches principales de la lutte libératrice doivent être résolues par les Algériens eux-mêmes et ceci dans un front uni solidaire.[4]

De toute évidence, ce front uni solidaire devait comprendre, en son sein, le PCA qui devait par là être intégré dans le processus de la création du futur État algérien.

---

1. SAPMO-BArch DY 30/ IV 2/20/ 354, feuille 229/30, « Aktennotiz über ein Gespräch mit Vertretern des Exekutivkomitees der UGEMA am 20.2.62 » ; il s'agit de D. Zugonda et Ahmed Essahouane (les noms sont difficilement lisibles, car plusieurs fois corrigés).
2. *Ibid.*, feuille 229/p. 1.
3. *Ibid.*, feuille 230/p. 2.
4. *Ibid.*

Mais malgré les protestations de bonne foi des Algériens, les représentants de la RDA ne répondirent pas cette fois-ci à des questions concernant des affaires concrètes, à savoir le séjour d'étudiants algériens en RDA, questions dont le traitement faisait pourtant explicitement partie de la mission de la délégation :

> Nous ne consentions pas à répondre à des questions concernant le séjour d'étudiants algériens en RDA, puisque toutes les questions s'y référant ont été traitées avec M. Refes.[1]

On pourrait voir, dans cette attitude, une sorte de vengeance un peu infantile. Puisque Mohamed Refes et Ali Oubouzar n'avaient pas voulu parler « politique », on ne parla point « affaires concrètes » avec la délégation – dont faisait également partie le successeur de Refes, Oubouzar. On peut voir également, dans ce comportement, une sorte d'avertissement. Les représentants de l'Allemagne de l'Est lui firent comprendre que le lien entre politique générale du FLN et activité particulière concernant les étudiants algériens devait désormais être réalisé systématiquement et que la RDA veillerait à ce que ces deux niveaux correspondent. Si le comportement sur place des étudiants – à rapatrier ou pas, mais alors en formation aux frais de la RDA – et de leurs responsables ne correspondait pas, au moins partiellement, à la politique de l'État qui les prenait en charge, des difficultés politiques pouvaient apparaître.

En effet, la RDA pouvait considérer que l'on lui devait un minimum de respect d'autant plus qu'elle continuait à fournir du matériel à l'Algérie, toujours en guerre, ce qui fut signalé. Elle le faisait par solidarité politique avec le futur gouvernement algérien, mais elle croyait pouvoir s'attendre légitimement à une contrepartie. Et cette contrepartie avait forcément un lien avec la situation allemande, après la construction du mur.

Intensification de la propagande est-allemande envers les organisations algériennes après la construction du mur de Berlin et les accords d'Évian

La construction du mur à Berlin constitua par ailleurs un vrai déclin de l'« image de marque » de la RDA, même dans le tiers monde, et la RFA essayait d'en profiter. En effet, la politique du gouvernement Adenauer était très habile. Il n'abandonnait pas la France impliquée dans la guerre d'Algérie, mais gardait une certaine indépendance en tolérant la présence d'Algériens sur son sol, représentés par un bureau officieux du FLN. En plus, il prit une initiative politique auprès des États non-alignés, après le 13 août 1961, en faisant valoir que dans les litiges interallemands, la RFA avait toujours privilégié une voie de non-violence, contrairement à la RDA (avec la construction du mur). On avait reçu des ambassadeurs arabes, notamment celui de l'Egypte et Adenauer avait déclaré en direction des Algériens que l'État algérien devait être souverain et indépendant.[2]

Il est donc dans la logique des choses que l'appareil politique est-allemand ait renforcé sa propagande en faveur du « rempart protecteur » et sollicité partout, entre

---

1. *Ibid.*
2. Cf. là-dessus CAHN/MÜLLER, *La République fédérale...*, p. 395/96.

autres chez tous les représentants de l'Algérie, des déclarations de solidarité avec la RDA et contre la RFA.[1]

Ceci ne change pas avec l'entrée en vigueur des accords d'Évian, fin mars 1962. En réalité, ces accords ne changeaient pas l'attitude de la RDA envers les représentants d'un futur État algérien. Certes, les accords étaient couverts par la presse, mais dans les documents du Département de politique étrangère, on ne trouve aucune analyse qui mettrait en perspective cette nouvelle situation avec une modification de la politique de la RDA.

À première vue, un tel manque peut surprendre.

Cependant, au niveau idéologique, les accords ne changeaient pas profondément la situation. Certes, la trêve pouvait être considérée comme une victoire du peuple algérien, mais au fond, la lutte continuait. Larbi Bouhali, interviewé par le *ND* sur les accords, précisait comment il fallait interpréter l'événement :

> [...] la trêve ne signifie pas encore la paix réelle [...] ni l'indépendance nationale. [...] Après l'obtention de l'indépendance nationale, à la veille de l'autodétermination, notre peuple s'engagera donc dans une deuxième étape, uni dans la lutte politique, pour réaliser pleinement son désir national et social.[2]

La lutte devait donc continuer, surtout la lutte pour la victoire des revendications sociales, pour la victoire du socialisme.

Si donc la paix ne changeait rien au niveau idéologique, même dans la réalité, elle ne pouvait pas être dans l'intérêt de la RDA, car à la fin de la guerre, un bilan réaliste s'imposait au nouvel État. Et à ce moment-là, l'aide apportée dans le passé ne pouvait plus compter autant qu'une aide pour l'avenir de l'Algérie indépendante.

Or, dans un contexte similaire, la RDA avait eu une expérience négative avec un nouvel État, la Guinée. Tout compte fait, celle-ci n'avait pu échapper aux contraintes de l'application de la doctrine *Hallstein*, en 1958, et avait suspendu sa reconnaissance de la RDA, pour des raisons économiques, comme le reconnaissaient les autorités est-allemandes elles-mêmes.[3] Personne ne pouvait garantir que la situation après l'indépendance de l'Algérie ne soit pas la même. Pendant la guerre, avec les aides matérielles, on pouvait « arracher » plus facilement au GPRA une reconnaissance de la RDA. Évian pouvait donc être interprété en RDA comme un événement plutôt négatif.

Il faut dire que les autorités est-allemandes avaient commencé depuis l'automne 1961 à tout faire pour renforcer le « travail d'information » de leurs agents.

À partir de ce moment et davantage encore au printemps 1962, la RDA essayait d'intensifier sa propagande en direction des Algériens. Ainsi les dirigeants du FDGB et d'autres organisations reçurent du MfAA, à l'instant où les accords d'Évian entraient en vigueur, la recommandation de faire plus d'efforts dans l'explication de la politique étrangère de la RDA.[4]

---

1. L'activité de Wolfgang Kiesewetter autour du 1er novembre 1961 au Caire doit certainement être considérée comme une tentative de contrer les actions de la RFA. Kiesewetter rendit visite, avant le 1er novembre à Ali Kafi, responsable de la mission militaire du GPRA au Caire et quelques jours après à Mohammed Harbi, secrétaire général « officieux » du MAE (*ND*, 1er et 9 novembre 1961).
2. *ND*, 30 mars 1962, n° 89, p. 5.
3. Cf. p. 106.
4. SAPMO-BArch DY 34/ 2123, invitation datée du 16 mai 1962, propositions datées du 28 avril (8 pages).

Dans ce contexte, le « Bundesvorstand » du FDGB reçut, le 16 mai 1962, une invitation de la part du « Komitee der DDR für Solidarität mit den Völkern Afrikas », le « Solikomitee », pour discuter de la future coopération avec les organisations algériennes, avec la FDJ et la « Deutsch-Arabische Gesellschaft » (DAG). Cette invitation était accompagnée de propositions concernant le travail futur du comité et des organisations de RDA avec les organisations politiques de l'Algérie. On y retrouvait les recommandations du MfAA concernant la propagande : la RDA comme seul État allemand pacifique, représentant légitime des intérêts de toute la nation, la solidarité internationale et anti-impérialiste, ainsi que l'impossibilité d'une réunification allemande par des moyens pacifiques et toutes sortes d'attaques contre la RFA.[1]

Mais on y trouvait également des recommandations pratiques, telle une coordination entre les organismes de la RDA et le MfAA, un travail plus intensif au niveau de la propagande cinématographique sur place, en Afrique du Nord, le soutien des forces progressistes algériennes et la proposition d'une aide renforcée au niveau de l'éducation et de la formation technique, médicale et artistique. Dans ce cadre, on recommanda au FDGB, à la FDJ et à la DAG, d'améliorer la coopération politique avec les étudiants et les ouvriers algériens en RDA.[2]

En revanche, l'auteur des « propositions » suggéra de suspendre les envois d'aide matérielle sous prétexte qu'ils reprendraient après la création du nouvel État algérien. Dans ce contexte, il prévoit :

> Le comité tentera de trouver les moyens les plus efficaces au niveau politique afin d'assurer à son aide matérielle en Algérie un succès maximal le moment venu.[3]

La solidarité devait donc désormais être politiquement rentable.

Dans sa « prise de position », en mars 1962, sur la précédente visite de Djilani en novembre 1961, le représentant du MfAA Löbel avait pourtant « proposé » à ses collègues un simple renforcement de la propagande :

> La direction doit renforcer le travail de propagande en direction de l'étranger concernant la présentation du rapport entre les problèmes nationaux des deux peuples, afin d'expliquer la position du gouvernement de la RDA concernant la conclusion d'un Traité de paix et d'un règlement de la question de Berlin-Ouest, et le soutien politique et matériel du FDGB au peuple algérien.[4]

Les signaux de l'UGTA semblaient aller dans le bon sens, puisque les visiteurs, avant tout Embarak Djilani, qui venaient négocier le rapatriement des ouvriers algériens, donnaient l'impression d'une évolution positive concernant les relations « interétatiques » avec la RDA.

Recensement des ouvriers à rapatrier et visite d'Embarak Djilani de l'UGTA

Au printemps 1962, la demande de l'UGTA de rapatrier en Afrique du Nord les ouvriers formés entre autres en RDA redevint d'actualité, surtout après l'entrée en

1. *Ibid.*, p. 2 à 4.
2. *Ibid.*, p. 4 à 7.
3. *Ibid.*, p. 7.
4. SAPMO-BArch DY 30/ IV 2/20/ 354, feuille 259, p. 10 de la « Stellungnahme… » du 8 mars (voir note 3, p. 201).

vigueur des accords d'Évian. Pour gérer convenablement ce rapatriement, il convenait d'abord, selon les autorités algériennes, de les recenser. Abdennour Ali-Yahia, secrétaire de l'UGTA[1], écrivit à ses collègues du FDGB dans ce sens, dès le 21 mars, deux jours après l'entrée en vigueur des accords, en leur demandant une « liste des camarades Algériens travaillant en R.D.A. ».[2]

Or les autorités de l'Allemagne de l'Est avaient jusque-là toujours hésité à faire parvenir de telles listes à leurs partenaires algériens, entre autres pour ne pas permettre aux représentants du FLN de repérer les militants ou partisans du PCA sur son sol. Quelques jours avant la correspondance entre Ali-Yahia et le FDGB, le 8 mars 1962, Löbel, du Département Afrique du Nord du MfAA, dans une « prise de position » sur les rapports entre FDGB et UGTA, avait catégoriquement refusé de donner suite à une demande de recensement de la part des autorités algériennes.[3]

Cette fois-ci, la raison que l'on donna pour ne pas transmettre une telle liste relevait proprement de l'espionite. Elle était certes accompagnée de l'évocation des troubles réels de la fin de la guerre d'Algérie, en Afrique du Nord et en Europe ; ainsi l'évocation de l'OAS, dans la lettre de refus de Kurt Meier du FDGB, pouvait correspondre à une réelle inquiétude du responsable est-allemand. En revanche, la crainte que le courrier tombe dans les mains des services occidentaux peut être considérée plus comme une projection des pratiques propres à la RDA – qui contrôlait systématiquement le courrier « étranger », celui de la RFA inclus – que d'une réalité ; on aurait pu facilement contourner le problème, ne serait-ce que par le courrier diplomatique d'un autre État.[4]

En mars 1962, on refusa donc une fois de plus à l'UGTA de communiquer un état exact des ressortissants algériens en RDA :

> Pour des raisons particulières, nous sommes d'avis qu'il vaut mieux ne pas vous transmettre ces listes par courrier, celui-ci passant par plusieurs pays capitalistes et courant le risque de tomber entre les mains des services d'espionnage impérialistes ou de l'OAS fasciste. Cela pourrait provoquer des difficultés pour nos deux pays.[5]

Deux mois après ce refus et six après la rencontre de réconciliation de novembre 1961, Embarak Djilani, le secrétaire général de l'UGTA – en fait sa fonction était

1. Selon Meynier, Gilbert : *Histoire intérieure du FLN 1954-1962.* Paris Fayard 2002, p. 525, Ali-Yahia était « issu du milieu enseignant et futur avocat », à l'intérieur de la direction de l'UGTA, à laquelle il appartenait depuis 1956, « la personnalité la plus remarquable et la plus indépendante d'esprit [...] il tint à marquer la différence entre l'U.G.T.A. et les autres organisations de masse du F.L.N. » « Ali Yahia fut promu par Krim, ministre de l'Intérieur dans le 3ème GPRA, au secrétariat général de l'U.G.T.A. » (p. 527) Il est le fondateur de la Ligue algérienne de défense des droits de l'homme.
2. SAPMO-BArch DY 34/ 2133, 21 mars 1962, lettre (en français) signée K. Meier au « Camarade Abdennour Ali-Yahia, secrétaire de l'UGTA ». En effet, selon un rapport (*ibid.*) de Meier et Deubner, sur le congrès de la FSM en décembre 1961, Ali-Yahia était « nouveau directeur du bureau de l'UGTA ».
3. SAPMO-BArch DY 30/ IV 2/20/ 354, feuille 255, p. 6 de « Stellungnahme... » (voire note 3, p. 201) : « L'information et le recensement souhaités par l'UGTA concernant les ouvriers algériens vivant en RDA seront refusés. »
4. Ajoutons l'objection que cette solution pouvait être difficilement envisagée tant que la RDA voulait « inciter » l'Algérie à la reconnaître au niveau diplomatique.
5. *Ibid.*, en français. Une liste avec les Algériens censés être rapatriés sera tout de même transmise, en mains propres, à Embarek Djilani, quand il se trouvera en RDA, en mai 1962.

désormais « responsable du secrétariat de la délégation extérieure de l'UGTA (Tunis) »[1] – se rendit de nouveau à Berlin-Est et demanda, en mai 1962, le rapatriement immédiat de tous les ouvriers algériens.

Dans le résumé de l'entretien du 7 mai 1962, entre Deubner et Fischer du FDGB et Djilani qui était accompagné de Mohamed Slimani lors de sa visite – du 29 avril au 11 mai 1962 –, on trouve un rappel de l'accord du 6 novembre 1961, où on était prétendument convenu du rapatriement de tous les Algériens :

> Dans l'accord, le rapatriement de tous les Algériens était stipulé. L'UGTA demande que le rapatriement soit terminé au plus tard au mois de juin.[2]

Or, le rapatriement de tous les Algériens n'apparaît pas en ces termes dans l'accord. Il avait été décidé en commun que

1° devaient être rapatriés seuls les ouvriers algériens, et

2° seulement après la fin de leur formation, sauf au cas où

3° ils exprimeraient eux-mêmes le souhait de rentrer, au quel cas le FDGB serait informé et demanderait à l'UGTA son avis.[3]

Contrairement à ce qui avait été réellement convenu, l'UGTA prétendit dans la nouvelle demande que l'accord de novembre 1961 portait automatiquement sur tous les Algériens, même les ouvriers en formation (apprentissage). Seuls devaient être exemptés les étudiants et les Algériens qui s'étaient mariés en RDA :

> Doivent être rapatriés : tous les Algériens qui ne suivent pas des études techniques ou universitaires ; même ceux qui suivent actuellement un apprentissage doivent l'interrompre et rentrer. [...] Seuls les Algériens qui se sont mariés ici doivent pouvoir choisir (16 en tout), s'ils veulent rentrer dès maintenant sans leurs épouses, ou s'ils veulent attendre le moment où seront établis des accords binationaux sur un regroupement familial.[4]

Or, la RDA ne contestait plus les exigences de l'organisation algérienne ; au contraire, elle fit parvenir pour la première fois à un représentant du FLN, en l'occurrence Embarak Djilani, une liste de tous les Algériens séjournant en RDA afin que les autorités algériennes puissent recenser les « candidats » :

> Nous avons fait parvenir au collègue Djilani une liste de tous les Algériens qui vivent en RDA. Cette liste est la base du rapatriement.[5]

---

1. SAPMO-BArch DY 34/ 2133, Traduction d'une lettre de Djilani à Warnke du 18 juin 1962, p. 1 : Depuis le début de l'année 1962, selon cette même lettre, la direction de l'UGTA a repris ses fonctions à Alger.
2. SAPMO-BArch DY 34/ 3379, 12 mai 1962. « Aktennotiz über die Aussprache mit dem Generalsekretär der UGTA (Algerien) Koll. E. Djilani am 7.5.1962 », p. 1.
3. Voir ci-dessus note 2, p. 201.
4. SAPMO-BArch DY 34/ 3379, 12 mai 1962. « Aktennotiz über die Aussprache ... am 7.5.1962 », p. 1. Djilani, dans sa lettre à Oubouzar (voir note 1) conteste par ailleurs partiellement ces dispositions. Peut être s'agit-il ici d'un malentendu sur le terme « Lehrverhältnis » (apprentissage) qui dans un système à la française ne recouvre pas la même chose que dans le système allemand : « Quant aux ouvriers qui suivent des stages de formation professionnelle ou technique, il est clair qu'ils doivent continuer leurs études. [...] Nous n'avons jamais exigé qu'ils rentrent pour participer au référendum [du 8 janvier 1962, FT]. »
5. *Ibid.*, p. 2.

En outre on accepta que le rapatriement se déroule en incluant la RFA, car à Cologne – où les rapatriés devaient passer –, se trouvait un service algérien mis en place à cet effet :

> Ce rapatriement se réalisera, selon une entente entre le Ministère des Affaires Etrangères, le Ministère de l'Intérieur et le Ministère des Finances, en passant par le service de rapatriement de l'Algérie à Cologne.[1]

Edmund Röhner du CC qui avait recommandé avec un certain fatalisme, en novembre 1961, de laisser partir le maximum de gens vers la RFA, ne s'était pas trompé quand il avait suggéré de ne pas trop s'investir dans des affaires qui de toute façon seraient inévitablement « gérées » par les Algériens.

Toutefois, au niveau du financement, le FDGB a apparemment négocié pour obtenir un allègement des frais à supporter par lui pour le rapatriement. Il ne s'engageait plus à financer le rapatriement en entier – comme c'était prévu par l'accord entre UGTA et FDGB du 6 novembre 1961 –, mais seulement le trajet de son territoire jusqu'à Cologne :

> Nous fournirons uniquement le billet jusqu'à Cologne ; tout le reste sera pris en charge par le service du rapatriement.[2]

Djilani pour sa part insista sur la nécessité d'une aide pour l'Algérie, même après la guerre, et il obtint la promesse de livraisons conséquentes de matériel (vêtements, équipement médical etc...), après avoir fait l'éloge de la générosité de la RDA dans le passé.[3]

Il avait en plus fait miroiter à ses interlocuteurs, probablement pour appuyer sa demande, l'établissement de relations diplomatiques – ou au moins consulaires – dès l'installation d'un gouvernement algérien en août 1962 :

> Il [Djilani] est fermement convaincu qu'après la constitution du gouvernement algérien en août 1962 des changements fondamentaux se produiront qui, entre autres, consisteront dans des négociations entre les gouvernements de la RDA et de la République d'Algérie et qui mèneront à un établissement direct de relations entre États [...].[4]

---

1. *Ibid.*
2. *Ibid.*
3. *Ibid.*, p. 3. En parallèle à cet hommage à la solidarité de la RDA, Djilani évoque un sujet particulièrement délicat, qui rappelle à ses interlocuteurs que l'Allemagne de l'Est n'est pas la seule à être solidaire. Il s'agit d'une intervention en faveur du fonctionnaire du DGB ouest-allemand, Heinz Brandt, incarcéré en RDA. L'intervention était peut-être demandée par le DGB ouest-allemand. Mentionner cette affaire relève pratiquement de la provocation de la part de Djilani. En effet, il se mêle là de la politique Est-Ouest, à travers des querelles interallemandes, qu'il essaie d'éviter par ailleurs, selon le rapport de son accompagnateur Schröder (voir *infra*). L'enlèvement, en juin 1961, de l'ancien fonctionnaire est-allemand Heinz Brandt, qui s'était réfugié en RFA, en 1958, où il était devenu un haut fonctionnaire de la Fédération des syndicats de la RFA (DGB), touche à des problèmes qui relèvent à la fois de l'idéologie et de la politique, car Brandt était considéré par la RDA comme un traître. Or, il s'était fortement engagé dans une politique pro-algérienne dudit DGB – un fait que Djilani n'avait pas hésité à évoquer dans sa lettre de menace de rupture du mois d'août 1961. L'intervention de Djilani en faveur du syndicaliste ouest-allemand devait être d'autant plus surprenante pour les dirigeants du FDGB que le même Djilani avait promis en novembre 1961 que son organisation quitterait la Fédération Internationale des Syndicats libres (FISL), pro-occidentale, pour adhérer à la Fédération Syndicale Mondiale (FSM), pro-communiste (SAPMO-BArch DY 30/ IV 2/20/ 354, feuille 253, p. 4 de la « Stellungnahme... » [voir note 3, p. 201]).
4. *Ibid.*, p. 1. Cette nouvelle évocation d'une éventuelle reconnaissance pouvait être comprise, en RDA, comme une continuation, voire comme une confirmation des propos de la délégation de l'ALN (Si Mustapha, Bakhti et le Dr. Belaouane, cf chapitre « Un bureau du FLN à Berlin... ») en janvier 1962.

Par ces propos, Djilani évita habilement la prise de position que ses hôtes attendaient de tout représentant « ami » depuis un certain nombre de mois, à savoir celle sur le statut de la RDA dans le monde. En revanche, il prévoyait une reconnaissance de la RDA par le futur gouvernement algérien.

Par là, il essayait certainement de faire oublier le comportement de sa délégation pendant son séjour, comportement qui n'avait pas vraiment plu à son accompagnateur Hans Schröder. Sa description ne montre pas l'attitude des personnes concernées comme celle de vrais amis d'un pays socialiste – justement entre autres à cause de leur refus de comprendre les problèmes interallemands.[1]

Djilani entre RDA et RFA

Selon Schröder, Djilani et son collègue ne prenaient jamais position sur les problèmes politiques Est-Ouest et ne réagissaient pas aux exposés sur le rôle impérialiste de la RFA – ceci moins d'une année après la construction du « rempart protecteur anti-impérialiste »[2], expression fortement imprégnée de justification idéologique.[3] L'engagement du représentant du GPRA au côté du bloc « anti-impérialiste » ne semblait pas être très fervent ; lors d'un défilé officiel, il n'agita même pas le petit drapeau dont il avait été pourvu. Enfin, pour éluder un contrôle légitime de l'État où il se trouvait sur ce qui se disait entre les « hôtes » de cet État, en l'occurrence les étudiants et ouvriers algériens, il parlait arabe avec eux. L'accompagnateur conclut amèrement :

> Envers la presse, le collègue Dj. a été très discret. Plusieurs fois il a réussi à éviter la presse en se servant de prétextes, ou même à refuser une interview à « Radio International ». [...] Les deux collègues d'Algérie étaient très fortement teints de nationalisme. Pour ne pas perdre l'aide éventuelle du côté ouest-allemand ils essayaient de ne pas s'exposer.[4]

L'évocation d'une future reconnaissance diplomatique de la RDA lors des entretiens avec ses interlocuteurs du FDGB ne correspondait donc aucunement au comportement concret de Djilani pendant sa visite de l'Allemagne « socialiste ». Au contraire, les visiteurs algériens agissaient surtout par rapport à l'occident, représenté par l'Allemagne « impérialiste » et son soutien « intéressé ».

---

1. SAPMO-BArch DY 34/ 3379, « Abschlussbericht Algerien », non daté, 5 pages.
2. Dans le langage officiel de la RDA, le mur s'appela « rempart protecteur antiimpérialiste » (« antiimperialistischer Schutzwall »).
3. Une lettre de Neuhäuser au « Camarade Oulhadj Bederdin », apparemment fonctionnaire à la délégation de l'UGTA au Maroc atteste de ces tentatives de convaincre les Algériens de la position solidaire de la RDA, dont « les travailleurs [...] se trouvaient toujours solidaires aux côtés du peuple algérien luttant pour sa liberté » et contre « des armées bien équipées, soutenues par l'OTAN et surtout par l'impérialisme ouest-allemand ». « Tandis que la RDA représente les intérêts de tout le peuple allemand, la République Fédérale les a trahis et défend les intérêts de classe des impérialistes et militaristes. » Le « Comité Confédéral National de la FDGB, Département International » conclut : « Notre ennemi est le même, notre lutte pour la sauvegarde de la paix, contre l'impérialisme ouest-allemand, pour la conclusion d'un traité de paix avec les deux États allemands n'est donc pas une affaire exclusive du peuple allemand, mais de toutes les forces antiimpérialistes aimant la paix et elle est donc aussi dans l'intérêt du peuple algérien. » (SAPMO-BArch DY 34/ 2133, 20 juin 1962, p. 1/2).
4. SAPMO-BArch DY 34/ 3379, « Abschlussbericht Algerien », p. 4.

On a l'impression que cette visite de Djilani était conçue comme l'une des dernières d'un représentant algérien en RDA. Certes, son attitude générale ne correspondait plus du tout aux attentes de ses hôtes, mais dans le contexte européen, elle était quand même assez étonnante ; en effet, Djilani ne se comportait peut-être pas vraiment comme un « camarade » – il avait signé ses lettres ainsi, à une époque –, mais il négociait encore avec ses interlocuteurs comme si rien ne se passait autour de ces pourparlers. Cependant, les accords d'Évian étaient en vigueur depuis presque deux mois, et la France, qui ne pouvait plus être considérée comme ennemie militaire de l'Algérie, était en train d'accélérer son rapprochement avec la RFA.

On peut se demander si la RDA voyait un lien entre ces événements et le comportement de Djilani. Certes, le rapprochement entre la France et la RFA était observé, ne serait-ce que par la presse est-allemande, mais cet avatar des relations entre une puissance impérialiste qui venait d'être obligée de terminer une guerre colonialiste et son partenaire néo-colonialiste, en l'occurrence la RFA, ne changeait pas réellement le cours de l'histoire. La RFA s'était toujours comportée comme un laquais de la France colonialiste, selon les idéologues de la RDA, et que les deux pays se rapprochent pouvait à la limite ne pas surprendre. J'en veux pour preuve a posteriori le commentaire du Département Politique étrangère et relations internationales sur le traité franco-allemand :

> Les classes dirigeantes de la France et de l'Allemagne occidentale, par ce pacte, espèrent pouvoir empêcher [...] la politique de la coexistence pacifique [...][1]

La France et la RFA avaient été dans leur rôle des « méchants » et Évian n'avait rien changé à cela ; le rapprochement était un rapprochement tronqué de deux puissances impérialistes.

La position de Djilani en tant que représentant de l'Algérie qui devait acquérir son indépendance peu de temps après, était tout autre, et elle explique son comportement très hésitant par rapport aux revendications est-allemandes. En effet, l'Algérie avait un intérêt certain au rapprochement franco-allemand. La RFA l'avait plus ou moins ouvertement protégée contre la France qui était pourtant son alliée. Ainsi, on pouvait espérer que son rôle de médiatrice avec l'ancienne puissance coloniale s'accroisse par une coopération renforcée entre les deux pays. Il ne fallait donc en aucun cas risquer un refroidissement de la RFA envers l'Algérie, résultat certain d'une attitude trop amicale de celle-ci envers la RDA. La fausse promesse d'une éventuelle reconnaissance de la RDA par le futur gouvernement algérien peut donc être interprétée comme une pure mesure de camouflage pour atteindre deux objectifs, d'abord faire oublier le comportement de Djilani, puis essayer d'obtenir un maximum d'aide matérielle aussi longtemps que possible.

Pendant son voyage à travers la RDA, Djilani avait apparemment préparé ses compatriotes à leur retour imminent, sans que l'accompagnateur Schröder ait compris ce qu'il leur disait concrètement. C'est probablement lors de ces rencontres que Djilani a également désigné un responsable algérien pour le rapatriement de ses compatriotes.

---

1. SAPMO-BArch, DY 30/ IV 2/20/ 468. Cité *in* : PFEIL, Ulrich : *Die « anderen » deutsch-französischen Beziehungen. Die DDR und Frankreich 1949-1990.* Köln, Böhlau 2004, p. 103.

Le rapatriement bâclé des ouvriers algériens

Le responsable désigné par Djilani était Ali Oubouzar, le successeur de Mohamed Refes comme représentant de l'UGEMA en RDA. Or, même avec ce responsable qui devait centraliser le rapatriement des Algériens, les difficultés ne cessèrent point.

D'emblée, le financement est apparu comme l'un des problèmes cruciaux, malgré l'accord entre UGTA et FDGB du mois de mai 1962. Ainsi Djilani, à peine rentré en Afrique du Nord, écrivit au nouveau responsable Oubouzar, qu'il fallait abandonner cet accord et revenir à celui du mois de novembre 1961, où le FDGB avait accepté de prendre les frais du rapatriement sur son « Solidaritätsfonds ».[1] Djilani demanda à son délégué d'exiger du FDGB un financement quasi-complet du rapatriement :

> Il faudrait que tu puisses obtenir de la FDGB les frais de transport jusqu'à Paris et surtout une certaine somme d'argent : 200 à 300 marks-Ouest, afin que nos frères puissent faire face à tous les aléas du voyage. Il faudrait aviser le bureau de Cologne en cas de réussite de tes démarches dans ce sens.[2]

La lettre fit en plus allusion au fait que certains Algériens étaient déjà partis vers la RFA, à Cologne, et n'avaient pas pu y être accueillis dans de bonnes conditions :

> Nous avons appris que quelques Algériens se sont déjà présentés à notre bureau de Cologne. Malheureusement le séjour en République fédérale allemande et leur acheminement vers la France n'est pas facile, car ni notre bureau ni la Mission ne disposent de budget important. De ce fait nous avons des difficultés.[3]

Dans une autre lettre que Djilani envoya à Herbert Warnke du FDGB le 18 juin 1962, un mois après son passage à Berlin-Est, il admit indirectement que le bureau à Cologne ne pouvait faire face aux coûts et revint sur l'arrangement concernant les frais de rapatriement :

> Par ailleurs, nous vous serions très reconnaissants si vous pouviez assurer leur transport jusqu'à Paris en leur donnant en plus, comme frais de voyage, une certaine somme en devises. En effet, notre bureau à Cologne, qui doit reprendre ces ouvriers, ne dispose que de très peu d'argent à cette fin. Nous espérons que vous veillerez avec la plus grande attention à ce problème du rapatriement de nos collègues vers leur patrie.[4]

Cette lettre a été envoyée trois jours après celle à Oubouzar dans laquelle il confirma par ailleurs les dispositions dont on avait décidé en mai, c'est-à-dire de ne rapatrier que les ouvriers qui n'étaient pas en formation.[5] Or, apparemment, les difficultés dont parlait Djilani dans cette lettre furent non seulement ressenties par les Algériens qui voulaient regagner l'Algérie par Cologne, mais elles leur y avaient été présentées comme imputables à la RDA. La preuve en est une lettre de l'un de ces

1. Voir note 2, p. 201.
2. SAPMO-BArch DY 34/ 2133, 15 juin 1962, Djilani, Délégué Extérieur UGTA à Ali Oubouzar.
3. *Ibid.*
4. *Ibid..*, p. 2.
5. SAPMO-BArch DY 34/ 2133, Traduction d'une lettre de Djilani, désormais secrétaire de la délégation extérieure de l'UGTA (p. 1 : depuis le début de l'année 1962, selon cette même lettre, la direction de l'UGTA a repris ses fonctions à Alger) à Warnke du 18 juin 1962 ; Djilani évoque deux rapatriés à Cologne, Mohammed Bensafi et Mahi Zaouche, qui auraient dû entamer une formation d'études supérieures à Karl-Marx-Stadt (p. 1/2).

rapatriés, un certain Messaoud Boukhenoufa, qui écrivit de la RFA à son amie à Karl-Marx-Stadt. Sa lettre fut interceptée et une partie du texte fut envoyée immédiatement à la direction du FDGB, certainement pour l'alerter sur les calomnies proférées contre la RDA par des rapatriés déçus :

> Je suis totalement abattu que les amis ? m'aient expulsé. Ceux de la RDA nous ont menti honteusement, je ne peux pas du tout aller en Algérie, tant que l'Algérie n'est pas libre. Mes camarades et moi restons tous sur le territoire de la RFA, parce que notre gouvernement ne nous a pas réclamés, comme l'avait affirmé l'autorité de la Zone, au contraire, et nos agents gouvernementaux sont très déçus de ces mensonges de l'autorité de la Zone.
> [...] N'aie pas peur s'il te plaît [...] quand l'Algérie sera libre j'obtiendrai mes papiers et quand j'aurai mes papiers je reviendrai à Karl-Marx-Stadt et t'épouserai.[1]

Plusieurs remarques s'imposent à propos de cette lettre. En premier lieu elle a été considérée comme suffisamment importante pour avoir été envoyée sous forme de télégramme à la direction du FDGB à Berlin, avec l'indication « à traiter immédiatement ».[2]

Il est très probable que la lettre ait été traduite, voire écrite, par une personne fortement intégrée en RFA, car sa terminologie est presqu'entièrement « ouest-allemande ». Le style n'est pas spontané comme on pourrait s'y attendre dans une lettre d'un ouvrier algérien en détresse à sa fiancée. Ainsi le terme « autorité de la Zone » est typique de la terminologie de l'époque en RFA, qui ne reconnaissait pas à la RDA le statut d'un État ; on utilisait le terme « Zone » qui est l'abréviation de « Sowjetische Besatzungszone » (= zone d'occupation soviétique).[3]

Que les autorités algériennes de Cologne fussent « déçues des mensonges » de la RDA est peu probable. On peut considérer cette affirmation plutôt comme une façon de masquer, de la part du bureau à Cologne, son propre dysfonctionnement et/ou son manque de moyens ; les difficultés sont attribuées à l'État d'où venaient les candidats au rapatriement. La déception des patriotes algériens ne devait pas, dès le début de leur retour dans leur patrie, incomber aux autorités algériennes.

Il se peut par ailleurs que le bureau de Cologne ait été réellement débordé par l'afflux soudain de compatriotes ; de toute façon la RDA soupçonnait Djilani de ne pas avoir informé ses collègues en RFA du mouvement de rapatriement initié par ses soins en mai 1962. Ce soupçon apparaît dans une lettre datée du 3 juillet 1962 qu'Edmund Röhner, du Département Politique étrangère et relations internationales du CC écrivit à son collègue Herbert Warnke, président du FDGB, et qu'il fit signer par Peter Florin, candidat auprès du CC, et donc l'un de ses supérieurs. Grâce à cette signature, Röhner donna davantage de poids à sa demande et signala à son collègue et homologue Warnke, que l'affaire était à prendre très au sérieux. La lettre concernait exclusivement les problèmes du rapatriement des ouvriers algériens :

---

1. SAPMO-BArch DY 34/ 2133, 22 juin 62 (secret), lettre interceptée et partiellement copiée ; télégramme à « koll. neuhaeuser, fdgb-bundesvorstand » de la part du « fdgb karlmarxstadt abt. internationale beziehungen ». Le point d'interrogation est dans l'original, apparemment la lettre est manuscrite et les agents de la RDA n'ont pu lire cette partie.
2. *Ibid.*
3. D'autres termes ne pouvaient réellement figurer dans le vocabulaire allemand d'un ouvrier algérien, puisqu'ils relèvent du langage proprement administratif.

> Le [...] FDGB est convenu avec l'UGTA, au mois de mai de cette année, du rapatriement de tous les ouvriers algériens de la RDA à travers l'Allemagne de l'Ouest vers l'Algérie. Entre temps il s'est avéré que [...] Djilani n'a pas informé les représentants du FLN à Cologne, moyennant quoi une partie du premier groupe des ouvriers algériens qui se rendaient à Cologne, est revenue en RDA.[1]

Il semble pourtant improbable que ce soupçon ait été fondé, ne serait-ce que parce que Djilani avait demandé à Oubouzar, dans sa lettre du 15 juin, d'informer le bureau de rapatriement en RFA de son éventuelle réussite à lever des fonds en RDA.

En revanche, il ressort de cette lettre qu'au CC du SED, on était parfaitement au courant des problèmes du rapatriement, malgré le fait que l'on n'avait pas été informé de l'accord entre Deubner/Fischer du FDGB et Djilani de l'UGTA – ce que Röhner ne manqua pas de déplorer :

> D'abord nous voudrions constater que l'accord sur le rapatriement a été conclu à notre insu. [...] Nous connaissons les complications dans les relations avec l'UGTA. C'est justement pour cette raison que l'on doit discuter sérieusement de ce problème. Dans le passé, il est arrivé à plusieurs reprises que nous n'ayons pas été informés – ou avec beaucoup de retard – d'accords importants entre des représentants du FDGB et de l'UGTA.[2]

L'auteur de la missive au département des relations internationales du SED rappela que l'instance où les décisions étaient prises effectivement était bien le CC et que celui-ci souhaitait en tout cas être informé des arrangements avec des institutions étrangères, décidés par les institutions subordonnées. Il insista également sur le fait que son département n'était pas une administration sans compétences réelles en rappelant qu'il était au courant des problèmes que pouvaient avoir d'autres institutions. Pour s'imposer encore davantage, on fit savoir que certains détails concernant la gestion du rapatriement dans les sphères inférieures du FDGB étaient bien connus au CC, ainsi que les attaques contre le FDGB de la part du représentant des étudiants algériens Oubouzar, chargé du rapatriement qui créait tant de difficultés.

Le ton et le contenu de la lettre de Röhner/Florin rappellent le début de l'affaire Kroun et la réaction du CC du SED, quand le MfAA en la personne de son vice-ministre Sepp Schwab avait accepté l'installation du délégué permanent en RDA. Mais à la fin de la guerre d'Algérie, quand les problèmes concrets – entre autres avec les ouvriers, les fameux amis qui causèrent tant de soucis – furent sur le point de trouver une solution grâce à leur départ, la polémique entre le CC et l'une des institutions subordonnées ne prit plus la même tournure dramatique qu'auparavant. Toutefois, le FDGB fut rappelé à l'ordre et le département des affaires internationales du CC conseilla fortement une attitude prudente dans la mise en œuvre du rapatriement.

D'abord, chose à éviter en toute circonstance : prêter le flanc à la calomnie. En effet, un rapatriement moyennement réussi suscitait bien des critiques de la part des ouvriers algériens, et ces dysfonctionnements pouvaient donc être exploités par la tendance anticommuniste de l'UGTA qui profitait de l'occasion pour chercher la faute ailleurs que chez les collègues de Tunis et de Cologne :

> Cette action a eu comme résultat de susciter un certain nombre de débats chez les ouvriers algériens. Des éléments anticommunistes essaient de les exploiter contre le FDGB. Ainsi l'étudiant algérien

1. SAPMO-BArch DY 34/ 2133, lettre du 3 juillet 1962 (Röhner à Warnke), p. 1.
2. *Ibid.*, p. 2.

> Oubouzar a déclaré, lors d'une assemblée à Berlin, que c'est le FDGB qui est coupable de cette action malheureuse, puisqu'il aurait trop insisté pour que les ouvriers algériens quittent la RDA.[1]

L'impression que la RDA voulait se débarrasser des ouvriers algériens ne devait donc en aucun cas apparaître au grand jour, selon le SED ; un terme comme « expulser » utilisé par Messaoud Boukhenoufa dans sa lettre, devait être évité. Or, c'est exactement cette impression que l'on a en lisant cette lettre, dictée par des « éléments anticommunistes » en RFA, comme on peut le supposer.

Le problème était, selon Röhner, que même des responsables locaux du FDGB faisaient comprendre aux Algériens qu'ils devaient partir :

> De différents départements et de la part de certains camarades algériens nous est parvenue l'information que surtout des collaborateurs des directions départementales du FDGB cherchaient, avec une forte insistance, à convaincre les ouvriers algériens de retourner au pays.[2]

Peut-être y avait-il du côté des responsables locaux un réel excès de zèle. En revanche, on pouvait comprendre qu'ils ressentaient une certaine impatience de voir les Algériens partir, quand on connaît les difficultés qu'ils avaient avec ces « amis » si difficiles à intégrer.

Cependant ces représentants du FDGB dépassaient la ligne rouge quand ils recouraient à des arguments qui ne convenaient qu'à des hommes politiques compétents. On détournait, dans certaines sections du FDGB, des arguments de politique étrangère pour expliquer pourquoi la RDA avait un intérêt à rapatrier aussi rapidement que possible les Algériens. Ainsi, au CC du SED on avait appris qu'un membre du bureau national du FDGB avait prétendu que le rapatriement répondait à des souhaits de l'Algérie et que la RDA devait les exaucer, dans un but très précis :

> Lors d'une réunion à Francfort-sur-Oder, le camarade Köhn, collaborateur du bureau national du FDGB, aurait dit entre autres que le gouvernement algérien établirait au mois d'août des relations diplomatiques avec la RDA et que pour cette raison de bonnes relations devaient exister.[3]

Les bonnes relations entre gouvernements est-allemand et algérien obligeaient donc le FDGB à pousser, dans une certaine mesure, les ouvriers algériens à rentrer. On ne pouvait reprocher au camarade Köhn de proprement inventer un tel argument ; il était collaborateur du bureau national du FDGB et de ce fait, il pouvait légitimement être informé de ce qu'y avait dit Djilani le 7 mai.[4] En revanche, ce qui inquiétait Röhner, c'était que Köhn utilisât cet argument en public – peut être même devant des personnes directement concernées.

D'un autre coté, Röhner lui-même ne pouvait reprocher au FDGB un manquement à son devoir d'informer le CC. En effet, il devait être au courant des paroles de Djilani, puisque la liste des destinataires de la note le mentionne.[5] Il ne s'agissait donc pas, aux yeux du SED, d'un dépassement des compétences de la part du

---

1. *Ibid.*, p. 1.
2. *Ibid.*
3. *Ibid.*
4. Voir *supra*, note 4, p. 212.
5. SAPMO-BArch DY 34/ 3379, 12 mai 1962. « Aktennotiz über die Aussprache … am 7.5.1962 », p. 4.

FDGB, tel que l'on avait connu dans le cas de l'acceptation du délégué permanent par le MfAA en 1960, mais d'un regret que le syndicat n'ait pas pris soin de prendre conseil auprès de la seule institution compétente en la matière.

Donc Röhner et Florin, dans la lettre à Warnke, conseillèrent une extrême prudence, ils voulaient éviter à tout prix que la RDA apparût comme instigatrice d'un rapatriement forcé des ouvriers algériens :

> Quand nous en avons eu connaissance, pendant la mise en œuvre [du rapatriement ; le contexte et la structure de la phrase n'éclaircissent pas exactement de quoi Röhner parle concrètement, de l'accord sur le rapatriement ou des difficultés évoquées avant, FT], le camarade Deubner a été alerté par nos soins sur les dangers. Nous avons fait savoir qu'il fallait surtout faire attention de ne pas faire naître l'impression que c'est avant tout la RDA qui souhaite le rapatriement.[1]

Ce soudain ménagement de la partie algériennne de la part des plus hautes autorités est-allemandes peut paraître surprenant. Depuis les négociations entre Belhocine et Aït Chaalal avec le MfAA, la RDA s'était montrée très intransigeante avec les Algériens en exigeant une réciprocité stricte au niveau des relations entre les deux gouvernements, celui de la RDA et le GPRA.[2] En février 1962 encore, le président du « Solikomitee », Horst Brasch, avait insisté, certes de façon implicite mais fermement, sur une réciprocité des niveaux d'accueil officiel des deux gouvernements. Brasch avait fait savoir au Dr. Belaouane que contrairement à ce qu'il avait souhaité, la RDA n'enverrait pas de représentant officiel avec le prochain envoi de solidarité – Belaouane avait pourtant assuré qu'un tel représentant aurait l'occasion de discuter de toute question avec « les autorités officielles ».[3] La raison de ce refus se trouve dans l'analyse de cette visite :

> On doit prendre en compte, pour analyser la visite de cette délégation, que lors de sa préparation [...] la proposition du camarade l'ambassadeur Kiesewetter à l'adresse du Ministère des Affaires Etrangères du GPRA [...] concernant l'accompagnement de la délégation par un représentant officiel du gouvernement provisoire n'a pas été suivie.[4]

Et quelques semaines plus tard, il fallait surtout éviter tout ce qui pouvait froisser un nouveau gouvernement algérien.

---

1. *Ibid.*, p. 2.
2. Même au mois de mars, le MfAA avait encore défendu une politique de fermeté evers les Algeriens. Löbel avait évoqué les coûts considérables d'une qualification systématique des ouvriers algériens et affirmé que de tels « privilèges n'ont jusqu'ici été accordés que sur la base d'accords interétatiques. On ne voit pas pourquoi on procède dans ces cas de façon tellement généreuse en l'absence d'accords interétatiques. » (SAPMO-BArch DY 30/ IV 2/20/ 354, feuille 255, p. 6 de la « Stellungnahme... » du 8 mars [voir note 3, p. 201]).
3. SAPMO-BArch DY 30/ IV 2/20/ 354, feuille 235, p. 4 du rapport « Bericht über das Abschlussgespräch des Genossen Brasch mit dem algerischen Arzt Dr. Belaouane, am Montag, den 12. Februar 1962. » (voir aussi chapitre « Un bureau du FLN... »). Déjà lors de son entretien final avec le colonel Bashir Bakhti, Brasch avait évoqué le problème des représentants officiels, ce à quoi le colonel avait promis laconiquement : « Quand je serai de retour je ferai un rapport au gouvernement et le représentant du Soli-Komitee de la RDA, lors de la remise du prochain envoi de solidarité, sera accueilli et reçu aussi bien par le représentant du Haut Commandement que par le représentant du gouvernement. » (SAPMO-BArch DY 30/ IV 2/20/ 354, feuille 220, p. 2 du rapport sur l'entretien final entre les représentants de la délégation de l'ALN et du Solidaritätskomitee).
4. SAPMO-BArch DY 30/ IV 2/20/ 354, feuille 245, p. 5, de l'analyse « Einschätzung des Besuches der ALN-Delegation in der DDR vom 21. Bis 29. Januar 1962 ».

Attitude conciliante du côté est-allemand, nouveaux espoirs de reconnaissance

On assiste ici au début d'un changement de politique. En effet, la lettre de Röhner du MfAA et de Florin du CC au FDGB montre qu'à partir de la fin de la guerre en Afrique du Nord, la RDA voulait se montrer plus souple ; on voulait éviter des querelles qui pouvaient envenimer les relations – et les autorités compétentes demandaient fermement aux subordonnés d'éviter tout ce qui pouvait les susciter.

On voit une attitude plus accommodante également dans la correspondance de la RDA concernant les « ratés » du rapatriement. Dans la lettre que Boukhenoufa avait envoyée à sa fiancée apparaissait un problème supplémentaire : il y parlait de ses papiers qu'il devait « obtenir ». On peut supposer qu'une partie de leurs papiers était confisquée aux candidats au rapatriement, ce qui devait leur interdire de retourner en RDA. Ceci expliquerait qu'en RDA on se plaignait du fait que certains Algériens, déçus de leur accueil à Cologne, y soient revenus « illégalement ».[1] Or, dans le projet d'une lettre de Warnke à Djilani sur les problèmes du rapatriement, qui est daté du 11 juillet 1962, donc peu après la lettre de Röhner/Florin au FDGB où l'on conseillait à ses dirigeants d'être prudents, le terme « illégal » n'apparaît pas.

Cependant Warnke insista sur la conformité de l'action du FDGB avec l'accord avec l'UGTA du mois de mai :

> Conformément à cet accord nous avons commencé le rapatriement. Mais, au bout de quelques jours, il s'est avéré que le bureau correspondant à Cologne n'était pas en mesure d'assurer la poursuite du rapatriement des collègues, mais essayait de convaincre les collègues de chercher du travail en Allemagne de l'Ouest. Suite à cela, une grande partie des collègues est retournée en RDA et nous avons donné immédiatement l'instruction à nos institutions d'accueillir de nouveau ces collègues.[2]

La perche que l'on tendait aux autorités du FLN paraissait évidente : assurez convenablement le rapatriement à partir de Cologne, entre temps nous nous occuperons de vos ouvriers comme avant.[3] On peut remarquer que la question des frais de voyage n'était pas évoquée dans la lettre.

L'invitation à l'indulgence de la part de Röhner et la réaction directe de Warnke du FDGB par sa lettre somme toute très conciliante à Djilani – tout de même soupçonné

1. Le terme « illégal » n'apparaît naturellement que dans des documents internes de la RDA, par exemple SAPMO-BArch DY 34/ 2132, état des lieux de l'action de solidarité, s.d. (après le 26 octobre 1962), « Betr. : Stand der Solidaritätsaktion » : « Beaucoup des ouvriers rapatriés sont revenus illégalement. » Dans ce document interne, on parle même de sabotage du rapatriement de la part des responsables algériens : « En revanche, l'action devait être considérée par nous comme interrompue, quand le responsable algérien du rapatriement est parti [il avait été nommément cité auparavant : Obusar = Oubouzar, FT] et quand à Cologne le réacheminement a été saboté, contrairement aux accords avec l'UGTA, par des autorités algériennes. »
2. SAPMO-BArch DY 34/ 2133, Projet de lettre de H. Warnke à Djilani daté du 11.7.62.
3. Selon un document intitulé « Betr. : Stand der Solidaritätsaktion [...] Algerien » du FDGB (SAPMO-BArch DY 34/ 2132, état des lieux de l'action de solidarité, s.d. - après le 26 octobre 1962) on a même proposé, à l'automne de l'année 1962, après le rapatriement d'environ 120 sur 180 ouvriers, des contrats de formation aux 60 restants : « Suite à une discussion des collègues du département organisation et du département Afrique avec les collègues responsables pour l'encadrement des ouvriers étrangers dans les directions départementales du FDGB, des contrats de qualification ont été conclus avec tous les ouvriers algériens qui se trouvent en RDA ».

d'avoir « bâclé » le rapatriement, puisqu'il n'avait pas informé ses collègues à Cologne, selon les autorités du SED – n'est compréhensible que par la volonté de souplesse envers le futur État algérien.

Pour avancer vers l'établissement de relations diplomatiques, on devait éviter tout ce qui pouvait froisser les autorités algériennes, à quelque niveau que ce soit. Certes, on n'oubliait pas, du côté est-allemand, le rappel des positions idéologiques, comme le montre la lettre de Heinz Neuhäuser à Oulhadj Bederdin, le 20 juin 1962[1], mais dans l'action concrète, le maître mot était désormais « prudence » – à tous les niveaux des institutions. Ainsi, – Röhner le rappela dans sa lettre au FDGB – on ne pouvait pas admettre qu'un réel problème, en l'occurrence celui des relations diplomatiques, soit « traité » – éventuellement de façon peu habile – au niveau départemental du FDGB, dans des réunions relativement peu importantes.

Tous les appels à la réserve adressés aux basses sphères par les plus hautes instances du parti s'expliquent par la tentative de celles-ci de pousser les Algériens, après le référendum du 1er juillet 1962, à faire preuve de davantage d'audace, voire de gratitude dans leur attitude politique envers la RDA. En effet, après l'URSS qui avait proposé dès fin mars une reconnaissance *de jure* au gouvernement algérien – encore provisoire -, l'État allemand « socialiste » annonça, par l'intermédiaire du *ND* du 4 juillet, que « La RDA reconnaît l'Algérie » :

> Otto Grotewohl a envoyé un télégramme de félicitations [...], où il exprime en même temps la reconnaissance « de jure » de la République d'Algérie. [...] j'ai l'honneur de vous informer du fait que le gouvernement de la République Démocratique d'Allemagne reconnaît *de jure* la République d'Algérie.[2]

Les relations diplomatiques apparaissaient donc, à l'intérieur de la RDA, comme un problème réel, mais tout de même soluble – sinon le gouvernement de la RDA n'aurait pas annoncé publiquement la reconnaissance *de jure* unilatérale.

Historique de la discussion concernant la reconnaissance *de jure* et *de facto*

La reconnaissance que la RDA annonça finalement en juillet 1962 avait son histoire propre, non linéaire. En effet, après les premières tentatives pour procéder à une reconnaissance réciproque[3], les représentants du MfAA réfléchissaient régulièrement sur le pour et le contre d'une reconnaissance unilatérale puisque l'on avait compris que le GPRA n'établirait pas de relations diplomatiques avec la RDA avant la fin de la guerre. Une reconnaissance du gouvernement algérien par la RDA devait être discutée en interne aussi par rapport à la concurrence avec la RFA. Il fallait aussi faire une distinction entre la reconnaissance unilatérale *de facto* et *de jure*, distinction qui devait poser problème à plusieurs niveaux diplomatiques, dans les rangs est-allemands comme parmi certains interlocuteurs algériens.

---

1. Voir ci-dessus, note 3, p. 213.
2. *ND*, 4 juillet 1962, n° 181, p. 1 : « DDR erkennt Algerien an » (La RDA reconnaît l'Algérie).
3. Cf. chapitre « Un bureau du FLN... ».

La première instance à ne pas faire la distinction correctement, selon le MfAA, était curieusement l'ambassade est-allemande à Moscou. En effet, en janvier 1961, le conseiller d'ambassade Thun de Moscou envoya une lettre au MfAA qui lui avait demandé de sonder officieusement l'attitude de l'URSS dans cette question – on ne voulait tout de même pas agir sans l'aval du grand frère. La réponse ne fut pas très claire, car de Moscou on renvoya apparemment la balle dans le camp de Berlin. Ainsi Thun résuma dans sa lettre datée du 12 janvier 1961 les avantages et les inconvénients d'une reconnaissance de facto unilatérale et suggéra de décider après examen – à Berlin :

> La RDA pourrait prendre un avantage par rapport à l'Allemagne de l'Ouest, car l'Allemagne de l'Ouest ne pourra certainement pas prendre une telle décision par respect pour la France.
> [...] Une reconnaissance *de facto* serait donc un pas important de notre part sans que le gouvernement algérien soit obligé de faire de son côté un pas vers nous. Toutefois on peut ajouter que la RDA soutient déjà actuellement le gouvernement algérien dans un cadre très large sans que le gouvernement algérien n'ait fait en réalité quoi que ce soit pour la RDA. Une reconnaissance de facto du gouvernement provisoire pourrait éventuellement perturber le commerce RDA-France. La France exercerait peut-être des représailles contre la RDA dans ce domaine. Les conséquences d'une telle décision devraient être examinées à Berlin.[1]

Dans sa lettre de réponse (16 février 1961, feuille 16), Simons fit remarquer à son collègue que « des relations étatiques entre le gouvernement de la République Démocratique Allemande et le Gouvernement Provisoire de la République Algérienne existent déjà depuis la création du Gouvernement Provisoire de la République Algérienne, à l'automne 1958, que l'on doit considérer comme une reconnaissance *de facto* ».[2]

Mabrouk Belhocine du MAE algérien n'était pas non plus au fait des nuances distinguant *de facto* et *de jure*. L'ambassadeur Kiesewetter avait eu, le 20 juin 1961, un entretien avec le secrétaire général du MAE, qui avait visité la RDA un an auparavant avec comme résultat mitigé l'installation du délégué de l'UGTA, Kroun. Il lui avait demandé de s'enquérir sur la position du GPRA concernant le développement des relations entre les deux pays :

> M. Belhocine entendit par là immédiatement la question de l'établissement de relations diplomatiques et répéta l'argumentation sur la position de son gouvernement que nous connaissons suffisamment depuis les entretiens à Berlin. Je lui expliquai qu'il s'agit de deux choses différentes et que nous aurions aimé entendre la position algérienne concernant la reconnaissance.[3]

À peine un mois plus tard, le même Kiesewetter devait faire la même expérience avec le supérieur de Belhocine, le Ministre des Affaires étrangères du GPRA, Krim Belkacem qui était de passage au Caire, soi-disant pour demander un soutien politique de la RAU.[4] Sur la même question de l'élargissement des relations entre les deux pays, Krim répondit que le gouvernement algérien devait, « comme cela a été déjà plusieurs fois expliqué, prendre en considération certains facteurs internationaux ». Le commentaire de Kiesewetter pour son ministère était aussi clair que celui sur Belhocine :

> J'ai eu l'impression que Belkacem lui aussi confond l'établissement de relations diplomatiques et la reconnaissance *de jure*.[5]

---

1. MfAA A 12 706, feuilles 17/18.
2. Ibid., feuille 16, 16 février 1961.
3. MfAA A 13 776, feuille 29, p. 3 d'une lettre de Kiesewetter à Schwab.
4. MfAA A 13 776, feuilles 21 à 26 : « Aktenvermerk über eine Unterredung mit dem Stellvertretenden Ministerpräsidenten und Minister für Auswärtige Angelegenheiten der Provisorischen Algerischen Regierung, Herrn Krim Belkacem, am 10. Juli 1961 », p. 4.
5. *Ibid.*, feuille 25, p. 5.

Au début de l'année 1962, la question n'était toujours pas résolue.

Le malentendu entre les agents du MAE algérien, de toute évidence en léger décalage avec le droit international tel qu'il était applicable selon le diplomate est-allemand, continua jusqu'en janvier 1962, quand le nouveau secrétaire général adjoint du MAE Abd el Aziz Zerdani demanda de passer à une nouvelle étape dans les relations entre GPRA et RDA. En effet, suggéra Zerdani, la position du gouvernement algérien dans ses négociations avec le gouvernement français pouvait trouver un appui par une reconnaissance de jure d'un maximum d'États :

> Le secrétaire général adjoint essaya de m'expliquer que l'actuelle phase du combat exigeait en fait un nouveau pas, à savoir la reconnaissance *de jure* du GPRA. Je ne cachai pas mon étonnement et lui expliquai à mon tour que nous avions déjà exprimé en juin 1961 notre volonté de reconnaître le GPRA *de jure* et étions restés sans réponse à ce jour.[1]

Et Kiesewetter rajouta une fois de plus qu'apparemment le prédécesseur de Zerdani, Belhocine, avait mal compris que reconnaissance *de jure* ne signifiait pas une reconnaissance réciproque et l'établissement de relations diplomatiques.

L'importance de cette question, et la discussion des avantages et des inconvénients d'un tel pas envers le GPRA avant l'aboutissement des négociations avec la France apparaît dans un document non signé, appelé « Perspectives pour l'évolution des relations entre la RDA et la République d'Algérie dans l'année 1962 »[2], où l'auteur fit l'historique de cette question. Selon cette source, Kiesewetter avait eu une troisième rencontre lors de laquelle la question avait été discutée, cette fois-ci avec Mohamed Harbi :

> Par rapport à la déclaration d'intention du gouvernement de la RDA dont l'ambassadeur Kiesewetter avait fait part oralement au Vice-Premier Ministre Krim Belkacem, à savoir de prononcer la reconnaissance *de jure* au moment qui paraîtrait opportun au GPRA, il n'y a pas eu actuellement de réponse définitive. Le secrétaire général du MAE du GPRA déclara, le 8 novembre 1961, lors d'un entretien avec l'ambassadeur Kiesewetter, que le nouveau gouvernement algérien examine actuellement la totalité des relations avec la RDA.[3]

Cet examen des relations avec la RDA, évoqué par Harbi, stimula l'auteur des « perspectives » dont les propositions allaient directement au but recherché, à savoir la

---

1. MfAA A 13 776, feuilles 19/20, lettre de Kiesewetter à Schwab, du 25 janvier 1962.
2. SAPMO DY 30/ IV 2/20/ 354, feuille 203, « Perspektivplan für die Entwicklung der Beziehungen zwischen der DDR und der Republik Algerien im Jahre 1962 » (8 février 1962).
3. *Ibid.*, feuilles 201/202, p. 9/10. Selon HARBI, Mohammed : *Une vie debout. Mémoires politiques ; tome 1, 1945-1962.* Paris, La Découverte 2001, p. 338/39, il était secrétaire général de fait, mais sans en avoir le titre, pour des raisons de rivalités internes entre son ministre Saad Dahlab et Abdelhafid Boussouf. Cette rencontre avait même trouvé un écho dans le *ND*, 9 novembre 1961, n° 309, p. 7 : « Le secrétaire général du MAE du GPRA, Mohammed Harbi, a reçu [...], pour un entretien sur des questions qui intéressent les deux parties, le plénipotentiaire du gouvernement de la RDA pour les États arabes, l'ambassadeur Kiesewetter. Harbi informa l'ambassadeur de la phase actuelle du combat de son peuple contre l'impérialisme français, tandis que Kiesewetter fit un tour d'horizon sur la question allemande et montra la nécessité de la conclusion d'un traité de paix. Le secrétaire général rendit hommage à la RDA pour le soutien qu'elle accorde au peuple algérien dans sa lutte de libération. À la fin de l'entretien le secrétaire général Harbi transmit à l'ambassadeur Kiesewetter la réponse du ministre des Affaires étrangères Saad Dahlab au télégramme de félicitations du ministre des Affaires étrangères, le Dr. Bolz à l'occasion du 7ème anniversaire de la lutte algérienne de libération. »

reconnaissance réciproque des deux États. Il établit même une sorte de calendrier pour cette reconnaissance, en proposant toutefois que la RDA ne la prononce pas plus tard que deux des États frères « socialistes » :

> 1. Lors de l'obtention de l'indépendance de l'Algérie, l'on devrait soumettre au GPRA une proposition sur l'ouverture de négociations afin de conclure un accord sur l'établissement réciproque de représentations diplomatiques.
> 2. La reconnaissance de jure du GPRA par le gouvernement de la RDA devrait être prononcée au plus tard quand les gouvernements de l'URSS et de la CSSR prononceront cette reconnaissance.[1]

Malgré les difficultés et les opacités de la politique algérienne, l'auteur des « perspectives » ne se limita pas, dans ses propositions, à une simple reconnaissance en bonne et due forme, car à elle seule elle ne pouvait satisfaire entièrement la RDA. Le futur gouvernement algérien devait en plus être amené à une prise de position claire vis à vis de l'État est-allemand, après un travail d'intégration de tout l'espace africain et arabe, Algérie incluse, dans un travail de propagande adaptée :

> Par un travail d'information encore plus large et intensif dans l'espace arabe et africain afin de démasquer la politique agressive et néocolonialiste du gouvernement Adenauer, et afin d'expliquer la politique pacifique de la RDA, on doit aboutir à une prise de position officielle du GPRA pour la RDA et à des propositions concernant une solution de la question allemande.[2]

L'extraordinaire optimisme avec lequel l'auteur projeta les volontés de la RDA dans l'avenir, surprend malgré son analyse relativement réaliste du régime algérien et malgré les expériences que l'on avait faites avec les représentants algériens.

Certes, il y avait encore un certain chemin à parcourir, la propagande devait être renforcée, mais on pouvait compter sur la reconnaissance de la RDA avec une certitude qui permettait même d'envisager un alignement quasi total du futur régime algérien sur les positions est-allemandes concernant la RFA.

Or la réponse du GPRA sur une reconnaissance *de jure* unilatérale de la part de la RDA n'était toujours pas arrivée. Ainsi la RDA décida, en fin de compte, de ne plus l'attendre. Le 27 février 1962, le premier Vice-Ministre des Affaires étrangères, Otto Winzer, signa une proposition officielle auprès du CC du SED concernant cette reconnaissance. Le document est surtout intéressant pour l'historique de l'affaire :

> Le camarade ambassadeur Kiesewetter fit savoir le 16 juin 1961 à […] Mabrouk Belhocine et le 10 juillet 1961 à Krim Belkacem que le gouvernement de la République Démocratique Allemande est prêt à élargir les relations au niveau officiel. Cette volonté inclut également la reconnaissance *de jure* et le gouvernement de la République Démocratique Allemande voudrait connaître l'opinion du Gouvernement Provisoire de la République d'Algérie.
> […] À l'occasion d'un entretien entre le camarade ambassadeur Kiesewetter et le Secrétaire général adjoint, M. Zerdani essaya d'expliquer que l'actuelle phase du combat exige un nouveau pas, à savoir la reconnaissance *de jure* du Gouvernement Provisoire de la République d'Algérie. […]
> Le 30 janvier 1962 le camarade ambassadeur Kiesewetter fut informé par les mêmes interlocuteurs que la question de la reconnaissance *de jure* sera examinée par le gouvernement algérien à Tunis et que l'on peut s'attendre prochainement à une réponse.[3]

---

1. *Ibid.*, p. 11.
2. SAPMO DY 30/ IV 2/20/ 354, feuilles 201/202, p. 9/10.
3. MfAA A 12 706, feuilles 9 à 11 : « Vorlage für das Sekretariat des Zentralkomitees der SED » (27 février 1962), p. 1.

Le MfAA recommanda aux autorités compétentes, à savoir le CC du SED, de sortir de sa réserve. En effet, on pouvait désormais se passer d'attendre une « prochaine réponse » de la part du GPRA ou l'exemple d'autres États socialistes, ou même la conclusion des accords entre La France et le GPRA ; on pouvait prendre des initiatives :

> Vu l'évolution des négociations entre le gouvernement français et le Gouvernement Provisoire de la République d'Algérie, nous ne considérons plus comme nécessaire la réserve dont nous fîmes preuve jusqu'ici dans la question de la reconnaissance *de jure* du gouvernement algérien ; ainsi la reconnaissance du Gouvernement Provisoire de la République d'Algérie par la République Démocratique Allemande pourra être proclamée sans même son accord préalable. Nous considérons comme nécessaire de proclamer la reconnaissance avant la conclusion d'un accord entre le gouvernement français et le Gouvernement Provisoire de la République d'Algérie [...].[1]

La conséquence était logique :

> Le secrétariat décide : la reconnaissance de jure du Gouvernement Provisoire de la République d'Algérie par la République Démocratique Allemande par une lettre du Président du Conseil des Ministres Otto Grotewohl au Premier Ministre Ben Youssef Ben Khedda.[2]

Dans la décision du SED de procéder à une reconnaissance unilatérale, les conseils du parti frère algérien ont peut-être eu une influence décisive.

En effet, c'est Larbi Bouhali en personne qui avait, dans un entretien avec le rédacteur en chef du *ND*, en mars 1962, recommandé de reconnaître l'Algérie sans conditions préalables. Il avait affirmé que les accords d'Évian étaient en effet un succès incontestable pour le FLN et en même temps expliqué que le PCA devait s'aligner sur la volonté du peuple algérien. En réponse à la question de Axen concernant l'opinion de Bouhali sur la reconnaissance réciproque des deux États, celui-ci avait répondu que la RDA devait faire le premier pas, même si le gouvernement algérien ne devait pas réagir positivement immédiatement.[3]

Par ailleurs, le calendrier envisagé par le MfAA, à savoir la reconnaissance très rapide, ne fut pas respecté. En fait, l'URSS reconnut *de jure* le GPRA, à la fin mars 1962[4], tandis que la RDA ne proposa une telle reconnaissance que le 4 juillet, comme nous l'avons vu. Curieusement, la RDA suivit ici la RFA qui avait reconnu l'État indépendant d'Algérie le 3 juillet.[5]

Quand on observe la réaction de la RDA aux différentes contrariétés qu'elle avait à subir de la part des autorités algériennes, sa relative indulgence peut étonner. En effet, le rapatriement des ouvriers algériens - dont le dysfonctionnement devait être imputé probablement aux autorités algériennes en RFA – et la provocation de Djilani, à savoir sa demande de libérer Heinz Brandt du DGB[6], pouvaient suffire à elles seules à faire

1. *Ibid.* p. 2.
2. *Ibid.* p. 1.
3. SAPMO DY 30/ IV 2/20/ 353, feuille 155, p. 1 de « Mitteilung über eine Unterredung mit dem Generalsekretär der KP Algeriens, Gen. Bouhali, am 26.3.1962 » ; cf. chapitre « SED, PCF et PCA... », note 86.
4. Cf. *ND* du 20 mars 1962, n° 79, p. 1.
5. Cf. CAHN/MÜLLER : *La République fédérale...*, p. 436.
6. Cf. note 3, p. 212.

déborder le vase. Or on promit de l'aide matérielle au secrétaire de la délégation extérieure de l'UGTA pour l'après-guerre, on réintégrait les « rapatriés » revenus en RDA, à partir de Cologne – faut-il rappeler que le pauvre Hellel, élément excellent n'avait pas pu rentrer bien que sa fiancée soit enceinte – et l'on reconnaissait la nouvelle république de jure unilatéralement. Tout cela n'est explicable que par l'espoir chaque fois renouvelé d'obtenir une reconnaissance diplomatique de la part de l'Algérie indépendante.

D'un autre côté, l'évocation quasi systématique, par des représentants de la RDA, de la question allemande et de son règlement par un traité de paix, devait montrer à leurs interlocuteurs que l'Allemagne de l'Est avait relevé le défi de la concurrence avec la RFA au niveau de la politique internationale, surtout après la construction du « rempart anti-impérialiste » en août 1961. Dans ce contexte, même des sacrifices matériels pouvaient être envisagés, que ce soit des livraisons de matériel de toutes sortes, de la formation ou même du financement du rapatriement. En revanche, un bureau tel que celui que le GPRA entretenait en RFA ne pouvait être accepté par Berlin-Est, malgré les pressions venant du FLN ; le but était toujours d'obtenir des relations proprement diplomatiques.

Le rapatriement des Algériens à la fin de la guerre en Afrique du Nord est un exemple de plus du dilemme où se trouvait la RDA. En effet, elle devait aller aussi loin que possible dans le sens du futur pouvoir algérien, pour enfin réussir à obtenir la victoire sur la RFA, par une reconnaissance diplomatique du GPRA ou de son successeur.

Plusieurs éléments soulignent cette priorité et l'on peut constater une nouvelle forme de politique.

En effet, le ton entre les représentants du CC – les mêmes qui avaient déclenché la polémique avec le MfAA à cause du délégué permanent, en 1960 – et les sphères inférieures de l'appareil politique était devenu bien plus pacifique.

On pourrait même dire que l'atmosphère entre RDA et représentants de l'Algérie s'était pacifiée malgré les différends entre les autorités de la RDA, que ce soit le FDGB ou la FDJ, et leurs partenaires UGTA et UGEMA.

Mais il est surtout significatif qu'autour du rapatriement proprement dit, on ne trouve plus, dans les documents internes de l'administration est-allemande, d'intervention du PCA. Certes, dans la propagande publique, le parti frère n'avait pas disparu[1], mais dans les rapports, missives etc..., on ne s'y référait quasiment plus.

La proposition répétée de reconnaître le GPRA unilatéralement peut être considérée comme une autre facette de la même stratégie. Une reconnaissance *de jure* ne pouvait être comprise que comme un premier pas envers un État qui devait se montrer reconnaissant – au sens double du terme –, après l'aide solidaire de la RDA pendant toutes ces années de guerre. C'est seulement ici que le PCA intervint encore une fois, indirectement paraît-il, à savoir par l'interview que donna Larbi Bouhali au *ND*, et où il recommanda de faire le premier pas envers le gouvernement du nouvel État.

1. Voir prochain chapitre ; je n'évoquerai ici que la visite d'Henri Alleg et les différentes interviews avec Larbi Bouhali dans le *ND*.

Il est évident dans ce contexte que l'idéologie n'était pas passée au deuxième rang. Certes, dans les questions pratiques, les représentants de la RDA étaient arrivés à une attitude presque conciliante. En revanche, au niveau des relations officielles, la reconnaissance de la RDA par la jeune république algérienne – qui aurait été une véritable victoire idéologique sur la RFA – n'était même pas un but en soi pour certains idéologues est-allemands, mais devait être assortie, de la part de interlocuteurs algériens, d'un soutien ouvertement exprimé en ce qui concernait les problèmes interallemands, donc en fait d'une justification du mur de Berlin.

Du côté algérien, on peut constater une clarification de la politique envers la RDA. Malgré les protestations de la délégation de l'UGEMA en février 1962 et de Djilani, les autorités est-allemandes auraient pu faire preuve d'un certain scepticisme tel qu'il s'exprima dans la question pratique du rapatriement, par la voix d'Edmund Röhner. En effet, la réaction gênée et parfois presque affolée des partenaires algériens qui confondaient reconnaissance *de jure* et établissement de relations diplomatiques, montrait, dès l'année 1961, que le GPRA essayait de prendre ses distances avec la RDA. Cette attitude était d'autant plus nette que dans les entretiens avec leurs interlocuteurs algériens, les représentants est-allemands étaient chaque fois confrontés à l'argument que l'actuel GPRA – et donc la future république algérienne – ne pouvait se permettre de rompre avec la RFA. Les affirmations contraires de certains Algériens à Berlin-Est ne servaient qu'à obtenir de la part de la RDA une poursuite de l'aide matérielle, ne serait-ce que le financement des voyages des citoyens algériens à rapatrier.

Comme preuve indirecte étayant cette affirmation on peut se référer au comportement de l'UGTA et de Djilani après l'indépendance de l'Algérie.

L'auteur d'un document concernant « le bilan de l'action de solidarité »[1], constata avec amertume le désintérêt des autorités algériennes pour tout ce qui concernait l'Allemagne de l'Est. Il déplorait que l'UGTA n'ait honoré aucune des multiples propositions faites par le FDGB en 1962, même au niveau matériel. Apparemment, le syndicat algérien n'avait tout simplement plus répondu aux missives et aux propositions du syndicat est-allemand.

À la même période, l'auteur d'un autre rapport passe en revue les relations entre les deux organisations syndicales, en 1962. Il accuse Embarek Djilani et Ali Oubouzar d'avoir fait capoter les rapatriements par Cologne et d'avoir porté préjudice à la RDA :

> Le rapatriement d'environ 200 ouvriers algériens qui se trouvaient en RDA, demandé par l'UGTA en accord avec nous, ne put être mené à son terme, parce que les mesures prises par le collègue Djilani (voyage par Cologne) ont produit des effets négatifs sur les ouvriers algériens et sur la RDA. (Les ouvriers algériens n'ont pas obtenu leurs visas pour l'Algérie, comme convenu, mais ont été obligés, pour la plupart, de rester à Cologne.) On leur y a fait croire aussi que l'UGTA ne les avait pas rappelés, que la RDA leur avait menti pour se débarrasser d'eux. Le collègue algérien Oubouzar [...], délégué par l'UGTA pour résoudre les questions du rapatriement, a été rappelé en Algérie avant la fin de l'action et n'est pas revenu en RDA.[2]

Si l'organisateur Oubouzar avait laissé les autorités est-allemandes seules face au le problème du rapatriement, son supérieur Embarak Djilani, membre de la direction de

1. SAPMO-BArch DY 34/ 2132, état des lieux de l'action de solidarité, s.d. (après le 26 octobre 1962), « Betr. : Stand der Solidaritätsaktion », cf. note 3, p. 220.
2. SAPMO-BArch DY 34/ 3379, « Einschätzung der Lage in Algerien », p. 6.

l'UGTA, montra un désintérêt semblable à celui de ses anciens hôtes, auxquels il avait quelques mois auparavant fait miroiter une reconnaissance du futur gouvernement algérien. L'auteur du rapport déplora qu'il n'ait pas accepté l'invitation du FDGB aux « Journées de l'amitié » au cours desquelles on devait discuter de questions « qui intéressent les deux partenaires ».[1] En revanche, Djilani se trouvait à Berlin-Ouest, au 7ème Congrès Mondial de la CISL, organisation syndicale occidentale, qui tombait aux mêmes dates que les « Journées de l'amitié ».

L'année 1962, et surtout la fin de cette année, devait être une année de déceptions pour la RDA en ce qui concerne ses relations avec le nouvel État en Afrique du Nord.

Et la République algérienne ne reconnaîtra la RDA que le 20 mai 1970, huit ans après la reconnaissance unilatérale *de jure* exprimée par la RDA le 4 juillet 1962.[2]

---

1. *Ibid.*
3. Voir : *Dokumente zur Außenpolitik der Deutschen Demokratischen Republik 1970, tome* XVIII, p. 384 ; *ibid.* p. 1148 : l'ambassadeur de la RDA, Siegfried Kämpf est accrédité le 4 septembre 1970.

1962 : L'ANNÉE DES ILLUSIONS ET DES DÉCEPTIONS

L'année de l'indépendance de l'Algérie fut une année de déceptions pour la RDA comme nous l'avons déjà vu, mais aussi une année d'illusions perpétuées. En effet, la fin de la guerre obligea les autorités est-allemandes à faire le bilan de leurs actions et à élaborer une politique envers le nouvel État. La nouveauté de la situation politique pour la RDA était de se trouver en concurrence désormais avec des États qui n'avaient jusqu'ici pas ouvertement soutenu le GPRA, pour des raisons idéologiques ou de prudence politique ; il fallait attendre l'issue de la guerre avant d'agir. La RDA pouvait certes espérer une certaine gratitude des Algériens pour son soutien pendant la guerre, mais il fallait compter également avec les énormes besoins économiques et sociaux de la nouvelle république.

En prenant en compte la situation des nouveaux dirigeants algériens après l'indépendance, au niveau de la politique internationale, les autorités est-allemandes se trouvaient paradoxalement dans une position peu confortable. La RDA avait, dans un certain sens, pu profiter, pendant la guerre, de la doctrine *Hallstein* ouest-allemande. Elle lui avait permis de se trouver à l'écart – totalement ou partiellement[1] – d'éventuelles sanctions de la France qui ne pouvait avoir des relations diplomatiques avec la RDA à cause de cette doctrine. En revanche, la RFA, alliée directe de la France au sein de l'OTAN, n'avait pu agir trop favorablement envers le GPRA, à cause de cette alliance.

Pendant la guerre, la RFA n'avait pu appliquer la doctrine *Hallstein* pour la simple raison que le gouvernement algérien n'était qu'un gouvernement provisoire. Désormais – les représentants de la RDA l'avaient compris depuis le début des relations avec le GPRA – la RFA pouvait menacer le jeune État algérien de ne pas établir des relations diplomatiques si jamais il en établissait avec sa rivale est-allemande.

1. Les quelques évocations d'éventuelles sanctions économiques de la part de la France au cas où l'on aurait reconnu le GPRA, paraissaient plutôt comme des arguments en destination de futurs interlocuteurs algériens que comme des craintes de difficultés réelles.

L'un des espoirs de la RDA était donc logiquement qu'en Algérie un régime « progressiste » s'installerait, qui, pour des raisons idéologiques, pouvait passer outre une telle menace.

Je traiterai dans ce dernier chapitre d'un petit nombre de documents, – qui illustrent une différence non pas entre idéologie et « realpolitik » , mais plutôt entre diverses propositions en vue d'une politique future en Algérie. Selon les uns, une bonne analyse de la situation – révolutionnaire et favorable à l'installation d'un régime progressiste, malgré des difficultés et la situation peu enviable du PCA – invitait simplement la RDA à poursuivre sa politique de « solidarité internationale » qu'elle avait menée pendant la lutte du peuple algérien.

Une autre partie des représentants de l'État communiste allemand, tout en partant de la même analyse des événements en Algérie, en venait à des propositions plus modestes, à partir d'une vision plus réaliste de la position de la RDA dans le jeu international après la guerre en Afrique du Nord.

Je traiterai également de plusieurs événements concrets, importants pour la RDA, trois visites de délégations officielles qui séjournèrent à Alger en automne 1962, la délégation de Horst Brasch, à la fin août et au début septembre, celle de plusieurs représentants le 1er novembre lors de la fête de l'indépendance, et celle du Dr. Heinz Meinicke-Kleint, autour de la même date, mais plus longue.

L'analyse au début de l'année : « perspectives » pour le PCA et pour de futures relations avec l'Algérie

Dès le début de l'année 1962, la RDA appelait l'Algérie non encore indépendante « République d'Algérie ». Le titre d'une longue note émanant du Département Politique étrangère et Relations internationales du SED, qui dessine les perspectives dans les relations de la RDA avec l'État futur, évoque la « Republik Algerien ».[1]

Ce document est intéressant non seulement pour étudier les perspectives que les autorités de la RDA voyaient dans l'évolution de l'Algérie, mais aussi pour présenter l'analyse qu'elles firent elles-mêmes sur l'état des organismes algériens à cette époque.

Tout d'abord, il était évident pour l'auteur du document que l'indépendance de l'Algérie devait se concrétiser dans le courant de l'année 1962 :

> La lutte algérienne pour la libération nationale approche de sa fin victorieuse. On peut compter sur une proclamation de l'indépendance et de la souveraineté de la République d'Algérie courant 1962.[2]

Les raisons de cette certitude étaient multiples, selon l'analyse du représentant du SED. D'abord la guerre ne pouvait être gagnée militairement ni par l'un ni par l'autre des adversaires – ce que l'on savait depuis plusieurs années. Ensuite le peuple algérien lui-même voulait la fin de la guerre rapidement :

---

1. SAPMO DY 30/ IV 2/20/ 354, feuille 193 à 205 (p. 1 à 13).
   « Perspektivplan für die Entwicklung der Beziehungen zwischen der DDR und der Republik Algerien im Jahre 1962 » (8 février 1962).
2. *Ibid.*, feuille 202, p. 10.

> Le peuple algérien est convaincu de sa victoire. Mais il désire ardemment la fin de la guerre coloniale. [...] La conscience politique du peuple algérien est devenue plus solide et il demande l'indépendance, la liberté et le progrès social.[1]

Puisque l'écrasante majorité de la population algérienne soutenait les forces indépendantistes de libération, de Gaulle ne pouvait installer des « collaborateurs » algériens d'une « troisième force » pour maintenir le régime colonialiste.[2]

Concernant la France, l'hypothèse était que de Gaulle reviendrait aux négociations en raison de l'opposition croissante du pays à la guerre – sous l'égide du PCF – et des réticences internationales, auxquelles s'ajoutaient les exigences « capitalisme financier français parallèles à celles d'autres monopoles internationaux - en particulier les sociétés pétrolières internationales de pacification de la situation en Algérie ».[3]

Un mouvement national-colonialiste comme l'OAS ne servait au gouvernement de Paris qu'à intimider les Algériens et les Français qui s'opposaient à la politique néo-colonialiste du régime.[4]

L'analyse de l'auteur du rapport concernant le FLN et l'ALN suivait *grosso modo* celle du PCA lors de sa visite en automne 1957, elle n'avait pas beaucoup changé : le FLN était sous la conduite de forces petites-bourgeoises, cependant les forces les plus actives de l'ALN étaient originaires de la classe ouvrière, de la paysannerie et de la jeunesse. On estimait qu'actuellement, même la bourgeoisie nationale, la noblesse féodale et des dignitaires religieux soutenaient le FLN.[5]

Suit une caractérisation assez lucide des organisations non-militaires algériennes, toutes encadrées et contrôlées par le FLN. Parmi elles, l'UGTA ne représenterait, selon ce rapport, qu'une structure chargée de l'organisation des relations extérieures du GPRA, puisqu'elle n'avait pas de base dans les masses populaires et n'organisait pas le travail illégal dans les entreprises. Il est intéressant de noter que l'un des destinataires de la note, a ajouté en marge la remarque que ce travail illégal « est organisé par le PCA ».[6]

Pour l'auteur de la note, le PCA était également la force la plus active dans la mobilisation des masses populaires pour la lutte nationale de libération, comme dans la concentration de toutes les forces patriotiques de l'Algérie. Il soutenait les revendications nationales du GPRA et du FLN et se considérait comme partie intégrante de ce dernier. Or – regretta l'auteur –, les autorités algériennes avaient une autre analyse de la situation. Elles ne voyaient apparemment pas du tout le PCA comme une « partie intégrante » de leur mouvement et ignoraient « jusqu'à maintenant » ses propositions ; ainsi il ne pouvait participer « officiellement » ni au gouvernement ni aux organismes sociaux.[7]

La lueur optimiste qui perçait à travers les termes « jusqu'à maintenant » et « officiellement » – ce qui laissait entendre que le PCA participait de façon officieuse

---

1. *Ibid.*, feuille 195, p. 3.
2. *Ibid.*, feuille 193, p. 1.
3. *Ibid.*, feuille 197, p. 5.
4. *Ibid.*, feuille 198, p. 6.
5. *Ibid.*
6. *Ibid.*, feuille 194, p. 2.
7. *Ibid.*

mais réelle aux décisions politiques des instances algériennes - était démentie par la suite même du rapport. En effet, son auteur avait mis un certain espoir dans le nouveau groupe de jeunes autour de Ben Youssef Ben Khedda, considéré comme progressiste, parce qu'il avait éloigné les « forces nationales-réformistes » de Ferhat Abbas et Abdelhamid Mehri.[1] Or, ces forces de la bourgeoisie conservaient de l'influence et « lorgnent vers les faveurs [...] de l'Allemagne de l'Ouest ».[2] Et le nouveau gouvernement n'avait toujours pas intégré le PCA :

> Ce gouvernement n'a pas non plus fait appel aux forces les plus progressistes sous la direction du PCA pour coopérer directement et élargir le front national de lutte. Il ne s'est pas opposé de façon décisive à l'existence de tendances anti-communistes.[3]

Malgré cette attitude regrettable, la situation devait être globalement considérée comme un succès des forces progressistes et il fallait s'en réjouir, d'autant que le rôle futur du PCA dans la construction d'une « démocratie nationale » était assurément prépondérant, selon l'auteur, à cause de son ancrage dans la classe ouvrière et de « son alliance étroite avec la paysannerie et la petite bourgeoisie révolutionnaire ».[4]

L'analyste du SED s'efforçait ainsi de conjurer une évolution en contradiction flagrante avec les expériences de la RDA et même avec sa propre analyse. En effet, il avait vu dans la classe ouvrière et la paysannerie les « combattants les plus conséquents » de l'ALN[5], qui représentaient par ailleurs la plus grosse part de ses soldats, l'ALN étant toujours considérée comme bien plus « progressiste » que le GPRA. Comment pouvait-on alors expliquer l'attitude du colonel Bakhti qui avait refusé catégoriquement, en janvier 1962, de rencontrer qui que ce soit ayant un lien quelconque avec le PCA? Celui-ci se trouvait, selon l'analyse même, en « alliance étroite » avec le gros des troupes de l'ALN qui était destinée « à cause de sa composition sociale [sous-entendu justement les couches qui étaient alliées au PCA, FT] à jouer un rôle important dans l'évolution future ».[6] Quant à l'« importante » classe ouvrière, il eût fallu expliquer pourquoi l'Algérie n'avait pas besoin de cadres formés en RDA, selon un expert de la situation, le délégué permanent auprès du FDGB, Ahmed Kroun, qui avait refusé l'envoi d'étudiants syndicalistes algériens pour la simple raison que la classe ouvrière d'Algérie n'en avait pas réellement besoin sur place.[7] Ces contradictions n'étaient pas évoquées par l'auteur de l'analyse.

En revanche, malgré les problèmes avec les couches nationalistes et petites-bourgeoises du régime algérien, le représentant du SED fit des projections optimistes concernant les rapports inter-étatiques entre son pays et l'Algérie indépendante.

Certes, à l'occasion des pourparlers de Ben Khedda avec les ambassadeurs de la CSSR et de l'URSS au Caire, en décembre 1961, au cours desquels on parla de

1. *Ibid.*, le terme « forces nationales-reformistes » a été corrigé par le même lecteur-correcteur qu'en note 9 par « forces sympathisant avant tout avec les États Unis ».
2. *Ibid.*, feuille 200, p. 8.
3. *Ibid.*, feuille, 195, p. 3.
4. *Ibid.*, feuille 195/96, p. 3/4, cf. chapitre « SED, PCF et PCA... », note 1, p. 100.
5. *Ibid.*, feuille, 193, p. 1.
6. *Ibid.*, feuille, 196, p. 4.
7. Cf. chapitre « C'est avec les amis... », note 1, p. 151.

reconnaissance diplomatique entre les partenaires, la RDA n'était pas présente, elle avait été informée par l'ambassadeur de Tchécoslovaquie. Et si Ben Khedda sollicitait presque ouvertement la reconnaissance de la part de la RDA, il ne l'évoqua pas pour autant.

Cette attitude du Président du gouvernement algérien qui, au Caire, négociait la reconnaissance réciproque avec l'URSS – ce qui était logique – et avec la Tchécoslovaquie, qui n'avait pas participé autant que la RDA au soutien matériel – mis à part les armes[1], – illustrait une fois de plus l'efficacité de la doctrine *Hallstein*, en ce début des années 60. Ben Khedda ignorait Wolfgang Kiesewetter, le plénipotentiaire de la RDA auprès de la RAU, présent et actif au Caire aussi bien que les ambassadeurs russe et tchécoslovaque, et que le secrétaire du MAE algérien, Mohammed Harbi, avait rencontré à plusieurs reprises.[2] Que Kiesewetter fût informé sur les négociations par son collègue tchécoslovaque et non pas par une instance algérienne, devait indiquer aux autorités du MfAA et à tous les autres responsables de relations internationales dans l'appareil de la RDA que la RFA occupait un espace considérable chez les responsables algériens, même « progressistes ». Il était clair que l'on ne pouvait pas négliger la menace de la RFA de ne pas établir des relations diplomatiques au cas où le partenaire en aurait établi avec la RDA.

Vues sous cet angle, les « excuses » que l'on présentai à la RDA pour ne pas prendre position sur les problèmes interallemands, pouvaient apparaître effectivement comme des prétextes :

> Comme explication de cette attitude, on présente des excuses selon lesquelles devrait être prise en compte leur « situation particulière » pendant la lutte pour la libération. En vérité y jouent un rôle les tendances anticommunistes d'une partie de la bourgeoisie nationaliste et le fait qu'ils lorgnent vers les faveurs [...] de l'Allemagne de l'Ouest.[3]

Cette interprétation de l'explication n'était pas fausse, car derrière l'attitude algérienne se trouvait évidemment un calcul économique et commercial. En revanche, si la doctrine *Hallstein* n'avait pas existé, rien n'aurait empêché les responsables du GPRA d'établir des relations diplomatiques avec les deux Allemagnes. Dès lors, le choix devant lequel ils se trouvaient ne pouvait pas être expliqué uniquement par l'anticommunisme de la bourgeoisie algérienne et ses intérêts économiques, mais il s'imposait à eux en raison du moyen de pression supplémentaire représenté par la dite doctrine.[4] Ceci ne pouvait apparemment être dit, même dans un document interne.

---

1. La plupart des armes fournies par le bloc soviétique à l'ALN venait de Tchécoslovaquie. Elles étaient transportées par des bâteaux ouest-allemands ou yougoslaves.
2. Entre autres début novembre 1961 (voir p. 199, note 2). C'est certainement à ces contacts que fait allusion le document, dans une sorte d'historique : « Il existe des contacts amicaux avec le GPRA, entretenus au niveau étatique à travers le plénipotentiaire du gouvernement de la RDA en RAU avec le MAE du GPRA. » (SAPMO DY 30/ IV 2/20/ 354, feuille 200, p. 8).
3. *Ibid.*
4. Nous verrons (*infra*) que l'un des commentateurs les plus lucides à la fin de l'année évoque expressément que la RDA n'avait pas les capacités économiques pour contrer une quelconque politique de la RFA (SAPMO DY 30/ IV 2/20/ 354, feuille 304, p. 26 du rapport « Bericht über die Reise zur Messe Tunis und nach Algerien vom 20.10. bis 21.11.1962 vom 23.11.1962, von Dr. Heinz Meinicke-Kleint, Mitglied des Präsidiums der Deutsch-Arabischen Gesellschaft »).

En revanche, les hommages que rendaient le GPRA et le Conseil national du FLN aux États socialistes pour leur soutien moral et matériel allaient entre autres aussi à la RDA.[1] Et on avait même constaté que depuis peu les autorités algériennes refusaient de s'aligner sur la « propagande impérialiste » contre la construction du « rempart de protection anti-impérialiste » :

> L'organe officiel du FLN du 17 novembre 1961 s'est prononcé pour la première fois [...] contre la campagne impérialiste de propagande mensongère contre les mesures protectrices de la RDA du 13 août 1961.[2]

L'auteur des « perspectives » avait alors bon espoir qu'un « élargissement des relations » pouvait se réaliser après l'indépendance de l'Algérie. Il proposa des mesures dans trois secteurs différents, politique, économique et culturel, mesures de solidarité incluses.

Ce dernier volet contenait des propositions diverses allant de l'organisation de matchs de football, en passant par celle d'une tournée de « l'ensemble culturel national algérien » jusqu'à une coopération au niveau de la presse et d'autres média, sans oublier les actions de solidarité, de formation professionnelle et universitaire d'Algériens ainsi que d'aide médicale.[3] Le soutien à la mise sur pied d'une industrie cinématographique algérienne paraît particulièrement intéressant, car ici la revendication d'une coopération devant aller plus loin qu'un simple acte de solidarité, se dégage du texte :

> Cette proposition servirait de base aux négociations en vue de la conclusion, au niveau étatique, d'accords sur ce genre de questions.[4]

La RDA ne devait pas perdre de vue le niveau étatique, la perspective de l'établissement de relations diplomatiques entre les deux gouvernements.

---

1. SAPMO DY 30/ IV 2/20/ 354, feuille 200, p. 8.
2. *Ibid.*, feuille 201, p. 9. Ce qui est étrange c'est qu'une telle note est introuvable du côté algérien. En effet, le seul organe officiel du FLN à cette époque était le bi-mensuel (à partir du début 1959) *El Moudjahid.* Or, la date donnée par l'auteur du rapport ne correspond à aucune date du périodique du FLN. Dans les numéros autour da la date indiqué, d'octobre 1961 à janvier 1962, rien ne correspond à l'affirmation du représentant de la RDA. La seule fois où la RDA est mentionnée dans un numéro du *El Moudjahid* c'est dans une sorte de revue de presse; il s'agit ici d'un article sur les légionnaires :
   En Autriche et en Allemagne
   La Légion Étrangère dénoncée
   Le peuple algérien a enregistré avec satisfaction la condamnation non équivoque prononcée par les gouvernements de Suisse, de Belgique, d'Autriche, de Yougoslavie, de Hongrie et d'Allemagne Orientale contre l'utilisation de légionnaires étrangers dans la guerre d'Algérie. Le peuple algérien est aussi conscient du mutisme regrettable des deux gouvernements italien et ouest-allemand. L'attitude de ce dernier est la plus lourde de conséquences, étant donné que soixante-dix pour cent des légionnaires sont originaires d'Allemagne Fédérale. [...] (Extrait du « Rote Tafel », revue viennoise, Juillet 1961). *El Moudjahid*, Réédition imprimée en Yougoslavie 1962, n° 71, p. 629/30.
3. *Ibid.*, feuille 204/05, p. 12/13. Une telle proposition n'était pas neuve. Déjà en avril 1961, Edmund Röhner du Département des Relations internationales du SED avait envisagé, dans un rapport sur les entretiens avec une délégation du PCA (SAPMO, DY 30/IV 2/20/ 353, feuille 110/111) des échanges culturels et sportifs avec l'Algérie : « Le Comité pour la solidarité [...] examinera les modalités pour inviter, en passant par le FLN, un groupe de théâtre algérien, des écrivains algériens ou l'équipe algérienne de football. »
4. *Ibid.*, feuille 205, p. 13.

Les propositions économiques étaient fondées sur des intérêts encore plus concrets de la RDA. Les perspectives étaient réellement avantageuses. On devait, pour l'après-guerre, préparer dès maintenant des accords de commerce – qui par ailleurs devaient être concrétisés également avec les représentations commerciales au Caire, à Tunis et à Casablanca – car l'Algérie offrait une terre d'intervention économique très intéressante :

> Les grandes potentialités économiques de l'Algérie – en particulier les richesses de son sol et ses produits agricoles - offrent d'un côté des produits d'importation intéressants pour la RDA permettant d'éviter des pénuries, et de l'autre de grandes possibilités pour l'exportation de produits de transformation industrielle en vue de la construction de l'économie algérienne après l'obtention de l'indépendance.[1]

Une Algérie indépendante, si possible alliée du monde socialiste, était donc considérée comme un partenaire économique particulièrement intéressant, surtout parce qu'elle pouvait fournir à la RDA des produits agricoles. Elle était censée pouvoir subvenir au désir de consommation de la population est-allemande qui manquait cruellement de temps à autre de produits comme des fruits dits « exotiques », bien plus accessibles en RFA, fournis par l'Italie et l'Espagne.

Quant aux débouchés pour des produits finis industriels, ils avaient déjà été testés lors des envois de solidarité, qu'il s'agisse de matériel médical ou d'équipement civil et militaire.[2]

Tout semblait se présenter pour le mieux. Or, l'auteur ne croyait apparemment pas entièrement en son propre optimisme qui paraissait parfois artificiel, voire de commande. J'en veux pour preuve un passage des « perspectives » qui décrit le passé des relations entre les autorités est-allemandes et algériennes en 1961 :

> Pendant la première moitié de l'année 1961, la consolidation des relations réciproques aussi bien au niveau étatique qu'au niveau des organismes sociaux fut entravée par l'influence négative de forces dirigeantes anticommunistes et nationalistes. *La mise à l'écart de ces forces du gouvernement et partiellement des organismes sociaux eut comme résultat de meilleures conditions pour une coopération politique. Ceci s'exprime dans* une amélioration des contacts réciproques et dans des déclarations positives concernant la politique pacifique de la RDA de la part de représentants du MAE du GPRA, des organismes sociaux et de la presse algérienne.[3]

Le destinataire/correcteur du rapport, qui avait déjà insisté sur le rôle du PCA, avait rayé une partie du texte [mise en italiques par mes soins, FT], et avait constaté simplement qu'« une amélioration des contacts réciproques a eu lieu ». Les hésitations que l'auteur initial avait fait apparaître en utilisant les termes « partiellement », pour l'écartement des forces hostiles et « meilleures conditions » – ce qui suppose qu'elles n'étaient justement pas les meilleures –, s'étaient transformées en un pur et simple constatat d'amélioration ; la logique pouvait donc mener à une évolution positive automatique ayant pour conséquence de bonnes relations tout court. Au début de

1. *Ibid.*, feuille 203, p. 11.
2. On avait certainement appris depuis le passage du Dr. Belaouane qu'il n'y avait pas, en Algérie, de débouchés pour des produits invendables (cf. l'affaire des « rossignols », chapitre « Un bureau du FLN… »).
3. *Ibid.*, feuille 201, p. 9.

l'année 1962 qui devait amener l'indépendance d'un État que l'on avait soutenu idéologiquement et matériellement dans sa lutte, des doutes sur ses bonnes relations avec la RDA n'étaient pas convenables.

PCA et ALN : les espoirs « officiels »

L'espoir d'une évolution du PCA dans une situation révolutionnaire en Algérie était donc relativement intact en ce début de l'année 1962. Cet optimisme était par ailleurs corroboré par la direction extérieure du parti lui-même. Selon Bouhali, cité par l'auteur des « perspectives », la direction du FLN avait changé d'attitude envers le PCA, elle n'était plus aussi anticommuniste que jadis, surtout parce qu'« en raison du combat dévoué des communistes algériens s'est formé un solide front unique dans les rangs de l'armée algérienne, dans les syndicats et dans les villages. »[1] On pouvait donc raisonnablement espérer que l'influence d'un tel front accélèrerait l'établissement de relations diplomatiques entre l'Algérie et la RDA.

Or, cinq mois plus tard, en juillet 1962, peu après l'indépendance de l'Algérie, Larbi Bouhali avertit l'un de ses interlocuteurs préférés, Hermann Axen, des difficultés de son parti, en particulier à propos des élections. Certes, selon Bouhali, un front anti-PCA actif n'avait pas pu l'emporter au sein du CNRA, car les partisans de relations étroites entre l'Algérie et les pays socialistes, Ferhat Abbas et Ben Bella[2], formaient encore une fraction forte contre l'homme de la France, Ben Khedda.[3] Toutefois le danger que le parti se vît isolé demeurait important et devait guider la tactique lors de la constitution des listes de candidats aux élections. Le PCA avait envoyé au FLN des propositions de listes uniques, mais n'avait pas obtenu de réponse :

> On doit s'attendre à une victoire écrasante du FLN. Dans certaines circonscriptions, la possibilité existe que des représentants du parti soient élus. Pourtant le parti a la conviction que cela n'a pas de sens, s'il y a peu de chances de succès et si l'on doit craindre l'isolement du parti. On doit prendre en considération que ce seront des élections selon les méthodes du FLN. En plus, il serait erroné de mettre en danger actuellement l'unité du peuple par des disputes. Le parti a soutenu le FLN dans le passé et renoncera donc probablement à présenter des candidats à l'heure actuelle [...].[4]

Le PCA comme incarnation de l'espoir pour une évolution positive dans le sens de la RDA avait donc légèrement perdu de son importance. Certes, une fraction du futur

---

1. *Ibid.* L'analyse du front unique pouvait par ailleurs avoir des conséquences inverses, selon le même Bouhali, qui, le 27 avril, envoya une lettre de remerciement au SED, où il stipule que les dangers ne sont pas terminés, que la solidarité doit continuer, que le PCA se trouve dans le collimateur du FLN : « Le rôle que notre parti a joué pendant la guerre et la ligne politique qui est la bonne [...] lui apportent une autorité croissante parmi les masses populaires. Or, dans la mesure que son influence croît, elle provoque une agitation parmi les chefs du FLN, dont certains prônent la transformation du FLN en un "parti unique" en excluant tout autre parti politique en Algérie. » (*ibid.*, feuille 159/60).
2. Le *ND* (7 avril 1962, n° 97, p. 5) avait dès le mois d'avril cité Ben Bella qui avait remercié l'URSS et les États « socialistes » pour leur soutien : « Ben Bella : Le camp socialiste facilite notre révolution ».
3. On remarquera par ailleurs que l'analyse des amis et des ennemis avait changé depuis février, car l'auteur des « perspectives » avait encore misé sur le groupe autour de Ben Khedda, contre les nationaux-bourgeois autour de Ferhat Abbas, cf. note 1, p. 232.
4. SAPMO DY 30/ IV 2/20/ 353, feuille 161 à 164, p. 1 à 4, « Aktennotiz über eine Aussprache zwischen Genossen Hermann Axen und Genossen Larbi Bouhali, Generalsekretär der KP Algeriens, am 2.7.1962 », p. 4.

gouvernement semblait toujours favorable au camp socialiste, mais le FLN en tant que structure transformée en parti dans un avenir proche, ne pouvait pas être considéré comme procommuniste vu son attitude envers le PCA.

Mais la RDA avait encore un autre espoir d'attitude pro-allemande d'une structure algérienne importante, l'ALN.

Déjà lors de toutes les péripéties dont Si Mustapha avait été le protagoniste, l'armée algérienne était apparue, au sein du groupe dirigeant algérien, comme l'un des piliers les plus sûrs d'une politique favorable aux pays « socialistes » – entre autres en raison de sa composition sociale, paysanne et petite-bourgeoise.

Au mois de mai, Ralf Bergemann du *ND* qui se prévalait d'être « le premier journaliste étranger dans les territoires libérés », envoya à son journal un article, intitulé « L'avenir de l'Algérie a déjà commencé ».[1] Il y décrivait la situation désolante dans les terres de l'Est, près de la Tunisie, mais il était tout de même d'un certain optimisme :

> Mais dans ce territoire désormais libre de l'Algérie, l'avenir a déjà commencé. Sa force dynamique est [...] l'ALN, qui non seulement assure des fonctions administratives, mais qui forme avec le peuple une unité forte comme on ne la trouve guère hors du camp socialiste. Dans tous les abris des officiers et des soldats, on trouve la devise : « L'indépendance n'est qu'une étape, notre but est la révolution. » [...] « En sept ans de combats, nous avons appris à faire la différence entre amis et ennemis. » On entend souvent cette remarque, et elle s'accompagne de remerciements envers la RDA et tous les pays socialistes pour leur soutien moral et matériel dans la lutte de libération algérienne.[2]

En fait, les autorités de la RDA construisaient une sorte de parallèle entre deux espoirs distincts, mais qui se complétaient dans la perspective d'une politique d'étroite coopération avec le futur État algérien. Puisque la vision du FLN devenait de plus en plus réaliste – ce qui en est dit dans les « perspectives » en est un exemple – les espoirs se projetaient sur des structures qui semblaient mieux représenter, selon la doctrine léniniste, les masses populaires. Ces structures, le PCA et une armée « populaire », avaient entre autres l'avantage de ressembler à des structures bien connues, et elles pouvaient presque être automatiquement considérées comme « révolutionnaires ». On observe cette mise en parallèle jusqu'à l'interdiction du PCA à la fin de l'année 1962.

Or, pendant la campagne pour le référendum du premier juillet sur l'indépendance, c'était évidemment encore le PCA qui était censé porter les couleurs du socialisme pour le futur État. Pour le *ND*, il apparaissait comme la seule vraie alternative par rapport au FLN :

> L'Algérie devient indépendante
> Sept partis étaient autorisés à participer à la campagne du référendum. Les plus importants sont le Parti Communiste Algérien et le Front de Libération Nationale.[3]

Mais le PCA était surtout le seul parti proposant un programme concret, qui devait être, espérait-on, celui de l'unité nationale nécessaire au redressement du pays. Dans un commentaire non signé – les commentaires du *ND* s'occupaient rarement de faits internationaux, mais prioritairement de problèmes interallemands et ouest-allemands – l'auteur présentait ce programme, sous le titre « Nouvelle étape » :

---

1. *ND*, 24 mai 1962, n° 142, p. 7.
2. *Ibid.*
3. *ND*, 1er juillet 1962, n° 178, p. 7.

> Donc actuellement rien n'est plus important pour le peuple algérien que son unité. Le Parti Communiste Algérien, qui est la seule force dans le pays à avoir un programme concret pour l'avenir, revendique donc en premier lieu : Unité du peuple – indépendance complète – terres et pain – travail et éducation – paix et démocratie, pour ainsi ouvrir le chemin vers le socialisme.[1]

Or, dans la réalité, en cet été 1962, les affaires algériennes ne poussaient pas à l'optimisme. Peu après le référendum, les premières luttes pour le pouvoir à l'intérieur du régime algérien faisaient rage - en raison de la destitution de certains officiers de l'ALN, progressistes évidemment, selon plusieurs articles du *ND* à partir du 20 juillet. Cette interprétation est corroborée par certains commentaires de l'époque. Ainsi, on aurait contesté la destitution de l'État Major Général en évoquant le rôle révolutionnaire de l'ALN, comme l'écrivit *Le Monde* : « L'ALN représente la révolution intégrale, les centralistes du GPRA un réformisme suranné. »[2]

De cette phrase ressort toute l'ambiguïté de la lutte pour le pouvoir de deux clans – sinon davantage. La révolution « intégrale » était opposée à un courant historique du mouvement indépendantiste algérien, les « centralistes ».[3] Vu sa composition sociale, des notables bourgeois nationalistes, ce courant ne pouvait pas, avec ses tendances « monopartistes », garantir un avenir « révolutionnaire ». La ligne que défendait le PCA était logiquement de refuser un système de parti unique – qui ne pouvait être que le FLN. En RDA – qui soutenait toujours idéologiquement le PCA, on devait donc également défendre un multipartisme, pour éviter l'installation du FLN comme parti unique.

Pendant la crise, le PCA appela au calme et à l'union, selon le *ND*. Le 28 juillet – le 29 devait voir l'occupation d'Alger par les troupes de l'une des wilâyas concurrentes – le journal publia l'appel que le PCA avait lancé pour arriver à la fin des dissensions :

> Le Parti Communiste Algérien à lancé un appel à surmonter la scission des forces nationales [...]. Le PC invite dans cet appel [...] tous les patriotes à former partout en Algérie des comités populaires d'unité, de réconciliation nationale et de paix.[4]

Cette publication est significative, car à ce moment la propagande de la RDA mettait en exergue une fois de plus le PCA, seule force « lisible » pour les lecteurs du *ND*, mais qui avait certainement le moins de pouvoir réel. Le *ND* devait surtout rendre hommage à l'influence du programme du PCA, qui aurait inspiré celui du FLN.[5] On évoqua également la solidarité du parti avec les tentatives du FLN visant à établir un ordre social socialiste et une coopération entre les deux partis qui pouvait même éventuellement faire mûrir les conditions de création d'un parti unique « sur la base de l'idéologie de la classe ouvrière », donc dans un sens non-« centraliste ».[6]

---

1. *ND*, 3 juillet 1962, n° 180, p. 1. Le 5 juillet, n° 182, p. 5, ce programme est présenté de façon légèrement plus précise, au niveau de la politique internationale ; l'article du *ND* évoque une « politique active de paix [...] sur la base des principes de Bandoung, la non-adhésion à tout bloc militaire impérialiste, la non-utilisation du Sahara pour des essais nucléaires [...] des relations de bonne coopération et amicales avec tous les pays [...] et surtout les pays du camp socialiste. »
2. Cité par MEYNIER, Gilbert : *Histoire intérieure du FLN 1954-1962*. Paris, Fayard 2002, p. 660, qui cite *Le Monde* du 7 juillet 1962.
3. Cf. *ibid.*, p. 12, note 9.
4. *ND*, 28 juillet 1962, n° 205, p. 5.
5. *ND*, 1er août 1962, n° 209, p. 7.
6. *ND*, 2 août 1962, n° 210, p. 5.

Selon le *ND*, le PCA lui-même voyait poindre, après la fin de la crise, un avenir glorieux pour le peuple souffrant des suites de la guerre. L'organe du SED voyait Alger fêter à la fois la fin de la crise et l'avenir glorieux prôné par le PCA :

> Fête d'unité à Alger / Contribution active du PCA au dépassement de la discorde
> [...] Dans la déclaration du PCA, qui salue la fin de la discorde, on lit : « [...] Quand le sectarisme et l'anticommunisme auront disparu des rangs du mouvement national, notre peuple aura toutes les chances de faire de l'Algérie l'État le plus progressiste et moderne de l'Afrique. »[1]

Cet avenir était d'autant plus probable que la crise n'avait en fait pratiquement pas existé, elle avait été une bulle artificielle créée par l'occident jaloux de l'indépendance de l'Algérie :

> À l'hôtel « Aletti », les journalistes occidentaux font leurs valises. On part, car on ne peut, avec la meilleure volonté du monde, maintenir l'atmosphère artificiellement créée. Beaucoup de bobines de pellicule, beaucoup de magnétophones et d'épais cahiers – destinés à couvrir la guerre fratricide algérienne tant désirée – sont restés vides.[2]

L'analyse marxiste-léniniste d'Edmund Röhner du SED

Or, dans les cercles dirigeants du SED, on était plus prudent. Edmund Röhner du Département de la politique étrangère du parti voyait, dans une analyse de la situation en Algérie, des problèmes politico-sociaux sérieux au sein de la direction algérienne, qui pouvaient mettre en cause l'avenir radieux du nouvel État. Il pensait également que le PCA devait faire beaucoup d'efforts avant de réussir un ancrage profond dans la population.[3]

L'analyse de Röhner avait comme base idéologique le marxisme-léninisme doctrinaire des fonctionnaires du parti, ce qui ne la rend pas moins intéressante, surtout pour sa vision désenchantée du FLN. Röhner refusa d'interpréter la crise des mois de juillet et août en Algérie comme une simple lutte de personnes ou de clans tribaux pour le pouvoir. Une telle vision lui semblait « intéressée » au sens occidental du terme :

> Sans doute des questions de personnes jouent-elles un rôle, comme dans tous les mouvements qui sont dirigés par des éléments petit-bourgeois. Il semble être évident également que les impérialistes essaient de toutes les manières d'avoir de l'influence sur les dirigeants du FLN. Mais en Algérie, les personnes jouent un rôle bien moins important que dans tous les mouvements nationaux dirigés par des petit-bourgeois en Afrique et en Asie. La controverse Arabes – Berbères également, qui jouerait un rôle entre Ben Bella et Belkacem Krim, n'a pas une grande importance.[4]

Röhner voyait dans les événements algériens la confirmation de la doctrine marxiste-léniniste : après « l'obtention de l'indépendance nationale, les questions de classe redeviennent d'actualité, conformément aux lois de l'histoire ».[5] Le FLN ne pouvait pas échapper à cette loi, bien au contraire, on aurait pu voir clairement depuis le début de la lutte pour l'indépendance qu'il se scinderait en fractions fratricides dès la victoire, en raison de sa composition :

---

1. *ND*, 5 août 1962, n° 213, p. 7.
2. *ND*, 7 août 1962, n° 215, p. 5.
3. SAPMO DY 30/ IV 2/20/ 353., feuille 43 à 47, 8 août 1962 : « Zur gegenwärtigen Lage in Algerien ».
4. *Ibid.*, feuille 43, p. 1.
5. *Ibid.*, feuille 44, p. 2.

> On savait depuis longtemps qu'il y avait, au sein du FLN, des divergences d'opinion, et que le FLN, dans sa forme actuelle, se disloquerait plus ou moins rapidement. Le FLN était un creuset de tous les groupes bourgeois et petit-bourgeois de l'Algérie qui se sont joints successivement à la lutte armée de libération après son début en 1954. Puisque le PC algérien refusa la dissolution du parti que l'on lui demandait, il n'a pas été intégré au FLN.[1]

On peut voir ici une justification *a posteriori* de l'attitude des idéologues du SED dans leur fidèle soutien au PCA, par exemple lors de l'affaire Kroun. En effet, si selon les lois de l'histoire, le FLN – et avec lui ses organismes – ne pouvait que se disloquer après la victoire, l'un des éléments les plus fiables de l'avenir devait être le PCA, malgré sa faiblesse numérique.

Suit dans l'analyse de Röhner la démonstration que toutes les classes de la population algérienne étaient représentées au FLN, mais que les combats avaient été supportés principalement par la petite paysannerie, ce qui avait fait de cette lutte de libération une véritable guerre du peuple. Ceci avait une conséquence directe pour la révolution algérienne – une réalité proprement révolutionnaire étant supposée :

> La révolution algérienne était et est avant tout une révolution paysanne. Dans aucun autre mouvement de libération en Afrique ou en Asie la paysannerie la plus pauvre n'a été autant politisée et intégrée, l'arme à la main, à la lutte de libération. L'évolution de la conscience politique est pourtant très contradictoire.[2]

Or si l'on pouvait croire que l'évolution de cette armée de petits paysans vers un processus révolutionnaire pouvait et devait radicaliser la conscience de classe et donc mener à un rapprochement avec le PCA, la réalité était très différente. L'ALN, du moins dans sa majorité, avait peut-être quelques tendances anticapitalistes, mais elle était surtout anticommuniste :

> Le PC algérien ne pouvait presque pas travailler au niveau politique justement parmi la paysannerie et parmi les paysans dans l'armée (90 % !). Certes l'influence politique des officiers de l'ALN [...] consistait en un certain nombre d'idées marxistes (voie de développement non capitaliste, par exemple) et elle était poussée par l'évolution objective dans cette direction (analyse sociale, système mondial), mais elle allait de pair avec l'anticommunisme et une propagande contre le PC algérien.[3]

Röhner suggéra que ce rôle minoré du PCA n'était pas le problème stratégique principal. La suite de l'analyse est un appel camouflé à miser sur l'aile progressiste de l'ALN, dont le successeur politique fut Ben Bella :

> [...] la base décisive des conflits actuels des dirigeants du FLN est l'incompatibilité entre les intérêts de la paysannerie pauvre et les intérêts de la bourgeoisie. [...] Ben Bella qui défend objectivement les intérêts [des représentants de l'ALN au CNRA, FT], revendiqua l'adoption d'un programme concret du FLN avec une réforme agraire conséquente. En plus, l'ALN dans sa forme actuelle devait être maintenue. Le groupe [de Ben Khedda, FT] décida par contre la destitution de l'État Major Général de l'ALN, pour enlever à l'ALN la direction militaire et politique. [...] Ben Khedda affirme que l'armée s'est séparée du peuple [...]. Derrière cela se cache évidemment la peur de l'armée paysanne en armes. [...] L'ALN était et est du côté de Ben Bella [...]. L'actuel accord des dirigeants du FLN à Alger ne peut être qu'éphémère et sera mis en cause par les intérêts de classe dès que les questions concrètes de l'évolution sociale se poseront.[4]

---

1. *Ibid.*
2. *Ibid.*
3. *Ibid.*, feuilles 44/45, p. 2/3.
4. *Ibid.*, feuilles 45/46, p 3/4.

L'ennemi était donc le groupe autour de Ben Khedda et Röhner voyait une possibilité pour le PCA de se maintenir ou même d'évoluer en commun avec Ben Bella, surtout après la disparition de quelques fonctionnaires du PCA que les unités de Ben Khedda avaient arrêtés à Alger. Puisque le parti agissait légalement et puisqu'il avait constitué des comités populaires pour l'unité et la réconciliation (voir *ND* du 28 juillet), il pouvait s'appuyer sur eux pour peser sur la politique du FLN, entre autres en essayant d'imposer des candidats du parti sur les listes communes pour les élections qui devaient avoir lieu début septembre. Parallèlement, le PCA devait soutenir les revendications de la fraction rassemblée autour de Ben Bella. Les comités devaient préparer un congrès du FLN, « au cours duquel un réel front national de libération devrait être formé, sur une base démocratique, en incluant le PCA ».[1]

Il est peu probable que le responsable du département de politique étrangère du SED crût à ses propres propos. Pouvait-on réellement imaginer que le PCA – dont il fallait entre autres évoquer explicitement qu'il travaillait légalement, ce qui n'était donc pas forcément évident – pouvait imposer au Front de Libération Nationale historique un nouveau « vrai » front unique du même nom ? En plus, le scénario que Röhner décrivit, ne ressemblait-il pas un peu trop à l'histoire de la RDA, ne serait-ce que par le front unique à créer qui ne devait pas être assimilé au parti unique ? Car Röhner répéta que le PCA n'avait pas intérêt à accepter un parti unique aux conditions d'alors :

> Cependant le PCA prend position contre la proposition d'un parti unique, car les conditions ne sont pas mûres et un tel parti ne serait actuellement pas démocratique. Il insiste sur le fait qu'un parti unique ne peut se réaliser que sur l'idéologie révolutionnaire de la classe ouvrière, le marxisme-léninisme.[2]

Faut-il rappeler que la RDA était née après la création d'un front unique de tous les partis « anti-fascistes », que le SED n'était pas un parti unique, mais que les « élections » qui étaient organisées dans cet État ne laissaient aux électeurs que le choix entre « oui » ou « non » pour des listes uniques proposées – comme le PCA devait le faire, selon Röhner ?

La fin du document laissait poindre quelques hésitations concernant la capacité du PCA à s'imposer si facilement au FLN. Certes, le parti avait été le premier à avoir un programme « concret », certes les disputes des dirigeants du FLN pouvaient à la longue jouer en sa faveur, mais le tour n'était pas joué pour autant :

> La dispute ouverte des dirigeants du FLN qui a duré pendant des semaines a donné au parti l'occasion d'élargir ses positions et de consolider davantage son organisation. Mais le parti devra faire encore d'énormes efforts pour surmonter les réserves de larges couches de la population, causées par les calomnies entretenues depuis des années par le FLN.[3]

De telles hésitations sur ce qui devait être l'avenir selon « les lois de l'histoire » ne devaient évidemment pas sortir du sérail et donc le document « n'était pas destiné à la publication ».[4]

---

1. *Ibid.*
2. *Ibid.*
3. *Ibid.*
4. *Ibid.*, p. 1.

La campagne électorale en Algérie : le PCA toujours en tête ?

Pendant la campagne électorale en Algérie, le *ND*, dont Ralf Bergemann était le correspondant permanent, suivait plus ou moins le schéma que Röhner avait prévu, en mettant en exergue le « ticket » Ben Bella–PCA qui devait résoudre les énormes problèmes économiques de l'Algérie d'après-guerre, surtout par une réforme agraire.[1] Ben Bella était censé vouloir travailler avec le PCA, comme il l'avait laissé entendre dans une interview donnée au quotidien communiste italien Unità :

> […] il s'agit de conserver l'unité issue de la lutte des ouvriers et des paysans. Les communistes peuvent aider, à l'intérieur du FLN, à consolider les rapports avec les masses.[2]

Il est intéressant de voir que le *ND* citait de l'interview justement ce que Röhner avait prévu comme l'une des solutions idéales : le PCA devait œuvrer à l'intérieur du FLN. Ceci n'était possible qu'avec un nouveau « véritable » Front de Libération Nationale – et Ben Bella semblait capable de le créer, avec le PCA qui était censé soutenir ses positions.

Toutefois ce front unique entre le dirigeant algérien et le PCA avait du mal à se réaliser. La campagne électorale montrait que ce front incluant tous les partis « démocratiques et anti-impérialistes » se limitait aux seuls représentants du FLN historique non élargi. Dans l'intérêt du pays, le PCA appelait tout de même à voter pour ces listes :

> Appel électoral du PC algérien : Votez pour les listes du FLN !
> Malheureusement la proposition d'intégrer toutes les forces n'a pas été réalisée
> […] Mais en même temps, le parti regrette que le FLN n'ait pas intégré de candidats du PCA à ses listes.[3]

Puisque les élections prévues pour le début du mois de septembre furent reportées à la fin du mois, l'espoir de réaliser un nouveau front unique plus représentatif pouvait demeurer intact. Cet optimisme était par ailleurs nourri par le PCA lui-même, en la personne de Larbi Bouhali qui donna une nouvelle interview à *L'Humanité*, reprise par le *ND*, le 19 septembre. Il y exprima cette vision optimiste de son parti, qui avait trouvé, selon lui, une base solide dans la population, notamment chez les étudiants et les femmes – les masses populaires en général n'étaient pas évoquées. Restait alors la question de savoir si le parti devait présenter des candidats aux élections :

> […] à la question pourquoi le PCA n'avait pas présenté ses propres candidats, Bouhali répondit que dans la situation actuelle, le parti visait l'essentiel [i.e. création d'un pouvoir national légitime, FT].[4]

Dans ce soi-disant essentiel, demeurait un problème non négligeable, l'existence propre du parti, et la réponse n'était pas évidente, même pour des amis réels du PCA.

---

1. Ainsi *ND*, 10 août 1962, n° 218, p. 7 : « Algerien vor dringenden Aufgaben » ; l'article traite des problèmes économiques et prévoit comme solution une réforme agraire.
2. *ND*, 14 août 1962, n° 222, p. 5.
3. *ND*, 24 août 1962, n° 232, p. 7.
4. *ND*, 19 septembre 1962, n° 258, p. 7.

La délégation Brasch en Algérie

La première délégation officielle de la RDA en Algérie – envoyée « sur décision du secrétariat du CC du SED du 1er août » et composée de deux hauts fonctionnaires, Horst Brasch du « Nationalrat » et Günter Scharfenberg du MfAA – séjourna du 24 août au 14 septembre[1] ; les deux représentants de la RDA voulaient naturellement prendre contact avec la direction du PCA – ce qui s'avéra impossible :

> La délégation a eu plusieurs entretiens avec les camarades Alec et Khalfa (rédacteurs en chef de l'« Alger Republican » [*sic*]). Ces camarades devaient organiser des entretiens avec le Bureau politique du PCA. Malheureusement ceci n'a pas eu lieu.[2]

Plusieurs choses surprennent dans cette partie du rapport de Brasch. La première est que l'auteur ne connaissait apparemment pas son interlocuteur, Henri Alleg, l'un des héros du communisme algérien. Alleg avait été interviewé au mois de janvier par le *ND*, à La Havane[3], il avait fait une tournée de conférences à travers la RDA en avril – et pourtant, au mois de septembre, Brasch ne savait pas qui était son interlocuteur, car dans le document, il écrivait son nom soit « Alec » soit « Alex » ![4] Une telle ignorance chez ce haut fonctionnaire de la RDA a de quoi susciter quelque perplexité.

Elle est d'autant plus étonnante que Henri Alleg avait affirmé, dans une de ses interviews en RDA, que les Algériens emprisonnés avaient suivi avec intérêt les efforts de la RDA en vue d'un traité de paix et qu'ils savaient parfaitement distinguer entre les impérialistes occidentaux et la RDA pacifique.[5] En plus, Alleg était rédacteur en chef du quotidien communiste *Alger Républicain*, et, dans ce rôle, aurait pu éclairer ses interlocuteurs sur les défaillances d'information de la population concernant la RDA. Car Brasch soulignait avec enthousiasme dans son rapport l'accueil que faisaient à son collègue et à lui-même toutes sortes d'hommes et de femmes, et insista sur le fait que ces gens savaient pratiquement tous qu'existent deux États allemands et que « la RDA était un État anti-impérialiste qui avait été du côté du peuple algérien quand il luttait pour sa liberté ».[6] Par contre, les Algériens n'étaient pas très au courant des luttes de la RDA :

> À cause de la propagande mensongère de l'occident sur la RDA et le rempart protecteur à Berlin, les gens sont mal ou peu informés des formes concrètes de notre lutte.[7]

Henri Alleg, figure du communisme dans le tiers-monde, avait certainement une opinion sur ce phénomène – mais peut être avait-il aussi une certaine fierté par rapport à quelqu'un qui visiblement ne savait pas qui il était.

---

1. SAPMO DY 30/ IV 2/20/ 354, feuille 268 à 278 : « Bericht der nach Algerien entsandten Delegation der DDR », auteur Horst Brasch, 17 septembre 1962.
2. *Ibid.*, feuille 271, p. 4.
3. *ND*, 18 janvier 1962, n° 18, p. 5 ; Henri Alleg était au début de l'année une coqueluche de la presse de la RDA, car la *Wochenpost* du FDGB publiait, comme « premier journal allemand », dans son n° 6 du 8 février 1962, p. 11, un récit de lui sur sa détention.
4. SAPMO DY 30/ IV 2/20/ 354, feuille 277, p. 10.
5. *ND*, 18 janvier 1962, n° 18, p. 5.
6. SAPMO DY 30/ IV 2/20/ 354, feuille 277, p. 10.
7. *Ibid.*

En tout cas, que les deux rédacteurs en chef du seul quotidien proprement « socialiste » sur place n'aient pas réussi à mettre les représentants de l'un des États les plus favorables à la ligne de leur journal en contact avec des dirigeants du parti à Alger est très étonnant. Larbi Bouhali avait expressément insisté, en février 1961, sur le fait que la direction du PCA n'avait jamais quitté l'Algérie pendant la guerre.[1] Edmund Röhner, quant à lui, avait insisté, dans son analyse sur la situation en Algérie, sur le fait que le parti y travaillait légalement. On peut donc légitimement se demander pourquoi Alleg et Khalfa n'arrivèrent pas à joindre un membre de la direction du parti, pendant les trois semaines du séjour des émissaires de la RDA – ou pourquoi ceux-ci n'insistèrent pas davantage sur l'organisation d'une telle rencontre. Ceci dit, l'échec de cette tentative n'était évoqué qu'en page 5 du rapport et le paragraphe concernant le parti frère tenait en une douzaine de lignes sur onze pages.[2]

Le fait que Brasch ne fournit aucune explication à cet échec, est tout aussi étonnant. Il continuait simplement, après son constat, son évocation de la situation difficile du parti :

> Il ressortait des informations des camarades Alec et Khalfa que le PCA est encore faible. Il compte actuellement 3000 membres. Les camarades insistèrent sur le fait que le parti souffre de l'attitude anti-communiste de dirigeants influents du FLN, des syndicats et de la fédération des étudiants. Pourtant l'adhésion au parti va en s'augmentant en permanence, surtout parmi les ouvriers et les jeunes. De même l'influence du parti croît-elle fortement dans les organisations inférieures des syndicats, les comités locaux du FLN, les comités locaux de vigilance etc.[3]

En lisant le récit sur les problèmes du PCA, parti frère du SED, on a l'impression que ces quelques lignes étaient une sorte d'exercice obligatoire dont Brasch s'acquittait aussi rapidement que possible, en mentionnant quasi rituellement l'avenir prometteur du parti.

Le manque de zèle de Brasch et de Scharfenberg à rencontrer des représentants du PCA apparaît comme bien plus compréhensible quand on regarde les directives du SED pour cette délégation qui datent du 20 août.[4] Si on donnait des consignes très précises à Brasch et Scharfenberg sur cinq pages, le PCA n'était pas une seule fois évoqué.

Les directives que l'on donna à Brasch et Scharfenberg se fondaient très probablement sur un rapport secret sur un entretien qu'avait eu l'attaché de l'ambassade au Caire, Scharf, avec Ali Meftahi du MAE algérien[5], le 5 août 1962.[6]

1. SAPMO-BArch DY 30/ IV 2/20/ 353, feuille 93 ; cf. chapitre « SED, PCF et PCA… », note 41.
2. Alleg et Khalfa sont évoqués encore une fois dans le document, quand ils demandent de l'aide pour le quotidien *Alger Républicain* sous forme d'appareils photos, matériel de bureau etc… (SAPMO DY 30/ IV 2/20/ 354, feuille 277, p. 10). Il est significatif que ces requêtes de la part des seuls communistes que la délégation ait vus, ne figurent pas sur la liste des propositions (feuille 278, p. 11).
3. SAPMO DY 30/ IV 2/20/ 354, feuille 271/72, p. 4/5.
4. MfAA A 12 710, feuilles 13 à 20, 20 août 1962 ; le document est intéressant aussi pour l'annexe (feuilles 17 à 20) qui contient des brèves caractérisations des principaux protagonistes algériens de l'époque et leurs fonctions. Curieusement il y a des erreurs sur les noms de certaines personnes, ainsi Mohammed Harbi, qui apparaît comme Ali Harbi, bien qu'il soit assez connu par la plupart des diplomates ayant affaire avec l'Algérie.
5. Meftahi est à cette époque un proche collaborateur de Harbi et aura, après l'indépendance, des fonctions importantes dans les médias de l'Algérie (cf. Harbi, Mohammed : *Une vie debout. Mémoires politiques. Tome 1 : 1945-1962*. Paris : La Découverte 2001, p. 332/33).
6. MfAA A 13 775, feuilles 48 à 52, p. 1 à 5 du « Aktenvermerk über ein Gespräch mit Herrn Meftahi, algerisches MfAA, am 5.8.62 in der Wohnung des Kollegen Scharf », le Caire 10 août 1962, (secret).

Meftahi se revendiqua lors de cet entretien comme un partisan de Ben Bella et décrivit à Scharf sa vision de la politique algérienne. Face au représentant de la RDA il présenta logiquement Ben Bella comme le chef du groupe le plus progressiste :

> Ce groupe tend plus ou moins vers une Algérie socialiste ; le mot « socialiste » devrait être entendu au sens propre du terme – il rajouta en souriant : si vous le voulez bien, dans le sens du marxisme-léninisme. [...] Toutefois il émit en même temps la réserve que l'Algérie adopterait certes quelques principes socialistes, elle devrait pourtant prendre son propre chemin [...]. Il ajouta [...] qu'ils ne pourraient prendre le même chemin que la Chine ou d'autres pays [...].[1]

Or, ce qui pouvait être compris comme un message par le représentant de la RDA était que Meftahi défendît cette ligne progressiste de « son » chemin vers le socialisme sans évoquer une seule fois le PCA. Il souligna certes, comme le parti communiste, que l'unité était alors la valeur suprême, mais il réfuta toute interprétation du monopartisme du FLN comme d'un « totalitarisme » et s'inscrivit en faux contre les théories aussi bien du PCA que de la RDA :

> Monsieur M. me dit qu'ils veulent créer un parti unique parce que ce parti est nécessaire pour donner une nouvelle vie au pays exsangue avec les forces de tout le peuple [...]. On ne peut pas appeler totalitaire cette unité dans l'intérêt du peuple, sauf si l'on veut considérer ce régime qu'ils veulent créer comme totalitaire parce qu'il combattra toutes les tentatives de faire ressurgir le colonialisme et l'impérialisme en Algérie. Si l'on veut concevoir le totalitarisme ainsi, il serait d'accord pour se faire traiter de totalitaire.[2]

Ce qui était proprement inquiétant dans le récit de l'homme politique algérien, c'était les informations sur les futures relations entre les deux pays socialistes, l'Algérie et la RDA. En fait, selon Meftahi, une fraction de l'ancien GPRA, dont l'ancien Ministre des Affaires étrangères Saad Dahlab, était hostile à des relations diplomatiques avec l'État est-allemand et plutôt pour un alignement sur la RFA. En réponse aux questions de Scharf concernant « les relations cordiales entre l'ancien représentant du GPRA à Bonn [il s'agissait de Hali L. Gani, FT] et le député SPD Wischnewski [...] qui seraient contre l'établissement de relations avec la RDA », Meftahi relata un entretien avec Saad Dahlab :

> Saad Dahlab lui aurait dit que c'est une question de tactique qu'il (Meftahi) ne pouvait estimer à sa juste valeur. [...] Il (Meftahi) n'y comprendrait rien. C'est la compétence des responsables du GPRA de fixer une telle attitude tactique et il était de l'intérêt du GPRA d'être en bons termes avec l'Allemagne de l'Ouest.[3]

Toutefois, selon Meftahi les dés n'étaient pas encore entièrement jetés :

> « [...] au CNRA, on avait très probablement *discuté de l'établissement de relations diplomatiques avec la RDA*. Mais il n'est pas informé de l'issue de la discussion et il ne sait pas, s'il y a eu un résultat définitif. En tout cas, ajouta-t-il, *il y a eu des difficultés et des dissensions*.[4]

Certaines parties dans ce passage du rapport ont été soulignées par un lecteur [en italiques dans la citation]. Les responsables de la politique étrangère est-allemande

1. *Ibid.*, p. 2/3.
2. *Ibid.*, p. 3.
3. *Ibid.*, p. 5.
4. *Ibid.*

devaient être alarmés, mais aussi relativement rassurés par ce rapport. En effet, tout ne semblait pas perdu. L'action la plus urgente devait donc être d'assurer une présence « physique » de la RDA à Alger et d'essayer de convaincre un maximum de dirigeants algériens de la possibilité d'établir des relations entre les deux États.

Selon les directives du SED, la principale tâche de la délégation devait être « d'obtenir que le camarade Scharfenberg reste comme représentant de la RDA à Alger » pour y défendre ses intérêts, entretenir le contact avec le gouvernement algérien « jusqu'à l'accord sur l'installation d'une représentation »[1] – autrement dit assurer une présence « physique » permanente.

À cette fin, aucun effort ne devait être négligé, la poursuite des envois de solidarité devait être proposée, et la délégation devait insister sur le fait que la RDA était prête à toute forme de coopération, au niveau culturel, agricole, médical et des médias ainsi que dans le domaine de la formation de techniciens et d'étudiants.[2]

La délégation devait avoir des pourparlers avec le personnel politique compétent, de préférence au plus haut niveau. Les directives précisèrent même avec qui Brasch et Scharfenberg devaient essayer d'entrer en contact.

Deux précautions devaient être prises. D'abord la délégation ne devait pas se laisser entraîner par les Algériens dans une négociation sur un développement des relations commerciales – sous-entendu avec le but d'installer des missions commerciales comme ersatz de représentations diplomatiques. Les délégués devaient alors expliquer que celles-ci n'entraient pas dans leurs compétences.

Puis elle devait rester très prudente avec la presse algérienne. Les contacts avec elle ne devaient commencer qu'après le « déroulement positif des premières conversations » et après une « concertation avec le ministère algérien de l'information ». De toute façon, la délégation « ne devait pas prendre position sur l'évolution interne de l'Algérie ».[3]

Le PCA et ses tergiversations sur des listes autonomes pour les élections étant l'un des éléments de l'évolution interne de l'Algérie, on comprend maintenant l'extrême prudence de Brasch et de Scharfenberg vis-à-vis des représentants du PCA ; on peut même supposer que l'impossibilité d'entrer en contact avec ses responsables venait davantage de la délégation est-allemande que de réelles difficultés du côté algérien.

En fait, nous assistons à ce moment à un tournant de la politique de la RDA. Brasch, qui appartenait au groupe des « idéologues » de la couche dirigeante en RDA, et son collègue Scharfenberg, suivaient à la lettre les directives du SED : ils négocièrent avec les membres du FLN, que l'on connaissait en RDA comme au moins partiellement anticommuniste, de questions relevant pratiquement de la diplomatie. Le laconisme de la partie du rapport concernant le PCA ne peut s'expliquer que par ce fait, car le PCA n'avait aucune importance dans cette affaire.

1. MfAA A 12 710, feuille 14, p. 2.
2. *Ibid.*, p. 3.
3. *Ibid.*, p. 2. La visite de Brasch et de Scharfenberg était couverte assez largement par la presse algérienne, comme le prouve la collection de coupures de presse dans le même dossier (ibid., feuilles 26 à 35). Contrairement à la directive du SED, les informations commencent dès l'arrivée de la délégation le 24 août avec *La Dépêche* du 25 août (*ibid.*, feuille 35).

Les premières pages du rapport contiennent une description de la situation en Algérie, catastrophe économique et événements politiques récents inclus.

Les dissensions entre les dirigeants du FLN et certains officiers de l'ALN reflétaient la ligne du PCA ; il fallait soutenir les forces qui pouvaient créer rapidement un gouvernement central fort. Ainsi les officiers de la rébellion des wilâyas IV et III qui avaient revendiqué une accélération des mesures « révolutionnaires » telle la réforme agraire, étaient implicitement traités de menteurs – « ils ne faisaient pas eux-mêmes ce qu'ils revendiquaient » – et de contre-productifs, qui repoussaient l'installation d'un pouvoir fort[1], tandis qu'on approuvait l'attitude du bureau politique du FLN, créé fin juillet 1962. Que lors des manifestations gigantesques au mois d'août, les masses aient demandé la fin des querelles des chefs servait d'argument pour dénoncer ces officiers qui s'étaient coupés des masses :

> Les forces des districts militaires entrés en rébellion ne pouvaient s'appuyer sur les masses, et ne l'essayèrent guère. La rébellion des officiers de l'« ultragauche » dans les districts militaires IV et III se termina par la restauration de l'autorité du bureau politique et la consolidation de sa position dans les masses populaires. [...] Le plus important pour l'Algérie est actuellement la création d'un pouvoir central à travers les élections législatives et la formation d'un gouvernement. Soutenus par des actions des forces populaires, ces organes doivent imposer le programme de Tripoli du FLN.[2]

Si la délégation prenait si ouvertement position pour le Bureau politique du FLN et l'installation d'un pouvoir central issu de celui-ci, c'est justement parce qu'elle essayait de suivre les directives du SED dans ce sens. En effet, elle aurait très bien pu également pratiquer un certain attentisme – logique dans la mesure où le PCA, parti frère, ne pouvait que croître, selon le rapport même de Brasch.

Or, cette croissance quasi automatique n'était visiblement pas un gage fiable pour l'avenir des relations entre la RDA et l'Algérie. Il fallait assurer cet avenir par une action envers le pouvoir qui devait sortir des élections et qui ne pouvait être qu'une représentation du FLN, puisque le PCA n'avait pas pu faire inscrire de candidats propres sur les listes.

Les pourparlers de la délégation Brasch/Scharfenberg avec les autorités algériennes

Dans la perspective des élections sans candidats du PCA, la seule chose que l'on pouvait espérer était une victoire des candidats de la fraction de gauche du FLN, rassemblée autour de Ben Bella. On devait dès le début soigner sur place les contacts avec ses représentants, puisque les autres fractions n'étaient pas censées être favorables à des relations diplomatiques avec la RDA, d'après les informations d'Ali Meftahi. La délégation agit exactement dans ce sens.

Or, il y avait une deuxième raison pour faire vite. Comme nous l'avons vu, l'État rival, la RFA, ne perdait pas de temps pour être présente en Algérie. Le soutien matériel à l'Algérie indépendante ne venait plus seulement des pays socialistes :

1. *Ibid.*, feuille 269, p. 2.
2. *Ibid.*, feuille 270, p. 3.

> Les pays socialistes, URSS en tête, apportent beaucoup d'aide matérielle. Les USA et l'Allemagne de l'Ouest ont maintenant commencé à envoyer des installations et du personnel médicaux. Le DGB [= Deutscher Gewerkschaftsbund, l'organe central des syndicats ouest-allemands, FT] fournit aux syndicats algériens 25 Volkswagen.[1]

Au plan matériel, les rivaux étaient donc désormais non seulement présents, mais ils l'étaient selon toute apparence massivement. Le lobbying pour une éventuelle reconnaissance du futur gouvernement algérien devait commencer de suite, surtout parce que l'homme politique ouest-allemand Hans-Jürgen Wischnewski du SPD s'était rendu en Algérie dès le début du mois d'août pour empêcher une installation de la RDA. Il apprit, par l'un de ses interlocuteurs algériens, Hali L. Gani, dernier représentant du GPRA en RFA, « l'arrivée prochaine d'une délégation commerciale de la RDA » :

> Wischnewski et Nostitz [Siegfried von Nostitz était à cette époque le plénipotentiaire de la RFA en Algérie, FT] lui firent comprendre que la présence de cette délégation était à la limite du tolérable pour Bonn, qu'un choix clair et rapide s'imposait.[2]

Les paroles d'Ali Meftahi, relatées par l'attaché de l'ambassade au Caire, Scharf, se confirmèrent donc.

Dans ce contexte, le comportement des acteurs algériens ne cesse d'étonner. Soit les Algériens cachaient volontairement aux Allemands de l'Ouest qu'une délégation politique de la RDA séjournait au même moment au même endroit. Soit les interlocuteurs des Allemands de l'Ouest ne savaient pas que cette délégation existait ; dans ce cas s'impose l'idée de l'existence en Algérie de deux ou plusieurs administrations de politique étrangère qui s'ignoraient.

Il est curieux aussi que Brasch ait expliqué une action anti-RDA du consulat ouest-allemand [voir infra] par le fait que les Algériens ne camouflaient nullement la délégation est-allemande et que la presse algérienne, non seulement communiste, mais également « de droite » – en l'occurrence *La Dépêche* – la couvrait massivement.[3] La délégation est-allemande à son tour était au courant du séjour de Wischnewski en Algérie, et y fit allusion. Brasch évoqua auprès d'Abdelmalek Benhabyles et de Ben Miloud du MAE algérien les « articles du député du Bundestag, Wischnewsky [*sic*], qui étaient parus dans la presse occidentale après sa visite en Algérie ».[4] On doit donc se poser la question : qui voyait quoi en Algérie, au début du mois de septembre 1962 ?

Au niveau officiel, la délégation de la RDA suivit scrupuleusement les directives et eut de nombreux entretiens avec des personnalités algériennes, d'abord avec le secrétaire général officieux du MAE, Mohammed Harbi, et son adjoint Benhabyles, puis même avec Ben Bella, en plus de ceux qu'ils avaient avec des représentants de l'UGTA, de l'UGEMA etc…

---

1. *Ibid.*, feuille 273, p. 6. Concernant l'aide médicale de la RFA en Algérie à cette époque cf. CAHN, Jean-Paul/MÜLLER, Klaus-Jürgen : *La République Fédérale d'Allemagne et la Guerre d'Algérie 1954-1962*. Paris, Le Félin 2004, p. 442/43.
2. CAHN/MÜLLER, *La République fédérale…*, p. 443.
3. SAPMO BArch DY 30/ IV 2/20/ 354, feuille 276 ; cf. aussi la collection des coupures de presse en MfAA A 12 710, feuilles 26 à 35 (voir note 78).
4. *Ibid.*, p. 9.

« Le sujet de tous ces entretiens étaient les relations entre la République Démocratique d'Allemagne et la République algérienne et la solidarité accomplie et future de la RDA avec le peuple algérien »[1], et on entra même dans les détails techniques des titres des futurs représentants de la RDA en Algérie. L'alternative était une mission comme celle de la RDA à La Havane ou un plénipotentiaire comme celui qui la représentait auprès de la RAU. Les représentants du MAE ne voulaient pas trancher cette question :

> Du côté algérien on insista dès le début sur le fait que l'on ne pouvait, avant la formation d'un gouvernement, fixer un statut définitif. Ceci correspond à la situation des représentants diplomatiques de tous les pays qui ont déjà envoyé des diplomates à Alger (URSS, RP de Chine, RP de Pologne, RP de Bulgarie, CSSR, RAU, Tunisie, Maroc, Ghana).[2]

Cette attitude était également celle des autres organismes que la délégation avait contactés, à savoir l'UGTA et l'UGEMA. Les représentants de l'une et de l'autre demandèrent à la RDA d'être patiente et de ne pas envoyer d'autres délégations avant la formation d'un nouveau gouvernement.

Si l'on pouvait parfaitement comprendre cet argument, un autre était plus significatif – et Brasch en donnait une paraphrase dans la suite de son rapport :

> Elle [UGTA, FT] s'excusa [...] qu'on ne puisse envoyer des invitations avant [la formation du gouvernement, FT], parce que les fonctionnaires avaient beaucoup de travail en raison des crises politiques internes [...]. Il faut ajouter qu'au sein même de toutes ces directions, il y a encore de fortes dissensions et des luttes pour le pouvoir.[3]

Ceci n'empêchait pas les interlocuteurs de Brasch et Scharfenberg de demander de la solidarité « matérielle » pour la construction d'infrastructures solides des organisations algériennes.[4]

Contrairement aux organisations, le MAE se montra plus coopératif. Ainsi, peu après la première rencontre, Mohammed Harbi annonça à la délégation une première avancée, l'installation de Günter Scharfenberg avec un statut semblable à celui des autres diplomates des pays amis :

> Le 4 septembre, quand M. Harbi nous [...] accueillit, il nous fit part du fait que le camarade Scharfenberg pourrait rester à Alger comme « <u>représentant de la République Démocratique d'Allemagne auprès de la République algérienne</u> » et assura qu'on accorderait au camarade Scharfenberg certaines prérogatives diplomatiques jusqu'à ce que, après la formation du gouvernement, son statut définitif puisse être fixé.[5]

Logiquement, lors de l'entretien qu'Ahmed Ben Bella accorda à la délégation est-allemande, le 11 septembre, Brasch lui présenta son collègue Scharfenberg comme « représentant de la RDA auprès de la République algérienne », ce qui ne choqua point Ben Bella qui semblait être au courant et exprima l'espoir « que les liens entre les deux États se développeront encore bien plus étroitement, sur la base du programme du FLN de Tripoli ».[6]

1. *Ibid.*, feuille 274, p. 7.
2. *Ibid.*
3. *Ibid.*, feuille 276, p. 9.
4. *Ibid.*, feuille 277, p. 10.
5. *Ibid.*, feuille 274/75, p. 7/8 ; souligné dans le texte.
6. *Ibid.*, feuille 275, p. 8.

Faut-il rappeler que le programme de Tripoli était souvent présenté, par les médias de l'Allemagne de l'Est, comme une copie de celui du PCA ? Est-il étonnant qu'aussi bien Ben Bella que les deux officiers qui se présentèrent comme ses collaborateurs les plus proches, Boumindien [*sic*, il s'agit certainement de Houari Boumedienne] et Slimane, se déclarèrent ravis de parler avec des représentants de la RDA, « amie depuis longtemps du peuple algérien et de son mouvement de libération » ?[1]

De plus, comme Brasch l'évoqua dans son rapport, ces deux officiers étaient ceux qui avaient été limogés par Ben Khedda lors de la crise du mois de juillet – on avait misé sur le bon cheval : « La délégation eut d'eux une impression extrêmement positive ; ce sont des gens dynamiques et énergiques. »[2] Avec eux, on pouvait résister aux tentatives de déstabilisation de la RFA.

Le même jour, le 11 septembre, Günter Scharfenberg, nouveau représentant de la RDA, organisa un « cocktail », « officiel avec l'accord du MAE algérien ». Les plénipotentiaires de l'URSS, de la Yougoslavie et de la RAU y étaient conviés. Le MAE envoya Benhabylès et Ben Miloud. Ceux-ci rapportèrent à leurs hôtes que le consulat général de RFA ne voyait pas leur présence d'un œil favorable, au contraire :

> [...] Ben Miloud nous fit part du fait [...] que des représentants du consulat général ouest-allemand s'étaient présentés au MAE pour déclarer qu'ils ne souhaitaient des relations ni commerciales, ni consulaires, ni diplomatiques. [...] Tous les deux déclarèrent que l'on aurait dit aux Allemands de l'Ouest : les relations que noue l'Algérie sont l'affaire de l'Algérie. La RDA est depuis longtemps un ami fidèle du peuple algérien. L'Allemagne de l'Ouest est un allié de la France.[3]

Brasch réagit de façon assez habile, ne s'emporta pas contre la rivale ouest-allemande, mais insista sur la différence de comportement des deux États. Dans la compétition pour les faveurs des Algériens, la RDA, amie depuis longtemps du mouvement de libération, n'avait pas besoin d'agir aussi brutalement, de brandir une sorte de doctrine *Hallstein* à l'envers, elle pouvait conduire sa politique de façon plus noble :

> Même si ce n'était pas exprimé ouvertement, les rapports envers les deux États allemands jouèrent un rôle lors de la conversation. À l'occasion du cocktail, le camarade Brasch fit remarquer aux représentants du MAE que la RDA ne s'arrogeait point le droit de donner des consignes à l'Algérie concernant ses relations avec l'Allemagne de l'Ouest, que la RDA, dans ce contexte, ne fera rien qui pourrait créer des ennuis aux Algériens. Il insista sur le fait qu'apparemment l'Allemagne de l'Ouest faisait exactement le contraire [...].[4]

La réaction des représentants du MAE était aussi prometteuse que l'on pouvait l'espérer :

> Ben Miloud répondit que le côté algérien en était reconnaissant et qu'il fallait clarifier prudemment ces questions et que la RDA pouvait être assurée de l'entière sympathie de l'Algérie.[5]

La sympathie algérienne pouvait-elle aller jusqu'à une concrétisation « diplomatique » ?

---

1. *Ibid.*
2. *Ibid.*
3. *Ibid.*, feuille 276, p. 9.
4. *Ibid.*
5. *Ibid.*

Retour en RDA : optimisme de circonstance et désenchantement

Après son retour, dans une interview avec le *ND*, Brasch montra un optimisme de circonstance qui ressemblait à celui de son rapport. Le journal insista évidemment sur le fait que Brasch avait été le premier représentant officiel de la RDA en Algérie, mais aussi que « l'Algérie apprécie la RDA » :

> Brasch déclara que ses rencontres et ses entretiens avec la population et des dirigeants du jeune État lui avaient montré qu'en Algérie on sait parfaitement distinguer entre les deux États allemands et que l'on apprécie l'aide de la RDA pour l'Algérie. [...] Il est sûr que ces relations évolueront après les élections et après la formation d'un gouvernement [...].[1]

Ces paroles allant somme toute dans le sens d'un avenir « progressiste » de l'Algérie pouvaient rassurer. Ainsi le *ND* pouvait continuer à s'occuper du sort du PCA, parti frère, et donc d'emblée progressiste, dont les activités étaient restées légales – apparemment on avait craint qu'il soit interdit rapidement. Or, là-dessus on pouvait être rassuré également, car certains dirigeants du FLN, par exemple Mohammed Khider, membre du CNRA, avaient exprimé le souhait que les partis puissent agir librement, le PCA inclus.[2] Et si tout était à reconstruire en Algérie, ce furent surtout les initiatives de l'*Alger Républicain* communiste qui étaient à l'origine des améliorations – selon le *ND*.[3]

Réapparut aussi l'armée comme élément favorable dans l'évolution du jeune État. En effet, le 20 octobre 1962, dans le supplément culturel du samedi, Armin Greim, correspondant du *ND* sur place, présenta « L'Algérie et les Algériens » ; sous une photo avec des militaires sur des camions et des familles au bord de la route, on lit : « Salut du bord de la route à l'armée populaire bienaimée. »[4]

En interne, Brasch essaya de convaincre ses collègues de l'appareil politique de faire vite et surtout de ne pas suspendre l'aide matérielle aux Algériens, mais plutôt de l'augmenter, d'accueillir 20 étudiants et 30 ouvriers spécialisés pour formation et d'installer un correspondant permanent à Alger.

Au niveau diplomatique, il s'agissait surtout d'accélérer le processus et d'envoyer des diplomates compétents en Algérie – apparemment Günter Scharfenberg était considéré comme une solution intermédiaire, peut-être aussi parce qu'il ne parlait apparemment pas français ; il était destiné à être remplacé rapidement :

> On devrait demander à la direction du MfAA d'élaborer une proposition concernant le développement futur des relations entre la RDA et la République d'Algérie. Indépendamment la direction du MfAA devrait envoyer à Alger, comme directeur de la représentation de la RDA, dès avant la fin septembre, un camarade expérimenté, si possible avec des connaissances en français.[5]

---

1. *ND*, 15 septembre 1962, n° 254, p. 5.
2. *ND*, 24 septembre 1962, n° 263, p. 2 : Khider avait dit, dans une interview avec l'*Unità* italienne, que la question du parti unique n'était pas encore décidée ; il voyait comme possibilité une opposition parlementaire. En tout cas, le PCA devait agir librement pour l'instant.
3. *ND*, 13 octobre 1962, n° 282, supplément culturel, p. 3.
4. *ND*, 20 octobre 1962, n° 289, supplément culturel, p. 3.
5. *Ibid.*, feuille 278, p. 11. Le successeur de Scharfenberg fut pour peu de temps Martin Bierbach (1926 à 1984) qui avait été consul général auprès de la RAU (d'après BUCH, Günther : *Namen und Daten wichtiger Personen der DDR*. Bonn, Dietz 1978).

La personne devait être expérimentée et opérationnelle, car le temps pressait. En effet, on avait vu que la RFA était capable de réagir vite et presque brutalement, et vu les circonstances, il était évident pour les autorités est-allemandes qu'il n'y aurait pas deux ambassades allemandes à Alger.[1]

Les conseils de Horst Brasch, concernant la coordination de la politique et avant tout la centralisation des mesures de solidarité, furent suivis, surtout au niveau du MfAA. Ainsi, Sepp Schwab, vice-ministre des Affaires étrangères, organisa, le 23 octobre 1962, une réunion avec les représentants de différents organismes concernés (Brasch, Röhner du Département des Relations internationales du SED, un représentant du Ministère du commerce extérieur, de la radio nationale et de la DAG ainsi que l'auteur du rapport, Deubner du FDGB).

D'abord Schwab se félicitait du fait que « l'on avait réussi à installer un représentant du gouvernement à Alger », qui « avait réussi à entrer en contact avec le ministre des Affaires étrangères » et qui devait être reçu officiellement au MAE, fin octobre.[2]

Dans la formulation de Schwab, on peut apercevoir que l'optimisme nourri par Horst Brasch, après son retour d'Algérie, s'était atténué ; une certaine déception se faisait sentir. Certes, un représentant avait pu être envoyé à Alger, mais la formulation – « on a réussi » – implique que cet envoi n'avait pas été sollicité par l'autre côté.[3]

En tout cas, selon Schwab il fallait faire encore davantage d'efforts pour que la RDA soit mieux connue par les Algériens. C'est pour cette raison qu'il fallait centraliser l'aide matérielle :

> Il est nécessaire que les mesures de solidarité de la RDA [...] continuent. À la différence de l'époque d'avant l'indépendance, les mesures de solidarité ne devraient plus être offertes par les différentes organisations, mais coordonnées avec d'autres organisations. Ainsi l'on doit arriver à ce qu'en Algérie croisse la conscience que ces mesures de solidarité viennent de la RDA et qu'elles ont le soutien du gouvernement de la RDA. Cela pourrait contribuer à accélérer les relations entre les gouvernements des deux pays. Auprès de toutes les délégations on doit insister sur la nécessité de faire davantage connaître la volonté de la RDA de coopérer officiellement avec le gouvernement algérien.[4]

Mais le danger de voir la RFA emporter la victoire dans la course à la reconnaissance était même explicitement évoqué :

Actuellement une forte pression est exercée par Bonn sur le gouvernement algérien [...] afin d'empêcher la reconnaissance de la RDA par l'Algérie et pour parvenir à ce que le gouvernement algérien établisse des relations diplomatiques avec l'Allemagne de l'Ouest.[5]

---

1. Selon CAHN/MÜLLER : *La République fédérale...*, dès le début septembre, l'ancien représentant algérien en RFA, Hali L. Gani avait annoncé au plénipotentiaire de celle-ci, Siegfried von Nostitz, que l'Algérie « établirait des relations diplomatiques avec Bonn, et non avec Berlin-Est » (p. 443). En RDA, on n'était certainement pas plus que vaguement au courant de ces démarches, mais Brasch avait bien compris, lors de son séjour en Algérie, que le temps pressait.
2. SAPMO BArch DY 34/ 3379, 23 octobre 1962 : « Aktennotiz über eine Aussprache beim Genossen Sepp Schwab, stellv. Außenminister über Fragen der Arbeit nach Algerien », p. 1.
3. On peut presque voir, dans l'envoi du délégué est-allemand, un équivalent de l'affaire Kroun, représentant non souhaité par la RDA, envoyé malgré cette réticence par le FLN – cette fois le mouvement prenait le sens inverse.
4. SAPMO BArch DY 34/ 3379, p. 1/2 de « Aktennotiz über eine Aussprache beim Genossen Schwab, stellv. Außenminister über Fragen der Arbeit nach Algerien, am 23.10.62 ».
5. *Ibid.*, p. 2.

Et visiblement le cœur n'y était plus, les médias est-allemands et même les organisateurs de meetings n'hésitaient plus à critiquer la voie politique que l'Algérie avait prise. Brasch demanda amèrement de cesser cette attitude contre-productive :

> Puis Horst Brasch expliqua qu'il faudrait en finir avec l'attitude, consistant à laisser entendre, lors des meetings et à la radio, des doutes sur des fonctionnaires algériens.[1]

Un exemple de l'impression de déception et de résignation est le bilan réalisé par un membre de la direction du FDGB sur l'action de solidarité, où celle-ci était chiffrée, et qui évoquait les envois de matériel prévus.[2] Il y apparaît surtout la déception des dirigeants du FDGB sur le désintérêt des autorités algériennes pour tout ce qui concerne l'Allemagne de l'Est après l'indépendance de l'Algérie. En effet, aucune des conventions entre le FDGB et l'UGTA sur une coopération plus étroite n'était plus honorée côté algérien, qu'il s'agisse de la commission des ouvriers en RDA qui devait servir d'interface entre ceux-ci et le FDGB voire l'UGTA, ou de la visite trimestrielle d'un délégué[3] ; même le séminaire pour syndicalistes, prévu pour le printemps 1962 n'avait pas eu lieu.[4] L'UGTA avait aussi refusé un appareil de radiologie, que le FDGB avait proposé plusieurs fois :

> On a proposé à plusieurs reprises l'installation d'un appareil radiologique, mais l'UGTA a répondu qu'elle n'a pas besoin d'une telle installation, nous ne devrions pas la proposer encore une fois.[5]

Faut-il rappeler, que Brasch avait évoqué l'envoi de matériel médical de la part de la RFA et des USA après son séjour en Algérie ?

À la fin du document, l'auteur aborda la réunion au MfAA, le 23 octobre qu'il cite dans les termes du rapport de Deubner. Il trouva cependant que les propositions concernant la centralisation des mesures de solidarité pour la visibilité de la RDA allaient trop loin :

> Selon notre opinion, une conférence de presse à chaque remise d'envois de solidarité du FDGB à l'UGTA correspondrait aussi entièrement à cette fin, sans que le FDGB soit relégué au second plan.[6]

Les petites querelles de jalousie entre organismes risquaient de l'emporter sur la centralisation des aides matérielles à un nouvel État du Tiers Monde, sur la voie du socialisme, comme l'avait prévu Ali Meftahi. Cette république, pouvait-elle être aussi ingrate envers un allié fidèle pendant sa lutte pour l'indépendance ?

---

1. *Ibid.* ; quand Brasch vise la radio, il faut dire que le *ND*, c'est-à-dire l'organe officiel du parti, ne s'est jamais permis de critiquer un fonctionnaire algérien, de quelque grade que ce soit.
2. SAPMO DY 34/ 3379, non daté ni signé : Betr. Stand der Solidaritätsaktion/Algerien, p. 2.
3. *Ibid.*, p. 1.
4. *Ibid.*, p. 2.
5. *Ibid.*
6. *Ibid.*, p. 3. C'est par ailleurs exactement ce qui arrivera. A la fin de l'année, l'auteur non signé d'un rapport du FDGB sur l'Algérie, regrette que dans un premier temps, les représentants de l'UGTA avaient signalé oralement envers Horst Brasch, lors de son séjour à Alger, qu'une délégation du FDGB serait la bienvenue. Puis aucune invitation écrite n'avait suivi cette invitation orale, et un envoi de solidarité en novembre n'avait pas pu être accompagné par un représentant du FDGB, « mais a été remis à l'UGTA, sur ordre du FDGB, par le plénipotentiaire de la RDA en Algérie, le collègue Scharfenberg ». (SAPMO DY 34/ 3379, non daté [décembre 1962, car après l'interdiction du PCA] ni signé : « Einschätzung der Lage in Algerien », p. 7). Scharfenberg était resté à Alger, à côté du nouveau représentant de la RDA en Algérie, Martin Bierbach.

La délégation officielle de la RDA aux festivités du 1er novembre 1962 : un désastre

Les festivités du premier anniversaire dans l'Algérie libérée du 1er novembre 1954, offrirent l'occasion à la RDA d'y participer par plusieurs initiatives. En RDA même, Alexander Abusch, vice-président du conseil des ministres, accueillit une délégation d'étudiants algériens en RDA, sous la direction de Houari Mouffok.[1] Abusch les assurait du soutien de la RDA lors de la reconstruction de l'Algérie et s'engageait, à continuer à accueillir des Algériens pour les former :

> Le gouvernement de la RDA soutiendra comme dans le passé selon ses capacités, la formation d'étudiants et d'ouvriers à la fonction de cadres qualifiés, dans l'intérêt du développement de l'économie nationale de l'Algérie.[2]

Rappelons qu'un certain nombre d'étudiants avaient quitté la RDA pour être rapatriés… en RFA. Celle-ci avait augmenté le nombre de bourses pour des étudiants algériens depuis avril 1962.[3] Les étudiants autour de Mouffok étaient donc certainement ceux qui n'avaient pas besoin d'être convaincus.

Notons en passant qu'à part l'encart sur les étudiants algériens, que l'on peut supposer communistes ou au moins sympathisants, le PCA n'était pas évoqué une seule fois dans le *ND* rendant hommage à la première fête nationale de l'Algérie libre.

Quant à l'envoyé spécial à Alger, le correspondant du *ND* en Afrique du Nord et au Proche Orient Lothar Killmer, il évoqua tout sauf le PCA : les victimes de la guerre, les gigantesques travaux nécessaires pour reconstruire le pays (souvent ces travaux de restructuration étaient organisés par les membres de l'armée populaire, selon Killmer !) et le programme de Tripoli, fil conducteur pour l'avenir. Le correspondant n'oubliait pas les efforts qu'avait faits la RDA, au niveau médical comme au niveau des formations et des envois de matériel (plus de trente envois de solidarité), mais il souligna surtout la complémentarité politique des deux États :

> L'aide politique ne venait pas seulement du fait de démasquer la complicité assassine de Bonn, mais aussi des déclarations solidaires des représentants de la RDA. […] En revanche, les Algériens exprimèrent à plusieurs reprises leur compréhension pour nos revendications nationales.[4]

Cette entente entre les positions algérienne et est-allemande était même mentionnée dans le télégramme de félicitations du gouvernement de la RDA au nouveau gouvernement algérien. Georg Stibi, l'un des vice-ministres des Affaires étrangères qui avait été dépêché sur place pour représenter la RDA lors des festivités du 1er novembre le transmit personnellement à Ben Bella. La dépêche évoqua l'avenir de l'Algérie libre – mais aussi celui des deux États allemands :

> La République Démocratique d'Allemagne soutient les efforts de votre gouvernement qui se dresse contre les tentatives néocolonialistes des puissances impérialistes, pour développer l'Algérie comme un

1. Cette rencontre n'est pas mentionnée dans son ouvrage de mémoires par MOUFFOK, Houari, *Parcours d'un étudiant algérien de l'UGEMA à UGEA*. Saint Denis, Éditions Bouchène 1999.
2. *ND*, 1er novembre 1962, n° 301, p. 1.
3. Cf. CAHN/MÜLLER, *La République fédérale…*, p. 442.
4. *ND*, 1er novembre 1962, n° 301, p. 5.

> État libre, indépendant et démocratique. Elle salue le fait que l'Algérie participera activement à la solution de problèmes internationaux et exige une solution réaliste de la question de Berlin-Ouest qui, liée à la conclusion d'un traité de paix avec les deux États allemands, est aussi dans l'intérêt de l'Algérie car par là, la paix sera renforcée.[1]

Même à la fin de l'année 1962, les autorités de la RDA, bien conscientes des tentatives ouest-allemandes d'empêcher avec beaucoup de moyens diplomatiques et matériels une reconnaissance de la RDA par l'Algérie, n'hésitaient pas à faire de la surenchère au plan international à propos des problèmes interallemands qui, à ce moment-là, n'étaient pas et ne pouvaient pas être d'importance pour l'Algérie. Malgré les changements profonds de la situation, la position de la RDA n'avait pas évolué depuis les « perspectives » du mois de février de cette même année qui avaient prévu de demander aux Algériens une position claire et quasi exclusive en faveur de la RDA.[2] On ne pouvait tout de même pas forcer la main d'un gouvernement libre et indépendant comme on avait essayé de le faire avec le gouvernement provisoire.

En couvrant la visite de Stibi en Algérie, le *ND* mentit d'ailleurs par omission à ses lecteurs en « oubliant » un certain nombre de péripéties. Car la visite de la délégation est-allemande ne s'était pas du tout déroulée comme on l'avait prévu.

En fait, la directive du mois d'août pour la délégation de Brasch et Scharfenberg comportait une tâche particulière en vue des relations avec le nouvel État algérien :

> La délégation doit obtenir l'envoi d'une délégation gouvernementale de la RDA à Alger pour les festivités prévues à l'occasion l'indépendance et en fixer les modalités. Elle doit également déterminer l'établissement de relations définitives.[3]

Là-dessus, Brasch et Scharfenberg n'avaient pas réussi à obtenir totale satisfaction des autorités algériennes.

Certes, l'Algérie avait invité quelques pays socialistes, dont la RDA, pour la fête nationale le 1er novembre :

> Pour la fête nationale imminente, le 1er novembre 1962, ont été invités un certain nombre de pays socialistes, entre autres aussi, oralement, le vice-ministre des Affaires étrangères de la RDA. Ce geste exprime une certaine disposition envers une coopération avec la RDA.[4]

Les invitations n'avaient pas été prononcées par écrit, mais oralement, ce qui montrait seulement une « certaine » disposition à coopérer avec la RDA.

La disposition peu « certaine » des Algériens s'était montrée en fait dès le début par leur attitude ambiguë, à la limite des usages diplomatiques. Dans son rapport sur les péripéties à Alger, l'un des membres de la délégation, Paul Markowski[5], rappela les circonstances rocambolesques de l'invitation :

---

1. *Ibid.*, p. 1.
2. Voir *supra*, p. 233 *sq.*
3. MfAA A 12 710, feuille 13, p. 2.
4. SAPMO BArch DY 34/ 3379, 26 octobre 1962, p. 1.
5. Markowski (1929-1978) était à cette époque chef de la section Politique étrangère et Relations internationales pour les pays capitalistes au MfAA.

> D'abord le chef de la section pour les pays socialistes au MAE algérien avait lancé oralement au représentant de la RDA en Algérie, le camarade Scharfenberg une invitation officielle pour une délégation gouvernementale de la RDA, comprenant un vice-ministre des Affaires étrangères et un autre collaborateur du Ministère de l'Extérieur et l'avait confirmée par écrit. Une semaine plus tard, le directeur du Département politique du MAE, Taleb, fit part aux représentants de la RDA à Alger qu'une erreur regrettable avait eu lieu, que la délégation de la RDA n'était pas invitée par le gouvernement algérien, mais par le Bureau politique du FLN et ne serait considérée que de troisième ordre. Après la protestation de nos représentants contre ce classement de troisième ordre, il a été accordé que la délégation serait traitée comme les autres représentants invités par le Bureau politique.[1]

Il paraît que même du côté algérien il y avait des hésitations sur l'accueil de cette délégation. Scharfenberg relata à son ministère une rencontre presque cocasse avec deux responsables algériens, l'un étant le secrétaire de Khider du Bureau politique du FLN, Mohammed Benouis, et l'autre le chef du cabinet du MAE, Sekiou. Devant le représentant de la RDA, au milieu d'une rue, ils se disputèrent à propos de la délégation de la RDA. Scharfenberg s'était rendu au siège du FLN pour demander qui s'occuperait finalement de la délégation, invitée par le FLN. Devant le siège, il rencontra Benouis, qui prétendit ne rien savoir d'une invitation. Puisqu'en cet instant Sekiou sortit de la même maison, Benouis le héla et lui présenta le problème. Là-dessus, les deux « passèrent de la langue française à la langue arabe et discutèrent très bruyamment et avec véhémence ».[2] Scharfenberg intervint et présenta le problème du rang des invités :

> Le chef de notre délégation est un vice-ministre des Affaires étrangères, on ne peut pas traiter un ministre de troisième ordre. M. S. devint tout à coup très attentif. Il dit que l'arrivée d'un ministre créerait des problèmes pour eux. Puisque notre statut n'est pas encore fixé, le Bureau politique avait décidé d'inviter « deux amis » de la RDA, qui ne seront pas considérés comme diplomates. Le collègue Sch. dit qu'il y aurait des problèmes aussi pour nous, […] nous avons un intérêt à ce que le ministre Stibi soit traité selon son rang. En plus, l'argument du côté algérien qu'à cause du statut non encore fixé on ne pouvait inviter une délégation gouvernementale n'est pas compréhensible. […] Le collègue Sch. souligna l'aide de la RDA pendant la guerre. […] M. Sekiou demanda si l'on ne pouvait pas retarder un peu la délégation…. Le collège Sch. déclara que la délégation était déjà en route.[3]

La délégation arriva en fait le lendemain malgré cet affront et alla d'humiliation en humiliation.

Déjà l'accueil à l'aéroport, le 29 octobre, aurait pu mal se passer ; heureusement deux délégations officiellement invitées arrivèrent en même temps :

> Puisqu'elle arriva en même temps que les délégations gouvernementales de la CSSR et de la République populaire de Mongolie, elle fut accueillie aussi de façon officielle et logée dans le même hôtel.[4]

---

1. MfAA A 12 784, feuilles 3 à 13 : « Bericht über den Aufenthalt der Delegation des Ministeriums für Auswärtige Angelegenheiten der DDR in der Demokratischen Volksrepublik Algerien in der Zeit vom 29.10. - 8.11.1962 », p. 1/2. Dans un document du MfAA A 13 775, feuilles 20 et 21, se trouve le rapport de Kiesewetter qui montre la gêne de Taleb – et de Yala qui assistait à cette réunion – à cause de la délégation officielle de la RDA, puisque l'Algérie avait invité des délégations de pays « avec qui ils entretiennent des relations » ; le traitement de la délégation sera une de troisième ordre (« drittrangig »). Kiesewetter continue : « Avant M. T. avait encore souligné nos bonnes relations et le soutien de la RDA pendant la guerre. Il dit : Nous en remercions la RDA, mais maintenant c'est une autre situation. »
2. MfAA A 13 775, feuilles 18 et 19 : « Vermerk über ein Gespräch des Koll. Scharfenberg mit dem Sekretär Khiders, Herrn Mohamed Benouis, und dem Kabinettschef des algerischen MfAA, Herrn Sekiou am 28.10.62 […] »
3. *Ibid.*
4. MfAA A 12 784, feuille 4, p. 2.

Apparemment on pouvait craindre que sans les collègues des autres pays « socialistes » cet accueil ait été moins chaleureux. Surtout qu'il fallut insister auprès des autorités pour avoir un accompagnateur qui était mis à disposition par le FLN et non par le MAE. Cet accompagnateur fit faux-bond à la délégation à l'occasion de la réception officielle du Ministre des Affaires étrangères, le 31 octobre, pour laquelle la délégation n'avait pas reçu d'invitation écrite. Aucune voiture n'arriva pour amener Georg Stibi à la réception et il dut donc se glisser dans la voiture officielle de la délégation bulgare pour se rendre à la réception, où – situation grotesque – ses deux collègues Bierbach et Markowski se virent refuser l'entrée parce que « la RDA ne figure pas sur la liste des invités du MAE. »[1]

De l'autre côté, l'attitude de la RDA ne plaisait pas vraiment aux autorités d'Alger et elles le firent savoir plus que clairement dans plusieurs entretiens avec Stibi et ses camarades[2] :

> Le gouvernement algérien s'est trouvé dans une situation compliquée par la présence de la délégation de la RDA, puisque la question des relations avec la RDA est très difficile. Or, la RDA n'a que très peu de compréhension de la situation de l'Algérie, appuie sur l'accélérateur et ne comprend pas que l'Algérie a besoin de temps dans cette question. L'Algérie ne rompra pas la première la pratique actuelle d'autres États indépendants visant à établir des relations diplomatiques égales avec les deux États allemands. L'Algérie échangera certainement des ambassadeurs avec l'Allemagne de l'Ouest et établira un consulat général de la RDA. [...] Devraient établir des relations au même niveau avec les deux États allemands d'abord les pays ayant des conditions économiques plus favorables. [...] Dans le domaine économique, l'Algérie a [...] de grandes difficultés. Au niveau de la politique étrangère, on a demandé à l'organisation de jeunesse du FLN de ne pas doubler le MAE sur sa gauche, dans ses accords avec la FDJ.[3]

Tout était clair, et pourtant la délégation insistait – et récoltait d'autres arguments peu plaisants de la part des Algériens.

Lors d'un entretien, le secrétaire général du FLN Mohammed Khider, qui ne cachait pas son agacement envers ses hôtes[4], présenta à Stibi deux arguments. Le premier concernait l'État d'Israël et la question palestinienne ; en effet Khider dit qu'une reconnaissance des deux Allemagnes représenterait un précédent fâcheux, dans la mesure où un État arabe ne pouvait jamais accepter le principe de l'existence de deux États sur le territoire des Palestiniens. Le deuxième argument devait plaire encore moins au représentant de la RDA, car il s'agissait d'une mise en valeur de la position idéologique de la RFA :

> La reconnaissance de deux États allemands signifierait aussi pour l'Algérie un conflit avec le droit à l'autodétermination. L'Allemagne de l'Ouest a proposé un référendum dans lequel on devrait voter sur le destin de l'Allemagne comme État réunifié et l'avenir de celui-ci. [...] L'Algérie a mené une guerre pendant 7 ans pour donner à son peuple la possibilité de décider en pleine autodétermination de son avenir. [...] Khider souligna [...] que l'Allemagne de l'Ouest avait une position de force dans cette question.[5]

---

1. *Ibid.*
2. *Ibid.*, p. 4 *sq.* Ces entretiens eurent lieu sur l'insistance appuyée des membres de la délégation.
3. Ibid. Cette dernière information sort d'un entretien de Helmut Müller (FDJ), qui se trouve avec une délégation parallèle, dirigé par le Dr. Heinz Meinicke-Kleint de la DAG, à Alger, pour participer aux festivités d'indépendance organisées par l'UGEMA à qui le « commissaire national pour la jeunesse » du FLN, Faddel, a parlé lors d'un déjeuner de cette demande du MAE, le 4 novembre (MfAA A 12 784, feuille 27). Helmut Müller, né en 1930, fut secrétaire du Zentralrat der FDJ de 1955 à 1966, puis secrétaire adjoint du SED de Berlin.
4. *Ibid.*, p. 5 ; le rapport parle de l'attitude peu amène de Khider.
5. MfAA A 12 784, feuilles 14 à 18, p. 3 d'un «Vermerk über den ersten Besuch der Delegation der DDR beim Generalsekretär des Politbüros der FLN Mohammed Khider am 3.11.1962 [...] ».

On ne trouve pas dans le « Vermerk » l'affirmation que l'Algérie « se retrouve dans la position de Nehru : reconnaissance de deux États allemands », que Markowski avait attribuée à Khider dans son rapport général.[1] En effet, Markowski s'était trompé, car cette affirmation provint d'un entretien de Helmut Müller de la FDJ – qui ne faisait pas partie de la délégation Stibi-Markowski, mais de celle du Dr. Meinicke-Kleint de la DAG (voir *infra*) – avec le « commissaire national pour la jeunesse » du FLN, Faddel, lors d'un déjeuner, le 4 novembre.[2] On voit que dans la direction du FLN, les positions n'étaient pas encore totalement cohérentes.

La cohérence des entretiens accordés aux Allemands de l'Est n'était pas non plus très évidente. Si la délégation gouvernementale de la RDA n'arrivait pas à rencontrer en personne le ministre des Affaires étrangères, Mohammed Khemisti, par ailleurs l'un des anciens secrétaires généraux de l'UGEMA, en revanche le secrétaire du « Zentralrat » de la FDJ, Helmut Müller, s'entretenait brièvement avec lui. Toutefois l'argumentation de Khemisti en ce qui concerne les deux Allemagnes ressemble à celle de Khider :

> Il s'agit maintenant d'imposer la co-existence malgré toutes les divergences idéologiques. [...] Puis Khemisti parla du problème de pays séparés. Il dit que ce problème les occupait beaucoup, car ils avaient dû mener une dure lutte pour empêcher les projets de la France concernant une partition de l'Algérie. Il sait à quel point la séparation de l'Allemagne est douloureuse. Ils examinent actuellement cette question. Nous voulons tout faire pour faciliter la réunification de l'Allemagne. Il connaît le profond désir d'une réunification pour en avoir parlé avec des Allemands de l'Ouest. Il est convaincu que cette question essentielle sera résolue dans l'intérêt du peuple.[3]

Une réunification des deux Allemagnes aurait bien arrangé les Algériens ![4] Ils n'auraient pas eu les mêmes problèmes avec les Allemands de l'Est qui décidément ne voulaient pas comprendre que des relations diplomatiques avec eux n'étaient actuellement ni souhaitables ni possibles pour le nouvel État.

En plus, il fallait faire comprendre à la délégation sur place, aussi encombrante qu'elle fût, que dans les circonstances actuelles, le maximum qui était envisageable était une mission commerciale ou un consulat comparable à celui que la RDA entretenait au Caire auprès de la RAU. Et même cela n'était pas pour tout de suite. Plusieurs informateurs non officiels furent envoyés auprès des membres de la délégation est-allemande pour les familiariser avec ce fait. Les premiers furent Ali Mufti et un certain Schejuch[5] qui abordèrent le plénipotentiaire de la RDA Scharfenberg et l'interprète Seidel le

1. MfAA A 12 784, feuille 6, p. 4 du « Bericht... ».
2. MfAA 12 784, feuille 27/28, p. 2 d'une « Information des Genossen Helmut Müller, Sekretär des Zentralrates der FDJ über Gespräche in Algier » (cf. note 127).
3. *Ibid.*, feuille 24, p. 1 d'une « Information des Genossen H. Müller, Sekretär des Zentralrates der Freien Deutschen Jugend über eine Zusammenkunft mit Außenminister Khemisti und eine Zusammenkunft mit dem Jugendminister der Republik Algerien »
4. Il convient de mentionner que les membres de la délégation à Alger ne sont pas les seuls à avoir eu cette impression. Dès le 23 mars 1962, lors d'un entretien au Caire entre l'attaché Scharf de l'ambassade de la RDA et Meftahi et Bichichi du MAE algérien, ces deux derniers avaient demandé quand une solution de la question allemande pouvait être envisagée. Scharf écrit au MfAA le commentaire suivant : « De par la façon dont la question fut posée et la suite de la discussion on pouvait comprendre qu'ils voient dans une solution rapide de la question allemande [...] une facilitation de leur propre position. »
5. Les deux personnages ne sont pas identifiables. Ali Mufti est présenté par Schejuch comme collaborateur de la section pour les pays orientaux au MAE.

1er novembre à l'hôtel Aletti, et s'enquirent du déroulement de la visite de la délégation gouvernementale. Scharfenberg ne leur cacha pas qu'il y avait des difficultés, ce que les deux Algériens déplorèrent, mais ils expliquèrent également que la délégation est-allemande n'était pas la seule à en avoir. Ils assurèrent ensuite les deux Allemands de l'amitié et de la gratitude de l'Algérie et demandèrent ce qu'ils pensaient des futures relations entre leurs deux pays. Ils expliquèrent à Scharfenberg et Seidel qu'à leur avis, une représentation commerciale en Algérie et même éventuellement un consulat pouvaient être envisagés, mais certainement pas avant deux ans.[1]

Le deuxième émissaire tenant les mêmes propos fut Si Mustapha, bien connu des Allemands de l'Est. Lors de l'entretien du ministre Khemisti avec Helmut Müller, l'autre Müller, alias Si Mustapha, était présent. C'est lui qui demanda subitement au secrétaire du « Zentralrat », pendant le déjeuner qui suivit l'entretien avec Khemisti, « si nous trouverions acceptable, concernant les relations diplomatiques, le statut que nous avons en Égypte ».[2]

Même après le départ de la délégation gouvernementale – Martin Bierbach avait été autorisé par le MAE à rester comme « chargé d'affaires » de la RDA –, les autorités algériennes insistèrent de différentes façons, surtout par des entretiens avec des émissaires plus ou moins officiels, sur le fait que la RDA devait renoncer aux relations proprement diplomatiques. Ainsi l'adjoint du chef du protocole au MAE, Kalache, demanda à Scharfenberg et à son interprète Seidel, lors d'un déjeuner qui eut lieu le 14 novembre, s'ils voulaient bien accueillir l'un de ses amis, commerçant, qui voulait faire du commerce avec la RDA. Scharfenberg répondit que sa délégation venait du MfAA et ne s'occupait pas des questions commerciales. Son soupçon était le suivant :

> Il est possible que M. K. [...] agisse sur ordre et ait voulu nous faire comprendre que nous devrions, en tant que représentation, nous occuper de questions commerciales.[3]

Le plus perfide des interlocuteurs des représentants de la RDA était sans aucun doute Mohammed Hadj Yala, entre temps responsable pour les pays socialistes au MAE. Visiblement il se vengea pour le traitement peu amène que lui avaient infligé les autorités de la RDA lors de sa visite en 1959. Le 13 novembre, il accueillit Martin Bierbach au MAE pour lui proposer encore une fois une mission commerciale ou des relations comme la RDA les entretenait avec la RAU. Le diplomate est-allemand répondit qu'en principe, la RDA demandait toujours des relations diplomatiques en bonne et due forme, et il expliqua à son interlocuteur que, s'il pouvait discuter d'un arrangement comme celui du Caire, il ne voulait pas des relations comme en 1954, contrairement à ce que proposaient les Algériens. On devait partir au moins d'un consulat général comme il en existait actuellement en Égypte.[4] Lors du déjeuner auquel

1. MfAA A 13 775, feuille 16 : « Vermerk über ein Gespräch der Koll. Scharfenberg und Seidel mit Herrn Ali Mufti und Herrn Schejuch (?) im Aletti am 1.11.1962 ».
2. MfAA A 12 784, feuille 26, p. 3 de la « Information des Genossen H. Müller... » (cf. note 3, p. 258).
3. MfAA A 13 775, feuille 12.
4. L'explication de ce différend entre les deux hommes est que les relations entre la RDA et la RAU avaient commencé en 1954 avec l'établissement d'une mission commerciale qui au fur et à mesure avait été transformée en consulat général avec au sommet un ambassadeur (cf. là-dessus MfAA A 13 775, feuille 24, p. 7 du « Bericht über die gegenwärtige Lage in der Volksdemokratischen Republik Algerien und über den Stand der Verhandlungen über die Regelung der Beziehungen der Deutschen Demokratischen Republik zu Algerien » de Simons du MfAA).

Yala invita son interlocuteur, il lui fit la remarque suivante – comme s'il voulait que le représentant de la RDA rentre aussi vite que possible :

> Tout au début du déjeuner, M. Yala avait posé la question de l'itinéraire que le collègue Bierbach prendrait pour son voyage de retour. Un départ en avion un jeudi en passant par Marseille, permettrait d'être à Berlin en une journée.[1]

Le représentant de la RDA devait comprendre qu'il n'était pas réellement bien vu en Algérie et qu'en tant que plénipotentiaire, il n'avait pas de très bonnes perspectives. La réponse aux exigences de Bierbach vint par ailleurs une semaine plus tard de Tewfik Bouattoura, adjoint du directeur de cabinet du Ministre des Affaires étrangères :

> Au regard de [...] l'amitié pour la RDA et des problèmes difficiles que l'Algérie doit résoudre, le gouvernement algérien a décidé de proposer l'installation d'une mission commerciale [...] de la RDA à Alger. A partir de cette représentation, on pourrait plus tard développer les relations en les complétant avec ménagement. Le collègue Bierbach de son côté ne fit aucune déclaration à ce propos.[2]

Même l'installation d'un consulat général n'avait pu être obtenue, ni par la délégation gouvernementale ni par les représentants de la RDA qui étaient restés à Alger. La feuille de route du SED n'avait pas pu être respectée.

En fait, que la lourdeur des revendications « anti-impérialistes » de la RDA ait commencé à agacer Alger bien avant le 1er novembre 1962 pouvait se sentir depuis la visite de Mabrouk Belhocine à Berlin-Est, en été 1960. Le récent avertissement de Horst Brasch concernant les critiques d'hommes politiques algériens aurait également dû être pris en compte par ses collègues.

De toute façon, les autorités de la RDA n'étaient pas bien inspirées en pensant qu'une réponse aux « intrigues » de l'Allemagne de l'Ouest pouvait être apportée par une lourde propagande idéologique comme celle qui émanait du télégramme transmis par Stibi.

Or, la RFA suivait attentivement les péripéties autour du 1er novembre, comme l'indique un rapport du plénipotentiaire ouest-allemand von Nostitz au Auswärtiges Amt à Bonn. L'opinion de Nostitz relevait d'un réalisme qui pourrait presque être caractérisé de machiavélique ; en effet, il ne regretta même pas qu'au niveau idéologique, la RFA ne puisse certainement rien attendre de la part du nouveau gouvernement algérien, mais que dans la réalité, elle n'avait peut-être pas à se faire trop de soucis :

> [Nostitz] ajouta toutefois une note optimiste [...] en faisant état des protestations du secrétaire est-allemand Stibi qui estimait n'avoir pas été traité avec des égards suffisants lors des festivités du 1er novembre. [...] Au total [la fête de l'indépendance] a confirmé l'impression que nous avions déjà : l'équipe dirigeante algérienne actuelle incline largement vers l'Est avec son cœur, mais sa raison la pousserait plutôt vers l'Ouest.[3]

Par rapport à cette analyse, l'autosatisfaction qui ressort d'un document du FDGB à l'occasion du 1er novembre en Algérie était particulièrement dénuée de clairvoyance.

---

1. MfAA A 13 775, feuille 8, p. 2 du « Vermerk über ein Gespräch des Koll. Bierbach mit dem stellvertretenden Direktor im Ministerkabinett des MfAA, Herrn Tewfik Bouattoura, am 21. 11. 62 ».
2. *Ibid.*, p. 1.
3. CAHN/MÜLLER, *La République fédérale...*, p. 442 ; je n'ai pu vérifier si le terme « secrétaire » est une perfidie de la part de von Nostitz qui devait parfaitement savoir que Stibi était, en tant que vice-ministre au moins au rang de « secrétaire d'État », ou s'il s'agit d'une simple erreur de traduction.

Le document, qui n'est pas daté, mais se réfère directement à la fête nationale algérienne, évoque la lutte héroïque du peuple algérien, aidé par les pays socialistes, entre autres par la RDA, et en particulier par le FDGB.[1] Après l'énumération de toutes les actions de solidarité, le FDGB se targuait de représenter également la classe ouvrière ouest-allemande, dont le syndicat DGB avait soutenu les actions « impérialistes » du gouvernement Adenauer :

> Le FDGB a représenté par ces actions de la RDA également l'honneur des travailleurs ouest-allemands.
> Pendant que les impérialistes ouest-allemands aidaient, dans l'intérêt de leurs intentions néocolonialistes, à opprimer l'Algérie et envoyaient aussi des agents déguisés en syndicalistes [...],
> Pendant que ces chefs du DGB soutenaient de telles mesures visant l'oppression de la liberté algérienne, au lieu de prendre des mesures de solidarité avec le peuple algérien, comme les syndicalistes de base de l'Allemagne de l'Ouest l'exigeaient,
> Pendant que ces chefs du syndicat « mettent en garde » les syndicaux algériens contre le socialisme [...] et essaient aujourd'hui de pousser l'Algérie à tolérer le néocolonialisme, avec quelques cadeaux hypocritement présentés et des déclarations mensongères de solidarité,
> Le FDGB a contribué au nom de tous les syndicalistes allemands à la victoire des masses algériennes sur l'impérialisme.[2]

Il faut rappeler quand on lit la diatribe contre le DGB, que

1° ses cadeaux, s'ils étaient hypocrites, n'étaient certainement pas négligeables (« quelques ») – Brasch avait rapporté que le DGB avait envoyé 25 VW (voir *supra*) –, et que

2° l'un des fonctionnaires de la centrale syndicale ouest-allemande, Heinz Brandt, propagandiste parmi les plus célèbres d'une aide syndicale de la RFA à l'Algérie, était à ce moment incarcéré dans une prison de la RDA, après avoir été enlevé.[3] Djilani de l'UGTA avait demandé sa libération aux collègues du FDGB ce qui prouve qu'en Algérie, on était au courant de l'affaire, d'autant plus que Brandt avait massivement soutenu la cause de l'Algérie dans la presse syndicale de la RFA. En tout cas, le FDGB ne contribuait certainement pas à une prise de conscience réaliste des relations entre la RDA et le nouvel État algérien, quand l'auteur du document conclut :

> Nous aussi, qui luttons, en Allemagne, pour maintenir la paix mondiale par la conclusion d'un traité de paix et par la solution de la question de Berlin-Ouest – Berlin-Ouest est une base militaire de l'OTAN au milieu de notre République – et pour maîtriser nos ennemis communs, les impérialistes, et qui réalisons l'idéal humaniste dans notre pays, aiderons le peuple algérien à construire l'avenir lumineux, en résolvant ces problèmes et en poursuivant toutes les mesures nécessaires de solidarité.
> La victoire de l'Algérie était aussi notre victoire.
> Nos réussites sont aussi les réussites de l'Algérie.
> Au peuple algérien libéré notre salut fraternel ![4]

1. SAPMO-BArch DY 34/ 3379 : « Der FDGB übt Solidarität mit dem algerischen Volk », p. 1 et 2. En annexe du même document se trouve un bilan des actions de solidarité du FDGB, qui est daté du 1er février 1963. Le document lui-même a été rédigé avant, car le montant final des aides du FDGB évoquées dans le document lui-même (p. 3 : « Wert von über 4 Millionen DM ») est inférieur à celui évoqué dans le bilan, qui mentionne encore un envoi de novembre 1962 (montant global de toutes les aides matérielles : « ca. DM 5.000.000 »).
2. *Ibid.*, p. 2/3.
3. Cf. note 3, p. 212.
4. SAPMO-BArch DY 34/ 3379.

Certes, cette propagande était dirigée vers l'intérieur de la RDA, mais les mêmes propos avaient été étalés dans le télégramme de félicitations remis par Georg Stibi à Ben Bella.

L'analyse de Heinz Meinicke-Kleint (DAG), présent à Alger en même temps que la délégation gouvernementale

Il existait pourtant, à l'intérieur de l'appareil politique de l'État est-allemand, des personnes ayant un sens du réalisme comparable à celui de l'Allemand de l'Ouest von Nostitz. Ils partaient idéologiquement de la même analyse qu'un Edmund Röhner, mais arrivèrent à des conclusions très différentes après avoir observé les réalités sur place.

Du 20 octobre au 21 novembre, le Dr. Heinz Meinicke-Kleint, membre de la direction de la Deutsch-Arabische Gesellschaft, séjourna en Afrique du Nord, avec une délégation de la DAG et de la FDJ[1], d'abord pour la foire annuelle de Tunis, puis, à partir du début novembre, en Algérie, où il eut des pourparlers avec des fonctionnaires algériens de plus ou moins haut rang ainsi que de multiples entretiens avec de simples citoyens.[2]

Le constat de Meinicke concernant la situation économique fut celui de tous les observateurs : une catastrophe quasi totale. En revanche, son rapport se distingue d'autres du même genre : il n'en ressort pas l'optimisme artificiel dont regorgeaient surtout des articles du *ND* sur l'Algérie, mais aussi le rapport de Horst Brasch, deux mois auparavant.

Par exemple, l'espoir qu'avait exprimé Lothar Killmer du *ND* sur l'élan de l'Armée populaire concernant la reconstruction et l'enthousiasme du peuple pour son armée ne se trouve nulle part chez Meinicke. Selon lui, l'ALN, l'un des espoirs de la RDA, avait été purement et simplement démantelée, les troupes éparpillées sur des postes minuscules partout dans le pays. Pire, les soldats démobilisés gonflaient, selon Meinicke, les rangs des masses désœuvrées, surtout dans les villes :

> [L'Armée Nationale Populaire] comporte encore environ 40 000 hommes, au maximum, tandis que deux fois plus de soldats ont été démobilisés. Ces soldats ne sont rentrés au village d'où ils sont originaires que très partiellement. Les autres sont restés dans les villes, essaient de trouver des petits travaux, d'obtenir des postes ou des allocations. Leurs tentatives n'aboutissent que très rarement.[3]

Contrairement à l'armée algérienne – son démantèlement était essentiellement dû, suggère l'auteur, à la peur des dirigeants algériens –, les militaires français étaient encore très présents et surtout bien organisés :

> Contrairement à l'éparpillement des forces armées du gouvernement d'Algérie, les militaires français sont concentrés dans les casernes de toutes les villes [...]. [Leur présence visible] témoigne de

1. La composition exacte de cette délégation n'est pas mentionnée dans le document ; Helmut Müller qui avait donné des informations à la délégation gouvernementale et avait été reçu par Khemisti, le Ministre des Affaires étrangères, faisait apparemment partie de celle-ci.
2. SAPMO DY 30/ IV 2/20/ 354, feuille 279 à 309 (p. 1 à 31) : « Bericht über die Reise zur Messe Tunis und nach Algerien vom 20.10. bis 21.11.1962 » du 23 novembre 1962. L'Algérie est traitée à partir de la feuille 296, p. 18.
3. *Ibid.*, feuille 296/97, p. 18/19.

> l'intention des impérialistes français de maintenir, pour le moins à titre provisoire, leur domination militaire dans le pays.[1]

Le fait que les soldats algériens restaient à Alger et ne rentraient pas chez eux à la campagne était dû, entre autres, au manque de matériel agricole sur les terres que les rapatriés du Maroc et de Tunisie ne pouvaient donc cultiver ; seule l'agriculture dans l'Algérois fonctionnait encore, car ici « la concentration des militaires français avait entrainé le maintien de l'agriculture coloniale ».[2] Là où les Français n'étaient plus présents, « la situation des masses populaires est caractérisée par une misère encore bien plus noire que pendant la période coloniale ».[3]

Meinicke voyait trois éléments peser sur l'économie et la politique de l'Algérie : la misère des masses, renforcées par les soldats démobilisés, le manque de cadres pour la reconstruction de l'État et la présence des militaires français.[4]

Le problème était que le gouvernement sous Ben Bella ne faisait rien pour résoudre au moins les difficultés dont la solution aurait dû lui incomber, c'est-à-dire la question de la réforme agraire et celle du redémarrage des entreprises potentiellement opérationnelles :

> Le gouvernement, désormais en fonction depuis plusieurs mois, a tout entrepris pour sa propre installation, mais n'a pas pris de mesures sérieuses pour améliorer la situation du peuple. L'attitude du gouvernement, aussi bien en politique intérieure qu'en politique extérieure, est selon moi due essentiellement au fait qu'il n'ose pas s'appuyer sur la force du peuple.[5]

Ainsi ni les terres abandonnées par les anciens colons ni les usines même de sympathisants de l'OAS n'avaient été expropriées[6] ; on empêchait les paysans de se réunir en coopératives pour travailler la terre[7] ; les ouvriers du bâtiment qui avaient proposé de reprendre en autogestion des entreprises abandonnées par les Français n'avaient jamais obtenu de réponse[8] – bref le gouvernement ne voulait visiblement pas satisfaire les revendications populaires.

Selon Meinicke, deux raisons pouvaient être invoquées pour expliquer cette attitude. D'abord, le gouvernement avait certainement peur de représailles françaises, car les expropriations étaient en contradiction avec les accords d'Évian[9], et les « impérialistes français seraient naturellement alarmés par une mesure [des reprises ‚sauvages' d'entreprises] comme celle que les ouvriers du bâtiment projettent. »[10] Mais d'un autre côté, le gouvernement se méfiait également, en raison de son inactivité, de la population algérienne elle-même.

---

1. *Ibid.*, feuille 297, p. 19.
2. *Ibid.*, feuille 296, p. 18.
3. *Ibid.*
4. *Ibid.*, feuille 297, p. 19.
5. *Ibid.*, feuille 298, p. 20.
6. *Ibid.*
7. *Ibid.*, feuille 299, p. 21.
8. *Ibid.*, feuille 300, p. 22.
9. *Ibid.*, feuille 299, p. 21.
10. *Ibid.*, feuille 300, p. 22.

Meinicke s'entretint avec plusieurs hauts fonctionnaires, et les réponses à ses questions peuvent surprendre par leur honnêteté. Le fonctionnaire est-allemand demanda par exemple à un collègue algérien pourquoi le gouvernement n'avait pas fait appel aux Algériens de France pour pallier le manque de main d'œuvre qualifiée. Un cadre au Ministère de la Jeunesse et des Sports lui répondit – et Meinicke comprit par là les raisons d'une action de l'ancien FLN, à savoir la dissolution de l'« Association de France » :

> « Les ouvriers algériens de France sont plus dangereux que les Français ! » Dans ce contexte, on doit comprendre aussi la dissolution de l'Association de France (du FLN) qui n'a pas été reprise comme organisation du parti – ce qui aurait été le plus simple – mais que l'on a détruite à cause de ses ambitions révolutionnaires.[1]

Or le gouvernement Ben Bella, qui avait semblé être tellement ouvert aux ambitions progressistes – même le représentant de la RFA avait pensé qu'au moins son cœur penchait vers l'Est –, n'avait pas seulement peur des révolutionnaires « occidentaux », les Algériens « formés » en France, mais de ses propres compatriotes, comme l'indiqua le chef de cabinet du Ministre pour l'Information :

> « Je serai très clair – on ne peut se fier au peuple. Il est pourri par le colonialisme, est hypocrite et ne pense pas dans le sens du bien commun. »[2]

Meinicke, de son côté, avait fait des expériences contraires. En fait, selon lui, les paysans ne demandaient qu'une chose : travailler pour le bien commun dans des coopératives efficaces, après une réforme agraire. Certains ouvriers étaient prêts à travailler sans être payés dans des entreprises qu'ils voulaient gérer eux-mêmes pour faire avancer la reconstruction du pays. Tous étaient par contre très mécontents de leurs dirigeants qui ne décidaient rien en ce sens.

Ainsi le représentant de la DAG penchait plutôt vers une autre explication du désastre algérien. En fait on trouvait désormais une nouvelle bourgeoisie locale, qui s'était installée surtout dans les petites entreprises abandonnées par les Français du secteur tertiaire, c'est-à-dire non productif. Elle était renforcée par un certain nombre d'« extérieurs », c'est-à-dire de personnes qui n'avaient pas participé à la guerre sur le territoire nord-africain. Cette bourgeoisie avait tout à craindre des mouvements révolutionnaires :

> Cette nouvelle et, me semble-t-il, assez importante bourgeoisie, renforcée par ceux des « extérieurs » qui n'ont pas rejoint le groupe de Ben Bella à temps et qui vivent de leurs comptes personnels, de toute évidence ouverts intégralement avec des fonds d'aide de pays amis, craint pour son existence suite aux slogans de la « voie socialiste ».[3]

Cette partie de l'explication relevait du côté « communiste » que l'on peut considérer comme « obligatoire ». Le deuxième volet de l'explication relevait plutôt du fait que Brasch, lors de la réunion chez Schwab, avait critiqué sévèrement les dirigeants et le fonctionnement de l'État algérien. Et Meinicke n'y allait pas de main morte. Il

1. *Ibid.*, feuille 298/99, p. 20/21.
2. *Ibid.*, feuille 299, p. 21.
3. *Ibid.*, feuille 301, p. 23.

s'en prit à la direction du syndicat algérien, l'UGTA, qui avait déjà posé tant de problèmes aux autorités est-allemandes, et qui « suit aveuglément la CISL et est corrompue jusqu'aux os ».[1] Même le chef du gouvernement Ben Bella n'échappa pas au jugement acerbe de l'observateur est-allemand :

> Ainsi il n'est pas étonnant que j'ai entendu a plusieurs reprises l'appellation « Ben Bla Bla ». Apparemment on s'aperçoit déjà, au moins partiellement, de sa démagogie – il parle beaucoup et promet des mesures qui, ne serait-ce que pour des raisons objectives, ne sont absolument pas réalisables.[2]

Les collègues Brasch et Scharfenberg n'avaient visiblement pas été assez lucides pour se rendre compte du fait que Ben Bella était un simple démagogue, semble suggérer Meinicke. Si certains observateurs « socialistes » de l'actuelle Algérie semblaient réellement penser que l'on pouvait désormais parler d'une « situation révolutionnaire », l'Allemand occidental von Nostitz, par son analyse [voir supra] comme par son comportement envers la RDA [voir infra], n'était apparemment pas de cet avis. Et l'Allemand de l'Est Meinicke avait, dans ce cas, plutôt la même opinion :

> Je ne suis pas [de cet avis], car je suis convaincu que la démagogie de Ben Bella, son influence personnelle et le patriotisme des masses populaires empêcheront pour le moment une évolution dans une direction totalement différente.[3]

Une autre raison encore lui semblait empêcher une quelconque possibilité de « changement » : le fait qu'une partie de la population était menacée proprement de la famine, et dépendait des envois caritatifs des États-Unis :

> Le fait que le gouvernement craigne une détérioration de la situation alimentaire peut contribuer à son attitude, si par exemple des prestations caritatives de la part des USA manquaient en guise d'éventuelles représailles. On m'a assuré qu'aujourd'hui un tiers de la population vit des envois alimentaires américains.[4]

Les conclusions que tira Meinicke du constat sur le mécontentement de la population qui croissait indéniablement, montre en même temps que son raisonnement était resté dans le cadre de l'orthodoxie marxiste-léniniste.[5] Bien que sa description de la situation ne fût pas conforme aux prévisions de ses collègues, elle l'amena à préconiser une sorte de voie secondaire vers une situation révolutionnaire. En effet, en absence de mouvements révolutionnaires concrets, l'observateur est-allemand constata une croissance étonnante du PCA.

Cette évolution favorable était selon lui d'abord due au fait que les effectifs du FLN n'évoluèrent pas, pour deux raisons, la méfiance de la population et le manque de cohérence idéologique :

> Selon mes observations, cela s'explique par le fait que les masses populaires se méfient des secrétaires généraux à qui l'on a confié la tâche de construire le parti dans les départements ; de surcroît, elles

---

1. *Ibid.*, feuille 300, p. 22.
2. *Ibid.*, feuille 302, p. 24.
3. *Ibid.*, feuille 302, p. 24.
4. *Ibid.*, feuille 300, p. 22.
5. Ce fait devient encore plus évident dans les quelques lignes que Meinicke consacre au nouveau « Parti de la Révolution Socialiste », qu'il caractérise comme « trotskiste » (*ibid.*, feuille 302, p. 24) : « Par ailleurs ce P.R.S., dont j'ai lu les tracts, est apparemment une organisation trotskiste, car il néglige le rôle des paysans et la nécessité d'une union entre travailleurs et paysans. »

> attribuent peu d'importance au parti. J'ai assisté à un meeting [...] et j'ai constaté que la base idéologique officielle du parti, le programme de Tripoli, n'a même pas été mentionnée. [...] À mon avis, on passe systématiquement sous silence ce programme et son contenu progressiste.[1]

Était-il étonnant que la plupart des membres officiels du FLN que Meinicke avait rencontrés soient selon lui des « carriéristes » ?

Le manque de cohérence du gouvernement se montra à une occasion qui avait un lien direct avec le PCA. Ben Bella avait fait un discours virulent contre les activités du parti communiste, mais celui-ci l'avait défié – sans conséquences négatives :

> Effectivement Ben Bella avait dit dans son discours contre le Parti Communiste qu'il ne tolérerait plus aucune activité du parti ; mais immédiatement après l'interdiction de la conférence de presse, au cours de laquelle le PCA voulait discuter ce discours, le Parti édita un communiqué sur ces questions – et rien n'arriva, bien que le Parti voulût manifester par cette publication qu'il ne laisserait pas interdire son activité.[2]

Si le gouvernement semblait avoir peur du PCA, celui-ci se préparait pourtant à la clandestinité. Il ne craignait donc pas une interdiction, mais il ne la prévoyait pas pour un avenir proche. Ceci d'autant moins que le parti n'avait apparemment aucun problème d'effectifs – contrairement à ce qu'avait vu Horst Brasch à peine un mois auparavant ; les gens affluaient, sans qu'aucune campagne de recrutement ne fût nécessaire :

> [Le parti] crée partout dans le pays une organisation du parti et des cellules. [...] Certes, il est actuellement difficile de venir à bout du travail d'organisation, par manque de cadres moyens [...]. En réalité, ouvriers, paysans et intellectuels viennent vers le parti, sans publicité particulière.[3]

Tout cela aurait dû être plus que favorable pour les pays « socialistes », en particulier la RDA. Or, Meinicke retomba rapidement dans son scepticisme réaliste, à propos des perspectives de la RDA en Algérie.

Ainsi, dans la partie intitulée « Les possibilités de la RDA en Algérie », il enterra tout de suite tout espoir de reconnaissance de la RDA par le gouvernement actuel d'Algérie et implicitement par ses gouvernements futurs. En quelques lignes Meinicke donna son avis sur la question, et développa les raisons principales qui fondaient son opinion :

> Notre délégation gouvernementale et nos diplomates ont compris dans les entretiens avec des ministres et des fonctionnaires du gouvernement qu'aussi bien les accords d'Évian que la pression qui est visiblement exercée par l'Allemagne de l'Ouest et visiblement aussi par d'autres puissances de l'OTAN, détermine l'attitude du gouvernement Ben Bella envers la RDA. Autant que l'on puisse voir actuellement, nous ne dépasserons pas une mission commerciale avec des compétences consulaires et peut-être avec un diplomate comme directeur. Les spéculations sur des prestations d'aide ouest-allemandes y jouent certainement un rôle important. Par exemple, les 18 et 19 novembre arrivèrent de l'Allemagne de l'Ouest 10 000 t de semences de pomme de terre. Sans aucun doute cela représente une aide importante avec laquelle nous ne pouvons rivaliser.[4]

Certes, Meinicke développa encore des spéculations concernant une clause secrète des accords d'Évian qui aurait imposé à l'Algérie des consultations avec la France, au

---

1. *Ibid.*, feuille 303, p. 25.
2. *Ibid.*
3. *Ibid.*, feuille 302, p. 24.
4. *Ibid.*, feuille 304, p. 26.

cas où ses positions en politique internationale se seraient écartées des françaises[1] ; mais l'Allemand de l'Ouest von Nostitz avait tout de même vu juste : une politique réaliste de la part des Algériens exigeait un alignement sur les puissances occidentales, pour de simples raisons de survie.

Il était donc clair pour le représentant de la RDA qu'au niveau diplomatique il n'y avait plus beaucoup à espérer. Il insista encore une fois là-dessus avant d'ouvrir un autre champ politique, plus prometteur selon lui :

> Puisque nous ne pouvons pas compter sur d'importants succès au niveau diplomatique, il me semble pourtant, après l'accueil pour le moins poli, souvent amical, en partie même cordial, de nos organisations politiques, la DAG et la FDJ, que nous puissions compter sur la possibilité d'un travail politique important en Algérie.[2]

Le travail d'une organisation comme la DAG était assuré en plus du soutien de différents ministères, celui de l'Information et celui de l'Education ainsi que celui du Ministre de la Jeunesse et des Sports, Abdelaziz Bouteflika. Ces institutions et ces personnes n'avaient certes pas le poids d'un « grand » ministère, comme celui de l'économie, mais ils pouvaient servir de relais « idéologiques » qui pouvaient influencer l'opinion publique.

Meinicke était de l'avis qu'il fallait regarder la réalité en face et se diriger vers une présence plutôt culturelle. Un travail au niveau culturel qui devait faire passer également toutes sortes d'information sur la RDA, était nécessaire ne serait-ce que pour contrer les actions concrètes de la rivale RFA ; par conséquent Meinicke proposa d'installer un bureau de la DAG au centre d'Alger :

> L'activité de la DAG pourrait extraordinairement bien compléter notre action diplomatique. Pour nous qui avons un champ d'action limité au niveau de l'économie internationale, une présence permanente est nécessaire, pour des raisons politiques afin de contrer la propagande ouest-allemande et impérialiste d'autre provenance à laquelle il faut s'attendre et afin de maintenir les relations entre le peuple algérien et la RDA au même niveau que jusqu'à maintenant.[3]

Le représentant de la DAG joignit ici de façon assez habile un optimisme serein à un scepticisme légèrement camouflé tout en argumentant *pro domo*. En effet, il exagérait peut-être les possibilités d'un travail politique et culturel, mais l'aveu qu'au niveau de l'économie internationale la RDA ne pouvait pas rivaliser avec les puissances « impérialistes » était parfaitement réaliste. On avait espéré pendant longtemps pouvoir développer les relations entre la RDA et l'Algérie ; or, désormais, il ne pouvait plus s'agir que de les maintenir au niveau existant – et ceci demandait en plus des actions volontaristes énergiques et coûteuses (Meinicke évoqua les loyers assez chers à Alger).

Les activités dans ce sens devaient pourtant être entamées rapidement,

1° parce qu'actuellement la RDA avait une certaine réputation auprès des Algériens, et

---

1. *Ibid.*, feuille 305, p. 27 ; Meinicke avait obtenu cette information de Rheda Malek, ancien rédacteur en chef de *El Moujahid*, présent lors des négociations à Évian. Celui-ci « fit allusion » à une telle clause.
2. *Ibid.*
3. *Ibid.*, feuille 306, p. 28.

2° parce que, en raison de cette réputation, on pouvait éventuellement devancer les rivaux de la RFA, qui par ailleurs n'étaient pas restés inactifs.

En effet, le plénipotentiaire de la RFA, von Nostitz, avait fait des démarches pour une aide aux universités et aux écoles en Algérie. Or, son attitude montrait également qu'il fallait toujours ménager le « cœur de l'équipe dirigeante algérienne », comme il l'avait écrit au Auswärtiges Amt, après le 1er novembre.

Dans ce contexte, Meinicke devait rendre hommage au *fair-play* du plénipotentiaire ouest-allemand – il l'appela ambassadeur, ce qui était doublement douloureux pour la RDA, car selon son rapport, la RDA ne devait point en avoir dans un avenir proche. En revanche, Meinicke voit dans l'attitude de von Nostitz un côté favorable pour la RDA, car au niveau idéologique, la position de la RDA semblait assez importante au représentant ouest-allemand – ce dont Meinicke se réjouit :

> L'ambassadeur ouest-allemand v. Nostitz s'est rendu au Ministère de l'Information et de l'Education avec la proposition d'envoyer à Alger un certain nombre de lecteurs allemands pour l'université et pour les lycées, et de pourvoir en matériel toutes les institutions de formation. À cette occasion il assura – comme je l'ai appris de source sûre – que la propagande ouest-allemande ne se dirigera pas contre un « État tiers » et que si jamais arrivait chez lui du matériel avec une telle propagande, il disparaîtrait « dans la cave de son ambassade ». Cette politique est certainement assez habile, et l'on sait apparemment, en Allemagne de l'Ouest, estimer à sa juste valeur la position de notre république en Algérie. Or, c'est justement pour cette raison que nous devrions développer notre position. L'une des possibilités à cette fin serait la création d'un bureau culturel et d'information. A mon avis, cette création n'est possible que si nous devançons les Allemands de l'Ouest et installons ce centre de préférence encore au mois de janvier 1963.[1]

Meinicke préconisa donc un nouveau changement de politique. La politique des grandes déclarations, des négociations de gouvernement à gouvernement, bref une politique étrangère traditionnelle, au niveau diplomatique, n'étant plus envisageable, il faillait la remplacer par une politique de présence, au niveau de la culture et de l'information. En plus, il fallait soigner et développer les contacts entre organisations de la société civile, les syndicats (encore que l'UGTA ne lui semblait pas vraiment fréquentable, comme il l'avait écrit, en raison de son « occidentalisme » corrompu), les partenaires de la FDJ et surtout son propre organisme, la DAG.

Les membres de la délégation de Meinicke avaient par ailleurs déjà commencé à travailler en ce sens. En effet, ils avaient rencontré les rédactions de huit périodiques algériens et étaient convenus d'échanger systématiquement des informations concernant leurs pays réciproques.[2]

En plus, on avait organisé la projection de la deuxième partie du film « Kämpfendes Algerien » de Fritz Möllendorf – que le colonel Bakhti, en janvier de la même année, avait attaqué et sur lequel Meinicke s'exprima également avec un certain dédain (« il n'est pas bon » pour différentes raisons techniques). La projection servait d'ouverture au vernissage de l'exposition de photographies, intitulée « Die Wissenschaft im Dienste des Friedens » [La science au service de la paix], et surtout d'occasion d'un cocktail de plus, où étaient représentés non seulement les Ministères algériens d'Information, de

1. *Ibid.*, feuille 306, p. 28.
2. *Ibid.*, feuille 307, p. 29.

l'Éducation, de la Jeunesse et des Sports, mais même le Ministère des Finances et le MAE. Etaient présents aussi la presse algérienne et les médias de la RDA, des enseignants et des représentants de l'économie algérienne, ainsi que les représentants diplomatiques des États amis.[1]

Meinicke avait initié ici une politique qui devait être celle de la RDA envers plusieurs États occidentaux, notamment la France, qui ne voulaient ni ne pouvaient la reconnaître au niveau diplomatique. Comme en France, à partir du milieu des années 50[2], on devait envoyer du matériel d'information au département des études allemandes de la future université d'Alger, bien que le responsable de ce département, un certain Gauthier, fût un admirateur de de Gaulle et du « grand Adenauer ». Une autre piste se présentait – la directrice des programmes de la RTA, Mme. Ouzegane, « qui est surtout intéressée par le fait de s'inspirer par notre conception des programmes ».[3]

Notons que la politique culturelle, comme « ersatz » d'autres possibilités de politique étrangère, était très importante pour la RDA, depuis le milieu des années 50, comme l'écrit entre autres Ulrich Pfeil, pour les relations entre la France et la RDA. En effet, depuis l'année 1956, la RDA essayait de renforcer une politique culturelle en France, avec plus ou moins de succès, pour préparer une éventuelle reconnaissance diplomatique et pour concurrencer la RFA, au moins dans le domaine de la culture. Meinicke s'est peut-être inspiré de ces expériences, car il est peu probable qu'il soit l'inventeur de cette politique, surtout que la concurrence entre les deux Allemagnes sur le champ d'activité qu'il décrit pour Alger existait déjà en France.[4]

Il est difficile de vérifier si la politique que Meinicke avait proposée dans son rapport, a été suivie de faits.[5] Le réalisme sceptique de son analyse ne devait pas plaire aux idéologues du parti SED. Ainsi, dans la documentation interne des institutions concernées, on ne trouve presque pas de réactions positives et encore moins d'initiatives concrètes qui iraient dans le sens de ses propositions. Une seule exception est à noter, l'analyse du MfAA, par Simons, datée du 30 novembre, sur la situation en Algérie, les possibilités de la RDA de s'y installer, suivie d'une feuille de route pour l'avenir proche sous forme de répertoire d'actions à prévoir.[6] Simons partageait le désenchantement de Meinicke-Kleint, mais fit des propositions pour l'avenir qui manquaient à mon avis encore sérieusement de réalisme (voir *infra*).

---

1. *Ibid.*, feuille 307/08, p. 29/30.
2. Cf. Pfeil, Ulrich : *Die « anderen » deutsch-französischen Beziehungen. Die DDR und Frankreich 1949-1990.* Köln, Böhlau 2004, qui cite la réaction indignée du père d'un étudiant ouest-allemand, qui était inscrit à l'IEP de Paris, en 1956. À l'IEP, on trouve le *ND* et *Der Morgen est-allemands* à côté de journaux ouest-allemands (p. 313).
3. SAPMO DY 30/ IV 2/20/ 354, feuille 309, p. 31. Il pourrait s'agir de Malika Ouzegane, évoquée par Mohammed Harbi *in* : Harbi, *Une vie debout…*, p. 200.
4. Pfeil, *Die « anderen » deutsch-französischen Beziehungen…*, p. 311 *sq.* insiste à juste titre sur l'importance de cette politique, justement dans un pays qui ne reconnaissait pas la RDA au niveau diplomatique, malgré le fait qu'officiellement, le « Kulturzentrum » de la RDA n'a pu être ouvert qu'en 1983.
5. Ainsi, je n'ai pas trouvé trace de l'ouverture d'un institut culturel à Alger, même pour l'année 1963.
6. MfAA A 13 775, feuilles 18 à 28 : « Bericht über die gegenwärtige Lage in der Volksdemokratischen Republik Algerien und über den Stand der Verhandlungen über die Regelung der Beziehungen der Deutschen Demokratischen Republik zu Algerien » (cf. note 4, p. 259).

L'interdiction du PCA

Dans certains autres rapports, on retrouve des éléments de l'analyse de Meinicke-Kleint, parfois presque littéralement. Ainsi, Edmund Röhner employa dans un rapport les mêmes phrases sur le fait que la situation en Algérie était pire que pendant la période coloniale[1], et Schwotzer fit le même constat en ajoutant que la population devait vivre des envois alimentaires américains.[2]

Mais ce qui intéressait au premier chef les autorités et les médias est-allemands, c'était l'interdiction du PCA, le 29 novembre, une semaine après le retour de Meinicke-Kleint à Berlin.

Les analystes de la situation en Algérie voyaient dans cette interdiction une sorte de tournant dans la politique algérienne, ou au moins le signe visible d'une évolution de la politique officielle algérienne qui devait s'avérer défavorable dans un avenir plus ou moins proche. En premier lieu, on déplora la disparition de l'un des éléments garants d'une voie « progressiste », avec le démantèlement de l'ALN, qui avait été considérée comme favorable aux pays socialistes, non seulement par Si Mustapha, avant l'indépendance, mais aussi après, par les correspondants spéciaux du *ND* en Algérie.[3]

On observe chez les auteurs des rapports un consensus sur le fait que la situation économique et sociale en Algérie était catastrophique – ceci étant évidemment la faute des colonialistes français qui avaient « rappelé en France plus de 120 000 ouvriers, employés, enseignants et médecins, en violation des accords d'Évian ». Par conséquent quasiment toutes les entreprises étaient fermées, l'administration ne fonctionnait plus, car « les fonctionnaires de l'administration ont aussi emmené le contenu des caisses en France », comme le dénonçait l'auteur du rapport du FDGB.[4] Röhner n'allait pas si loin, mais Schwotzer voyait une « émigration organisée de plus de 600 000 Français qui étaient pour la plupart actifs, comme ouvriers spécialisés et comme cadres supérieurs, dans l'économie et dans l'administration ».[5]

Le désenchantement concernant Ben Bella et son gouvernement était aussi largement partagé. On lui reprocha ses compromis avec « l'impérialisme, avant tout avec les impérialistes français » et son attitude nationaliste petite-bourgeoise, doublée d'anticommunisme[6], ainsi que son opportunisme, puisqu'il avait prôné d'abord une voie progressiste, vantant même le modèle cubain – par ailleurs sur place, à La Havane –, pour ensuite faire venir des capitaux occidentaux en Algérie.[7] Dans ce contexte, il ne pouvait y avoir aucun doute sur le fait qu'interdire le PCA avait un lien

1. SAPMO DY 30/ IV 2/20/ 356, « Die gegenwärtige Lage in Algerien sowie zur Lage und Rolle der Kommunistischen Partei Algeriens (KPA) » feuille 59, p. 2 [désormais cité : Röhner].
2. SAPMO DY 30/ IV 2/20/ 356, « Information über das Verbot der Kommunistischen Partei Algeriens », 18 décembre 1962, feuille 39, p. 1 [désormais cité : Schwotzer].
3. Ainsi Röhner, p. 3, et pour le FDGB : « Einschätzung der Lage in Algerien » (SAPMO DY 34/ 3379, non daté, p. 7) [désormais cité : FDGB].
4. FDGB, p. 4.
5. SAPMO DY 30/ IV 2/20/ 356, « Information über das Verbot der Kommunistischen Partei Algeriens », 18 décembre 1962, feuille 39, p. 1.
6. Schwotzer, p. 2 ; Röhner, p. 2.
7. FDGB, p. 5 ; Schwotzer, p. 2 ; Röhner, p. 3.

direct avec cet espoir d'obtenir un soutien financier occidental. L'interdiction avait eu lieu « la veille des négociations économiques entre la France et l'Algérie »[1] et le Secrétaire du CC du PCA, Bachir Hadj Ali avait déclaré :

> L'interdiction sert de contrepartie à une « aide » à l'Algérie de la part des pays capitalistes et représente une ingérence inadmissible dans les affaires internes de l'Algérie.[2]

Jusqu'ici, les analyses ressemblaient plus ou moins à celle de Meinicke, et même lui avait cru pouvoir observer un renforcement du PCA. Röhner et Schwotzer allaient même à chiffrer cette tendance. Si l'on avait parlé de 3 000 membres jusqu'ici, même des sources occidentales mentionnaient désormais le chiffre incroyable de 50 000 adhérents au PCA.[3] Avec un tel essor, l'avenir ne pouvait pas être si sombre.

Or, aussi étrange que cela puisse paraître, le *ND* ne couvrit que de façon très peu intensive l'interdiction du PCA.[4] Dans ce contexte, il convient de citer l'introduction de Schwotzer à sa note sur « l'information sur l'interdiction du PCA », où il donna la raison pour laquelle cette note était nécessaire :

> L'interdiction du PCA a suscité de l'étonnement dans des cercles étendus de la population de la RDA. Quelle est l'actuelle évolution en Algérie et quels sont les dessous de l'interdiction du PCA ?[5]

Cette note de Schwotzer, assez brève (trois pages et demie), pourrait d'ailleurs être une information pour la presse, car s'il est permis d'avoir des doutes concernant l'inquiétude de la population est-allemande sur les événements en Algérie, la presse avait peut-être réellement besoin d'explications sur le brusque retournement d'un régime ami, celui de Ben Bella, transformé en régime qui interdisait le parti frère du SED. On mettait par ailleurs systématiquement en avant, dans ces informations, qu'il n'avait pas été interdit pour des raisons idéologiques et que l'une des raisons de cette interdiction était qu'il représentait, par son existence même, un obstacle pour un système de parti unique.[6]

En revanche, c'est bien pour des raisons idéologiques que même dans les analyses internes, le pouvoir est-allemand s'imposait une sorte d'autosuggestion à propos du parti frère algérien. En effet, celui-ci était considéré comme patriotique, à cause de sa lutte contre l'ennemi colonisateur[7], coopératif, puisqu'il soutenait la politique du Bureau politique du FLN[8], critique dans un sens constructif[9] – cette dernière attitude lui était par ailleurs

1. Schwotzer, p. 2.
2. Röhner, p. 12.
3. Röhner, p. 8/9 ; Schwotzer, p. 3.
4. L'interdiction n'est évoquée que deux fois, à la fin de l'année 1962, le 30 novembre, n° 329, p. 7, où l'on cite UPI qui annonce que le ministre Hamou « aurait rendu public [...] une interdiction d'activité pour le Parti Communiste Algérien », et le 1er décembre 1962, n° 330, p. 5 : « KP Algeriens :Verbot illegal. Bachir Hadj Ali : Maßnahme kann nur Imperialisten nützen » [Interdiction illégale. B. H. Ali : La mesure ne peut servir que les impérialistes].
5. Schwotzer, p. 1.
6. Schwotzer, p. 1 ; Röhner, p. 10.
7. Röhner, p. 7 : « Le PCA tient une part importante de la lutte et des acquis nationaux. Pourtant les cercles gouvernementaux actuels démentent cette part patriotique de la lutte de libération du PCA [...]. »
8. Schwotzer, p. 3 : « Le parti a toujours soutenu la politique antiimpérialiste du bureau politique du FLN et du gouvernement, qui correspond aux intérêts de l'Algérie, et s'est engagé pour une coopération étroite. »
9. *Ibid.* : « Concernant les tâches nationales, il a en même temps essayé, par des critiques constructives, de renforcer la politique du gouvernement. »

reprochée par le gouvernement algérien qu'il soutenait de façon si solidaire.[1] Avec un tel parti, et avec l'accélération des contradictions entre les classes, on pouvait espérer une évolution positive :

> En continuant à consolider politiquement et au niveau organisationnel les forces de gauche, par une lutte pour une évolution nationale, progressiste, et en mobilisant toutes les forces patriotiques, devrait exister une possibilité d'imposer, avec le soutien des cercles libéraux de la bourgeoisie nationale, une orientation progressiste qui ressemblerait à l'évolution à Cuba.[2]

Il faut ajouter que Röhner lui-même était plutôt sceptique par rapport à une telle évolution – il l'évoqua en troisième lieu, elle était la moins probable.

Le problème de ces analyses est qu'elles ne prévoyaient aucune issue pour la RDA, sauf l'espoir quelque peu artificiel que le PCA, avec quelques alliés hypothétiques, pouvait peut-être jouer le rôle du fer de lance d'une évolution révolutionnaire. Car pour la politique internationale, le gouvernement algérien approuvait apparemment la politique de la coexistence pacifique entre les deux blocs, il reconnaissait les principes du mouvement de Bandoung, le non-alignement, et voulait entretenir officiellement des relations amicales avec tous les États « surtout avec ceux qui ont soutenu l'Algérie dans les années de la lutte de libération ».[3]

Mais on n'osa apparemment pas évoquer l'un des problèmes concrets, la doctrine *Hallstein*. Röhner continua :

> Dans l'action pratique, on trouve pourtant de fortes contradictions puisque [le gouvernement] lorgne vers les puissances impérialistes. La preuve en est notamment la différence de traitement des deux États allemands concernant l'établissement de relations diplomatiques. Même avec l'Union soviétique il n'y a pas jusqu'ici d'accords concrets. [...] On déclare que les relations avec les pays socialistes ne doivent pas entraver la coopération avec les pays capitalistes.[4]

Pourtant plusieurs représentants de la RDA avaient déclaré à de hauts responsables politiques à Alger que la RDA ne s'opposerait pas à l'établissement de relations diplomatiques du gouvernement algérien avec la RFA. Ils avaient par là cru pouvoir rassurer les Algériens sans prendre en compte la doctrine *Hallstein* – du moins en apparence.[5]

Or, les délégués de la RDA sur place devaient avoir compris que 1° les États dits socialistes n'étaient pas considérés tous de la même façon et que la RDA posait un problème particulier, par sa rivalité avec la RFA, et que 2° pour cette raison, les relations avec la RDA risquaient effectivement d'entraver la coopération avec les pays capitalistes. Meinicke-Kleint avait donc clairement expliqué que des relations diplomatiques à plein titre ne pouvaient pas s'établir entre les deux pays.

Or même après l'interdiction du PCA, au niveau du département du SED qui s'occupait des relations internationales, on n'avait toujours pas accepté cette évidence,

---

1. Röhner, p. 10 : « Le gouvernement reproche au parti qu'il expose les difficultés et la mauvaise gestion et fait des propositions pour les surmonter rapidement. [...] On ne veut pas de critique. »
2. Röhner, p. 4.
3. Röhner, p. 5.
4. *Ibid.*
5. Ainsi Brasch envers les représentants du MAE algérien, lors du cocktail donné le 11 septembre (cf. p. 250), comme Kiesewetter au Caire envers Ali Kafi, le 3 octobre 1962 (MfAA A 13 775, feuille 32).

sinon Röhner n'aurait pas formulé ainsi la phrase dans son analyse. Pourtant il connaissait les raisons qu'il avait évoquées dans les analyses mêmes, à savoir le besoin qu'avait l'Algérie d'une aide alimentaire et économique de la part des États Unis et de la RFA.

Aveuglement et illusions jusqu'à la fin

L'incapacité à voir les réalités apparaît de façon encore plus flagrante, quand on observe les priorités de la politique étrangère de la RDA de cette époque. En effet, dans toutes les analyses est-allemandes, ce qui apparaît comme le plus urgent à résoudre jusqu'à la fin de l'année 1962, était le problème germano-allemand. Aussi bien le FDGB que Röhner déploraient, dans leurs rapports, de ne trouver que peu voire pas de commentaires et de prises de position du côté algérien concernant la solution des questions de Berlin-Ouest et du traité de paix entre les deux Allemagnes :

> En ce qui concerne la question allemande, l'on évite toute prise de position précise et l'on argumente avec des idées occidentales sur la « libre autodétermination » et la réunification.[1]

On pouvait certes regretter que le gouvernement algérien ou le FLN ne soient pas plus reconnaissants envers un pays qui les avait soutenus matériellement et politiquement pendant leur lutte. Mais reprocher aux dirigeants algériens leur manque d'intérêt pour la question du traité de paix des anciens alliés de la deuxième guerre mondiale avec les deux Allemagnes ou pour la question du statut de Berlin-Ouest, relevait proprement d'une sorte d'autisme politique. Paradoxalement, on faisait aussi ce reproche au parti frère algérien. Ainsi Röhner poussait l'attitude narcissique du SED jusqu'au grotesque :

> Malheureusement il faut constater que dans les documents de presse et d'information du PCA des dernières années, presque aucune dépêche ni information n'a paru concernant la question allemande et la politique du gouvernement ou du SED ni sur l'attitude solidaire de la RDA.[2]

Pourtant les difficultés du PCA pendant et après la guerre étaient suffisamment bien connues de l'appareil politique de la RDA pour qu'il comprenne que le souci de ce parti était sa survie, aujourd'hui et en Algérie.

Si, dans l'analyse de Simons du MfAA le PCA n'était plus du tout évoqué, les propositions sur le procédé à suivre en ce qui concernait les relations avec l'Algérie n'en étaient pas moins teintées d'illusions.[3] Après la description de la situation en Algérie, qui suivait *grosso modo* celle de Meinicke-Kleint, l'auteur dressa une sorte de feuille de route pour l'action envers le gouvernement algérien. Il proposa que son ministre de tutelle, Lothar Bolz, dépêche le chargé d'affaires Martin Bierbach à Alger avec une lettre expliquant la position de la RDA : « l'existence de deux États allemands exige qu'on établisse les mêmes relations envers eux. »[4] C'est seulement « après reconnaissance du principe même de cette condition par le partenaire qu'on peut accepter de fixer un

1. Röhner, p. 6.
2. *Ibid*, p. 11.
3. MfAA A 13 775, « Bericht über die gegenwärtige Lage… » (cf. note 4, p. 259).
4. *Ibid.*, feuille 27.

statut de la représentation autre que diplomatique. »[1] Et l'on demanda que cette reconnaissance de principe soit faite de préférence par écrit, sinon « la déclaration orale du Ministre des Affaires étrangères suffit, mais non celle d'un de ses collaborateurs. »[2] Et selon Simons, la fermeté de la RDA devait aller encore plus loin :

> La proposition du côté algérien concernant l'installation d'une mission commerciale de la RDA à Alger doit être refusée ; en revanche, on doit essayer d'obtenir l'accord pour l'installation d'un consulat général. Si le côté algérien ne s'y prête pas, on doit mener les négociations avec le but que le collègue Scharfenberg soit reconnu en République algérienne comme représentant de la RDA – comme à l'origine.[3]

Les responsables politiques est-allemands préféraient donc le statu quo à une mission commerciale, considérée comme humiliante.

L'attitude quasiment autiste de la RDA ressort encore mieux de l'analyse du FDGB sur l'Algérie, en décembre 1962, après l'interdiction du PCA. Il s'agit ici certes d'un rapport issu d'un syndicat, mais tant le FDGB que l'UGTA étaient des organismes dont les dirigeants des deux États se servaient pour mener une politique internationale parallèle. Celle-ci ne disait pas toujours son nom, mais les questions traitées dans ce document sont d'ordre autant syndical qu'international.

L'auteur de la « Einschätzung der Lage in Algerien » concluait sa présentation générale de la situation algérienne par un bilan très positif de l'action du FDGB pendant la guerre, il regretta toutefois que les mesures de solidarité aient toujours été unilatérales :

> Depuis le début de la lutte de libération algérienne nationale, le FDGB se trouve ouvertement du côté de la population algérienne et a développé une forte activité de soutien à cette lutte. [...] Bien que les relations officielles au niveau de la coopération n'aient évolué qu'unilatéralement au niveau des mesures de solidarité du FDGB, les travailleurs d'Algérie s'aperçurent tout de même de l'aide du FDGB qui augmentait leur force de combat.[4]

Ce résultat ressemblait d'autant plus à un exploit que le FDGB avait affaire avec « la direction internationale de l'UGTA, qui suit une ligne anti-communiste » et qui avait essayé de saboter les relations avec le syndicat est-allemand :

> Les tentatives de la part de certains secrétaires de la direction internationale de l'UGTA de réduire les relations avec le FDGB voire de les liquider, peu de temps avant les négociations d'Évian, ont pu être neutralisées.[5]

Selon l'auteur du « Bericht... », il n'était donc pas étonnant que dans le fameux document de « réconciliation » entre le FDGB et l'UGTA en novembre 1961 « les représentants de l'UGTA évitaient une prise de position concernant le traité de paix et la solution du problème de Berlin-Ouest ».[6]

Malheureusement, les tentatives de « liquider » les relations avec le FDGB avaient continué après la fin de la guerre en Algérie. Après l'indépendance de l'Algérie, les

1. *Ibid.*
2. *Ibid.*
3. *Ibid.*
4. FDGB, p. 5.
5. *Ibid.*
6. *Ibid.*

actions hostiles envers les États socialistes, en particulier envers la RDA, étaient devenues fréquentes.

Ainsi, les représentants de l'UGTA avaient essayé de liquider le comité de solidarité avec l'Algérie au sein de la FSM à Casablanca, en juin 1962, et demandèrent désormais de l'aide financière exclusivement en devises, une perfidie envers les pays socialistes :

> Cette tactique devait apparemment réduire la coopération actuelle et mettre les pays socialistes dans une situation difficile devant le peuple algérien par rapport à la CISL et au DGB.[1]

Certains fonctionnaires de l'UGTA se rendirent même au Congrès du DGB, en revanche aucun organe syndical algérien ne publiait de prise de position syndicale contre la CEE et pour Cuba, comme le remarque l'auteur du document.[2]

Des fonctionnaires de l'UGTA avaient déclaré, à Horst Brasch, en septembre, qu'une délégation du FDGB serait la bienvenue à Alger, mais cette invitation orale n'avait jamais été suivie d'une invitation écrite.[3]

En somme, quand Mohammed Harbi avait demandé à ses compatriotes de respecter les formes pour avoir un soutien précieux de la part des pays socialistes, il avait été modestement suivi par ses collègues pendant la guerre[4], mais après la guerre, la politesse n'était visiblement plus d'actualité du tout.

Il s'avérait également pour la RDA que son calcul de placer dans les institutions de la nouvelle Algérie des cadres formés ne portait pas les fruits escomptés. Des problèmes techniques s'ajoutaient aux problèmes idéologiques, les personnes qui étaient revenues étant difficiles à contacter :

> En raison du fait qu'actuellement tous les cadres rapatriés par nos soins sont partis sans laisser d'adresse connue, que les collègues que nous connaissions ont déménagé de Tunis et du Maroc en Algérie, et que presque tous les Algériens vivant à l'étranger se servaient de faux noms dont ils se défont maintenant, il ne nous est actuellement pas encore possible d'entrer en contact avec eux.[5]

Du côté algérien, l'envie de contacter les anciens formateurs est-allemands était apparemment plutôt limitée.

Or les conséquences que tiraient les responsables du FDGB de toutes ces difficultés relevaient d'un irréalisme stupéfiant.

Certes, une délégation officielle du FDGB envoyée à Alger devait essayer, entre autres, de « clarifier toutes les questions ouvertes de la coopération » et de contacter « tous les citoyens algériens qui avaient été en RDA » – mais l'UGTA accepterait-elle d'accueillir une telle délégation, voulait-elle réellement discuter des questions ouvertes ? Cette question n'était même pas posée par l'auteur du rapport.

Le but des contacts avec les « anciens » de la RDA était de « leur procurer du matériel ». Le matériel qu'ils devaient recevoir était caractérisé comme suit :

---

1. *Ibid.*, p. 6.
2. *Ibid.*, p. 8.
3. *Ibid.*, p. 7.
4. Ainsi l'UGTA n'avait tout de même pas rompu les relations avec le FDGB, comme elle avait menacé de le faire en août 1961.
5. *Ibid.*, p. 9.

> La délégation officielle [...] doit parvenir à trouver des moyens par lesquels on peut propager en Algérie la plus grande clarté concernant les problèmes suivants :
> position des deux États allemands
> conclusion d'un traité de paix
> problème de Berlin-Ouest
> CEE et néocolonialisme
> le danger qui menace l'Algérie de la part de l'Allemagne de l'Ouest
> fraction droitière au DGB
> On doit arriver à ce que l'UGTA soutienne désormais la politique pacifique de la RDA.[1]

Avec un tel matériel d'information, un centre culturel et d'information de la RDA, comme l'avait prévu Meinicke-Kleint, devait avoir du mal à concurrencer non seulement l'aide alimentaire de la RFA, mais également le matériel de propagande de l'État rival. L'ambassadeur de la RFA von Nostitz pouvait tranquillement mettre dans la cave de son ambassade l'éventuel matériel de propagande dirigé contre « un État tiers ». Il n'en avait pas besoin pour contrer la dangereuse propagande de la RDA.

---

1. *Ibid.*

CONCLUSION

Plusieurs remarques s'imposent à la fin de cette étude. Elles ont presque toutes un lien avec le rôle primordial de l'idéologie dans la politique de la RDA envers l'Algérie en lutte pour sa liberté.

Un rappel concernant les chiffres est nécessaire ici. Il n'y a jamais eu, en RDA, plus de 150 à 200 étudiants, et plus de 400 ouvriers algériens. Certes, les chiffres sont souvent contradictoires, mais le nombre des personnes concernées était réellement assez restreint. Or, si un État hautement industrialisé, développé au niveau politique et administratif, consacre tant de temps, de personnel, bref d'énergie à si peu d'individus, la raison doit en être autre chose qu'une « rentabilité » rapide et directe. Même le calcul que dans l'avenir des cadres formés en RDA dirigeraient l'État algérien n'était plus réellement crédible après l'affaire des « rapatriements » d'étudiants algériens en RFA, où ils obtenaient des bourses pour réfugiés provenant des pays communistes.

L'Algérie profitait doublement de la RDA. D'abord, elle était présente sur le sol est-allemand, avec ses étudiants et ouvriers formés au frais de l'État socialiste ; mais elle était aussi destinataire d'aides matérielles considérables qui lui parvenaient par différents canaux. Du côté est-allemand, on pouvait même faire valoir un troisième soutien dont bénéficiait l'Algérie – le soutien idéologique. Il est moins sûr que les représentants de l'Algérie officielle, membres du FLN et à partir de 1958 du GPRA, considéraient ce soutien comme une aide réelle.

Or, pour la RDA, l'Algérie en lutte pour son indépendance représentait surtout un enjeu idéologique. Certes, on évoquait parfois en Allemagne de l'Est les richesses agricoles et géologiques de l'Algérie, mais le but principal des dirigeants de l'État socialiste allemand était d'emporter des victoires aussi importantes que possible dans la lutte contre son rival occidental, la RFA « impérialiste » et « néocolonialiste » selon le langage est-allemand. Par le biais d'un conflit colonial, on ne pouvait se trouver que du « bon » côté, à savoir du côté du mouvement de libération contre la France colonialiste et son alliée, la RFA, et cela de toute évidence pour des raisons teintées d'idéologie.

Mais ici surgit tout de suite un dilemme. Le FLN et le GPRA n'étaient pas réellement sur la ligne idéologique des dirigeants de la RDA. En revanche, il y avait un réel « partenaire » idéologique, le PCA, le parti frère algérien. Malheureusement ce parti n'était pas intégré dans un front unique de libération. Il avait même hésité, pendant un certain temps, sur le bien-fondé du soulèvement du 1er novembre 1954 – ce que Larbi Bouhali regrettait dans une autocritique, tout en critiquant le PCF et d'autres partis frères devant les communistes est-allemands – une telle attitude n'était d'ailleurs pas dans la culture du SED. Le problème des autorités de la RDA fut, pendant toute la période entre 1957 et 1962, de traiter aussi bien avec le parti frère qu'avec le FLN et ses émanations, GPRA inclus, globalement pour des raisons idéologiques. En effet, on ne pouvait sacrifier le PCA au profit de son rival, le FLN, pour la raison évidente qu'il était un parti communiste. Le PCA jouait sur cette corde de temps à autre, en évoquant les valeurs communes des deux partis.

D'un autre côté, il était tout à fait évident que le PCA n'avait pas le même poids politique que le FLN qui avait réussi à intégrer tous les mouvements indépendantistes algériens – ou à les écarter du champ politique. Si la RDA voulait atteindre envers et avec l'Algérie des buts politiques, elle devait traiter avec les représentants du GPRA, bien qu'ils ne fussent pas toujours « progressistes » dans le sens des pays « socialistes », voire étaient presque ouvertement anti-communistes, ou en tout cas dénoncés comme tels par des éléments « positifs » algériens, membres du PCA ou non.

Les autorités de la RDA n'abandonnèrent le parti frère qu'après l'indépendance de l'Algérie. L'attitude de la délégation Brasch à Alger, en août-septembre 1962 en est l'exemple le plus flagrant. Ni la délégation gouvernementale sous la direction de Georg Stibi, ni celle de Heinz Meinicke-Kleint, ni les différents représentants de la RDA à Alger n'essayèrent apparemment de contacter les dirigeants du PCA, bien qu'il ne fût pas encore interdit. On avait enfin compris que ce parti pris idéologique ne pouvait politiquement mener nulle part.

En tout état de cause, on ne pouvait pas obtenir, avec le soutien du PCA, rejeté par le FLN, une reconnaissance diplomatique de la part des dirigeants algériens. Or, la recherche presque obsessionnelle d'une telle reconnaissance par le futur État algérien était un élément clef dans la démarche idéologique de la RDA, car une telle reconnaissance aurait représenté une victoire sur la RFA.

La position de la RDA sur l'échiquier international était certes inconfortable à cause de la doctrine *Hallstein* qui permettait à la RFA d'essayer d'empêcher tout État d'établir des relations diplomatiques avec l'« autre » Allemagne. La RDA avait certes l'avantage de ne pas entretenir de relations diplomatiques avec la France qui ne pouvait donc pas la « punir » après un éventuel échange d'ambassadeurs entre elle et le GPRA. Mais le GPRA, et surtout le futur régime dont il était le noyau, était soumis à la menace de la doctrine ouest-allemande. Le GPRA qui avait installé un bureau dans l'ambassade de Tunisie à Bonn, ne pouvait pas faire abstraction de cette menace.

La volonté d'emporter une victoire sur sa rivale occidentale a empêché la RDA d'accepter une solution intermédiaire, un bureau du FLN comme il en existait en RFA. Le vice-ministre des Affaires étrangères, Sepp Schwab, fit bien une tentative d'ouverture en 1960, en acceptant l'installation d'un délégué permanent de l'UGTA en

RDA, le fameux Ahmed Kroun. Non seulement il essuya un blâme de sa hiérarchie (et par là les compétences politiques réelles en RDA se sont avérées très clairement), mais on fit dès le début tous les efforts possibles pour empêcher l'arrivée de ce délégué, puis pour l'empêcher de remplir les tâches que le côté algérien lui avait fixées, enfin pour se débarrasser de lui. Cette attitude ne pouvait qu'aggraver les relations entre le GPRA et la RDA ; la menace d'Embarak Djilani de l'UGTA de rompre les relations avec le FDGB en était un signe clair.

Par le traitement de l'affaire Kroun, le SED, avait non seulement fait savoir qu'il tenait pour essentiel de garder le contrôle sur l'activité des « citoyens » algériens sur son sol, mais aussi qu'il ne voulait pas se désintéresser du sort du parti frère, le PCA, pour un simple acte de « realpolitik » envers un régime qui, pour lui, ne représentait qu'une partie du mouvement de libération algérienne. En effet, si le PCA n'a pas directement dicté sa vision aux dirigeants de la RDA, il a réussi à l'inspirer de façon décisive. L'idéologie communiste l'avait emporté sur une timide tentative de « realpolitik » de la part du MfAA. Celle-ci avait certes un côté idéologique également, la concurrence avec la RFA, mais le MfAA voulait obtenir du FLN et du GPRA l'établissement de relations diplomatiques avec une méthode plus réaliste de petits pas.

À la fin de la période traitée ici, la concentration des partenaires est-allemands sur des problèmes interallemands, la revendication systématique d'une prise de position favorable à la RDA, concrètement même en faveur du « rempart protecteur anti-impérialiste », pouvait paraître très égocentrique à un Algérien qui se rendait à Berlin-Est pour négocier des avantages concrets pour son peuple. En tout cas, cette insistance de la part des représentants de la RDA était contre-productive, car elle permettait plus facilement aux nouveaux dirigeants algériens de se détourner d'un État qui avait largement soutenu la lutte de leur peuple, ne serait-ce qu'au niveau matériel.

Du côté du pouvoir algérien, la seule idée politique pendant la guerre était cette lutte pour l'indépendance. Le FLN et le GPRA n'avaient pas besoin d'une idéologie complexe, au contraire, elle aurait été plutôt contre-productive pendant les combats sur tous les fronts, aussi bien militaire que diplomatique. On cherchait de l'aide là où l'on pouvait en trouver – seule une « realpolitik » était adaptée à la situation. On pourrait même dire que pendant la guerre, les intérêts concrets ont tenu lieu d'idéologie.

L'affaire Kroun en est un exemple. Déjà pour installer un délégué permanent, les Algériens s'y prirent à plusieurs reprises, dès le premier envoi de Mohammed Hadj Yala à Berlin, en 1958. En 1961, ils jouèrent finalement une instance est-allemande contre l'autre, le FDGB, qui ne voulait pas de délégué contre le MfAA, qui finit par l'accepter. Puis on fixa à ce délégué des tâches qui dépassaient largement ce que l'accord avait fixé, à savoir les tâches d'encadrement syndical des quelques travailleurs, les fameux « amis » algériens. Ahmed Kroun faisait ce que le responsable d'un bureau du FLN aurait fait, il nouait des contacts partout, s'occupait de tous les Algériens, étudiants inclus, et essayait d'imposer un contrôle du pouvoir algérien à ses compatriotes. Du côté algérien, ces activités faisaient logiquement partie des tâches du délégué, sinon il n'aurait pas été rentable.

Reste la méthode par laquelle les Algériens avaient octroyé le délégué à la RDA. On n'avait pas pu obtenir l'installation d'un bureau FLN comme celui de Bonn, mais l'envoi du délégué de l'UGTA, couplé d'un contrôle du FLN sur tous les entrants en RDA, remplaçait presque entièrement un tel bureau. S'y ajoutaient les différentes mises en perspective d'une possible reconnaissance de la RDA par le GPRA ou le futur gouvernement d'une république algérienne, souvent appuyées par l'affirmation d'un virage à gauche de la direction, que ce soit à l'ALN ou au GPRA. Dans le cas du représentant du MAE qui avait obtenu l'installation du délégué algérien, on peut légitimement imaginer que la visite du représentant de l'ALN, un mois plus tard, avait comme but d'apaiser les vagues qu'avait faites la visite des représentants du MAE et de l'UGEMA. À cette fin, le représentant de l'armée algérienne fit miroiter un virage à gauche de l'ALN et probablement du GPRA qui pouvait aboutir à une reconnaissance.

Pourtant Ferhat Abbas, le président de ce gouvernement, avait très clairement fait savoir, dès 1958, qu'une reconnaissance diplomatique de la RDA n'était pas possible. Or, la finalité concrète des affirmations concernant une éventuelle reconnaissance était pratiquement toujours visible, qu'il s'agisse de l'aide matérielle ou de l'acceptation de la part de la RDA, d'une action algérienne qui n'aurait pas été acceptée sans l'argument de l'installation de relations diplomatiques. Que la RDA n'ait pas protesté vigoureusement contre le rapatriement raté des ouvriers algériens en 1962 montre que même à ce moment l'argument d'Embarak Djilani, représentant de l'UGTA, fonctionnait toujours.

Le problème était que derrière cette « realpolitik » tacticienne de la part des organismes du FLN, il n'y avait pas de politique réelle. Et c'est pour cette raison qu'il arrivait parfois aux Algériens du FLN de ne pas parvenir à leurs fins. Parfois le PCA était plus convaincant à un certain niveau de la hiérarchie est-allemande, car il connaissait la bonne adresse dans la structure de l'État socialiste, le CC du SED, supérieur aux ministères et donc aussi au MfAA. Dans certains cas concrets, la RDA ne suivait pas les Algériens du FLN dans leurs revendications, par exemple quand elle leur soutirait des « rappelés » considérés par les communistes du PCA et des autorités est-allemandes comme des « éléments positifs ».

Ainsi l'un des échecs « diplomatiques » les plus flagrants du GPRA fut-il certainement de n'avoir jamais réussi à installer un bureau officiel à Berlin-Est ou à remplacer le délégué permanent Kroun après son départ. A l'inverse la RDA ne put pas faire valoir, à la fin de la guerre en Afrique du Nord, qu'elle avait déjà accepté un noyau d'ambassade ou même de consulat sur son sol, ce qui aurait pu être un argument de poids dans les négociations de son statut dans l'Algérie indépendante.

En outre, le cas Kroun montre que les Algériens ne comprirent pas qu'il s'agissait d'une question de principes et non de personnes. Sinon, ils n'auraient pas insisté si souvent, après le départ de Kroun, sur son remplacement.

La perception de la politique du partenaire différait fortement de la réalité. Or, cette réalité même était de toute évidence partiellement formée par la perception réciproque que les partenaires avaient de leurs interlocuteurs. Autrement dit, les Allemands de l'Est ne comprenaient pas vraiment le fonctionnement d'un mouvement de libération en guerre, tandis que les représentants des organismes du FLN ne comprenaient pas le fonctionnement d'un État « socialiste » avec ses priorités idéologiques en général, et en particulier de la RDA avec sa rivalité avec la RFA en pleine guerre froide.

Ici intervient ce que l'on appelle aujourd'hui l'interculturalité. Sans entrer dans les théories de ce concept, il convient de constater que les traits caractéristiques de la rencontre de deux cultures apparaissent ici de manière évidente.

Les structures sociales des partenaires étaient très différentes. Les Algériens sur le sol est-allemand ne comprenaient pas vraiment, que dans la RDA des années 50, on ne vivait pas comme en France ou en RFA. Du côté est-allemand, on ne comprenait pas les comportements de ces « amis persécutés » par les menaces de l'impérialisme et du colonialisme internationaux et que l'on avait accueillis à bras ouverts. La conversation entre le plénipotentiaire algérien à Prague et un collègue est-allemand qui s'était plaint de la volubilité des « amis » est significative dans ce contexte. On se souvient que l'Algérien a expliqué à l'Allemand de l'Est qu'il connaissait des compatriotes qui voyageaient partout en Europe occidentale « uniquement par goût de l'aventure » – attitude incompréhensible pour un fonctionnaire du SED.

Les affrontements qui avaient comme source des malentendus interculturels ne pouvaient être évités, plusieurs affaires à caractère « sexuel » en témoignent, comme le récit du Dr. Martini qui était allé rencontrer des étudiants algériens à Leipzig et y voyait leur « chasse à la femelle ».[1]

On pourrait dire que même au niveau diplomatique au sens large, relations entre FDGB et UGTA incluses, les malentendus interculturels étaient fréquents. La RDA n'avait pas réellement de diplomates spécialistes du monde extra-européen, elle n'était pas vraiment préparée à des contacts avec des représentants d'un peuple arabe. Si le représentant algérien à Prague dut expliquer le goût du voyage de ses compatriotes, on peut en conclure logiquement que les diplomates est-allemands n'avaient pas ce goût. Cela se reflète également dans les plaintes de responsables est-allemands quand ils évoquent les voyages des Algériens à l'intérieur de la République.

Même linguistiquement, la diplomatie est-allemande n'était pas toujours à la hauteur. Ainsi le « Hauptreferent » Löbel du Département des Relations internationales du SED dut-il demander après la visite du colonel Bakhti en janvier 1962 une meilleure préparation des rencontres et la mise à disposition d'un interprète pour l'arabe.[2] Et Horst Brasch dut conseiller à ses collègues de dépêcher un diplomate chevronné à Alger, parlant français, ce qui n'allait apparemment pas de soi.

En Algérie, les quelques personnes aptes à remplir des missions plus ou moins diplomatiques, étaient formées à la française, elles avaient une formation occidentale. Selon Martini, il y en avait très peu. Concernant une rencontre avec l'un des hauts responsables du GPRA, il se dit « épaté par le petit nombre de renseignements sur la politique mondiale que des gens comme lui ont ».[3]

S'affrontaient donc deux mondes très différents. Du côté est-allemand le personnel responsable avait une tradition européenne – tradition politique paradoxalement fort imprégnée de légalisme dans une structure que l'on ne peut appeler État de Droit –,

1. MARTINI, Michel : *Chroniques des années algériennes 1946-1962*. Saint Denis, Bouchène 2002, p. 242
2. SAPMO-BArch DY 30/ IV 2/20/ 354, feuille 249 : « Einschätzung des Besuches der ALN-Delegation in der DDR vom 21. bis 29. Januar 1962 » (établi par Löbel, MAA 3. AEA, daté le 2 mars 1962)
3. MARTINI, *Chroniques…*, p. 266.

mais n'avait que très peu d'expérience internationale.[1] Du côté algérien en revanche, le personnel formé avait certes une formation occidentale, mais il n'avait ni les traditions européennes, ni d'expérience avec un État socialiste à la fois fortement bureaucratisé et idéologisé. La mésentente entre ces deux mondes était donc presque inévitable.

L'un des problèmes essentiels dans les relations conflictuelles entre GPRA et RDA est à mon avis l'analyse que faisaient les deux partenaires de leurs positions respectives. En Algérie, le besoin d'aide était flagrant et l'on saluait la disposition de la RDA à apporter une aide massive. On n'avait peut-être pas pris en compte suffisamment que cette aide était dictée par une idéologie anti-colonialiste. Elle venait d'un État fortement centralisé. On connaissait pourtant ces deux phénomènes par l'expérience, de fait coloniale que l'on avait soi-même vécue.

Mais derrière ces phénomènes connus, se cachait une autre idéologie, le marxisme-léninisme que la RDA essayait d'inculquer aux Algériens sur place. Ce dilemme fut évoqué par MM. Harbi et Meynier lors d'un entretien avec l'auteur. Les Algériens n'étaient pas du tout adversaires d'une formation syndicale à l'est-allemande, prévoyant un syndicat fortement centralisé et très hiérarchisé, dirent mes interlocuteurs, car c'est justement cette forme d'organisation qui a été adoptée en Algérie après l'indépendance. Ce qui n'était au contraire pas très bien vu par les « petits-bourgeois nationalistes », c'était la théorie marxiste-léniniste avec ses principes d'égalité et de dictature du prolétariat.

L'analyse erronée de la RDA était liée justement à l'idéologie marxiste-léniniste. Malgré l'avertissement du PCA au début de leurs relations sur les mêmes « petits-bourgeois nationalistes » qui dirigeaient la FLN, les autorités de la RDA croyaient qu'un mouvement de libération anti-colonialiste ne pouvait pas ne pas être lié aux forces progressistes dans le monde – analyse qui rejoignait celle de certains militaires français. Elles voyaient certes les intérêts concrets du GPRA et essayaient de limiter les dégâts en rusant par exemple avec les rappelés qui ne voulaient pas partir. Pourtant la doctrine du progrès empêchait de regarder la réalité en face. Ainsi, quand le PCA fut interdit à la fin de l'année 1962, selon les analyses du SED, le parti frère allait réunir derrière lui le peuple algérien et le mener vers une vraie révolution.

Si l'on voulait faire ressortir des résultats généraux de cette étude, trois conclusions essentielles peuvent être dégagés.

La première serait que la politique de la RDA, même dans ses aspects les plus réalistes, était sous-tendue par une idéologie qui ne laissait que peu d'espace à une

1. L'un des exemples les plus cocasses m'a été raconté par le Dr. Martini, lors d'une interview (21 avril 2005). Il s'agit d'une rencontre en 1964 : « C'est là où les DDRiens déconnaient, c'est parce qu'ils ne connaissaient rien au Tiers Monde, ils n'avaient aucune expérience. Je me rappelle d'une femme de la DDR qui était déléguée du ministère des Affaires Etrangères ou du FDGB, Feigl, qui, en Algérie, pendant le Ramadan, les gens ne fichaient rien, leur demandait :"Pourquoi vous ne travaillez pas ? C'est important de travailler pour le développement d'un pays." Je lui dis :"Mais tu déconnes complètement, tu es en train de leur parler en chinois [...]". » Il s'agit de Gertraud Feigl, née Lorff (1902-1974). Elle fut de 1955 à 1965 membre de la direction du FDGB, directrice du département des relations internationales et, en tant que francophone, responsable pour l'Afrique. (BArch DY 30/IV 2/11/v. 1510).

tactique permettant d'atteindre le but essentiel, une présence réelle dans un pays du Tiers Monde après son indépendance. En RDA, on comptait sur une solidarité de la part de l'Algérie indépendante en reconnaissance de l'aide fournie. Démonstration est faite également de l'efficacité de la doctrine *Hallstein* de la RFA, d'un instrument donc que l'on peut appeler idéologique. Cette doctrine s'avérait efficace, à cette époque, auprès d'États nés des luttes anticolonialistes.

Une deuxième remarque serait que les États socialistes soviétisés et les nouveaux États sortis de la colonisation, prônant souvent une voie « socialisante » à leur tour, n'étaient dans la réalité pas idéologiquement compatibles. Le strict refus du FLN et des représentants du GPRA d'avoir affaire, de près ou de loin, avec le PCA, en est une preuve. Ainsi la RDA était-elle prise dans un dilemme qui ne lui laissait qu'une seule issue, se séparer du parti frère. Or, seule la décision du FLN et du GPRA de reconnaître la RDA au niveau diplomatique aurait pu inciter l'État est-allemand à laisser tomber ce parti. Mais celui-ci ne représentait pas un enjeu assez fort pour que le FLN acceptât une éventuelle rupture avec la RFA, économiquement plus forte que la RDA.

La troisième remarque porte sur un constat encore plus simple. Le bilan des relations entre la RDA et l'Algérie en lutte, jusqu'en 1962, montre que l'Algérie en est le bénéficiaire. En effet, bien que cette dernière n'ait pas réussi à installer une représentation du FLN à Berlin ni à remplacer le délégué de l'UGTA, c'est bien la RDA qui a perdu sur tous les plans : elle a aidé massivement l'Algérie en lutte pour son indépendance, elle a accueilli à ses frais des étudiants et des ouvriers qu'elle a essayé de former, parfois avec succès, elle a accepté le délégué de l'UGTA et l'a supporté pendant relativement longtemps, et elle n'a subi, à la fin de la période traitée, que des humiliations de la part d'un État qui lui a préféré sa rivale idéologique, pour la seule raison que celle-ci était plus puissante économiquement – comme l'ont remarqué à la fois von Nostitz, le plénipotentiaire de la RFA et le délégué de la DAG Meinicke-Kleint, en novembre 1962.

L'historien ne doit pas se permettre d'évaluations historiques, et doit être très prudent en matière projections de l'histoire qu'il traite dans l'avenir. Je laisserai donc le dernier mot au Dr. Martini, observateur à la fois sympathisant et sarcastique des événements en Algérie. Il caractérise, en persiflant Friedrich Engels[1], les relations entre le mouvement de libération et l'État allemand socialiste comme suit :

> Tout cela faisait partie des maladies infantiles du socialisme allemand et du nationalisme islamique, bientôt socialisme spécifique algérien.[2]

1. « Le socialisme d'État est une des maladies d'enfants du socialisme prolétarien », 1894.
2. MARTINI, *Chroniques…*, p. 276.

BIBLIOGRAPHIE

L'historiographe sur la Guerre d'Algérie est abondante depuis au moins trois décennies. Le dernier tableau récapitulatif sur cette littérature est celle de Gilbert Meynier dans son article « L'historiographie française de l'Algérie et les Algériens en système colonial » paru sur le site web d' El Watan (http://www.elwatan.com/hebdo/histoire/l-historiographie-francaise-de-l-algerie-et-les-algeriens-en-systeme-colonial-ii-01-11-2010-97226_161.php), le 1er novembre 2010. Meynier intitule modestement cette bibliographie : « Quelques auteurs, quelques titres » – elle approche pourtant l'exhaustivité.

L'auteur de cette étude ne donne dans la suite que les ouvrages qu'il a réellement utilisés.

Sources non publiées

Auswärtiges Amt der BRD, Politisches Archiv; Ministerium für Auswärtige Angelegenheiten der DDR : cotes MfAA A 658, 11 235 à 13 776, 14 346, B 3010, LS A 410, 448, 466 à 469

Ministère des Affaires Étrangères de la République Française : Dossiers Afrique-Levant 1944-1959 ; Europe 1949-1955, Allemagne ; Europe 1956-1960, RDA ; Secrétariat d'État des Affaires algériennes (SEAA)

Stiftung Archiv der Parteien und Massenorganisationen der DDR im Bundesarchiv à Berlin (SAPMO-BArch) :
ZK der SED, Abt. Außenpolitik und Internationale Verbindungen, FDGB et FDJ

Service Historique de la Défense/Département de l'Armée de Terre (SHD/DAT, anciennement SHAT) à Vincennes : cotes 1 H 1721, 1773 à 1775, 2464.

Sources publiées

HARBI, Mohammed : *Les Archives de la révolution algérienne.* Paris 1981.

HARBI, Mohammed et MEYNIER, Gilbert : *Le FLN. Documents et Histoire 1954-1962.* Paris 2004.

Presse

El Moudjahid

Neues Deutschland (ND)

Littérature utilisée

AGERON, Charles-Robert (sous la direction) : *La guerre d'Algérie et les Algériens 1954-1962.* Paris 1997.

- « L'insurrection du 20 août 1955 dans le Nord-Constantinois. De la résistance armée à la guerre du peuple. » *In* AGERON, Charles-Robert (sous la direction) : *La guerre d'Algérie et les Algériens 1954-1962.*

- « La "guerre psychologique" de l'Armée de libération nationale algérienne. » *In* AGERON, Charles-Robert(sous la direction) : *La guerre d'Algérie et les Algériens 1954-1962.*

- « Les guerres d'Indochine et d'Algérie au miroir de la "guerre révolutionnaire". » *In* AGERON, Charles-Robert / MICHEL, Marc (éd.) : *L'ère des décolonisations.* Paris 1995.

AGERON, Charles-Robert / MICHEL, Marc (éd.) : *L'ère des décolonisations.* Paris 1995.

ALBERTINI, Rudolf von : *Dekolonisation. Die Diskussion über Verwaltung und Zukunft der Kolonien 1919-1960.* Köln 1966.

ALLEG, Henri (dir.) ; DE BONIS, Jacques / DOUZON, Henri / FREIRE, Jean / HAUDIQUET, Pierre : *La Guerre d'Algérie.* T. 2. Paris 1981 : Première Partie « L'incendie » rédigée par Pierre Haudiquet.

AMOS, Heike : *Politik und Organisation der SED-Zentrale 1949-1963. Struktur und Arbeitsweise von Politbüro, Sekretariat, Zentralkomitee und ZK-Apparat.* Münster 2003.

BADJADJA, Abdelkrim : « Panorama des archives de l'Algérie moderne et contemporaine. » *In* HARBI, Mohammed et STORA, Benjamin (éds.) : *La guerre d'Algérie.* Paris 2004.

BERSTEIN, Serge : *La décolonisation et ses problèmes.* Paris 1969.

BOUHSINI, Sabah : *Die Rolle Nordafrikas (Marokko, Algerien, Tunesien) in den deutsch-französischen Besiehungen von 1950 bis 1962.* Aachen 2000.

BOUROUIBA, Boualem : *Les syndicalistes algériens. Leur combat de l'éveil à la libération.* Paris 1998.

BRUNS, Wilhelm : *Die Außenpolitik der DDR.* Berlin 1985.

BUCH, Günther : *Namen und Daten wichtiger Personen der DDR.* Bonn 1978.

CAHN, Jean-Paul : « La République Fédérale d'Allemagne et la question de la présence d'Allemands dans la Légion étrangère française dans le contexte de la guerre d'Algérie (1954-1962). » In *Guerres mondiales et conflits contemporains n° 186*, 1997.

- « Le Parti social-démocrate allemand face à la guerre d'Algérie, (1858-1962). » *In* Jean-Paul CAHN / KLAUS Jürgen Müller (éds.) : *L'Allemagne et la décolonisation française. Revue d'Allemagne*, tome 31, juillet-décembre 1999.

- et MÜLLER, Klaus-Jürgen : *La République Fédérale d'Allemagne et la Guerre d'Algérie 1954-1962.* Paris 2004.

CONNELLY, Matthew : *A Diplomatic Revolution : Algeria's fight for Independence and the Origins of the Post-Cold War Era.* Oxford 2002.

COURRIÈRE, Yves : *La Guerre d'Algérie.* 4 tomes. Paris 2000.

COURTOIS, Stéphane et LAZAR, Marc : *Histoire du Parti communiste français.* Paris 1995.

DASBACH-MALLINKRODT, Anita : *Wer macht die Außenpolitik der DDR?* Düsseldorf 1972.

DJERBAL, Daho : « La question des voies et moyens de la Guerre de libération nationale en territoire français. » *In* AGERON, Charles-Robert (sous la direction) : *La guerre d'Algérie et les Algériens 1954-1962.*

DOWE, Dieter / KUBA, Karlheinz / WILKE, Manfred (Hrsg.) und KUBINA, Michael : *FDGB-Lexikon. Funktion, Struktur, Kader und Entwicklung einer Massenorganisation der SED (1945-1990).* Arbeitsversion Berlin 2005 (http://library.fes.de/FDGB-Lexikon).

EBERSBACH, Margit : « Institut für Ausländerstudium. Zum 50. Jahrestag der Gründung am 1. September 2006 » ; in : www.uni-leipzig.de/campus2009/jubilaeen/2006/auslaenderstudium.

ELSENHANS, Hartmut : *Frankreichs Algerienkrieg 1954-1962. Entkolonisierungsversuch einer kapitalistischen Metropole. Zum Zusammenbruch der Kolonialreiche.* München 1974, en français : *La Guerre d'Algérie 1954-1962. La transition d'une France à l'autre. Le passage de la IVe à la Ve République.* Paris 2000.

END, Heinrich : *Zweimal deutsche Außenpolitik. Internationale Dimensionen des innerdeutschen Konflikts 1949-1972.* Köln 1973.

ENGEL, Ulf : *Die Afrikapolitik der Bundesrepublik Deutschland 1949-1999: Rollen und Identitäten.* Münster 2000.

- et SCHLEICHER, H. G. : *Die beiden deutschen Staaten in Afrika: Zwischen Konkurrenz und Koexistenz.* Hamburg 1998.

DE FOLIN, Jacques: *Indochine 1940-1955. La fin d'un rêve.* Paris 1993.

GALLISSOT, René (éd.) : *Algérie / Engagements sociaux et question nationale. De la colonisation à l'indépendance de 1830 à 1962. Dictionnaire biographique du mouvement ouvrier Maghreb.* Le Maîtron. Paris 2006.

GERVEREAU, Laurent / RIOUX, Jean-Pierre / STORA, Benjamin : *La France en Guerre d'Algérie. Catalogue d'exposition.* Nanterre 1992.

HADJERES, Zadek : « Quelques informations et réflexions autour des relations PCA-FLN durant la guerre de libération » in *Mouvement social algérien : Histoire et perspectives* http://www.socialgerie.net, janvier/février 2010

HARIG, Katharina : « Das Ausländerstudium in der DDR und in Westdeutschland. » In : *Nationaler Befreiungskampf und Neokolonialismus.* Berlin (Ost) 1962.

HARBI, Mohammed : *Le FLN, mirage et réalité des origines à la prise du pouvoir (1945-1962)*. Paris 1980.

- « Le complot Lamouri. » *In* AGERON, Charles-Robert (sous la direction) : *La guerre d'Algérie et les Algériens 1954-1962.*

- *Une vie debout. Mémoires politiques.* Tome 1: 1945-1962. Paris 2001.

- et MEYNIER, Gilbert : *Le FLN. Documents et Histoire 1954-1962*. Paris 2004.

- et STORA, Benjamin (éds.) : *La guerre d'Algérie.* Paris 2004.

HERBST, Andreas / STEPHAN, Gerd-Rüdiger / WINKLER, Jürgen : *Die SED. Geschichte, Organisation, Politik*. Berlin 1997.

HEUSER, Beatrice : *Reading Clausewitz*. London 2002.

HOLLAND, Robert F. : *European Decolonization 1918-1981. An Introductory Survey*. London 1985.

- « Dirty wars : Algeria and Cyprus compared. » *In* AGERON, Charles-Robert / MICHEL, Marc (éd.) : *L'ère des décolonisations.* Paris 1995.

HORN, Andreas : *Die Gewerkschaftshochschule « Fritz Heckert » des FDGB*, Berlin 2003 ; *in* : www.bundesarchiv.de/aufgaben_organisation/abteilungen/sapmo/00751.

JARDIN, Pierre : « La place de la France dans la stratégie diplomatique de la RDA (1949-1961). » *In* : PFEIL, Ulrich (éd.) *La RDA et l'Occident (1949-1990).*

JAUFFRET, Jean-Charles : « L'armée et l'Algérie en 1954. » In : *Revue historique des armée*, 2, 1992, p. 15 à 25.

JOLY, Danièle : *The French Communist Party and the Algerian War*. London 1991.

JURQUET, Jacques : *La Révolution nationale algérienne et le Parti communiste français, tome 4: Algérie 1945-1954 des élections à la lutte armée*. Paris 1984.

KADER, Abdel : « Die unterschiedliche Haltung der Deutschen Bundesrepublik und der DDR gegenüber Algerien.» In : *Nationaler Befreiungskampf und Neokolonialismus*. Berlin (Ost) 1962.

KILIAN, Werner : *Die Hallstein-Doktrin. Der diplomatische Krieg zwischen der BRD und der DDR 1955-1973*. Berlin 2001.

KITTEL, Manfred : « Wider "die Kolonialmacht der französischen Großkapitalisten und die Rüstungsmillionäre des Nordatlantikpakts". SED und Algerienkrieg 1954-1962. » *In* Jean-Paul CAHN et Klaus Jürgen MÜLLER (éds.) : *L'Allemagne et la décolonisation française. Revue d'Allemagne*, tome 31, juillet-décembre 1999.

KLEIN, Peter (Hg.) : *Geschichte der Außenpolitik der Deutschen Demokratischen Republik*. Berlin (Ost) 1968.

KOHSER-SPOHN, Christiane et RENKEN, Frank (Hrsg.) : *Trauma Algerienkrieg. Zur Geschichte und Aufarbeitung eines tabuisierten Konflikts*. Frankfurt a.M. 2006.

LANGEWIESCHE, Dieter : « Zum Wandel von Krieg und Kriegslegitimation in der Neuzeit. » In : *Modern European History / Revue d'histoire européenne contemporaine*, vol. 2/2004/1.

LAPPENKÜPER, Ulrich : « Adenauer, de Gaulle und der Algerienkrieg (1958-1962). » *In :* Jean-Paul CAHN et Klaus Jürgen MÜLLER (éds.) : *L'Allemagne et la décolonisation française. Revue d'Allemagne*, tome 31, juillet-décembre 1999.

LEGGEWIE, Claus : *Kofferträger. Das Algerien-Projekt der Linken im Adenauer-Deutschland.* Berlin 1984.

LEMKE, Michael : « Die Außenbeziehungen der DDR (1949-1966). » *In* : PFEIL, Ulrich (Hg.): *Die DDR und der Westen. Transnationale Beziehungen 1949-1989.*

LORENZEN, Jan : « Die Haltung der DDR zum Suez-Krieg. Das Jahr 1956 als Zäsur in der Nahost-Politik der DDR. » In : *Deutschland Archiv*, n° 28, 1995.

VON LÖWIS OF MENAR, Henning : *DDR und Dritte Welt. in: Die innere und äußere Lage der DDR*. Berlin 1982.

MARILL, Jean-Marc : « L'héritage indochinois: adaptation de l'armée française en Algérie (1954-1956). » In *Revue historique des armées*, 2, 1992.

MARTINI, Michel : *Chronique des années algériennes 1946-1962.* Saint Denis 2002.

MEINICKE-KLEINT, Heinz : « Der deutsche Imperialismus und die Verschärfung der Widersprüche zwischen imperialistischen Ländern in Nordafrika (Marokko, Algerien, Tunesien).» In *Nationaler Befreiungskampf und Neokolonialismus.* Berlin (Ost) 1962.

METZGER, Chantal : « L'opinion publique est- et ouest-allemande face à la décolonisation en Indochine 1949-1954. » In *Guerres mondiales et conflits contemporains n° 164*, octobre 1991.

- « La politique française de la République Démocratique Allemande 1949-1955. » *In :* ALLAIN, Jean-Claude (éd.) : *Des étoiles et des croix.* Paris 1995.

- « Les Relations entre la RDA et l'Afrique noire de 1958 à 1962 vues par le Neues Deutschland. » *In* Jean-Paul CAHN et Klaus Jürgen MÜLLER (éds.) : *L'Allemagne et la décolonisation française. Revue d'Allemagne*, tome 31, juillet-décembre 1999.

MEYNIER, Gilbert : *Histoire intérieure du FLN 1954-1962.* Paris 2002.

- « Il fronte di liberazione nazionale algerino 1954-1962. » In *Studi piacentini,* 2004, n° 35.

MICHELS, Eckard : *Deutsche in der Fremdenlegion 1870-1965. Mythen und Realitäten.* Paderborn / München 1999.

- « Die Bundesrepublik und die französische Fremdenlegion 1949-1962. » In HANSEN, Ernst Willi / SCHREIBER, Gerhard / WEGNER, Bernd : *Politischer Wandel, organisierte Gewalt und nationale Sicherheit. Beiträge zur neueren Geschichte Deutschlands und Frankreichs (Festschrift für Klaus-Jürgen Müller).* München 1995.

MIQUEL, Pierre : *La guerre d'Algérie.* Paris 1993.

MONETA, Jakob : *Die Kolonialpolitik der französischen KP.* Hannover 1968. En français : *La politique du Parti communiste français dans la question coloniale 1920-1960.* Paris 1971.

MORRIS-JONES, W. H. / FISCHER, Georges : *Decolonisation and after. The British and French Experience.* London 1980.

MOUFFOK, Houari : *Parcours d'un étudiant algérien de l'UGEMA à UGEA.* Saint Denis 1999.

MÜLLER, Klaus-Jürgen : « Aspekte des deutsch-französischen Verhältnisses während des Algerienkrieges. » *In* Jean-Paul CAHN et Klaus JÜRGEN MÜLLER (éds.) : *L'Allemagne et la décolonisation française. Revue d'Allemagne*, tome 31, Juillet-Décembre 1999.

MÜLLER-ERNBERGS, Helmut / WIELGOHS, Jan / HOFFMANN, Dieter : *Wer war wer in der DDR? Ein biographisches Lexikon*. Berlin, Bundeszentrale für politische Bildung, 2000.

MUTH, Ingrid : *Die DDR-Außenpolitik 1949-1972. Inhalte, Strukturen, Mechanismen*. Berlin 2000.

Nationaler Befreiungskampf und Neokolonialismus. Berlin (Ost) 1962.

OSTEN, Walter : *Die Außenpolitik der DDR. Im Spannungsfeld zwischen Moskau und Bonn*. Opladen 1969.

PERVILLÉ, Guy : *Le sentiment national des étudiants algériens de culture française avant et pendant la guerre d'Algérie*. Mémoire de Maîtrise, manuscrit 1971.

- *Les étudiants musulmans algériens de l'université française 1908-1962*. Tome 3 de thèse, Paris 1980.

« L'insertion internationale du FLN algérien (1954-1962) », in *Relations internationales*, 1982, n° 31, p. 373-386.

- *De l'empire français à la décolonisation*. Paris 1991.

- *Pour une histoire de la Guerre d'Algérie 1954-1962*. Paris 2002.

- « Décolonisation "à l'algérienne" et "à la rhodésienne" en Afrique du Nord et en Afrique australe. » *In* AGERON, Charles-Robert / MICHEL, Marc (éd.) : *L'ère des décolonisations*. Paris 1995.

PFEIL, Ulrich (éd.) : *La RDA et l'Occident (1949-1990)*. Asnières, 2000.

- (Hg.): *Die DDR und der Westen. Transnationale Beziehungen 1949-1989*. Berlin 2001.

- *Die anderen deutsch-französischen Beziehungen. Die DDR und Frankreich 1949-1990*. Köln 2004.

PLANCHE, Jean-Louis : « Biographie de Larbi Bouhali. » In *Parcours. L'Algérie, les hommes & l'histoire. Recherches pour un dictionnaire biographique*. Paris, n° 11, décembre 1989.

VON PLATE, Bernard : « Der Nahe und Mittlere Osten sowie der Maghreb.» in JACOBSEN, Hans-Adolf *et al.* : *Drei Jahrzehnte Außenpolitik der DDR. Bestimmungsfaktoren, Instrumente, Aktionsfelder.* München/Wien 1979.

POLKEHN, Klaus : « Die Mission des Si Mustapha – ein Deutscher kämpft in Algerien. » In : *Comparativ. Leipziger Beiträge zur Universalgeschichte und vergleichenden Gesellschaftsforschung. Leipzig 16. Jahrgang, Heft 2: Deutschland und der Mittlere Osten im Kalten Krieg. Hrsg. von Wolfgang G. Schwanitz*. Leipzig 2006.

POUTRUS, Patrice G. : « An den Grenzen des proletarischen Internationalismus. Algerische Flüchtlinge in der DDR.» In *Zeitschrift für Geschichtswissenschaft. Berlin 55. Jahrgang (2007), Heft 2: Der Algerienkrieg in Europa (1954-1962). Beiträge zur Geschichte eines transnationalen Phänomens. Hrsg. von Jürgen Danyel und Patrice Poutrus.*

- «"Teure Genossen". Die "politischen Emigranten" als "Fremde" im Alltag der DDR-Gesellschaft.» In MÜLLER Christian Th. / POUTRUS, Patrice G. : *Ankunft – Alltag – Ausreise. Migration und interkulturelle Begegnung in der DDR-Gesellschaft. Köln 2005, Kapitel 4: Der Algerienkrieg als Bürgerkrieg in der DDR* (p. 248 *sq.*).

RADDE, Jürgen : *Die außenpolitische Führungselite der DDR. Veränderungen der sozialen Struktur außenpolitischer Führungsgruppen.* Köln 1976.

RENKEN, Frank : *Frankreich im Schatten des Algerienkrieges.* Göttingen 2006.

RÖSEBERG, Dorothee (Hg.): *Frankreich und « Das andere Deutschland ».* Tübingen 1999.

SCHEFFLER, Thomas : *Die SPD und der Algerienkrieg (1954-1962).* Berlin 1995.

SCHOLTYSEK, Joachim : *Die Außenpolitik der DDR.* München 2003.

SHEPARD, Todd : *The Invention of Decolonization.* Ithaca 2006, en français : *1962. Comment l'indépendance algérienne a transformé la France.* Paris 2008.

SHIPWAY, Martin : *Decolonization and its Impact. A Comparative Approach to the End of Colonial Empires.* Oxford 2008.

SIVAN, Emmanuel : *Communisme et nationalisme en Algérie 1920-1962.* Paris 1976.

SONTHEIMER, Kurt und Bleek, Wilhelm : *Die DDR. Politik, Gesellschaft, Wirtschaft.* Hamburg 1972.

STORA, Benjamin : *Dictionnaire biographique de militants nationalistes algériens 1926-1954.* Paris 1985.

- *Histoire de la guerre d'Algérie (1954-1962).* Paris, 2002.

TILLMANN, Heinz / KOWALSKI, Werner (ed.) : *Westdeutscher Neokolonialismus.* Berlin (Est) 1963.

TILLMANN, Heinz und Kowalski, Werner (Hg.) : *Westdeutscher Neokolonialismus.* Berlin (Ost) 1963.

TOUMERT, Abasse : *Le Parti Communiste Algérien de 1945 à 1954.* Mémoire de Maîtrise d'histoire Paris 10, septembre 1991.

VAÏSSE, Maurice : « La bataille internationale. » *In* GERVEREAU, Laurent / RIOUX, Jean-Pierre / STORA, Benjamin : *La France en Guerre d'Algérie.* Catalogue d'exposition, Nanterre 1992.

VATIN, J.-C. : « The Maghreb Response to French Institutional "Transfers": problems of analysis. » *In* MORRIS-JONES, W. H. / FISCHER, Georges : *Decolonisation and after. The British and French Experience.* London 1980.

WALSCH, Christopher : *Die Afrikapolitik Frankreichs 1956-1990. Ideen, Strategien, Paradoxien.* Frankfurt a.M. etc. 2007.

INDEX

TABLE DES MATIÈRES

Achevé d'imprimer en décembre 2010
sur les presses de la Nouvelle Imprimerie Laballery
58500 Clamecy
Dépôt légal : décembre 2010
Numéro d'impression : 011172

Imprimé en France

La Nouvelle Imprimerie Laballery est titulaire de la marque Imprim'Vert®

Composition : Catherine CAPUTO

2e semestre 2010
ISBN 978-2-915611-69-4

EDITIONS UNIVERSITAIRES DE DIJON

4, boulevard Gabriel
21000 Dijon